JN097956

令和6年版教科書対応

# 板書で見る 全単元の授業のすべて

# 国

## 小学校 1年 下

中村和弘 監修
岡崎智子・山下美香 編著

東洋館出版社

# まえがき

令和２年に全面実施となった小学校の学習指導要領では、これからの時代に求められる資質・能力や教育内容が示されました。

この改訂を受け、これからの国語科では、

・言語活動を通して「言葉による見方・考え方」を働かせながら学習に取り組むことができるようにする。
・単元の目標／評価を、〔知識及び技能〕と〔思考力、判断力、表現力等〕のそれぞれの指導事項を結び付けて設定し、それらの資質・能力が確実に身に付くよう学習過程を工夫する。
・「主体的・対話的で深い学び」の視点から、単元の構成や教材の扱い、言語活動の設定などを工夫する授業改善を行う。

などのことが求められています。

一方で、こうした授業が全国の教室で実現するには、いくつかの難しさを抱えているように思います。例えば、言語活動が重視されるあまり、「国語科の授業で肝心なのは、言葉や言葉の使い方などを学ぶことである」という共通認識が薄れているように感じています。

あるいは、活動には取り組めているけれども、「今日の学習で、どのような言葉の力が付いたのか」が、子供たちだけでなく教師においても、ややもすると自覚的でない授業を見ることもあります。

国語科の授業を通して「どんな力が付けばよいのか」「何を教えればよいのか」という肝心な部分で、困っている先生方が多いのではないかと思います。

＊　＊

さて、『板書で見る全単元の授業のすべて 小学校国語』（本シリーズ）は、平成29年の学習指導要領の改訂を受け、令和２年の全面実施に合わせて初版が刊行されました。このたび、令和６年版の教科書改訂に合わせて、本シリーズも改訂することになりました。

GIGA スクール構想に加え、新型コロナウイルス感染症の猛威などにより、教室での ICT 活用が急速に進み、この４年間で授業の在り方、学び方も大きく変わりました。改訂に当たっては、単元配列や教材の入れ替えなど新教科書に対応するだけでなく、ICT の効果的な活用方法や、個別最適な学びと協働的な学びを充実させるための手立てなど、今求められる授業づくりを発問と子供の反応例、板書案などを通して具体的に提案しています。

＊　＊

日々教室で子供たちと向き合う先生に、「この単元はこんなふうに授業を進めていけばよいのか」「国語の授業はこんなところがポイントなのか」と、国語科の授業づくりの楽しさを感じながらご活用いただければ幸いです。

令和６年４月

中村　和弘

# 本書活用のポイント―単元構想ページ―

本書は、各学年の全単元について、単元全体の構想と各時間の板書のイメージを中心とした本時案を紹介しています。各単元の冒頭にある単元構想ページの活用のポイントは次のとおりです。

**教材名と指導事項、関連する言語活動例**

本書の編集に当たっては、令和6年発行の光村図書出版の国語教科書を参考にしています。まずは、各単元で扱う教材とその時数、さらにその下段に示した学習指導要領に即した指導事項や関連する言語活動例を確かめましょう。

**単元の目標**

単元の目標を示しています。各単元で身に付けさせたい資質・能力の全体像を押さえておきましょう。

**評価規準**

ここでは、指導要録などの記録に残すための評価を取り上げています。本書では、記録に残すための評価は❶❷のように色付きの丸数字で統一して示しています。本時案の評価で色付きの丸数字が登場したときには、本ページの評価規準と併せて確認することで、より単元全体を意識した授業づくりができるようになります。

## 同じ読み方の漢字 （2時間扱い）

**単元の目標**

| | |
|---|---|
| 知識及び技能 | ・第5学年までに配当されている漢字を読むことができる。第4学年までに配当されている漢字を書き、文や文章の中で使うとともに、第5学年に配当されている漢字を漸次書き、文や文章の中で使うことができる。((1)エ) |
| 学びに向かう力、人間性等 | ・言葉がもつよさを認識するとともに、進んで読書をし、国語の大切さを自覚して思いや考えを伝え合おうとする。 |

**評価規準**

| | |
|---|---|
| 知識・技能 | ❶第5学年までに配当されている漢字を読んでいる。第4学年までに配当されている漢字を書き、文や文章の中で使うとともに、第5学年に配当されている漢字を漸次書き、文や文章の中で使っている。((知識及び技能)(1)エ) |
| 主体的に学習に取り組む態度 | ❷同じ読み方の漢字の使い分けに関心をもち、同訓異字や同音異義語について進んで調べたり使ったりして、学習課題に沿って、それらを理解しようとしている。 |

**単元の流れ**

| 時 | 主な学習活動 | 評価 |
|---|---|---|
| 1 | 学習の見通しをもつ<br>同訓異字を扱ったメールのやり取りを見て、気付いたことを発表する。<br>同訓異字と同音異義語について調べるという見通しをもち、学習課題を設定する。<br>同じ読み方の漢字について調べ、使い分けられるようになろう。<br>教科書の問題を解き、同訓異字や同音異義語を集める。<br>〈課外〉・同訓異字や同音異義語を集める。<br>・集めた言葉を教室に掲示し、共有する。 | ❶ |
| 2 | 集めた同訓異字や同音異義語から調べる言葉を選び、意味や使い方を調べ、ワークシートにまとめる。<br>調べたことを生かして、例文やクイズを作って紹介し合い、同訓異字や同音異義語の意味や使い方について理解する。<br>学習を振り返る<br>学んだことを振り返り、今後に生かしていきたいことを発表する。 | ❷ |

**授業づくりのポイント**

〈単元で育てたい資質・能力〉

本単元のねらいは、同じ読み方の漢字の理解を深め、正しく使うことができるようにすることである。

同じ読み方の漢字
156

**単元の流れ**

単元の目標や評価規準を押さえた上で、授業をどのように展開していくのかの大枠をここで押さえます。各展開例は学習活動ごとに構成し、それぞれに対応する評価をその右側の欄に示しています。

ここでは、「評価規準」で挙げた記録に残すための評価のみを取り上げていますが、本時案では必ずしも記録には残さない、指導に生かす評価も示しています。本時案での詳細かつ具体的な評価の記述と併せて確認することで、指導と評価の一体化を意識することが大切です。

また、学習の見通しをもつ 学習を振り返るという見出しが含まれる単元があります。見通しをもたせる場面と振り返りを行う場面を示すことで、教師が子供の学びに向かう姿を見取ったり、子供自身が自己評価を行う機会を保障したりすることに活用できるようにしています。

そのためには、どのような同訓異字や同音異義語があるか、国語辞典や漢字辞典などを使って進んで集めたり意味を調べたりすることに加えて、実際に使われている場面を想像する力が必要となる。

選んだ言葉の意味や使い方を調べ、例文やクイズを作ることで、漢字の意味を捉えたり、場面に応じて使い分けたりする力を育む。

[具体例]

○教科書に取り上げられている「熱い」「暑い」「厚い」を国語辞典で調べると、その言葉の意味とともに、熟語や対義語、例文が掲載されている。それらを使って、どう説明したら意味が似通っているときでも正しく使い分けることができるかを考え、理解を深めることができる。

〈教材・題材の特徴〉

教科書で扱われている同訓異字や同音異義語は、子どもに身に付けさせたい漢字や言葉ばかりであるが、ともすれば練習問題的な扱いになりがちである。子ども一人一人に応じた配慮をしながら、主体的に考えて取り組める活動にすることが大切である。

本教材での学習を通して、同訓異字や同音異義語が多いという日本語の特色とともに、一文字で意味をもち、使い分けることができる漢字の豊かさに気付かせたい。そのことが、漢字に対する興味・関心や学習への意欲を高めることになる。

[具体例]

○導入では、同訓異字によってすれ違いが起こる事例を提示する。生活の中で起こりそうな場面を設定することで、これから学習することへの興味・関心を高めるとともに、その事例の内容から課題を見つけ、学習の見通しをもたせることができる。

〈言語活動の工夫〉

数多くある同訓異字や同音異義語を区別して正しく使えるようになることを目標に、集めた言葉を付箋紙またはホワイトボードアプリにまとめる。言葉を集める際は、「自分たちが使い分けられるようになりたい漢字」という視点で集めることで、主体的に学習に取り組めるようにする。

さらに、例文やクイズを作成する過程では、使い分けができるような内容になっているかどうか、友達と互いにアドバイスし合いながら対話的に学習を進められるようにする。自分が理解するだけでなく、友達に自分が調べたことを分かりやすく伝えたいという相手意識を大切にしたい。

〈ICT の効果的な活用〉

**調査**：言葉集めの際は、国語辞典や漢字辞典を用いたい。しかし、辞典の扱いが厳しい児童にはインターネットでの検索を用いてもよいこととし、意味や例文の確認のために辞典を活用するよう声を掛ける。

**記録**：集めた言葉をホワイトボードアプリに記録していくことで、どんな言葉が集まったのかをクラスで共有することができる。

**共有**：端末のプレゼンテーションソフトなどを用いて例文を作り、同訓異字や同音異義語の部分を空欄にしたり、選択問題にしたりすることで、もっとクイズを作りたい、友達と解き合いたいという意欲につなげたい。

157

## 授業づくりのポイント

ここでは、各単元の授業づくりのポイントを取り上げています。

全ての単元において〈単元で育てたい資質・能力〉を解説しています。単元で育てたい資質・能力を確実に身に付けさせるために、気を付けたいポイントや留意点に触れています。授業づくりに欠かせないポイントを押さえておきましょう。

他にも、単元や教材文の特性に合わせて〈教材・題材の特徴〉〈言語活動の工夫〉〈他教材や他教科との関連〉〈子供の作品やノート例〉〈並行読書リスト〉などの内容を適宜解説しています。これらの解説を参考にして、学級の実態に応じた工夫を図ることが大切です。各項目では解説に加え、具体例も挙げていますので、併せてご確認ください。

## ICT の効果的な活用

1人1台端末の導入・活用状況を踏まえ、本単元における ICT 端末の効果的な活用について、「調査」「共有」「記録」「分類」「整理」「表現」などの機能ごとに解説しています。活用に当たっては、学年の発達段階や、学級の子供の実態に応じて取捨選択し、アレンジすることが大切です。

本ページ、また本時案ページを通して、具体的なソフト名は使用せず、原則、下記のとおり用語を統一しています。ただし、アプリ固有の機能などについて説明したい場合はアプリ名を記載することとしています。

〈ICT ソフト：統一用語〉

Safari、Chrome、Edge →ウェブブラウザ ／ Pages、ドキュメント、Word →文書作成ソフト

Numbers、スプレッドシート、Excel →表計算ソフト ／ Keynote、スライド、PowerPoint →プレゼンテーションソフト ／ クラスルーム、Google Classroom、Teams →学習支援ソフト

# 本書活用のポイント―本時案ページ―

単元の各時間の授業案は、板書のイメージを中心に、目標や評価、学習の進め方などを合わせて見開きで構成しています。各単元の本時案ページの活用のポイントは次のとおりです。

### 本時の目標

本時の目標を示しています。単元構想ページとは異なり、各時間の内容により即した目標を示していますので、「授業の流れ」などと併せてご確認ください。

### 本時の主な評価

ここでは、各時間における評価について２種類に分類して示しています。それぞれの意味は次のとおりです。

**○❶❷などの色付き丸数字が付いている評価**

指導要録などの記録に残すための評価を表しています。単元構想ページにある「単元の流れ」の表に示された評価と対応しています。各時間の内容に即した形で示していますので、具体的な評価のポイントを確認することができます。

**○「・」の付いている評価**

必ずしも記録に残さない、指導に生かす評価を表しています。以降の指導に反映するための教師の見取りとして大切な視点です。指導との関連性を高めるためにご活用ください。

本時案

## 同じ読み方の漢字

**本時の目標**

・同訓異字と同音異義語について知り、言葉や漢字への興味を高めることができる。

**本時の主な評価**

❶同訓異字や同音異義語を集めて、それぞれの意味を調べている。【知・技】

・漢字や言葉の読みと意味の関係に興味をもち、進んで調べたり考えたりしている。

**資料等の準備**

・メールのやりとりを表す掲示物
・国語辞典
・漢字辞典
・関連図書（『ことばの使い分け辞典』学研プラス、『同音異義語・同訓異字①②』童心社、『のびーる国語 使い分け漢字』KADOKAWA）

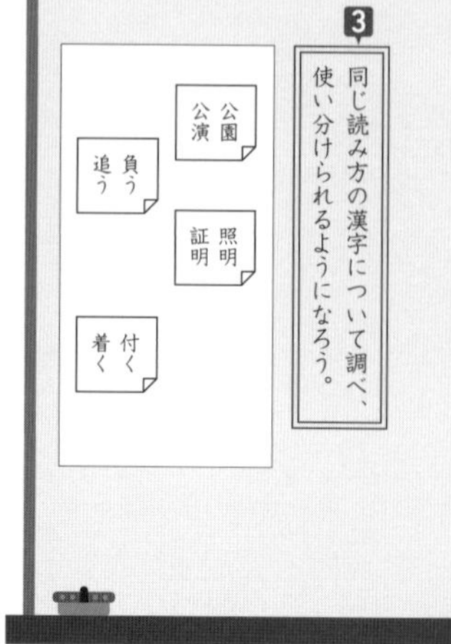


**授業の流れ** 

**1 同訓異字を扱ったやり取りを見て、気付いたことを発表する 〈10分〉**

T 今から、あるやり取りを見せます。どんな学習をするのか、考えながら見てください。
○「移す」と「写す」を使ったやり取りを見せることで、同訓異字の存在に気付いてその特徴を知り、興味・関心を高められるようにする。
・「移す」と「写す」で意味の行き違いが生まれてしまいました。
・同じ読み方でも、意味が違う漢字の学習をするのだと思います。
・自分も、どの漢字を使えばよいのか迷った経験があります。

**ICT 端末の活用ポイント**

メールのやり取りは、掲示物ではなく、プレゼンテーションソフトで作成し、アニメーションで示すと、より生活経験に近づく。

**2 学習のめあてを確認し、同訓異字と同音異義語について知る 〈10分〉**

T 教科書 p.84の「あつい」について、合う言葉を線で結びましょう。
・「熱い」と「暑い」は意味が似ているから、間違えやすいな。
T このように、同じ訓の漢字や同じ音の熟語が日本語にはたくさんあります。それらの言葉を集めて、どんな使い方をするのか調べてみましょう。
○「同じ訓の漢字（同訓異字）」と「同じ音の熟語（同音異義語）」を押さえ、訓読みと音読みの違いを理解できるようにする。

同じ読み方の漢字
158

### 資料等の準備

ここでは、板書をつくる際に準備するとよいと思われる絵やカード等について、箇条書きで示しています。なお、㊦の付いている付録資料については、巻末にダウンロード方法を示しています。

### ICT 端末の活用ポイント／ICT 等活用アイデア

必要に応じて、活動の流れの中での ICT 端末の活用の具体例や、本時における ICT 活用の効果などを解説しています。

学級の子供の実態に応じて取り入れ、それぞれの考えや意見を瞬時に共有したり、分類することで思考を整理したり、記録に残して見返すことで振り返りに活用したりなど、学びを深めるための手立てとして活用しましょう。

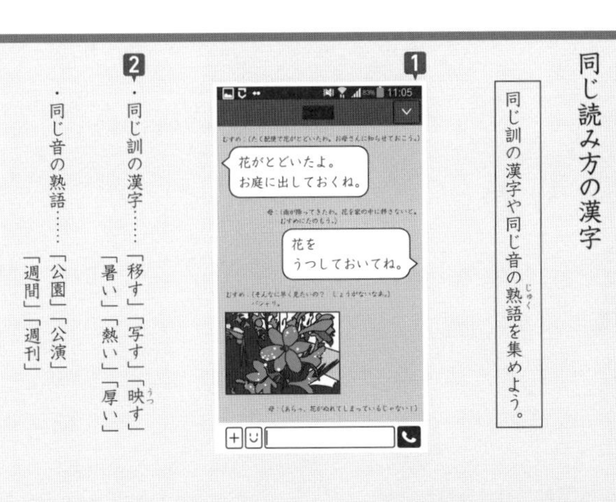


**3 教科書の問題を解き、同訓異字や同音異義語を集める 〈25分〉**

T 同じ訓の漢字や同じ音の熟語は、意味を考えて、どの漢字を使うのが適切かを考えなければなりません。教科書の問題を解いて、練習してみましょう。

○初めから辞典で調べるのではなく、まずは子ども自身で意味を考えさせたい。難しい子どもには、ヒントとなるような助言をする。

T これまで習った漢字の中から、自分たちが使い分けられるようになりたい同じ訓の漢字や、同じ音の熟語を集めてみましょう。

○漢字辞典や国語辞典だけでなく、関連図書を準備しておくとよい。

T 次時は、理解を深めたい字の使い分け方について調べて、友達に伝えましょう。

**ICT 等活用アイデア**

**調査活動を広げる工夫**

第1時と第2時の間の課外で、同訓異字・同音異義語を集める活動を行う。辞典だけでなく、経験やインタビュー、さらにインターネットなどを活用するとよい。

また、集めた言葉を「同じ訓の字」と「同じ音の熟語」に分けてホワイトボードアプリに記録していくことで、友達がどんな言葉を見つけたのか、どのくらい集まったのかをクラスで共有することができる。

第1時
159

## 本時の板書例

子供たちの学びを活性化させ、授業の成果を視覚的に確認するための板書例を示しています。学習活動に関する項立てだけでなく、子供の発言例なども示すことで、板書全体の構成をつかみやすくなっています。

板書に示されている**1** **2**などの色付きの数字は、「授業の流れ」の各展開と対応しています。どのタイミングで何を提示していくのかを確認し、板書を効果的に活用することを心掛けましょう。

色付きの吹き出しは、板書をする際の留意点です。実際の板書では、テンポよくまとめる必要がある部分があったり、反対に子供の発言を丁寧に記していく必要がある部分があったりします。留意点を参考にすることで、メリハリをつけて板書を作ることができるようになります。

その他、色付きの文字で示された部分は実際の板書には反映されない部分です。黒板に貼る掲示物などが当たります。

これらの要素をしっかりと把握することで、授業展開と一体となった板書を作り上げることができます。

## よりよい授業へのステップ

ここでは、本時の指導についてポイントを絞って解説しています。授業を行うに当たって、子供がつまずきやすいポイントやさらに深めたい内容について、各時間の内容に即して実践的に示しています。よりよい授業づくりのために必要な視点を押さえましょう。

## 授業の流れ

1時間の授業をどのように展開していくのかについて示しています。

各展開例について、主な学習活動とともに目安となる時間を示しています。導入に時間を割きすぎたり、主となる学習活動に時間を取れなかったりすることを避けるために、時間配分もしっかりと確認しておきましょう。

各展開は、T：教師の発問や指示等、・：予想される子供の反応例、○：留意点等の3つの内容で構成されています。この展開例を参考に、各学級の実態に合わせてアレンジを加え、より効果的な授業展開を図ることが大切です。

板書で見る全単元の授業のすべて
# 国語 小学校１年下 ―令和６年版教科書対応―
もくじ



## 1 第１学年における授業づくりのポイント



## 2 第１学年の授業展開

# 1

# 第 1 学年における<br>授業づくりのポイント

# 「主体的・対話的で深い学び」を目指す授業づくりのポイント

## 1 国語科における「主体的・対話的で深い学び」の実現

平成29年告示の学習指導要領では、国語科の内容は育成を目指す資質・能力の３つの柱の整理を踏まえ、〔知識及び技能〕と〔思考力、判断力、表現力等〕から編成されている。これらの資質・能力は、国語科の場合は言語活動を通して育成される。

つまり、子供の取り組む言語活動が充実したものであれば、その活動を通して、教師の意図した資質・能力は効果的に身に付くということになる。逆に、子供にとって言語活動がつまらなかったり気が乗らなかったりすると、資質・能力も身に付きにくいということになる。

ただ、どんなに言語活動が魅力的であったとしても、あるいは子供が熱中して取り組んだとしても、それらを通して肝心の国語科としての資質・能力が身に付かなければ、本末転倒ということになってしまう。

このように、国語科における学習活動すなわち言語活動は、きわめて重要な役割を担っている。その言語活動の質を向上させていくための視点が、「主体的・対話的で深い学び」ということになる。学習指導要領の「指導計画の作成と内容の取扱い」では、次のように示されている。

> 単元など内容や時間のまとまりを見通して、その中で育む資質・能力の育成に向けて、児童の主体的・対話的で深い学びの実現を図るようにすること。その際、言葉による見方・考え方を働かせ、言語活動を通して、言葉の特徴や使い方などを理解し自分の思いや考えを深める学習の充実を図ること。

ここにあるように、「主体的・対話的で深い学び」の実現は、「資質・能力の育成に向けて」工夫されなければならない点を確認しておきたい。

## 2 主体的な学びを生み出す

例えば、「読むこと」の学習では、子供の読む力は、何度も文章を読むことを通して高まる。ただし、「読みましょう」と教師に指示されて読むよりも、「どうしてだろう」と問いをもって読んだり、「こんな点を考えてみよう」と目的をもって読んだりした方が、ずっと効果的である。問いや目的は、子供の自発的な読みを促してくれる。

教師からの「〇場面の人物の気持ちを考えましょう」という指示的な学習課題だけでは、こうした自発的な読みが生まれにくい。「〇場面の人物の気持ちは、前の場面と比べてどうか」「なぜ、変化したのか」「ＡとＢと、どちらの気持ちだと考えられるか」など、子供の問いや目的につながる課題や発問を工夫することが、主体的な学びの実現へとつながる。

この点は、「話すこと・聞くこと」や「書くこと」の授業でも同じである。「まず、こう書きましょう」「書けましたか。次はこう書きましょう」という指示の繰り返しで書かせていくと、活動がいつの間にか作業になってしまう。それだけではなく、「どう書けばいいと思う？」「前にどんな書き方を習った？」「どう工夫して書けばいい文章になるだろう？」などのように、子供に問いかけ、考えさせながら書かせていくことで、主体的な学びも生まれやすくなる。

## 3 対話的な学びを生み出す

対話的な学びとして、グループで話し合う活動を取り入れても、子供たちに話し合いたいことがなければ、形だけの活動になってしまう。活動そのものが大切なのではなく、何かを解決したり考えたりする際に、１人で取り組むだけではなく、近くの友達や教師などの様々な相手に、相談したり自分の考えを聞いてもらったりすることに意味がある。

そのためには、例えば、「疑問（〇〇って、どうなのだろうね？）」「共感や共有（ねえ、聞いてほしいんだけど……）」「目的（いっしょに、〇〇しよう！）」「相談（〇〇をどうしたらいいのかな）」などをもたせることが有用である。その上で、何分で話し合うのか（時間）、誰と話し合うのか（相手）、どのように話し合うのか（方法や形態）といったことを工夫するのである。

また、国語における対話的な学びでは、相手や対象に「耳を傾ける」ことが大切である。相手の言っていることにしっかり耳を傾け、「何を言おうとしているのか」という意図など考えながら聞くということである。

大人でもそうだが、思っていることや考えていることなど、頭の中の全てを言葉で言い表すことはできない。だからこそ、聞き手は、相手の言葉を手がかりにしながら、その人がうまく言葉にできていない思いや考え、意図を汲み取って聞くことが大切になってくる。

聞くとは、受け止めることであり、フォローすることである。聞き手がそのように受け止めてくれることで、話し手の方も、うまく言葉にできなくても口を開くことができる。対話的な学びとは、話し手と聞き手とが、互いの思いや考えをフォローし合いながら言語化する共同作業である。対話することを通して、思いや考えが言葉になり、そのことが思考を深めることにつながる。

国語における対話的な学びの場面では、こうした言葉の役割や対話をすることの意味などに気付いていくことも、言葉を学ぶ教科だからこそ、大切にしていきたい。

## 4 深い学びを生み出す

深い学びを実現するには、言葉による見方・考え方を働かせ、言語活動を通して国語科としての資質・能力を身に付けることが欠かせない（「言葉による見方・考え方」については、次ページを参照）。授業を通して、子供の中に、言葉や言葉の使い方についての発見や更新が生まれるということである。

国語の授業は、言語活動を通して行われるため、どうしても活動することが目的化しがちである。だからこそ、読むことでも書くことでも、「どのような言葉や言葉の使い方を学習するために、この活動を行っているのか」を、常に意識して授業を考えていくことが最も大切である。

そのためには、例えば、学習指導案の本時の目標と評価を、できる限り明確に書くようにすることが考えられる。「〇場面を読んで、人物の気持ちを想像する」という目標では、どのような語句や表現に着目し、どのように想像させるのかがはっきりしない。教材研究などを通して、この場面で深く考えさせたい叙述や表現はどこなのかを明確にすると、学習する内容も焦点化される。つまり、本時の場面の中で、どの語句や表現に時間をかけて学習すればよいかが見えてくる。全部は教えられないので、扱う内容の焦点化を図るのである。焦点化した内容について、課題の設定や言語活動を工夫して、子供の学びを深めていく。言葉や言葉の使い方についての、発見や更新を促していく。評価についても同様で、何がどのように読めればよいのかを、子供の姿で考えることでより具体的になる。

このように、授業のねらいが明確になり、扱う内容が焦点化されると、その部分の学習が難しい子供への手立ても、具体的に用意することができる。どのように助言したり、考え方を示したりすればその子供の学習が深まるのかを、個別に具体的に考えていくのである。

# 「言葉による見方・考え方」を働かせる授業づくりのポイント

## 1 「言葉を学ぶ」教科としての国語科の授業

国語科は「言葉を学ぶ」教科である。

物語を読んで登場人物の気持ちについて話し合っても、説明文を読んで分かったことを新聞にまとめても、その言語活動のさなかに、「言葉を学ぶ」ことが子供の中に起きていなければ、国語科の学習に取り組んだとは言いがたい。

「言葉を学ぶ」とは、普段は意識することのない「言葉」を学習の対象とすることであり、これもまたあまり意識することのない「言葉の使い方」（話したり聞いたり書いたり読んだりすること）について、意識的によりよい使い方を考えたり向上させたりしていくことである。

例えば、国語科で「ありの行列」という説明的文章を読むのは、アリの生態や体の仕組みについて詳しくなるためではない。その文章が、どのように書かれているかを学ぶために読む。だから、文章の構成を考えたり、説明の順序を表す接続語に着目したりする。あるいは、「問い」の部分と「答え」の部分を、文章全体から見つけたりする。

つまり、国語科の授業では、例えば、文章の内容を読み取るだけでなく、文章中の「言葉」の意味や使い方、効果などに着目しながら、筆者の書き方の工夫を考えることなどが必要である。また、文章を書く際にも、構成や表現などを工夫し、試行錯誤しながら相手や目的に応じた文章を書き進めていくことなどが必要となってくる。

## 2 言葉による見方・考え方を働かせるとは

平成29年告示の学習指導要領では、小学校国語科の教科の目標として「言葉による見方・考え方を働かせ、言語活動を通して、国語で正確に理解し適切に表現する資質・能力を次のとおり育成することを目指す」とある。その「言葉による見方・考え方を働かせる」ということついて、『小学校学習指導要領解説　国語編』では、次のように説明されている。

> 言葉による見方・考え方を働かせるとは、児童が学習の中で、対象と言葉、言葉と言葉との関係を、言葉の意味、働き、使い方等に着目して捉えたり問い直したりして、言葉への自覚を高めることであると考えられる。様々な事象の内容を自然科学や社会科学等の視点から理解することを直接の学習目的としない国語科においては、言葉を通じた理解や表現及びそこで用いられる言葉そのものを学習対象としている。このため、「言葉による見方・考え方」を働かせることが、国語科において育成を目指す資質・能力をよりよく身に付けることにつながることとなる。

一言でいえば、言葉による見方・考え方を働かせるとは、「言葉」に着目し、読んだり書いたりする活動の中で、「言葉」の意味や働き、その使い方に目を向け、意識化していくことである。

前に述べたように、「ありの行列」という教材を読む場合、文章の内容の理解のみを授業のねらいとすると、理科の授業に近くなってしまう。もちろん、言葉を通して内容を正しく読み取ることは、国語科の学習として必要なことである。しかし、接続語に着目したり段落と段落の関係を考えたりと、文章中に様々に使われている「言葉」を捉え、その意味や働き、使い方などを検討していくことが、言葉による見方・考え方を働かせることにつながる。子供たちに、文章の内容への興味をもたせるとともに、書かれている「言葉」を意識させ、「言葉そのもの」に関心をもたせることが、国語科の授業では大切となる。

## 3 〔知識及び技能〕と〔思考力、判断力、表現力等〕

言葉による見方・考え方を働かせながら、文章を読んだり書いたりさせるためには、〔知識及び技能〕の事項と〔思考力、判断力、表現力等〕の事項とを組み合わせて、授業を構成していくことが必要となる。文章の内容ではなく、接続語の使い方や文末表現への着目、文章構成の工夫や比喩表現の効果など、文章の書き方に目を向けて考えていくためには、そもそもそういった種類の「言葉の知識」が必要である。それらは主に〔知識及び技能〕の事項として編成されている。

一方で、そうした知識は、ただ知っているだけでは、読んだり書いたりするときに生かされてこない。例えば、文章構成に関する知識を使って、今読んでいる文章について、構成に着目してその特徴や筆者の工夫を考えてみる。あるいは、これから書こうとしている文章について、様々な構成の仕方を検討し、相手や目的に合った書き方を工夫してみる。これらの「読むこと」や「書くこと」などの領域は、〔思考力、判断力、表現力等〕の事項として示されているので、どう読むか、どう書くかを考えたり判断したりする言語活動を組み込むことが求められている。

このように、言葉による見方・考え方を働かせながら読んだり書いたりするには、「言葉」に関する知識・技能と、それらをどう駆使して読んだり書いたりすればいいのかという思考力や判断力などの、両方の資質・能力が必要となる。単元においても、〔知識及び技能〕の事項と〔思考力、判断力、表現力等〕の事項とを両輪のように組み合わせて、目標／評価を考えていくことになる。先に引用した『解説』の最後に、「『言葉による見方・考え方』を働かせることが、国語科において育成を目指す資質・能力をよりよく身に付けることにつながる」としているのも、こうした理由からである。

## 4 他教科等の学習を深めるために

もう１つ大切なことは、言葉による見方・考え方を働かせることが、各教科等の学習にもつながってくる点である。一般的に、学習指導要領で使われている「見方・考え方」とは、その教科の学びの本質に当たるものであり、教科固有のものであるとして説明されている。ところが、言葉による見方・考え方は、他教科等の学習を深めることとも関係してくる。

これまで述べてきたように、国語科で文章を読むときには、書かれている内容だけでなく、どう書いてあるかという「言葉」の面にも着目して読んだり考えたりしていくことが大切である。

この「言葉」に着目し、意味を深く考えたり、使い方について検討したりすることは、社会科や理科の教科書や資料集を読んでいく際にも、当然つながっていくものである。例えば、言葉による見方・考え方が働くということは、社会の資料集や理科の教科書を読んでいるときにも、「この言葉の意味は何だろう、何を表しているのだろう」と、言葉と対象の関係を考えようとしたり、「この用語と前に出てきた用語とは似ているが何が違うのだろう」と言葉どうしを比較して検討しようとしたりするということである。

教師が、「その言葉の意味を調べてみよう」「用語同士を比べてみよう」と言わなくても、子供自身が言葉による見方・考え方を働かせることで、そうした学びを自発的にスタートさせることができる。国語科で、言葉による見方・考え方を働かせながら学習を重ねてきた子供たちは、「言葉」を意識的に捉えられる「構え」が生まれている。それが他の教科の学習の際にも働くのである。

言語活動に取り組ませる際に、どんな「言葉」に着目させて、読ませたり書かせたりするのかを、教材研究などを通してしっかり捉えておくことが大切である。

# 学習評価のポイント

## 1 国語科における評価の観点

各教科等における評価は、平成29年告示の学習指導要領に沿った授業づくりにおいても、観点別の目標準拠評価の方式である。学習指導要領に示される各教科等の目標や内容に照らして、子供の学習状況を評価するということであり、評価の在り方としてはこれまでと大きく変わることはない。

ただし、その学習指導要領そのものが、「知識及び技能」「思考力、判断力、表現力等」「学びに向かう力、人間性等」の資質・能力の３つの柱で、目標や内容が構成されている。そのため、観点別学習状況の評価についても、この３つの柱に基づいた観点で行われることとなる。

国語科の評価観点も、これまでの５観点から次の３観点へと変更される。

「(国語への）関心・意欲・態度」
「話す・聞く能力」
「書く能力」
「読む能力」
「(言語についての）知識・理解（・技能)」

→

「知識・技能」
「思考・判断・表現」
「主体的に学習に取り組む態度」

## 2 「知識・技能」「思考・判断・表現」の評価規準

国語科の評価観点のうち、「知識・技能」と「思考・判断・表現」については、それぞれ学習指導要領に示されている〔知識及び技能〕と〔思考力、判断力、表現力等〕と対応している。

例えば、低学年の「話すこと・聞くこと」の領域で、夏休みにあったことを紹介する単元があり、次の２つの指導事項を身に付けることになっていたとする。

・音節と文字との関係、アクセントによる語の意味の違いなどに気付くとともに、姿勢や口形、発声や発音に注意して話すこと。　〔知識及び技能〕(1)イ
・相手に伝わるように、行動したことや経験したことに基づいて、話す事柄の順序を考えること。　〔思考力、判断力、表現力等〕Ａ話すこと・聞くことイ

この単元の学習評価を考えるには、これらの指導事項が身に付いた状態を示すことが必要である。したがって、評価規準は次のように設定される。

| 「知識・技能」 | 姿勢や口形、発声や発音に注意して話している。 |
|---|---|
| 「思考・判断・表現」 | 「話すこと・聞くこと」において、相手に伝わるように、行動したことや経験したことに基づいて、話す事柄の順序を考えている。 |

このように、「知識・技能」と「思考・判断・表現」の評価については、単元で扱う指導事項の文末を「〜こと」から「〜している」として置き換えると、評価規準を作成することができる。その際、単元で育成したい資質・能力に照らして、指導事項の文言の一部を用いて評価規準を作成する場合もあることに気を付けたい。また、「思考・判断・表現」の評価を書くにあたっては、例のように、冒頭に「『話すこと・聞くこと』において」といった領域名を明記すること（「書くこと」「読む

こと」も同様）も必要である。

## 3 「主体的に学習に取り組む態度」の評価規準

一方で、「主体的に学習に取り組む態度」の評価については、指導事項の文言をそのまま使うということができない。学習指導要領では、「学びに向かう力、人間性等」については教科の目標や学年の目標に示されてはいるが、指導事項としては記載されていないからである。そこで、「主体的に学習に取り組む態度」の評価規準は、それぞれの単元で、育成する資質・能力と言語活動に応じて、次のように作成する必要がある。

「主体的に学習に取り組む態度」の評価規準は、次の①～④の内容で構成される（〈　〉内は当該内容の学習上の例示）。

①粘り強さ〈積極的に、進んで、粘り強く等〉
②自らの学習の調整〈学習の見通しをもって、学習課題に沿って、今までの学習を生かして等〉
③他の２観点において重点とする内容（特に、粘り強さを発揮してほしい内容）
④当該単元（や題材）の具体的な言語活動（自らの学習の調整が必要となる具体的な言語活動）

先の低学年の「話すこと・聞くこと」の単元の場合でいえば、この①～④の要素に当てはめてみると、例えば、①は「進んで」、②は「今までの学習を生かして」、③は「相手に伝わるように話す事柄の順序を考え」、④は「夏休みの出来事を紹介している」とすることができる。

この①～④の文言を、語順などを入れ替えて自然な文とすると、この単元での「主体的に学習に取り組む態度」の評価規準は、

| 「主体的に学習に取り組む態度」 | 進んで相手に伝わるように話す事柄の順序を考え、今までの学習を生かして、夏休みの出来事を紹介しようとしている。 |
|---|---|

と設定することができる。

## 4 評価の計画を工夫して

学習指導案を作る際には、「単元の指導計画」などの欄に、単元のどの時間にどのような言語活動を行い、どのような資質・能力の育成をして、どう評価するのかといったことを位置付けていく必要がある。評価規準に示した子供の姿を、単元のどの時間でどのように把握し記録に残すかを、計画段階から考えておかなければならない。

ただし、毎時間、全員の学習状況を把握して記録していくということは、現実的には難しい。そこで、ABC といった記録に残す評価活動をする場合と、記録には残さないが、子供の学習の様子を捉え指導に生かす評価活動をする場合との、２つの学習評価の在り方を考えるとよい。

記録に残す評価は、評価規準に示した子供の学習状況を、原則として言語活動のまとまりごとに評価していく。そのため、単元のどのタイミングで、どのような方法で評価するかを、あらかじめ計画しておく必要がある。一方、指導に生かす評価は、毎時間の授業の目標などに照らして、子供の学習の様子をそのつど把握し、日々の指導の工夫につなげていくことがポイントである。

こうした２つの学習評価の在り方をうまく使い分けながら、子供の学習の様子を捉えられるようにしたい。

# 板書づくりのポイント

## 1 縦書き板書の意義

国語科の板書のポイントの１つは、「縦書き」ということである。教科書も縦書き、ノートも縦書き、板書も縦書きが基本となる。

また、学習者が小学生であることから、板書が子供たちに与える影響が大きい点も見過ごすことができない。整わない板書、見にくい板書では子供たちもノートが取りにくい。また、子供の字は教師の字の書き方に似てくると言われることもある。

教師の側では、ICT 端末や電子黒板、デジタル教科書を活用し、いわば「書かないで済む板書」の工夫ができるが、子供たちのノートは基本的に手書きである。教師の書く縦書きの板書は、子供たちにとっては縦書きで字を書いたりノートを作ったりするときの、欠かすことのできない手がかりとなる。

デジタル機器を上手に使いこなしながら、手書きで板書を構成することのよさを再確認したい。

## 2 板書の構成

基本的には、黒板の右側から書き始め、授業の展開とともに左向きに書き進め、左端に最後のまとめなどがくるように構成していく。板書は45分の授業を終えたときに、今日はどのような学習に取り組んだのかが、子供たちが一目で分かるように書き進めていくことが原則である。

黒板の右側　授業の始めに、学習日、単元名や教材名、本時の学習課題などを書く。学習課題は、色チョークで目立つように書く。

黒板の中央　授業の展開や学習内容に合わせて、レイアウトを工夫しながら書く。上下二段に分けて書いたり、教材文の拡大コピーや写真や挿絵のコピーも貼ったりしながら、原則として左に向かって書き進める。チョークの色を決めておいたり（白色を基本として、課題や大切な用語は赤色で、目立たせたい言葉は黄色で囲むなど）、矢印や囲みなども工夫したりして、視覚的にメリハリのある板書を構成していく。

黒板の左側　授業も終わりに近付き、まとめを書いたり、今日の学習の大切なところを確認したりする。

## 3 教具を使って

### ⑴ 短冊など

画用紙などを縦長に切ってつなげ、学習課題や大切なポイント、キーワードとなる教材文の一部などを事前に用意しておくことができる。チョークで書かずに短冊を貼ることで、効率的に授業を進めることができる。ただ、子供たちが短冊をノートに書き写すのに時間がかかったりするなど、配慮が必要なこともあることを知っておきたい。

### ⑵ ミニホワイトボード

グループで話し合ったことなどを、ミニホワイトボードに短く書かせて黒板に貼っていくと、それらを見ながら、意見を仲間分けをしたり新たな考えを生み出したりすることができる。専用のものでなくても、100円ショップなどに売っている家庭用ホワイトボードの裏に、板磁石を両面テープで貼るなどして作ることもできる。

### ⑶ 挿絵や写真など

物語や説明文を読む学習の際に、場面で使われている挿絵をコピーしたり、文章中に出てくる写真や図表を拡大したりして、黒板に貼っていく。物語の場面の展開を確かめたり、文章と図表との関係を考えたりと、いろいろな場面で活用できる。

### ⑷ ネーム磁石

クラス全体で話合いをするときなど、子供の発言を教師が短くまとめ、板書していくことが多い。そのとき、板書した意見の上や下に、子供の名前を書いた磁石も一緒に貼っていく。そうすると、誰の意見かが一目で分かる。子供たちも「前に出た○○さんに付け加えだけど……」のように、黒板を見ながら発言をしたり、意見をつなげたりしやすくなる。

## 4 黒板の左右に

### ⑴ 単元の学習計画や本時の学習の流れ

単元の指導計画を子供向けに書き直したものを提示することで、この先、何のためにどのように学習を進めるのかという見通しを、子供たちももつことができる。また、今日の学習が全体の何時間目に当たるのかも、一目で分かる。本時の授業の進め方も、黒板の左右の端や、ミニホワイトボードなどに書いておくこともできる。

### ⑵ スクリーンや電子黒板

黒板の上に広げるロール状のスクリーンを使用する場合は、当然その分だけ、板書のスペースが少なくなる。電子黒板などがある場合には、教材文などは拡大してそちらに映し、黒板のほうは学習課題や子供の発言などを書いていくことができる。いずれも、黒板とスクリーン（電子黒板）という２つをどう使い分け、どちらにどのような役割をもたせるかなど、意図的に工夫すると互いをより効果的に使うことができる。

### ⑶ 教室掲示を工夫して

教材文を拡大コピーしてそこに書き込んだり、挿絵などをコピーしたりしたものは、その時間の学習の記録として、教室の背面や側面などに掲示していくことができる。前の時間にどんなことを勉強したのか、それらを見ると一目で振り返ることができる。また、いわゆる学習用語などは、そのつど色画用紙などに書いて掲示していくと、学習の中で子供たちが使える言葉が増えてくる。

## 5 上達に向けて

### ⑴ 板書計画を考える

本時の学習指導案を作るときには、板書計画も合わせて考えることが大切である。本時の学習内容や活動の進め方とどう連動しながら、どのように板書を構成していくのかを具体的にイメージすることができる。

### ⑵ 自分の板書を撮影しておく

自分の授業を記録に取るのは大変だが、「今日は、よい板書ができた」というときには、板書だけ写真に残しておくとよい。自分の記録になるとともに、印刷して次の授業のときに配れば、前時の学習を振り返る教材として活用することもできる。

### ⑶ 同僚の板書を参考にする

最初から板書をうまく構成することは、難しい。誰もが見よう見まねで始め、工夫しながら少しずつ上達していく。校内でできるだけ同僚の授業を見せてもらい、板書の工夫を学ばせてもらうとよい。時間が取れないときも、通りがかりに廊下から黒板を見させてもらうだけでも勉強になる。

# ICT 活用のポイント

## 1 ICT を活用した国語の授業をつくる

GIGA スクール構想による 1 人 1 台端末の整備が進み、教室の学習環境は様々に変化している。子供たちの手元にはタブレットなどの ICT 端末があり、教室には大型のモニターやスクリーンが用意されるようになった。また、校内のネットワーク環境も整備されて、かつては学校図書館やパソコンルームで行っていた調べ学習も、教室の自分の席に座ったままでいろいろな情報にアクセスできるようになった。

一方、子供たちの机の上には、これまでと同じく教科書やノートもあり、前面には黒板もあって様々に活用されている。紙の本やノート、黒板などを使って手で書いたり読んだりする学習と、ICT を活用して情報を集めたり共有したりする学習との、いわば「ハイブリッドな学び」が生まれている。

それぞれの学習方法のメリットを生かし、学年の発達段階や学習の内容に合わせて、活用の仕方を工夫していきたい。

## 2 国語の授業での ICT 活用例

ICT の活用によって、国語の授業でも次のような学習活動が可能になっている。本書でも、単元ごとに様々な活用例を示している。

共有する

文章を読んだ意見や感想、また書いた作文などをアップロードして、その場で互いに読み合うことができる。また、付箋機能などを使って、考えを整理したり、意見を視覚化して共有しながら話合いを行ったりすることもできる。ICT を活用した共有や交流は、国語の授業の様々な場面で工夫することができる。

書く

書いたり消したり直したりすることがしやすい点が、原稿用紙に書くこととの違いである。字を書くことへの抵抗感を減らす点もメリットであり、音声入力からまずテキスト化して、それを推敲しながら文章を作っていくという支援が可能になる。同時に、思考の速度に入力の速度が追いつかないと、かえって書きにくいという面もあり、また国語科は縦書きが多いので、その点のカスタマイズが必要な場合もある。

発表資料を作る

プレゼンテーションソフトを使って、調べたことなどをスライドにまとめることができる。写真や図表などの視覚資料も活用しやすく、文章と視覚資料を組み合わせたまとめを作りやすいというメリットがある。また、調べる活動もインターネットを活用する他、アンケートフォームを使うことでクラス内や学年内の様々な調査活動が簡単に行えるようになり、それらの調査結果を生かした意見文や発表資料を作ることが可能になった。

録音・録画する

話合いの単元などでは、グループで話し合っている様子を自分たちで録画し、それを見返しながら学習を進めることができる。また、音読・朗読の学習でも、自分の声を録音しそれを聞きながら、読み方の工夫へとつなげることができ、家庭学習でも活用することができる。一方、教材作成の面からも利便性が高い。例えば、教師がよい話合いの例とそうでない例を演じた動画教材を作って授業中に効果的に使うなど、様々な工夫が可能である。

蓄積する

自分の学習履歴を残したり、見返すことがしやすくなったりする点がメリットである。例えば、毎時の学習感想を書き残していくことで、単元の中の自分の考えの変化に気付きやすくなる。あるいは書いた作文を蓄積することで、以前の「書くこと」の単元でどのような書き方を工夫していたかをすぐに調べることができる。それらによって、自分の学びの成長を実感したり、前に学習したことを今の学習に生かしたりしやすくなる。

## 3 ICT 活用の留意点

**(1) 指導事項に照らして活用する**

例えば、「読むこと」には「共有」の指導事項がある。先に述べたように、ICT の活用によって、感想や意見はその場で共有できるようになった。一方で、そうした活動を行えば、それで「共有」の事項を指導したということにはならない点に気を付ける必要がある。

高学年では「文章を読んでまとめた意見や感想を共有し、自分の考えを広げること」(「読むこと」カ)とあるので、「自分の考えを広げること」につながるように意見や感想を共有させるにはどうすればよいか、そうした視点からの指導の工夫が欠かせない。

**(2) 学びの土俵から思考の土俵へ**

ICT は子供の学習意欲を高める側面がある。同時に、例えば、調べたことをプレゼンテーションソフトを使ってスライドにまとめる際に、字体やレイアウトのほうに気が向いてしまい、「元の資料をきちんと要約できているか」「使う図表は効果的か」など、国語科の学習として大切な思考がおろそかになりやすい、そうした一面もある。

ICT の活用で「学びの土俵」にのった子供たちが、国語科としての学習が深められる「思考の土俵」にのって、様々な言語活動に取り組めるような指導の工夫が必要である。

**(3)「参照する力」を育てる**

ICT を活用することで、クラス内で意見や感想、作品が瞬時に共有できるようになり、例えば、書き方に困っているときには、教師に助言を求めるだけでなく、友達の文章を見て書き方のコツを学ぶことも可能になった。

その際に大切なのは、どのように「参照するか」である。見ているだけは自分の文章に生かせないし、まねをするだけでは学習にならない。自分の周りにある情報をどのように取り込んで、自分の学習に生かすか。そうした力も意識して育てることで、子供自身が ICT 活用の幅を広げることにもつながっていく。

**(4) 子供が選択できるように**

ICT を活用した様々な学習活動を体験することで、子供たちの中に多様な学習方法が蓄積されていく。これまでのノートやワークシートを使った学習に加えて、新たな「学びの引き出し」が増えていくということである。その結果、それぞれの学習方法の特性を生かして、どのように学んでいくのかを子供たちが選択できるようになる。例えば、文章を書くときにも、原稿用紙に手で書く、ICT 端末を使ってキーボードで入力する、あるいは下書きは画面上の操作で推敲を繰り返し、最後は手書きで残すなど、いろいろな組み合わせが可能になった。

「今日は、こう使うよ」と教師から指示するだけでなく、「これまで ICT をどんなふうに使ってきた？」「今回の単元ではどう使っていくとよいだろうね？」など、子供たちにも方法を問いかけ、学び方を選択しながら活用していくことも大切になってくる。

# 〈第 1 学年及び第 2 学年　指導事項／言語活動一覧表〉

## 教科の目標

| | |
|---|---|
| | 言葉による見方・考え方を働かせ、言語活動を通して、国語で正確に理解し適切に表現する資質・能力を次のとおり育成することを目指す。 |
| 知識及び技能 | (1)　日常生活に必要な国語について、その特質を理解し適切に使うことができるようにする。 |
| 思考力、判断力、表現力等 | (2)　日常生活における人との関わりの中で伝え合う力を高め、思考力や想像力を養う。 |
| 学びに向かう力、人間性等 | (3)　言葉がもつよさを認識するとともに、言語感覚を養い、国語の大切さを自覚し、国語を尊重してその能力の向上を図る態度を養う。 |

## 学年の目標

| | |
|---|---|
| 知識及び技能 | (1)　日常生活に必要な国語の知識や技能を身に付けるとともに、我が国の言語文化に親しんだり理解したりすることができるようにする。 |
| 思考力、判断力、表現力等 | (2)　順序立てて考える力や感じたり想像したりする力を養い、日常生活における人との関わりの中で伝え合う力を高め、自分の思いや考えをもつことができるようにする。 |
| 学びに向かう力、人間性等 | (3)　言葉がもつよさを感じるとともに、楽しんで読書をし、国語を大切にして、思いや考えを伝え合おうとする態度を養う。 |

## 〔知識及び技能〕

### （1）言葉の特徴や使い方に関する事項

| (1)　言葉の特徴や使い方に関する次の事項を身に付けることができるよう指導する。 | |
|---|---|
| 言葉の働き | ア　言葉には、事物の内容を表す働きや、経験したことを伝える働きがあることに気付くこと。 |
| 話し言葉と書き言葉 | イ　音節と文字との関係、アクセントによる語の意味の違いなどに気付くとともに、姿勢や口形、発声や発音に注意して話すこと。<br>ウ　長音、拗（よう）音、促音、撥（はつ）音などの表記、助詞の「は」、「へ」及び「を」の使い方、句読点の打ち方、かぎ（「　」）の使い方を理解して文や文章の中で使うこと。また、平仮名及び片仮名を読み、書くとともに、片仮名で書く語の種類を知り、文や文章の中で使うこと。 |
| 漢字 | エ　第 1 学年においては、別表の学年別漢字配当表*（以下「学年別漢字配当表」という。）の第 1 学年に配当されている漢字を読み、漸次書き、文や文章の中で使うこと。第 2 学年においては、学年別漢字配当表の第 2 学年までに配当されている漢字を読むこと。また、第 1 学年に配当されている漢字を書き、文や文章の中で使うとともに、第 2 学年に配当されている漢字を漸次書き、文や文章の中で使うこと。 |
| 語彙 | オ　身近なことを表す語句の量を増し、話や文章の中で使うとともに、言葉には意味による語句のまとまりがあることに気付き、語彙を豊かにすること。 |
| 文や文章 | カ　文の中における主語と述語との関係に気付くこと。 |
| 言葉遣い | キ　丁寧な言葉と普通の言葉との違いに気を付けて使うとともに、敬体で書かれた文章に慣れること。 |
| 表現の技法 | （第 5 学年及び第 6 学年に記載あり） |
| 音読、朗読 | ク　語のまとまりや言葉の響きなどに気を付けて音読すること。 |

＊…学年別漢字配当表は、『小学校学習指導要領（平成29年告示）』（文部科学省）を参照のこと

### （2）情報の扱い方に関する事項

| (2)　話や文章に含まれている情報の扱い方に関する次の事項を身に付けることができるよう指導する。 | |
|---|---|
| 情報と情報との関係 | ア　共通、相違、事柄の順序など情報と情報との関係について理解すること。 |
| 情報の整理 | （第 3 学年以上に記載あり） |

### （3）我が国の言語文化に関する事項

| (3)　我が国の言語文化に関する次の事項を身に付けることができるよう指導する。 | |
|---|---|
| 伝統的な言語文化 | ア　昔話や神話・伝承などの読み聞かせを聞くなどして、我が国の伝統的な言語文化に親しむこと。<br>イ　長く親しまれている言葉遊びを通して、言葉の豊かさに気付くこと。 |
| 言葉の由来や変化 | （第 3 学年以上に記載あり） |
| 書写 | ウ　書写に関する次の事項を理解し使うこと。<br>(ア)姿勢や筆記具の持ち方を正しくして書くこと。<br>(イ)点画の書き方や文字の形に注意しながら、筆順に従って丁寧に書くこと。<br>(ウ)点画相互の接し方や交わり方、長短や方向などに注意して、文字を正しく書くこと。 |
| 読書 | エ　読書に親しみ、いろいろな本があることを知ること。 |

〔思考力、判断力、表現力等〕

## A　話すこと・聞くこと

<table>
<tr><td></td><td colspan="2">(1)　話すこと・聞くことに関する次の事項を身に付けることができるよう指導する。</td></tr>
<tr><td rowspan="7">話すこと</td><td>話題の設定<br>情報の収集<br>内容の検討</td><td>ア　身近なことや経験したことなどから話題を決め、伝え合うために必要な事柄を選ぶこと。</td></tr>
<tr><td>構成の検討<br>考えの形成</td><td>イ　相手に伝わるように、行動したことや経験したことに基づいて、話す事柄の順序を考えること。</td></tr>
<tr><td>表現<br>共有</td><td>ウ　伝えたい事柄や相手に応じて、声の大きさや速さなどを工夫すること。</td></tr>
<tr><td rowspan="2">聞くこと</td><td>話題の設定<br>情報の収集</td><td>【再掲】ア　身近なことや経験したことなどから話題を決め、伝え合うために必要な事柄を選ぶこと。</td></tr>
<tr><td>構造と内容の把握<br>精査・解釈<br>考えの形成<br>共有</td><td>エ　話し手が知らせたいことや自分が聞きたいことを落とさないように集中して聞き、話の内容を捉えて感想をもつこと。</td></tr>
<tr><td rowspan="2">話し合うこと</td><td>話題の設定<br>情報の収集<br>内容の検討</td><td>【再掲】ア　身近なことや経験したことなどから話題を決め、伝え合うために必要な事柄を選ぶこと。</td></tr>
<tr><td>話合いの進め方の検討<br>考えの形成<br>共有</td><td>オ　互いの話に関心をもち、相手の発言を受けて話をつなぐこと。</td></tr>
<tr><td colspan="3">(2)　(1)に示す事項については、例えば、次のような言語活動を通して指導するものとする。</td></tr>
<tr><td></td><td>言語活動例</td><td>ア　紹介や説明、報告など伝えたいことを話したり、それらを聞いて声に出して確かめたり感想を述べたりする活動。<br>イ　尋ねたり応答したりするなどして、少人数で話し合う活動。</td></tr>
</table>

## B　書くこと

<table>
<tr><td colspan="2">(1)　書くことに関する次の事項を身に付けることができるよう指導する。</td></tr>
<tr><td>題材の設定<br>情報の収集<br>内容の検討</td><td>ア　経験したことや想像したことなどから書くことを見付け、必要な事柄を集めたり確かめたりして、伝えたいことを明確にすること。</td></tr>
<tr><td>構成の検討</td><td>イ　自分の思いや考えが明確になるように、事柄の順序に沿って簡単な構成を考えること。</td></tr>
<tr><td>考えの形成<br>記述</td><td>ウ　語と語や文と文との続き方に注意しながら、内容のまとまりが分かるように書き表し方を工夫すること。</td></tr>
<tr><td>推敲</td><td>エ　文章を読み返す習慣を付けるとともに、間違いを正したり、語と語や文と文との続き方を確かめたりすること。</td></tr>
<tr><td>共有</td><td>オ　文章に対する感想を伝え合い、自分の文章の内容や表現のよいところを見付けること。</td></tr>
<tr><td colspan="2">(2)　(1)に示す事項については、例えば、次のような言語活動を通して指導するものとする。</td></tr>
<tr><td>言語活動例</td><td>ア　身近なことや経験したことを報告したり、観察したことを記録したりするなど、見聞きしたことを書く活動。<br>イ　日記や手紙を書くなど、思ったことや伝えたいことを書く活動。<br>ウ　簡単な物語をつくるなど、感じたことや想像したことを書く活動。</td></tr>
</table>

## C　読むこと

<table>
<tr><td colspan="2">(1)　読むことに関する次の事項を身に付けることができるよう指導する。</td></tr>
<tr><td>構造と内容の把握</td><td>ア　時間的な順序や事柄の順序などを考えながら、内容の大体を捉えること。<br>イ　場面の様子や登場人物の行動など、内容の大体を捉えること。</td></tr>
<tr><td>精査・解釈</td><td>ウ　文章の中の重要な語や文を考えて選び出すこと。<br>エ　場面の様子に着目して、登場人物の行動を具体的に想像すること。</td></tr>
<tr><td>考えの形成</td><td>オ　文章の内容と自分の体験とを結び付けて、感想をもつこと。</td></tr>
<tr><td>共有</td><td>カ　文章を読んで感じたことや分かったことを共有すること。</td></tr>
<tr><td colspan="2">(2)　(1)に示す事項については、例えば、次のような言語活動を通して指導するものとする。</td></tr>
<tr><td>言語活動例</td><td>ア　事物の仕組みを説明した文章などを読み、分かったことや考えたことを述べる活動。<br>イ　読み聞かせを聞いたり物語などを読んだりして、内容や感想などを伝え合ったり、演じたりする活動。<br>ウ　学校図書館などを利用し、図鑑や科学的なことについて書いた本などを読み、分かったことなどを説明する活動。</td></tr>
</table>

# 第 1 学年の指導内容と身に付けたい国語力

## 1 第 1 学年の国語力の特色

小学校第 1 学年は小学校教育において基盤となる、〔知識及び技能〕〔思考力、判断力、表現力等〕の育成が肝要となる。その際には、〔学びに向かう力、人間性等〕の態度の育成も見据えた学習環境をデザインしていく必要がある。入学段階において、子供たちの言葉への興味・関心や、その経験に個人差がある。指導者は、このことを十分に理解した上で、学びの場を設けていくようにする。

〔知識及び技能〕に関する目標は、全学年を通して共通である。第 1 学年では今後の基盤となることを念頭において育成をしていくべきだろう。言葉を学ぶのは、日常生活で、よりよい言語生活を営むためということを、頭だけの理解ではなく実感することのできる場を設けるようにしたい。

〔思考力、判断力、表現力等〕に関する目標では、「順序立てて考える力」と「感じたり想像したりする力」を養い、「伝え合う力」を高めることと、「自分の思いや考え」をもつことが示されている。これらの力は、「日常生活における人との関わりの中」で生きて働く力である。

〔学びに向かう力、人間性等〕では、「言葉をもつよさを感じる」「楽しんで読書」をすることなどが示されている。これは、先の 2 つの柱の育成の原動力となるものであるとともに、今後の小学校生活の基礎となる部分であることをよく理解した上で学習を進めていくようにする。

## 2 第 1 学年の学習指導内容

**〔知識及び技能〕**

学習指導要領では「⑴言葉の特徴や使い方に関する事項」「⑵情報の扱い方に関する事項」「⑶我が国の言語文化に関する事項」から構成されている。〔思考力、判断力、表現力等〕で構成されているものと別個に指導をしたり、先に〔知識及び技能〕を身に付けるという順序性をもたせたりするものではないことに留意をするようにする。

「⑴言葉の特徴や使い方に関する事項」では、正確性や具体性があることを「よさ」として認識させることが大切である。また、日常的かつ継続的に取り扱うことで習熟していくことも同様である。語彙指導の重要性も学習指導要領改訂時に指摘をされている。個人差がある第 1 学年の子供の学力差の背景に語彙の量と質があるという指摘である。量的な学びに終始するだけではなく、質的な学びも忘れてはならない。

教科書上巻では、文字の表記や助詞の使い方、句読点の打ち方などの内容が示されている「⑴ウ」に重点を置いた教材が多く配置されている。今後の言語活動の基礎となる部分であることを意識した丁寧な指導をしていくようにするとよい。

「⑵情報の扱い方に関する事項」では、情報と情報の関係について、「共通」「相違」「事柄の順序」という 3 つのキーワードを念頭に置くようにする。

教科書にある『つぼみ』『うみの　かくれんぼ』『じどう車くらべ』『どうぶつの　赤ちゃん』は、同じような文章構成で、複数のものを比較しながら説明をしている文章である。これらの教材と、〔思考力、判断力、表現力等〕の指導内容と関連付けた指導ができるだろう。

「⑶我が国の言語文化に関する事項」には、「伝統的な言語文化」の項に、「言語文化に親しむ」「言葉の豊かさに気付く」という文言がある。「読書」の項にも「読書に親しみ」という言葉がある。第 1 学年での学びが第 2 学年の学びをより充実させることが、今後の小学校生活における学びの豊かさにつながっていく。

1年生の教科書では「⑶イ（言葉の豊かさ）」と「⑶エ（読書）」に重点が置かれた教材が多く配置されている。これらの教材では、子供たち自身でも楽しみ方を見いだせるような工夫をしていきたい。

**〔思考力、判断力、表現力等〕**

**① A 話すこと・聞くこと**

低学年の「話すこと」では、「身近なことや経験したいこと」から話題を設定し、様々な相手を想定して相手に伝わるように「話す事柄の順序を考えること」が示されている。実際の場において、表現を身に付けていくようにするとよい。学習指導要領解説には、「自分の伝えたいことを表現できたという実感を味わわせ、工夫して話そうとする態度へとつなぐことが大切である。」と書かれている。

1年生の学習初期の中心は話す言語活動である。小学校に入学し、新しい環境で緊張している子供たちが、安心して生活できるようにしていくことが大切になる。第一教材『はるが　きた』では、挿絵を見ながら気付いたことを話していく。友達と一緒に見付けたものを話すことで、友達と話すことの楽しさや自分の感じたことを声に出したときに受け止めてもらえる心地よさを味わうことができるようにしたい。安心感をもって学びに参加できるようにすることが大切である。

「聞くこと」では、「話し手が知らせたいことや自分が聞きたいことを落とさないように集中して聞き、話の内容を捉えて感想をもつこと。」が示されている。話し手の立場で大切であったことが、聞き手の立場でも同様に大切にされている。感想については、教師が手本を示したりしながら少しずつ言えるように導いていくとよい。

「話し合うこと」では、「互いの話に関心をもつ」ことが示されている。これは、話し合いにおいて前提となる態度である。

本書では、教科書の最初の教材である『はるが　きた』の単元目標として、「挿絵をもとに気付きや想像を広げ、相手の発言を受けて話をつなぐことができる」ことを挙げている。最初の教材で「A⑴オ」の指導事項に触れていることに注目をしたい。一般にコミュニケーション能力というと、自分の思いや考えを発信することに目が向きがちであるが、まずは相手の言葉を受け止めることを重視しているのである。1年生の子供は自分の考えを伝えるということに熱心になる傾向があり、時に、自分の発言が終わったら、友達の意見に関心を示さないという姿も見せる。教室における学びというのは、自分だけで完結するのではなく、友達とともにつくっていくものであることを示すことには、大きな意義がある。

「A⑵イ　尋ねたり応答したりするなどして、少人数で話し合う活動。」を想定した教材の配置は下巻からである。『これは、なんでしょう』という教材では、友達に質問をしたり、それに応えたりする活動に取り組む。『ものの　名まえ』では、お店屋さんごっこをする中で、「お店屋さん」と「お客さん」という役割に応じた会話をしていくことになる。これらの学習に至るまでに、態度とともに、力を育てておくようにする。

**② B 書くこと**

書くという行為は、話すことと比べると難しさを感じる子供が多い。第1学年の子供においては、それを感じる度合いも大きくなる。指導者はこのことを念頭においた上で指導に当たる必要があるだろう。教科書でも、書く活動は話す活動の後に設定されている。書く活動に取り組む際には、何を書くのかを明確にした、丁寧な指導が必要である。本書では、『おおきく　なった』で、書く際の観点を子供にもたせることに重点をおいた単元計画を設定し、『すきな　こと、なあに』では、「話すこと・聞くこと」での学びと関連をさせた計画としている。

学習指導要領では、書くよさを子供が実感できるように「情報の収集」に重点が置かれている。子供に負担のないように書くことが見つけられるようにするとよい。「構成の検討」では、「自分の思いや考えが明確になるように」構成を考えることが示され、「考えの形成」でも「内容のまとまりが分かるように」書くことが示されている。両者に共通しているのは、自分の考えの明確化である。「推敲」では、文章を読み返す行為の習慣化が重要事項となっている。「共有」の項にある「自分の文章の内容や表現のよいところ」が示しているのは、具体性である。

一連の学びの成果を生かす教材として下巻には『いい　こと　いっぱい、一年生』が位置付けられている。１年生最後の「書く活動」を見据えた上で、学びを積み重ねていくようにするとよい。教科書には「絵日記」の形が例示されている。日々の活動として絵日記に取り組み、１年生最初の絵日記と最後の絵日記を読み比べることで、自身の成長を感じさせることもできる。

「書くこと」に限ることではないが、１年後のゴールのイメージをもって、学びを積み重ねていくことができるようになると、より充実した学級経営を進めていけるようにもなる。

**③Ｃ読むこと**

学習指導要領では、「構造と内容の把握」から「精査・解釈」という流れで指導事項が示されている。物語文であれ、説明的文章であれ、「構造と内容の把握」では、「内容の大体を捉えること」が示されている。しかし、これは文章をあっさりと読んで終わるということではなく、内容の大体を捉えた上で、叙述に即した理解と解釈を進めていくという思考の流れを示したものである。叙述を頼りとして読みを構築していくことを、第１学年の時期にこそ確かめておく必要がある。

「考えの形成」では、「文章の内容と自分の体験を結び付けて、感想をもつ」とある。子供の体験は子供それぞれである。それによって読んだ感想にも違いが出るだろう。それらを「共有」する際には、互いの感想を尊重し合う態度をもって行うように場をつくるようにする。

１年生教材では物語文が説明的文章よりも多く配置されている。それらの教材では、「Ｃ⑴イ」の指導事項に重点が置かれている。それらを指導していく上で、挿絵も１年生にとっては重要な要素である。

最初の教材である『はるが　きた』は、「話すこと・聞くこと」に重点を置いた教材ではあるものの、挿絵から様々なことを読み取り、想像をすることができるということを、子供に意識付けることができる。これは、子供が親しんでいる絵本と同じである。子供たちが国語の学習で読む最初の教材である『はなの　みち』も挿絵から文章には書かれていないことを読み取ることができる。

ただ、授業者は、子供たちの読みの根拠が、文章にあるのか、挿絵にあるのか、それとも両方にあるのかをきちんと整理して、子供の発言を受け止める必要がある。根拠となるものがそろっていないと、子供の意見がかみ合わない場合があるからである。また、子供に自分の読みの根拠がどこにあるのかを伝えていくことで、読みの観点をもたせることにもつなげることができるだろう。「文から分かることを探してみよう」「絵から分かることを探してみよう」などと、観点を明確にした問いを発してもよいだろう。

物語文は下巻になると上巻よりも分量が増えてくる。読みを構築していく上で、読み取っておく必要のある事柄も、それに合わせて増えてくる。前提となる叙述を読み飛ばしてしまっていたり、意識から抜け落ちてしまっていたりすると、児童の読みに妥当性がなくなってしまう。

１年生最後の物語文『ずうっと、ずっと、大すきだよ』では、主人公と犬の交流を丁寧に読み取っていかないと、読後感に差が出てしまうことが危惧される。

説明的文章として配置されているのは、『つぼみ』『うみの　かくれんぼ』『じどう車くらべ』『どうぶつの　赤ちゃん』の４つである。これらの文章上の特徴は、①の「⑵情報の扱い方に関する事項」の項でも述べたように、同じ文章構成で複数のものを説明しているというところである。繰り返しを通して、子供はその文の役割を学んでいくのである。

『つぼみ』で、「問いの文」と「答えの文」という役割を知り、『うみの　かくれんぼ』でもその学びを活かすことができる。また、「答えの文」の内容を補足する「説明の文」という役割にも気付くことができるだろう。その学びは、『じどう車くらべ』を読む際にも生かされていく。『どうぶつの赤ちゃん』では、「C(1)ウ」に指導の重点が置かれている。この力は、教材文以外の図書資料を読む際にも生かされる。本書では「表」を用いることで、読み取った情報を整理する活動を示している。「表」にすることで、同系統の情報を比較することも容易になる。２年次以降の説明的文章を読んでいく際にも有効である。

一つ一つの教材をよく読める手立てを用意するだけではなく、次の教材につながる手立てを意識していくことが、子供の豊かな学びを育むことになる。

## 3 第１学年における国語科の学習指導の工夫

第１学年の子供にとって、小学校で学ぶこと、取り組むことの多くが初めてのことである。新しいことを学ぶという意欲もあるが、同時に「やり方が分からない」「間違えたらどうしよう」という不安もある。新しいことに取り組む際には、教師が手本を見せたり他の子供の活動の様子を見せたりするなど、丁寧な指導を心掛けるようにする。また、既に指導したことであっても繰り返し指導するなど、丁寧な指導は継続していく必要がある。

### ①話すこと・聞くことにおける授業の工夫について

**【正確に伝えるための土台づくり】**第１学年では自分の思いを伝えられる力を身に付けることが求められている。その土台となるのが、正確な「姿勢や口形、発声や発音」である。授業の開始時に短い詩の音読を行ったりして、継続的に身に付けていけるように工夫をするとよい。家庭学習として保護者の協力を仰ぐ際には、どのような点に気を付けてほしいのかをあらかじめ伝えておくようにする。

また、少人数で話すときと学級全体に向けて話すときなど、場に応じた声量についても指導をするようにする。

**【少人数での会話】**ペアや３、４人の少人数グループで会話をする機会を授業の中にこまめに取り入れる。自分の考えを伝えることができた、友達の話をしっかりと聞くことができたという実感をもたせるようにする。考えの交流だけではなく、授業時における相談の場としても機能をさせることができる。習慣化することで、学習に迷ったとき、互いに教え合い学び合う学級風土をつくることもできる。

**【全体の場での発表】**第１学年の子供であっても、学級全体の前で話をするということには緊張を伴うものである。そういった緊張を和らげる方法の一つとして、あらかじめ話をする内容を決めておくというものである。「書くこと」の学習で書いた作文などを読ませるのもよい。

### ②書くことにおける授業の工夫について

**【題材集めの習慣化】**書くことの学習でつまずきを覚える子供の多くは、「何を書いたらよいのか分からない」という不安をもっている。書くことの学習に先立って、学級で「伝えたいこと」「教えてあげたいこと」などを集め、掲示しておくとよい。これらは学級の財産となると同時に、日常的に題材を探すことを習慣化することが期待できる。

**【文章構造の視覚化】**「はじめ・なか・おわり」という文章構成の際には、「なか」の部分を明らかに大きくしたワークシートなどを用意することで、どこを厚く記述すればよいのかが子供に明確になる。構成ごとに文字数を変えたワークシート（例：始、終15文字　中：40文字）を用意することも有効である。

**【作品の交流】** 子供たちが「書いてよかった」と思えるのは、自分が書いたものに対して、友達からの反応があったときである。学級掲示としたり、学級文集としてまとめたりするなどして、互いの作品を読み合う機会を設けるようにする。朝の会のスピーチの材とするのもよい。

**③読むことにおける授業の工夫について**

**【音読】** 声に出して読むことは、低学年期の子供にとって内容を理解するのに有効である。第１学年の文章教材の多くは短いものが多いので、授業の始まりでは全文の音読をするとよい。音読が内容理解に有効である理由の第一が、その言葉を自分が理解できているのかどうかが、子供自身にも明確になることである。目で追っているときには、飛ばして読めてしまうが、声に出す限り、それをすることができない。教師にとっても、子供の音読に耳を傾けることで、子供自身の理解を確かめることができる。

そして、必ずしも斉読をしなくてもよい。子供それぞれに合った速さがあるからである。また、斉読であると自分が声を出さなくても大丈夫だという思いを子供が抱いてしまう危惧もある。

**【劇化・動作化】** 読み取ったことを劇にしたり、動作として表したりするためには、正確な理解が必要である。音読同様に、教師は、劇化・動作化をしている姿から、その子供の理解を確かめることもできる。体を動かすことは低学年期の子供にとって自然な行為である。そのため、体を動かすことに注意が向くあまり、叙述から離れた動きとなってしまうことも多い。常に、自分の動きと叙述を確かめさせるようにするとよい。

**【文章内容の視覚化】** 低学年教材において、写真や絵は情報として大きな役割を担っている。子供自身もそこから多くの情報を得ながら、内容を捉えている。板書をする際にも、それらを積極的に活用していくとよい。説明的文章の構成や物語の内容を整理する際にも、図や表、矢印、吹き出しなど、視覚的な板書を心掛けるようにする。

**④語彙指導や読書指導などにおける授業の工夫について**

**【生活に生かす】** 語彙指導において、量的な学びは多く行われてきた。しかし、言葉を集めて終わりでは、質的な学びとはならない。言葉遊びで言葉のおもしろさを感じたり読むことの学習で言葉の意味や効果を考えたり自分の体験と言葉を結び付けたりして、言葉の理解を広げ使えるようにしていくことが大切である。

**【意図的な選書】** この時期の子供たちには毎日の読み聞かせを実施したい。もちろん学校事情に応じた形で構わない。選書については意図をもってするようにしたい。学習している教材に関連したものだけではなく、あえて子供が手に取らないような絵本を選ぶのもよい。読み聞かせの後には、内容理解の定着を確かめるような質問はせず、子供の素直な感想を大切にすることで、子供と読書との距離を近づけることができる。

## 4 第１学年とICT端末

１年生のICT端末の操作能力は、個人差が大きい。入学後、初めてICT端末に触れる子供もいることも考え、少しずつ使い始めて活用の幅を広げていくことが必要となる。「動画を撮る」「写真を撮影する」「音声を記録する」などは１年生でも取り組みやすい。家庭学習で音読の動画を撮影する、「あ」のつくものの写真を撮影するなど、保護者にも協力してもらうとよい。

# 2

# 第 1 学年の授業展開

おもいうかべながら　よもう

# くじらぐも　8時間扱い

## 単元の目標

| | |
|---|---|
| 知識及び技能 | ・かぎ（「 」）の使い方を理解して文や文章の中で使うことができる。((1)ウ)<br>・語のまとまりや言葉の響きなどに気を付けて音読することができる。((1)ク) |
| 思考力、判断力、表現力等 | ・場面の様子に着目して、登場人物の行動を具体的に想像することができる。(C(1)エ) |
| 学びに向かう力、人間性等 | ・言葉がもつよさを感じるとともに、楽しんで読書をし、国語を大切にして、思いや考えを伝え合おうとする。 |

## 評価規準

| | |
|---|---|
| 知識・技能 | ❶かぎ（「 」）の使い方を理解して文や文章の中で使っている。(〔知識及び技能〕(1)ウ)<br>❷語のまとまりや言葉の響きなどに気を付けて音読している。(〔知識及び技能〕(1)ク) |
| 思考・判断・表現 | ❸「読むこと」において、場面の様子に着目して、登場人物の行動を具体的に想像している。(〔思考力、判断力、表現力等〕C エ) |
| 主体的に学習に取り組む態度 | ❹積極的に想像力を広げて物語を読み、これまでの学習を生かして想像したことを友達に伝えようとしている。 |

## 単元の流れ

| 次 | 時 | 主な学習活動 | 評価 |
|---|---|---|---|
| 一 | 1 | 学習の見通しをもつ<br>全文を読み、場面の様子を確かめ、物語に対しての感想をもつ。 | |
| 二 | 2 | 教科書 p. 6 ～ 9 を読む。<br>登場人物たちの様子を想像する。かぎ（「 」）の使い方を確かめる。 | ❶❸ |
| | 3 | 教科書 p.10～11を読む。会話文の読み方を考える。 | ❷ |
| | 4 | 教科書 p.12～13を読む。登場人物たちが話していることや見えているものを想像する。 | ❸ |
| | 5 | 教科書 p.14～15を読む。場面の様子を想像する。 | ❸❹ |
| | 6 | 登場人物になったつもりで、場面の中で話したことを想像する。 | ❶ |
| | 7 | 話した言葉を、かぎを使ってノートに書く。<br>友達が想像したことを聞いて思ったことを伝える。 | ❷ |
| 三 | 8 | 学習を振り返る<br>想像を広げたり、友達の想像を聞いたりした学習の振り返りをする。 | ❹ |

## 授業づくりのポイント

〈単元で育てたい資質・能力〉

本単元では、場面の様子を想像し、登場人物の行動やそのときの気持ちを考える力を養いたい。

教材文には、「元気よく」という様子を表す言葉はあるが、「うれしそうに」「楽しそうに」といった、気持ちを表す言葉はない。だからこそ、場面の様子や登場人物の行動から、登場人物の気持ちを想像する力を養うことに適している。

〈教材・題材の特徴〉

校庭で体操をしている子供たちのもとに、大きくて真っ白い雲のくじらがやってくることから、物語は始まる。子供たちが、雲のくじらの背中に乗り、空の旅を楽しむという話である。物語の設定は、１年生の子供たちにとって親しみやすく、「自分もこんな体験をしてみたい」と思わせる。

叙述においては、先述したとおり、気持ちを表す言葉がない。気持ちを想像する手掛かりは行動と会話文における台詞となる。

また、子供たちにとっては、挿絵も作品世界に浸るための大きな手掛かりである。たくさんの子供たちが描かれており、子供はその中の一人に自己を投影することもできるだろう。挿絵から、表情や気持ち、どんな言葉を発しているのかを、子供たちが自由に想像することもできる。

〈学びの場づくりの工夫〉

１年生の子供が物語世界に浸るとき、教室環境を工夫したり、教室以外の適切な学習場所の選択をしたりすることで、それを支援することができる。本教材であれば、教室内に空をイメージさせる掲示物を用意したり、くじらぐもを再現したりしてもよいだろう。学校の実態に応じて、図工の授業でくじらぐもに関係のある作品づくりをすることも考えられる。

晴れた日には、実際に外に出て、空に浮かぶくじらぐもや、雲に乗って空の旅をしている自分を子供たちに想像させてもよいだろう。くじらに飛び乗る場面では、屋上や校庭で動作化をしながら音読するのもおもしろい。

〈ICT の効果的な活用〉

**記録**：端末の録音機能や動画撮影機能を用いて、子供が音読している様子を記録する。自分の表現を見直すことで、自分の想像と実際を擦り合わせることができ、表現を磨いたり、見つめ直したりする機会とすることが期待できる。

**共有**：自分が声に出している様子を友達と共有することで、お互いのよさを見付けやすくすることができる。記録されたデータには再現性があるので、自分の中で最もできのよいものを見せることができる。また、繰り返し見返したりすることもできるので、感想も生まれやすい。

本時案

# くじらぐも

**本時の目標**

・「くじらぐも」を通して読み、物語について感想をもつことができる。

**本時の主な評価**

・「くじらぐも」を読み、物語についての感想をもっている。

**資料等の準備**

・教科書の挿絵を拡大したもの

教科書 p.12〜13 の挿絵

教科書 p.14〜15 の挿絵

子どもたちが、 くじらぐもの
うえで、うたっている。

子どもたちが くじらぐもを
みおくっている。

**授業の流れ** ▷▷▷

## 1 空に浮かぶ雲について経験を想起する 〈10分〉

T　空には雲が浮かんでいます。その雲が何かの形に見えたことがありませんか。

・恐竜の形に見えたことがあります。

・アイスクリームみたいな雲を見たことがあります。

○「先生は、雲がわたがしに見えて、どんな味なのかと思ったことがあります」のように、子供に投げかけるときに、教師の体験談をきっかけとしてもよい。

○様々な雲の写真を提示して、子供たちの発想を広げるなどしてもよい。その際に、ICT を活用してもよいだろう。

## 2 「くじらぐも」を読む 〈10分〉

T　これから、「くじらぐも」という物語を読みます。どんなお話だと思いますか。

・くじらのような雲が出てくる話。

・雲みたいにふかふかしたくじらが出てくる話。

・雲がくじらになって、旅をする話。

T　それでは「くじらぐも」のお話を聞きましょう。

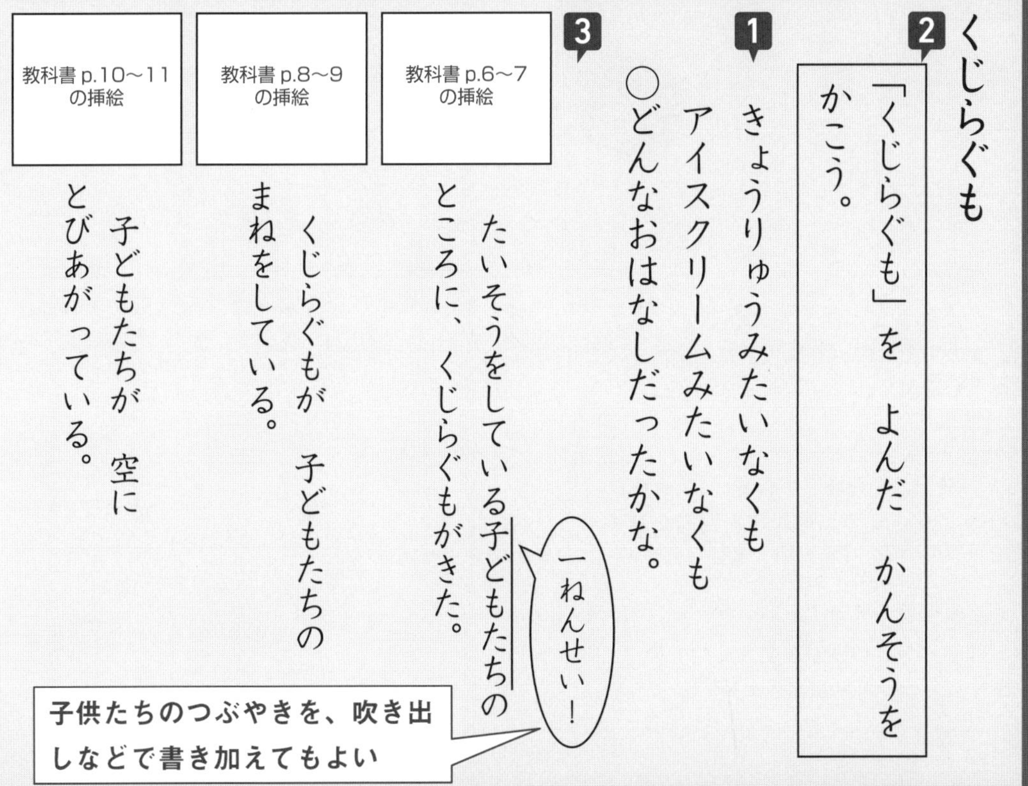


## 3 それぞれの場面の出来事を確かめる　〈25分〉

T　この絵は、くじらぐもと子供たちが何をしている場面ですか。

○子供の発言を受けてまとめていくとよい。

・(p.6～7) 体操をしている子供たちのところに、くじらぐもがやってくる。

・(p.8～9) くじらぐもが、子供たちのまねをしている。

・(p.10～11) 子供たちが空に飛び上がっている。

・(p.12～13) 子供たちがくじらぐもの上で歌っている。

・(p.14～15) 子供たちがくじらぐもを見送っている。

T　それでは、「くじらぐも」を読んだ感想を、ノートに書きましょう。

### ICT 等活用アイデア

#### 子供の発想を広げる活用の方法

インターネット上には様々な資料がある。本単元では「雲」が重要な道具として登場する。様々な雲の写真を提示することで、子供たちの想像力を刺激し、発想を広げることが期待できる。

ICT 機器を用いて提示すると、必要な箇所の拡大や複数資料の比較などが容易になるので、子供の必要感に応じた支援をすることもできる。

子供たちが個人で興味・関心を深められる図書資料との併用もできる。

本時案

# くじらぐも

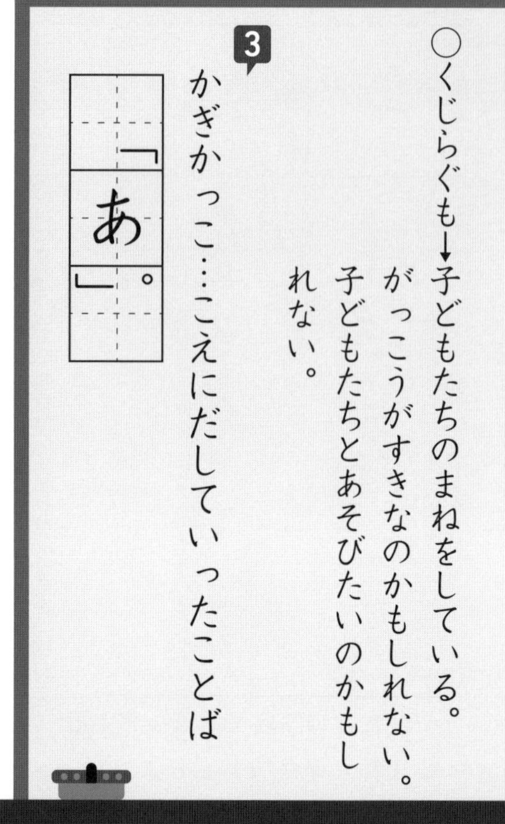


## 本時の目標

・教科書 p. 6 〜 9 を読み、登場人物たちの様子を想像することができる。
・「 」の中の言葉が、人物の発話であることや、文の中での使い方や書き方を理解することができる。

## 本時の主な評価

❶「 」の使い方を理解している。【知・技】
❸教科書 p. 6 〜 9 の登場人物の行動を具体的に想像している。【思・判・表】

## 資料等の準備

・教科書 p. 6 〜 9 の挿絵を拡大したもの
・十字リーダーの付いたマスを拡大したもの

## 授業の流れ ▷▷▷

### 1 教科書 p. 6 の登場人物たちの様子を想像する 〈10分〉

T　教科書の p. 6 を先生が読みます。その後、自分で声に出して読みましょう。
○教師の範読を聞かせてから、個々に音読をさせる。まわりよりも早く読み終わった子供には、もう一度繰り返すようにあらかじめ指示を出しておく。全員が読み終わったのを確認してから、次の活動に移る。
T　ここに出てくる登場人物たちの様子を想像しましょう。
・子供たちは 1 年生くらい。
・くじらぐもは、学校よりも大きい。

### 2 教科書 p. 7 〜 9 の登場人物たちの様子を想像する 〈15分〉

T　教科書 p. 7 〜 9 を読みます。その後、自分で声に出して読みましょう。
○1と同じようにする。学級の実態に応じて、1 ページごとに読むようにしてもよい。
T　この場面での、登場人物たちの様子を想像しましょう。
・子供たちは運動をしている。
・くじらぐもはみんなのまねをしている。
T　子供たちはくじらぐもに何かを言っていますね。どんなことを言っていると思いますか。
・「おうい。」
・「ここへおいでよう。」
・「いっしょにあそぼうよ。」

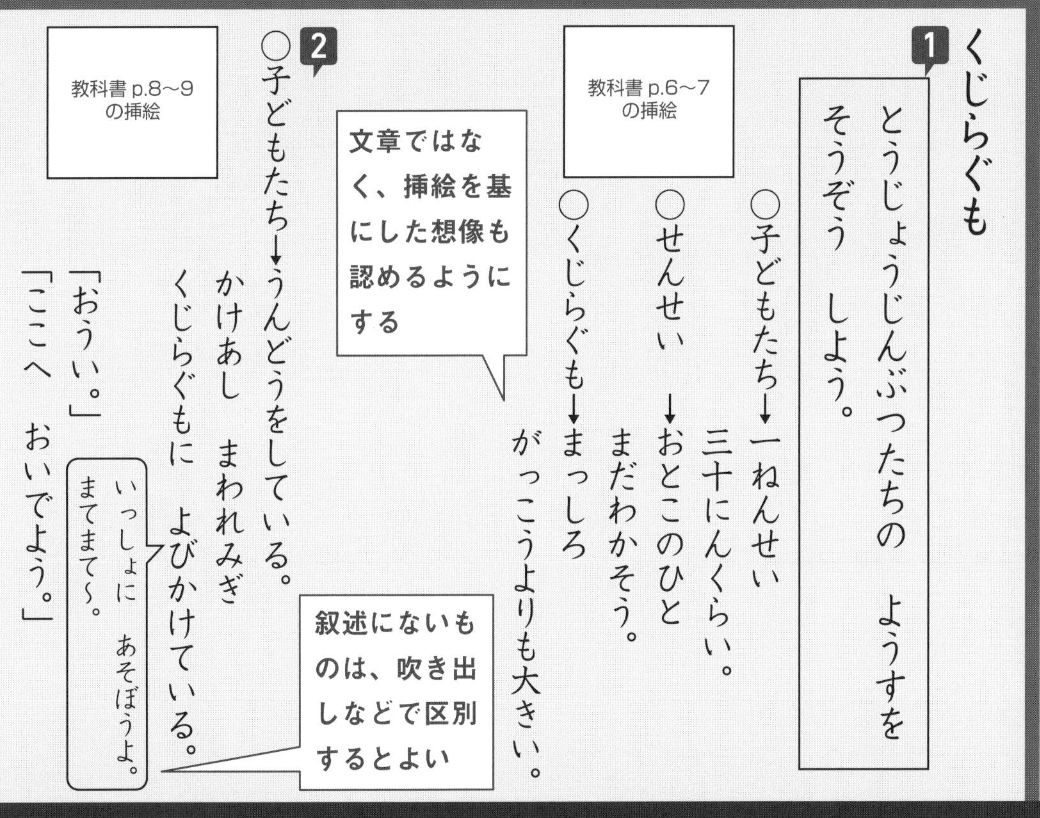


## 3 「　」の使い方を確かめる。学習感想を書く　〈20分〉

T　お話の中に出てきた記号をかぎかっこといいます。誰かが声に出して言ったことが書いてあります。

　始めのかっこは、右下のマスに書きます。終わりのかっこは、左上のマスに書きます。そのとき、丸（句点）は、右上のマスに書きます。

○一度ノートに練習をさせて、教師の説明を理解しているかを確かめる。

T　今日の授業で、あなたが登場人物たちの様子でどんな想像をしたのかを書きましょう。

・子供たちは、くじらぐもがまねをしたから驚いたと思う。

・くじらぐもは、子供が好きなんだと思う。

### よりよい授業へのステップアップ

**内容を理解するための音読指導の工夫**

　子供たちに、教材文を声に出して読ませる際、文章の内容を理解させる意図があるとき「斉読」は避けた方がよい。まわりに合わせることに意識が向き、内容理解がおろそかになるという場合がある。内容を理解するための音読は個々で行わせた方が内容理解の効果は期待できる。

　低学年児童は黙読よりも音読の方が内容を理解しやすい。この傾向は、中学年頃まで続くと言われている。積極的に音読を取り入れるとともに、家庭学習として取り組ませたい。

本時案

# くじらぐも

## 本時の目標

・「天まで　とどけ、一、二、三。」の読み方の工夫を、場面に合わせて考えることができる。

## 本時の主な評価

❷「天までとどけ、一、二、三。」の読み方を場面に合わせて工夫している。【知・技】

## 資料等の準備

・教科書 p.10〜11の挿絵を拡大したもの

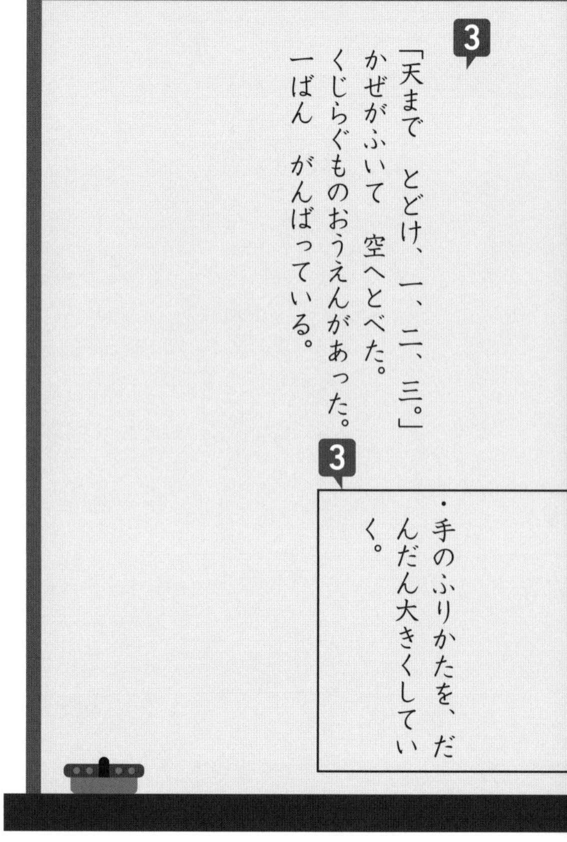


## 授業の流れ ▷▷▷

### 1 教科書を読み、台詞の繰り返しに気付く 〈10分〉

T　教科書の p.10〜11を先生が読みます。その後、自分で声に出して読みましょう。

T　この場面では、「　」（かぎかっこ）が多く使われています。それぞれ、誰の言葉か確かめましょう。

・「天まで　とどけ、一、二、三。」は、子供たちが言っている。

・「もっと　たかく。もっと　たかく。」は、くじらぐもが言っている。

○ここで、それぞれ同じ台詞しか発していないことに気付かせる。

### 2 「天まで　とどけ、一、二、三。」の違いを確かめる 〈15分〉

T 「天まで　とどけ、一、二、三。」は、3回出てきますね。どれも全部同じ言い方でいいでしょうか。

・1度目：ジャンプは30センチくらいであること。

・2度目：ジャンプが50センチくらいになっている。くじらぐもの応援の後の台詞。

・3度目：風が吹いて、子供たちを空に吹き飛ばしている。くじらぐもの2度目の応援の後の台詞。

○ 1度目は、30センチくらいのジャンプだが、決して小さな声で言っているわけではない。教科書 p. 9に「男の子も、女の子も、はりきりました。」という叙述がある。

くじらぐも

1

「天までとどけ、一、二、三。」のよみかたの
くふうを　かんがえよう。

教科書 p.10～11
の挿絵

○子どもたち
「天まで　とどけ、一、二、三。」
○くじらぐも
「もっと　たかく。もっと　たかく。」

読み方を変化させる部分を
分かりやすく板書していく

2

①「天まで　とどけ、一、二、三。」
三十センチくらいしかジャンプ
していない。
かんたんにとどくとおもっている。

・だんだんと、こえを
大きくする。
・こえを出すひとをふ
やしていく。

②「天まで　とどけ、一、二、三。」
五十センチくらいのジャンプ
くじらぐものおうえんがあった。
一かい目より　がんばっている。

・「天まで」をすこし
ずつのばしてよむ。
・「いち」を「い～ち」
とのばしていく。

## 3 読み方の工夫を考える　〈20分〉

T　それぞれの「天まで　とどけ、一、二、三。」の読み方の工夫を考えましょう。

・声の大きさを変える工夫をする。
・声に出して読む人数を変える工夫をする。
・間の空け方を変える工夫をする。
・「いち」を「い～ち」など言葉の読み方を変える工夫をする。
・輪の大きさを変える工夫をする。
・つないだ手の振り方を変える工夫する。

○動作が伴った工夫も出てくるだろう。教室のスペースをつくるなど、子供の工夫実現のための支援をする。

**ICT 端末の活用ポイント**

子供たちの活動の様子を撮影し、自分たちの工夫を振り返ることができるようにする。

**よりよい授業へのステップアップ**

**繰り返しの表現への着目**

1年生の説明的文章では、言葉や表現、文の構成の繰り返しが出てくる。

文学的文章での同じ言葉や表現の繰り返しには、それが使われる文脈を変えることで、読者に場面の印象を強くしたり、一種のおもしろみを感じさせたりする効果がある。本教材では、子供たちの「くじらぐもに乗りたい」という思いが強まっていることを効果的に伝えている。

繰り返しの表現や同じ言葉が出てきたとき、それらに立ち止まって読む姿勢を育ませたい。

本時案

# くじらぐも

## 本時の目標

・教科書 p.12～13を読み、くじらぐもに乗っている子供たちの台詞や見えているものを想像することができる。

## 本時の主な評価

❸教科書 p.12～13の子供たちの台詞や見えているものを想像している。【思・判・表】

## 資料等の準備

・教科書 p.12～13の挿絵を拡大したもの
・拡大したワークシート①（ICT 機器で提示してもよい）01-01

## 授業の流れ ▷▷▷

### 1 教科書を読み、場面の様子を理解する 〈10分〉

T　まず、教科書の p.12～13を先生が読みます。その後、自分で声に出して読みましょう。

T　この場面の様子を確かめましょう。

・子供たちがくじらぐもの上に乗っている。
・子供たちが飛び跳ねたり、楽しそうにしていたりする。
・子供たちが歌を歌っている。
・くじらぐもが、海や山、村など様々な場所に行っている。

○叙述と挿絵のどちらから考えをもっていても構わない。ただ、発言した子供には、どちらからそう考えたのかは確かめるとよい。

### 2 子供たちの様子を想像する 〈20分〉

T　この場面で子供たちが話していることや見ているものを想像してみましょう。

・空の上は気持ちがいいね。
・学校が小さく見えるよ。
・雲の上でジャンプしたくなるね。

○ワークシートに直接記入させることで、どの子供のことを想像すればよいのかを明確にさせる。

○子供たちは、台詞の背景にあることを豊かに想像している。机間指導をしながら、その台詞を書いた理由を聞くことで、子供理解を深めることができる。

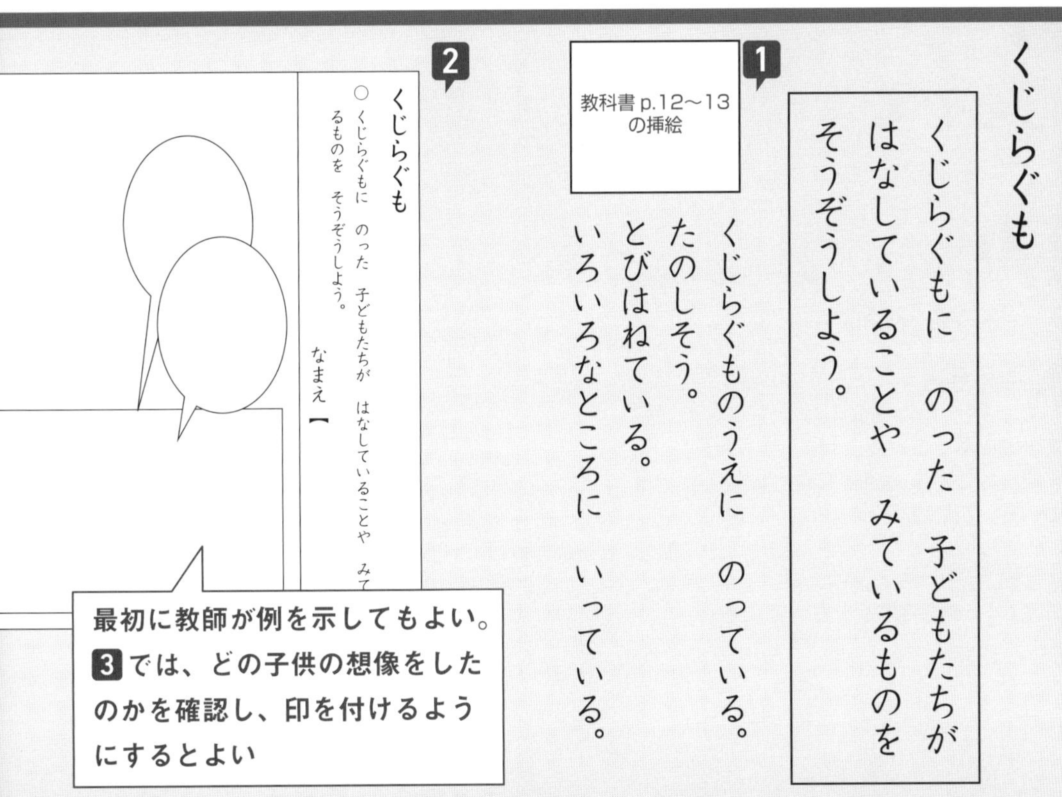


## 3 想像したことを交流する　〈15分〉

T　どのような想像をしたのか、友達と交流しましょう。

○全体での交流の前に、隣の友達やまわりの友達とワークシートを見せ合う。

T　では、みんなの前で想像したことを話してくれる人はいますか。

○台詞だけではなく、その背景にある想像も併せて語らせるとよい。

### よりよい授業へのステップアップ

**物語との同化**

本教材は、学習する子供たちと同年齢の子供たちが登場をする。また個別に名前が与えられているわけでもなく、子供たちが、物語と自分を同化しやすいつくりとなっている。子供たちは、作中の子供たちになりきって想像をしているのである。

くじらぐもに乗った子供たちについて想像させるだけではなく、授業を受けている子供たち自身の分身を登場させてもよい。

子供たちの全身像の写真をワークシートに貼らせるなどの工夫も考えられる。

本時案

# くじらぐも

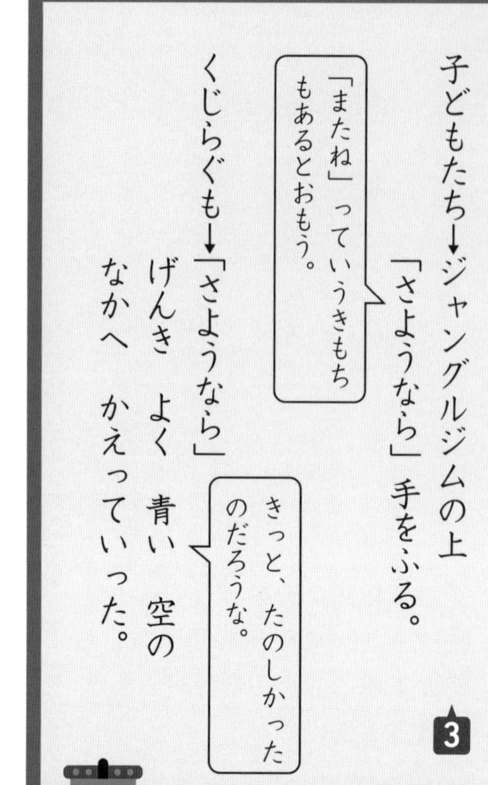


## 本時の目標

・教科書 p.14～15を読み、場面の様子や登場人物の行動を読み取ることができる。

## 本時の主な評価

❸教科書 p.14～15の場面の様子や登場人物の行動を読み取っている。【思・判・表】
❹読み取ったことを友達に意欲的に伝えようとしている。【態度】

## 資料等の準備

・教科書 p.14～15の挿絵を拡大したもの

## 授業の流れ ▷▷▷

### 1 教科書を読み、場面の様子を確認する 〈10分〉

T まず、教科書の p.14～15を先生が読みます。その後、自分で声に出して読みましょう。
T この場面の様子を確かめましょう。
・子供たちとくじらぐものお別れの場面であること。
・お別れの場面ではあるが、悲しい雰囲気はないこと。
・４時間目が終わったときのこと。
○ここでは、場面の様子については大体の捉えで構わない。次の活動で、叙述を基に詳しく場面を読んでいく。

### 2 叙述を基に場面の様子を読み取っていく 〈20分〉

T この場面の時間はどれくらいですか。
・先生が「おひるだ」と言っているから、12時くらい。
・４時間目の終わりのチャイムがなっているから、12時15分くらい（学校の実態に応じる）。
T 子供たちやくじらぐもはどのような様子ですか。
・くじらぐもは、結構すぐに帰っている。お別れは寂しくないのかな。
・くじらぐもは、元気よく帰っている。
・子供たちはジャングルジムの上で手を振っている。思いっきり振っているのかな。
○叙述を基に読み取った内容について、どのように感じたかも併せて聞いていく。

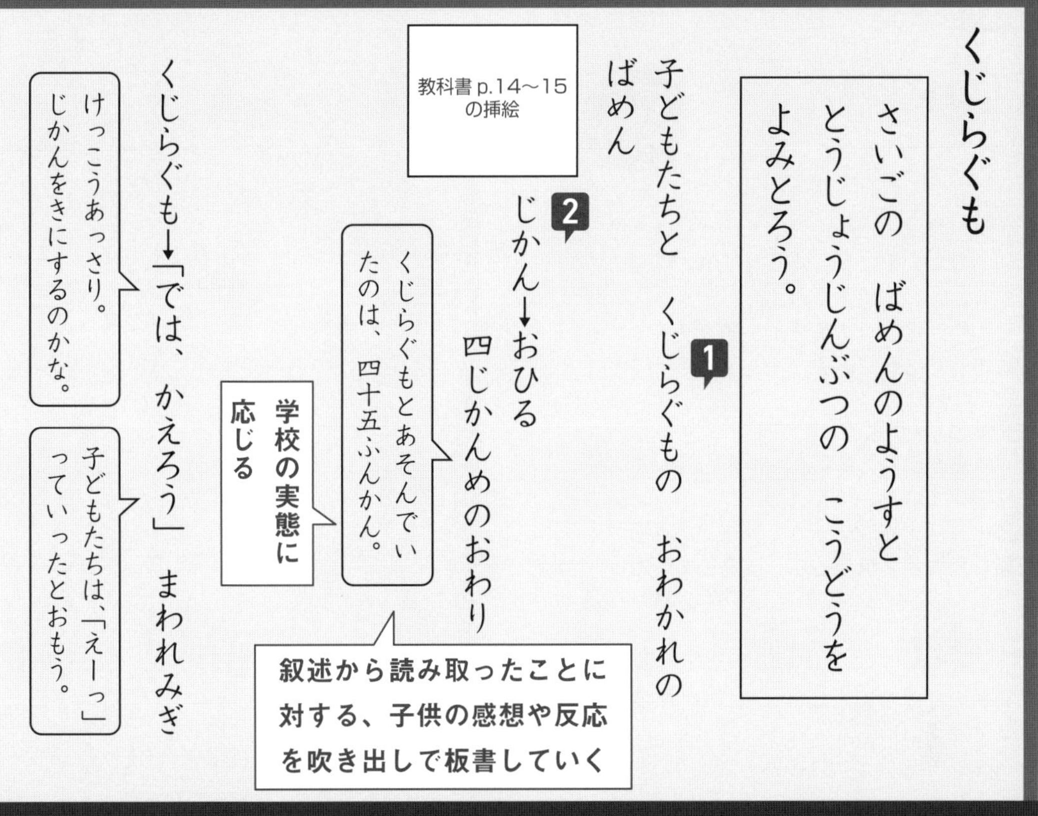


## 3 読み取ったことから想像したことを交流する 〈15分〉

**T** 書いてあることから、とても丁寧に場面の様子を読み取ることができました。
その様子からどんなことを想像しましたか。

・くじらぐもがすぐに帰ってしまって、ちょっと残念に思った子もいたんじゃないかな。
・お昼だから、おなかがすいていたと思う。給食（学校の実態に応じる）を思い出していたかも。
・くじらぐもはとっても楽しかったと思う。また来てくれるつもりかもしれない。

○叙述を基にした意見であることを意識して子供の発言を聞き、曖昧さを感じたときは、どこからそう思ったかを尋ねるようにする。

### よりよい授業へのステップアップ

**「自由＝何でもあり」ではない**

子供たちが自由に想像する余地の多い作品である。「では、かえろう」とくじらぐもが言ったときの子供たちの様子を想像させることもできる。また、それぞれの「さようなら」以外の台詞を付け足すことも考えられる。

ただし、自由だからといって、物語の世界観を壊すような想像は認められない。前述の「では、かえろう」の後で「早く帰りたかったんだ」のような後ろ向きな想像は、教室に一時の笑いを生むかもしれないが、適切な想像とは言えない。

本時案

# くじらぐも

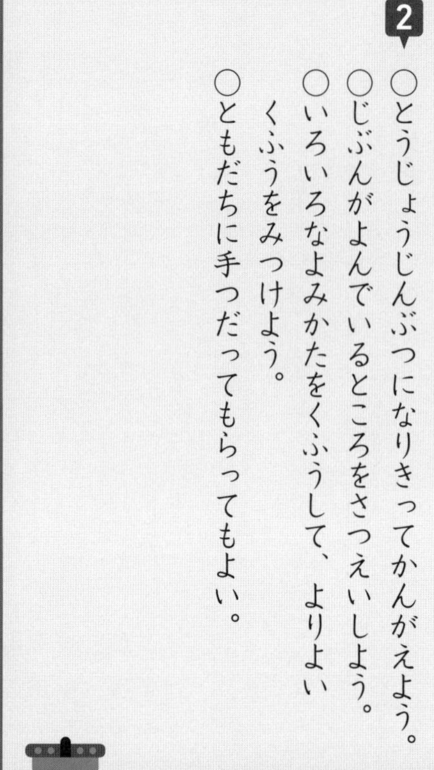


## 本時の目標

・物語の登場人物になったつもりで、場面の中で話したことを想像することができる。
・登場人物が話した言葉を、かぎを使ってノートに書くことができる。

## 本時の主な評価

❶登場人物が話した言葉を、かぎを使ってノートに書いている。【知・技】
❷物語の登場人物になったつもりで、場面の中で話したことを想像して、音読している。【知・技】

## 資料等の準備

・教科書の挿絵を拡大したもの（ICT 機器で提示してもよい）
・ワークシート② 01-02

### 1 声に出して読みたい場面を選ぶ〈第 6 時・15分〉

T　これまで、このお話を想像を広げながら読んできました。今日は、物語の登場人物になりきって、声に出して読んでいきましょう。
T　登場人物になりきってみたい場面を選びましょう。
○複数の場面を選びたい子供は認めてもよい。ただし、一つ一つの活動がおろそかにならないようにさせたい。
○これまでの学習を振り返ることができるように、学習の記録や教科書の挿絵などを提示する。

### 2 読み方の工夫を考える〈第 6 時・30分〉

T　よりよい読み方を工夫します。そのために、自分が読んでいるところを撮影して、振り返りながら活動をしましょう。
○子供たちの実態に応じて、適宜教師が撮影を支援する。
○子供の読み方を指導するときは、子供の読み方がどのように聞こえたかを伝えるとよい。表現の指導だけではなく、子供自身が表現の仕方を考えるように促していく。
○友達と一緒に活動をしてもよいが、友達が考えたものを表現するだけにならないように、自分なりの表現も考えさせるようにする。友達は「表現の協力者」という立場がよいだろう。

くじらぐも

1 とうじょうじんぶつになりきって、おはなしをこえにだしてよもう。

教科書 p.6～7 の挿絵

教科書 p.8～9 の挿絵

教科書 p.10～11 の挿絵

教科書 p.12～13 の挿絵

教科書 p.14～15 の挿絵

## 3 読み方の工夫の交流をする〈第７時・35分〉

T　それでは、みんなが考えた読み方の工夫を発表しましょう。

○学級の実態や人数に応じて、全体での発表やグループでの発表など形式を選択する。

○発表に対しては、次の発表者が必ず感想を言うなどさせると、それぞれに聞き手としての意識をもたせることが期待できる。

## 4 学習感想を書く〈第７時・10分〉

T　学習感想を書きましょう。やってみた感想や、友達からもらった感想についても振り返りましょう。

○もらってうれしかった感想も振り返ると、その感想を言った子供の有用感にもつながる。発表に向けて、あらかじめ子供たちに「もらいたい感想」を考えさせておいてもよい。

本時案

# くじらぐも

## 本時の目標

・これまでの学習を振り返って、自分の学習成果が分かる。

## 本時の主な評価

❹これまでの学習を振り返って、自分の学習成果を分かっている。【態度】

## 資料等の準備

・教科書の挿絵を拡大したもの（ICT 機器で提示してもよい）
・子供の撮影記録

2
・ことばにきをつけてよむこと
・きもちやこうどうをかんがえること
・こえにだしてよむこと
○これまでのがくしゅうをいかして、くじらぐもをよもう。

## 授業の流れ ▷▷▷

### 1 本時のめあてを確かめる 〈10分〉

T　今日はこれまでの学習を振り返って、自分が上手にできるようになったことを見付けましょう。
T　今日まで、どんなことを学習してきたか思い出してみましょう。
・登場人物がどんな人か考えた。
・くじらぐもに乗ったつもりになって、いろいろな想像をした。
・読み方の工夫を考えた。
○子供の発言に合わせて、場面の挿絵を提示していく。子供から出ないときには、挿絵を提示することで発言を促す。

### 2 これまでの学習を振り返る 〈25分〉

T　どんなことが上手になったと思えますか。
・書いてある言葉に気を付けて読むことができるようになった。
・気持ちや行動を考えるのが上手になったと思う。
・声に出して読むこと。
○これまでに子供が撮影してきた動画を見て振り返ってもよい。
○子供たちが楽しい雰囲気の中で振り返ることができるとよい。

**ICT 端末の活用ポイント**

動画を使うことで、子供たちが視覚的かつ客観的に振り返ることができる。

くじらぐも

これまでのがくしゅうを　ふりかえって、
じょうずになったことを　みつけよう。

教科書 p.6〜7
の挿絵

教科書 p.8〜9
の挿絵

教科書 p.10〜11
の挿絵

教科書 p.12〜13
の挿絵

教科書 p.14〜15
の挿絵

## 3 音読をする 〈10分〉

T　それでは、これまで学習したことを生かして、くじらぐもを読みましょう。

○最後の音読でもあるので、一体感を生むために学級全体の「斉読」となってもよい。自分の好きなところのみを選んで読むなど、子供たちが楽しみながら読める場をつくる。

### よりよい授業へのステップアップ

**単元の終わり方**

本単元は場面の様子や登場人物の行動や気持ちを想像しながら読むことの力を育てることをねらっている。子供が読み取ったことを表出させるための手だてとして音読を言語活動として設定している。

表出手段としての音読ではあるが、子供には「上手に読めるようになりたい」という目標ともなっている。

単元の終末には様々な形が考えられるが、単元を通して取り組んできた言語活動で終わるのは、子供の意識としても自然だろう。

資　料

## 1 第４時資料　ワークシート①　01-01

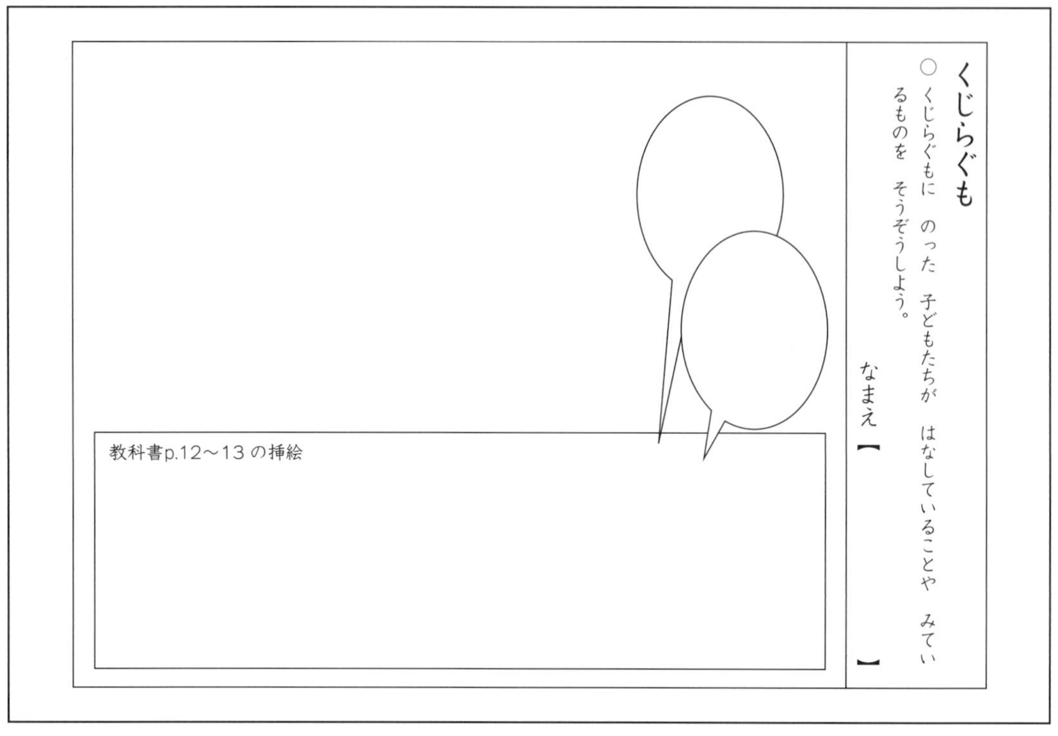


記入例　二つの吹き出しは子供に書き方を示すためのもの。子供の想像に合わせて追加をさせる。

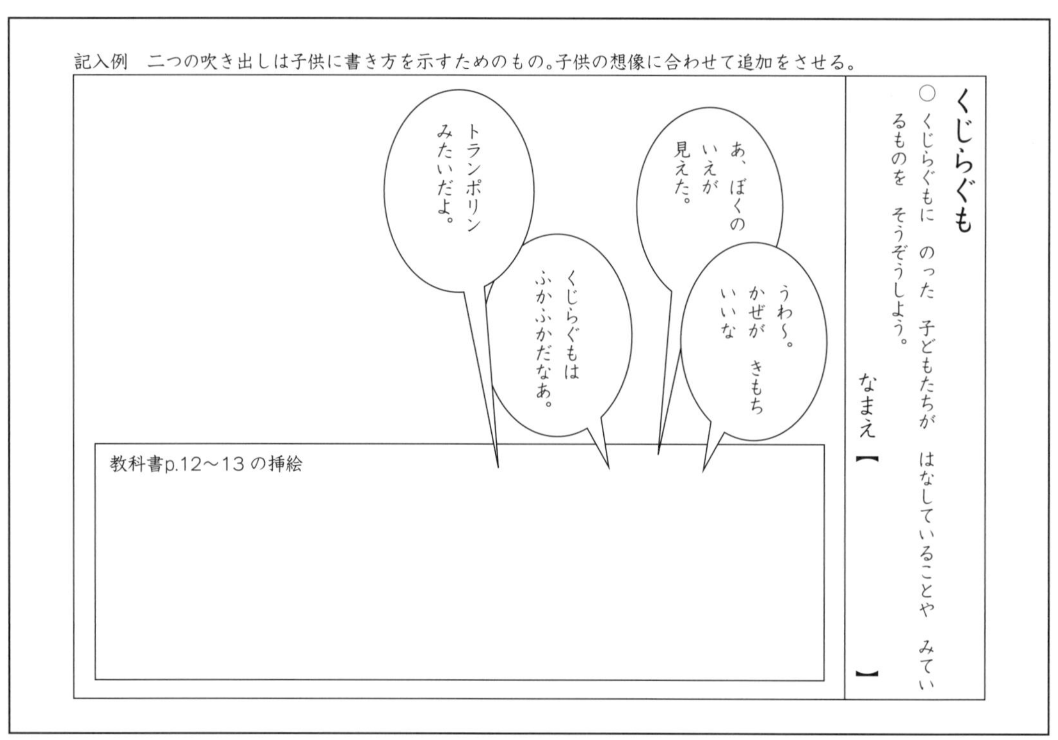

## 2 第６・７時資料　ワークシート② 01-02

くじらぐも

○ とうじょうじんぶつになりきって、おはなしをこえにだしてよもう。

なまえ【　　　　　　　　】

○ とうじょうじんぶつになりきってかんがえよう。

○ じぶんがよんでいるところをせつめいしよう。

○ いろいろなよみかたをくふうして、よりよいくふうをみつけよう。

○ ともだちにてつだってもらってもよい。

◇ よみかたをくふうしたばめん

◇ がくしゅうかんそう

# まちがいを　なおそう　(2時間扱い)

## 単元の目標

| | |
|---|---|
| **知識及び技能** | ・助詞の「は」、「へ」及び「を」の使い方を理解して、文や文章の中で使うことができる。((1)ウ) |
| **思考力、判断力、表現力等** | ・文章を読み返す習慣を付けるとともに、間違いを正すことができる。(B(1)エ) |
| **学びに向かう力、人間性等** | ・言葉がもつよさを感じるとともに、楽しんで読書をし、国語を大切にして、思いや考えを伝え合おうとする。 |

## 評価規準

| | |
|---|---|
| **知識・技能** | ❶助詞の「は」、「へ」及び「を」の使い方を理解して、文や文章の中で使っている。(〔知識及び技能〕(1)ウ) |
| **思考・判断・表現** | ❷「書くこと」において、文章を読み返す習慣を付けるとともに、間違いを正している。(〔思考力、判断力、表現力等〕Bエ) |
| **主体的に学習に取り組む態度** | ❸進んで文章を見直し、これまでの学習を生かして適切な表記に正そうとしている。 |

## 単元の流れ

| 時 | 主な学習活動 | 評価 |
|---|---|---|
| 1 | 学習の見通しをもつ<br>文章を読み返して間違いに気付いた経験や、日常的に文章を読み返す習慣が付いているかを振り返る。<br>教科書 p.19の文章例を読み、間違いを直す。<br>正しい文章をワークシートに写す。 | <br><br><br>❷<br>❶ |
| 2 | 身近な出来事を思い出して、簡単な文章を書く。<br>自分が書いた文章を読み返し、間違いがあれば赤色で直す。<br>友達と交換して読み合い、間違いがあれば青色で書いて直す。<br>学習を振り返る<br>書いた文章を読み合い、間違いがあれば直すことのよさを確かめる。 | <br>❷<br>❸ |

## 授業づくりのポイント

**〈単元で育てたい資質・能力〉**

本単元のねらいは、自分が書いた文章を読み返し、文字の間違いなどに気付き、修正する習慣を付けることである。このような推敲の力を付けるためには、日常的に書いた文章を音読したり、丁寧に読み返したりする経験の積み重ねが必要になる。

そこで、まず教科書の作文を題材として、助詞「は・を・へ」が正しく使われていない箇所を見付けて直す。その後、自分が書いた文章を読み返して間違いを直し、さらに友達と読み合って文章を完成させる。この2つの活動を通して、自分が書いた文章を読み返すことの大切さを感じることができる。また、自分の書いた文章の間違いを見付けるためには注意深く読み返さなければならないことや、読み手に伝わる文章にするために、間違いを直す必要があることにも気付かせたい。また、自分の書いた文章の間違いを見付けるためには注意深く読み返さなければならないことや、読み手に伝わる文章にするために、間違いを直す必要があることにも気付かせたい。

[具体例]

この時期の子供は、上巻「こんな　ことが　あったよ」で、経験したことを知らせる文章を書くことに取り組んでおり、日々の日記指導や行事作文などを通して、ある程度まとまった量の文章が書けるようになっていると思われる。しかし、書いた文章を読み返し、修正した経験は多くはないだろう。そこで本単元の学習を機会に、教師が間違いを指摘して修正させるのではなく、自分で気付いて修正して完成させる習慣を身に付けられるようにしたい。

**〈教材・題材の特徴〉**

生活科の学習に関連した内容で表記に誤りのある文章が教材となっている。子供にとっては親しみやすい内容であり、助詞「は・を・へ」の表記の間違いも、子供が書く文章に多く見られるものである。そのため、「自分も同じ間違いをしていた」や「なるほど、ここに気を付けて書けばいいのだ」など、実感をもって修正するポイントをつかむことができる。

次教材の「しらせたいな、見せたいな」では、今回の学習を生かして文章を書いたり読み返したりする姿も期待できる。

**〈言語活動の工夫〉**

本単元では、教科書の作文の間違いを見付けて修正する活動から始め、自分の書いた文章を推敲し、友達と読み合って確認する活動を設定する。子供は自分の書いた文章については読み飛ばしてしまうことがままあるが、友達の文章は注意深く読もうとする。友達と交換して読み合う活動を通して、自分の書いた文章も注意深く読み返すことが大切であることに気付かせたい。

子供によっては、間違いを恥ずかしく感じたり、修正することに抵抗を示したりすることもある。単元を通して、文字などの間違いを悪いものとして捉えるのではなく、間違いを見付けて書き直すと、伝えたいことが読み手に正しく伝わるというよさを意識させるようにしたい。

[具体例]

ここでの学習だけにとどまらず、日頃から書いた文章を音読して確認することを促したり、視写や聴写の活動を行ったりして（例：漢字の小テストを聴写で行う）、注意深く文章を書くことを習慣化させたい。

本時案

# まちがいを なおそう

## 本時の目標

・教材文を音読して間違いに気付き、正しく書き直すことができる。

## 本時の主な評価

❶助詞の「は」、「へ」及び「を」の使い方を理解して、文や文章の中で使っている。【知・技】

❷「書くこと」において、文章を読み返す習慣を付けるとともに、間違いを正している。【思・判・表】

## 資料等の準備

・教科書 p.19の教材文を拡大したもの
・教材文を正しく書き直した文章を拡大したもの

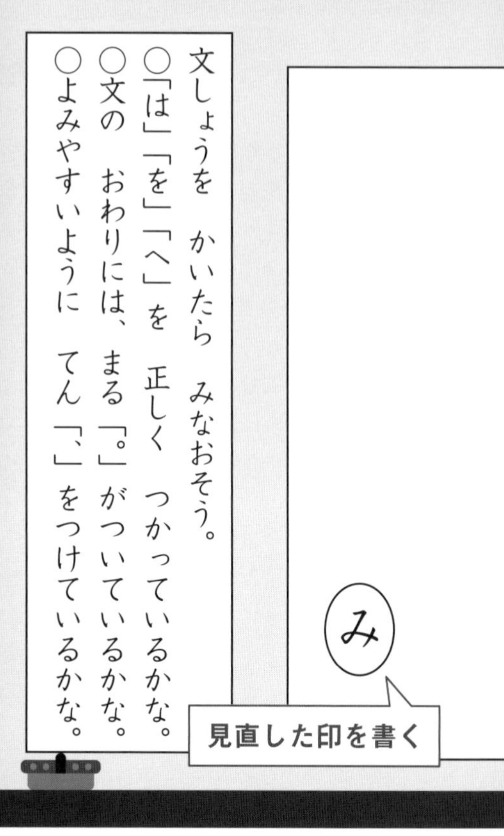


## 授業の流れ ▷▷▷

### 1 文章を読み返す習慣や経験を振り返る 〈10分〉

T　自分が書いた文章を読み返したことがある人はいますか。また、読み返して間違いに気付いたことがある人はいますか。

○これまでの経験を尋ね、めあてを提示する。教材文をゆっくり範読する。指で文字をなぞりながら聞くように指示する。その後、1文ずつ教師の後を追わせて音読させる。

T　どうでしたか。何か気付きましたか。

・間違いがたくさんあります。
・「は」が「わ」になっています。
・「ものお」の「お」は「を」と書きます。
・「こうえんえ」は「え」と読むけれど、書くときは「へ」です。

### 2 教材文の間違いを正しく直す 〈15分〉

T　たくさん間違いがあることに気付きましたね。みんなで正しく直していきましょう。

○子供に発表させ、間違いの箇所と正しい表記を確認しながら、黒板に提示した教材文に赤字で修正していく。

・「おちばお」の「お」は「を」と直します。
・「大きさでした」は文の終わりだから「。」を書きます。

T　点「、」を付けた方が読みやすいところはないですか。

・「わたしは」の後に「、」を付けると読みやすいです。

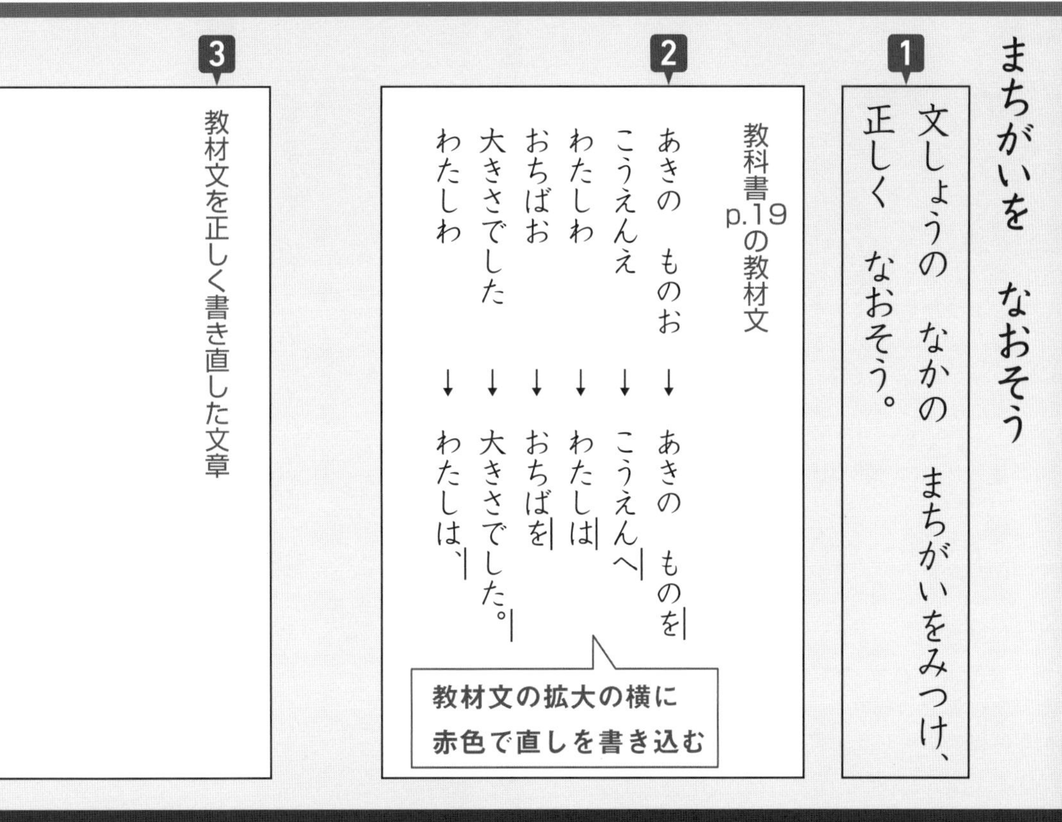


## 3 直した文章を視写し、音読する〈20分〉

T　正しく直した文章を写しましょう。

○「、」や「。」を書く位置や、１マス使うことに注意して視写させる。

T　正しく書き直した文章を音読しましょう。

○ゆっくり音読し、正しく直せているかを確かめさせる。「は」は「わ」と同じ発音だが、「を」については「wo」と発音することに注意したい。

T　今日は教科書の文章の間違いを見付け、正しく書き直す学習をしました。文章を書いたら読み返して「は」「を」「へ」が正しく使えているか、文の終わりには「。」を付けているかなど、確かめるようにしましょう。

**よりよい授業へのステップアップ**

**読み直す習慣付けのための工夫**

助詞「は」「を」「へ」については、間違いに気付かない子供も少なくない。文章を書いた後に自分で読み直す習慣を付けさせるために、読み直した印を文章の末尾や紙面上に付けさせるなどの手だてをとるとよい。教師が表記の間違いに気付いたときにも、子供に書いたものを音読するよう促すと、自分で誤りに気付けることが多い。本単元で学習した読み直す際のポイントを教室内に掲示し、いつでも確認できるようにしておくのもよい。

本時案

# まちがいを なおそう

2/2

## 本時の目標

・自分が書いた文章を読み返し、正しく書き直したり、友達が書いた文章を読んで間違いを修正したりすることができる。

## 本時の主な評価

❷「書くこと」において、文章を読み返す習慣を付けるとともに、間違いを正している。【思・判・表】

❸進んで文章を見直し、これまでの学習を生かして適切な表記に正そうとしている。【態度】

## 資料等の準備

・前時で使用した赤色で修正した教科書 p.19 の教材文を拡大したもの

・前時の学習のポイントを書いたもの

3 ともだちと　こうかんして　まちがいを　なおす。

☆まちがいを　あおえんぴつで　なおす。

## 授業の流れ ▷▷▷

### 1 身近な出来事を思い出して、簡単な文章を書く 〈15分〉

T　前の時間は、教科書の文章を読んで間違いを見付け、正しく書き直すことを学習しました。今日は、自分の文章を自分で読み直し、友達と一緒に間違いを直します。それでは、昨日の（○○の）出来事を思い出して文章を書いてみましょう。

○本時のために、最近の出来事の中から簡単な文章を書くことを課題として出しておいてもよい。また、日記や生活科のカード、学習感想を活用することも考えられる。その場合は、3で複数の友達と互いの文章を読み合う時間を設定する。

### 2 自分が書いた文章を読み返し、間違いを直す 〈10分〉

T　それでは、赤鉛筆を持って自分の書いた文章を読み直しましょう。間違いがあったら、消さずに赤鉛筆で直しましょう。書いた文字を指でなぞりながら、一字一字確かめるといいですね。どんなところに注意したらいいですか。

・「は」「を」「へ」が正しく書けているかです。

・文の終わりに「。」があるかです。

○間違いを消さずに赤色で直すことにより、自分の間違いの傾向をつかむことができる。

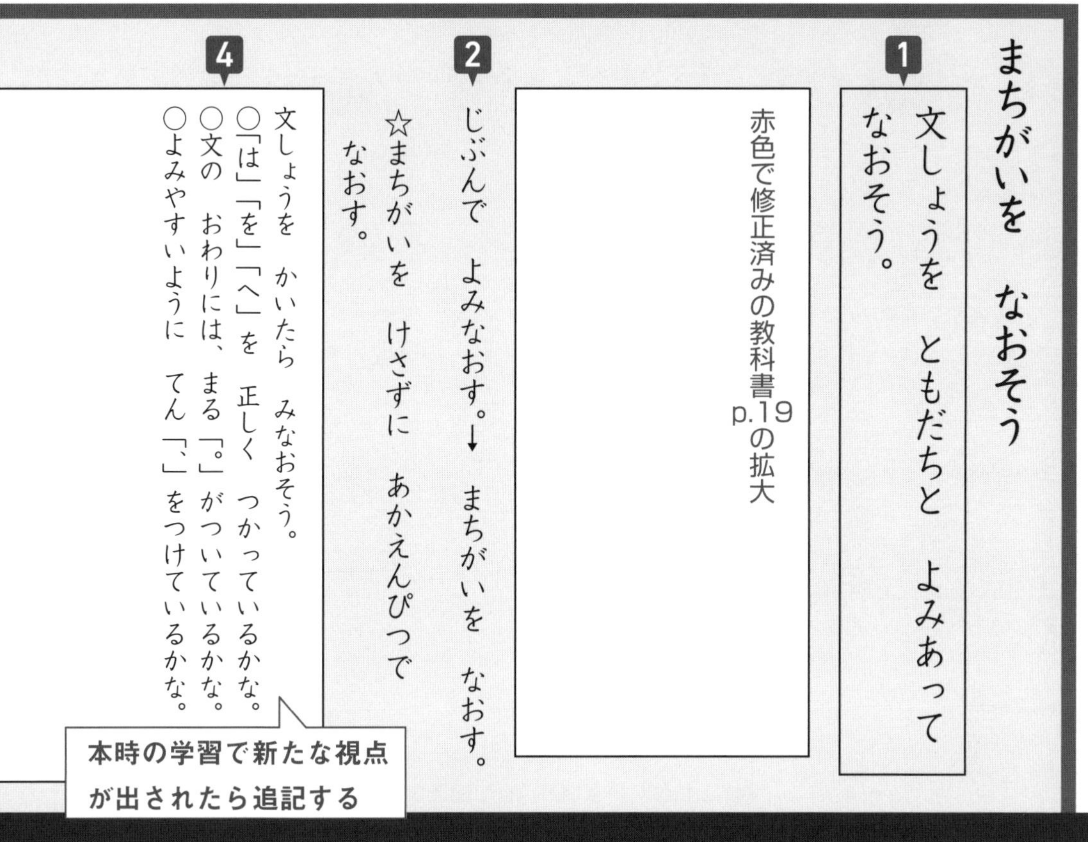


## 3 友達と交換して読み合い、間違いを直す 〈10分〉

T　自分で読み直して間違いが見付かりましたか。
・「は」を「わ」と書いていました。
・自分では間違いが見付かりませんでした。
T　それでは、友達にも読んでもらい、正しく書けているか確かめてもらいましょう。間違いがあったら青鉛筆で直してあげましょう。
○間違いは悪いことではなく、文章を完全なものにしていくために直すことを強調して活動に入らせたい。

## 4 学習を振り返る 〈10分〉

T　友達と読み合ってどうでしたか。
・自分では気が付かなかった間違いを見付けてもらいました。
・小さい「っ」を抜かしていることを教えてもらいました。
・自分も友達と同じ間違いをしていました。
○促音や長音の表記の間違いなど、子供から新たな見直しのポイントが出されたら追記する。「ゆった（言った）」など、多くの子供が間違えていることを教師が示し、見直させるのもよい。
T　これからも文章を書いたら必ず読み直し、間違いに気付いたら直してよりよい文章にしていきましょう。

くわしく　かこう

# しらせたいな、見せたいな　（10時間扱い）

## 単元の目標

| | |
|---|---|
| **知識及び技能** | ・言葉には、事物の内容を表す働きや、経験したことを伝える働きがあることに気付くことができる。((1)ア)<br>・助詞の「は」、「へ」及び「を」の使い方、句読点の打ち方、かぎ(「　」)の使い方を理解して、文や文章の中で使うことができる。((1)ウ) |
| **思考力、判断力、表現力等** | ・経験したことなどから書くことを見付け、必要な事柄を集めたり確かめたりすることができる。(B(1)ア)<br>・語と語や文と文との続き方に注意しながら書き表すことができる。(B(1)ウ) |
| **学びに向かう力、人間性等** | ・言葉がもつよさを感じるとともに、楽しんで読書をし、国語を大切にして、思いや考えを伝え合おうとする。 |

## 評価規準

| | |
|---|---|
| **知識・技能** | ❶言葉には、事物の内容を表す働きや、経験したことを伝える働きがあることに気付いている。(〔知識及び技能〕(1)ア)<br>❷助詞の「は」、「へ」及び「を」の使い方、句読点の打ち方、かぎ(「　」)の使い方を理解して、文や文章の中で使っている。(〔知識及び技能〕(1)ウ) |
| **思考・判断・表現** | ❸「書くこと」において、経験したことなどから書くことを見付け、必要な事柄を集めたり確かめたりしている。(〔思考力、判断力、表現力等〕B ア)<br>❹「書くこと」において、語と語や文と文との続き方に注意しながら書き表している。(〔思考力、判断力、表現力等〕B ウ) |
| **主体的に学習に取り組む態度** | ❺知らせたいものを丁寧に観察し、学習の見通しをもって見付けたことを文章にして伝えようとしている。 |

## 単元の流れ

| 次 | 時 | 主な学習活動 | 評価 |
|---|---|---|---|
| 一 | 1 | 学習の見通しをもつ<br>日頃の学習や生活を振り返り、学校にいる生き物や、学校で見付けた物の中から、家の人に知らせたいことを決め学習計画を立てる。 | |
| 二 | 2<br>3 | 知らせたいものをよく見てカードに描き、絵の周りに色や形、触った感じ、様子などを短い言葉で書く。 | ❸ |
| | 4<br>5<br>6 | p.21のカードとp.22の作文例を比べ、見付けたことをどのように文章に表すのかを考える。<br>短冊カードに、見付けた事柄を１つずつ文にする。<br>短冊カードを並べ替えながら文章の順序を考え、順序に沿って文章を書く。 | <br>❹❺<br>❸ |

| | 7<br>8 | 句読点や「は」「を」「へ」が正しく使えているか、読み返して推敲し、清書する。 | ❷ |
|---|---|---|---|
| 三 | 9<br>10 | 互いの文章を読み、分かったことや感想を伝え合う。<br>**学習を振り返る**<br>知らせたいことを伝える文章を書いて、家の人に読んでもらった感想を出し合う。<br>教科書 p.23「たいせつ」で学んだことを確かめるとともに、「ふりかえろう」で示された観点で学習を振り返り、発表する。 | ❶ |

## 授業づくりのポイント

**〈単元で育てたい資質・能力〉**

本単元のねらいは、経験したことから書くことを見付け、書くための材料を集めたり確かめたりして、伝えたいことを明確にする力を育むことである。そのためには、誰に何を伝えるのかという目的をはっきりとさせることが必要である。これまでの学校生活での経験を十分に想起し、子供自身が「知らせたい」「見せたい」と思えるものを見付けることが大切になる。また、見付けた事柄の中から、必要なものを選んで書くことができるようにする。

子供は、日頃の学習や日常生活の中で発見したことを、教師や身近な大人に好んで話す傾向がある。本単元では、話して伝えることの他に、文章を書いて伝わる喜びがあることも味わわせたい。

[具体例]

生活科の学習で季節による自然の変化を見付けに行ったときの写真や、学校で飼っている生き物の写真、それらと触れ合っている様子の写真を見せることで、これまで子供が日常生活の中で発見したことを想起できるようにする。

**〈教材・題材の特徴〉**

本単元では、学校にいる生き物や、学校で見付けたものを家の人に知らせる文章を書く。知らせたいものの様子を表す言葉を考えるために、絵を描き、そこから線を引いて見付けたことを短い言葉で書く活動が設定されている。上巻「おおきく　なった」では、観察の観点を基に取材し、観察記録を書く学習をしている。本単元でも「色」「形」「大きさ」「動き」「触った感じ」といった観点が示され、書き出した事柄の中から必要な事柄を選び、順序を考えながら文章を書く学習の流れとなっている。

題材を選び、観点を意識しながら取材し、取材した材料を選んで文章を書く、というそれぞれの学習過程での子供の思いが吹き出しに書かれている。上手に活用して学習を進めたい。

**〈言語活動の工夫〉**

この時期の子供にとって、取材したメモからすぐに文章を書くことは難しい。そこで短冊型のカードを用意し、見付けた事柄の１つに対し、１枚のカードを対応させて文を書かせるとよい。カードの操作性を生かし、必要なものを取捨選択したり、書く順序を考えたりすることが容易になる。清書のときには、並べたカードを順に写していけばよいので、書くことが苦手な子供も取り組みやすい。

**〈ICT の効果的な活用〉**

**調査**：知らせたい対象を ICT 端末で撮影し、カードを見返す際や書きたい内容を選ぶときに見ることができるようにする。

本時案

# しらせたいな、見せたいな

### 本時の目標

・学校にいる生き物や、学校で見付けたものを家の人に知らせる文章を書くことに関心をもち、知らせたいことを決めることができる。

### 本時の主な評価

・学校にいる生き物や、学校で見付けたものを家の人に知らせる文章を書くことに関心をもち、知らせたいことを決めている。

### 資料等の準備

・学校で育てている生き物や、生活科の学習で見付けたもの、それらと触れ合っているときの様子が分かる写真

・文しょうに　する。
・まちがいを　なおす。
・ともだちと　よみあう。
・いえのひとに　よんでもらう。

3
☆いえの　ひとに　しらせたい　ものを
きめよう。

### 授業の流れ ▷▷▷

## 1 これまでの経験を振り返る 〈15分〉

T　学校にいる生き物や、学校で見付けたものがたくさんありますね。特に心に残っていることはありますか。

○育てている生き物と触れ合っているときの写真や、生活科の学習で見付けたものの写真を見せる。

・ハムスターを初めて触ってかわいかったです。
・みんなでやった落ち葉集めが楽しかったです。落ち葉の色がきれいでした。
・毎日金魚に餌をあげるのが楽しみです。

○これまで学習した写真の他にも、そのとき学校に咲いている植物や、見られる生き物の写真を見せて関心をもたせることもできる。

## 2 学習計画を立てる 〈15分〉

T　いろいろな発見がありましたね。みんなが見付けたことをお家の人に知らせてあげるにはどうしたらよいでしょう。

・絵を描いて教えてあげたらいいと思います。
・日記を書いたみたいに、文章を書いて知らせるといいと思います。

T　では、家の人に文章を書いて知らせるためには、どんなことをしますか。

・よく見て観察します。
・どんなことを知らせたらよいかを書きます。

○1でハムスターの写真に吹き出しで書いた「ハムスターはかわいい」だけでよいかを聞き、上巻「おおきく　なった」と関連させ、観察して様子を伝えることの大切さを想起させる。

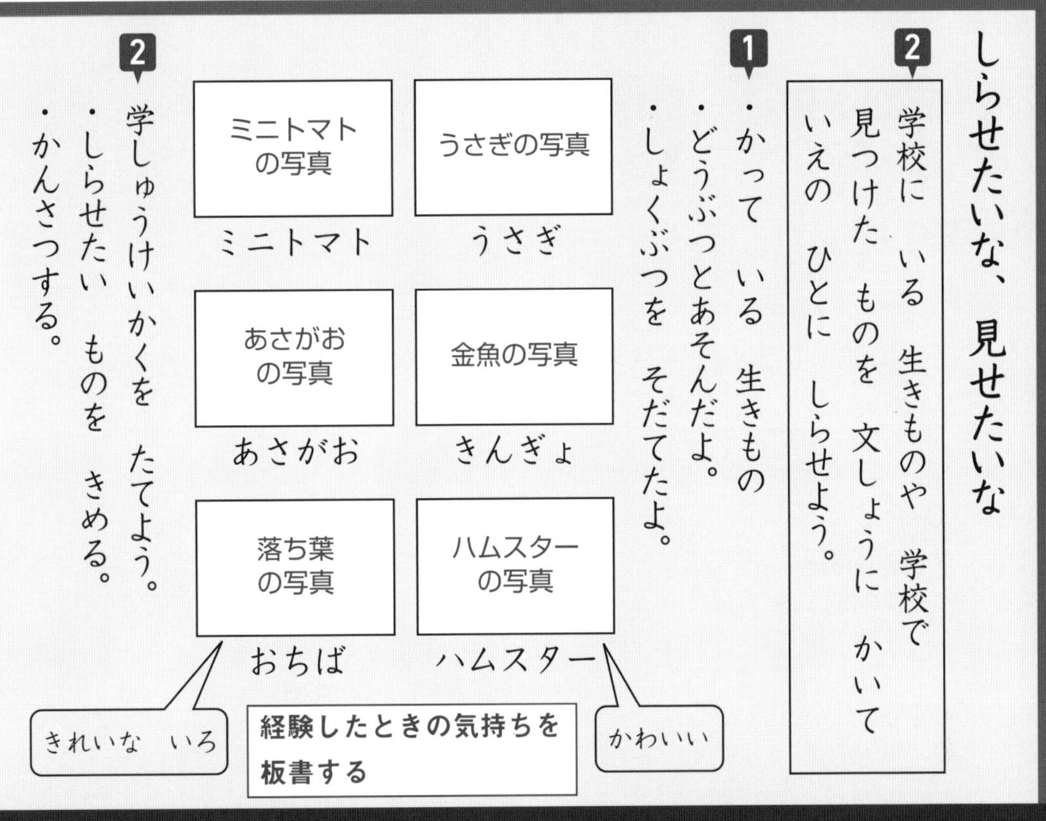


## 3 知らせたいものを決める 〈15分〉

T　学校にいる生き物や学校で見付けたものから、家の人に知らせたいものを決めてノートに書きましょう。どんなことを知らせたいですか。

・飼っている金魚のことを伝えたいです。
・校庭で見付けた黄色い花のことを知らせたいです。

T　家の人がよく分かるように伝えるためには、どうしたらよいでしょう。

・もう一度見たいです。
・よく思い出して詳しく書きたいです。

**ICT 端末の活用ポイント**

知らせたい対象となりそうなものをあらかじめ教師が ICT 端末で撮影しておき、書きたい内容を選ぶときに見ることができるようにする。

**ICT 等活用アイデア**

**知らせたいものを具体的にイメージするための工夫**

日々の生活や学習を振り返り、子供が「知らせたい、見せたい」という気持ちを抱くことが、文章を書く意欲につながる。そのために、教師があらかじめ撮影した写真や動画を提示し、知らせたいものを具体的にイメージできるようにする。

知らせたいものが決まったら、色や形、大きさや動きといった観点を子供に意識させて撮影させ、書くときに見られるようにしておくとよい。

本時案

# しらせたいな、見せたいな

## 本時の目標

・知らせたいものの絵を描き、知らせるために必要なことを集めて、短い言葉で書くことができる。

## 本時の主な評価

❸知らせたいものを書くために必要なことを集め、短い言葉で書いている。【思・判・表】

## 資料等の準備

・教科書 p.21のカードの拡大コピー
・「見るポイント」の掲示（第３時）
・知らせたいものの絵が描いてあるカードの拡大コピー

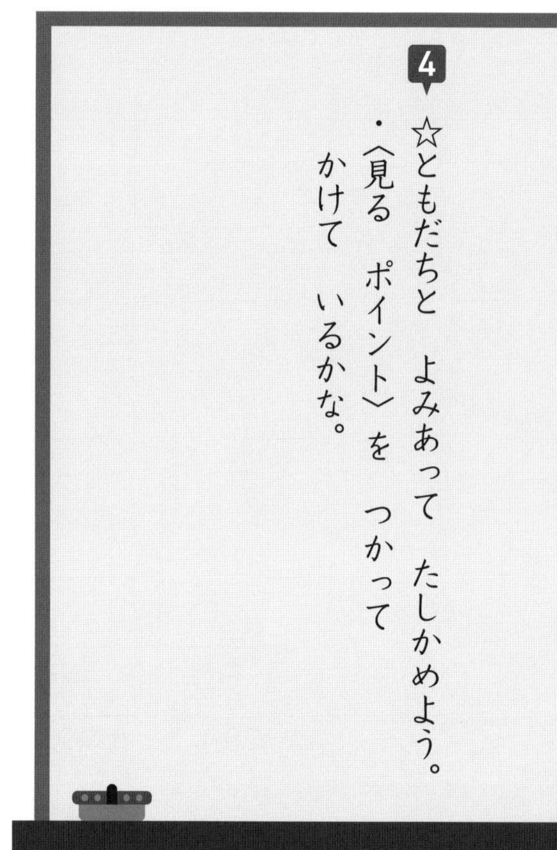


## 授業の流れ ▷▷▷

### 1 知らせたいものを詳しく書くための観点を考える 〈第２時・10分〉

T　家の人に見付けたものを知らせるためには、よく見て観察することや、思い出して詳しく書くことが大切でしたね。では、どんなところを観察するとよいでしょうか。
・色や形や大きさです。
・触った感じを書きます。
・動きや様子を書くといいです。
○生活科の学習経験や、上巻「おおきく　なった」の学習を想起させて観点を出し合い、教科書 p.21を見て補足するとよい。出された観点は、〈見るポイント〉として、次時以降も確認できるよう掲示する。

### 2 観察したことを、短い言葉で書く方法を知る 〈第２時・15分〉

T　よく見たことを忘れないようにするために、教科書のカードでは、どんなことをしているでしょう。
・絵から線を引いて、見付けたことを書いています。
・短い言葉で書いています。
T　〈見るポイント〉を使って書いているか、確かめてみましょう。
・色は、「緑、茶色」と書いてあります。
・形は「とがっている」と書いてあります。
・「かたい」は触った感じです。
・「むしゃむしゃとたべる」は動きです。
T　〈見るポイント〉を使ってよく観察して書いてありましたね。短い言葉で記録しましょう。

しらせたいな、見せたいな

1 しらせたい　ものを　よく　見て、しらせるために　たいせつな　ことを　かこう。

2 教科書 p.21「ばったのぴょん」の拡大

〈見る　ポイント〉
・いろ
・かたち
・大きさ
・うごき
・さわった　かんじ
・ようす
・たかさ
・におい
・ふとさ
・かず
・おもさ

3 カードの拡大

見付けたことを短い言葉で書くために、実際にやってみせる

## 3 カードに絵を描き、見付けたことを記録する〈第2・3時・45分〉

T　知らせたいものをよく見て、大きく絵を描きましょう。描けたら、短い言葉で見付けたことを書きましょう。

○知らせたいものの絵が描いてあるカードの拡大を示し、絵を描いて見付けたことを短い言葉で記録する方法を実際にやって見せるとよい。絵は大きく描き、丁寧に色を塗るよりも、特徴を捉えて描くようにさせる。また、細かいところは言葉で書かせるようにする。

**ICT 端末の活用ポイント**

知らせたい対象を ICT 端末で撮影し、カードに記録する際に見ることができるようにする。絵を描く代わりに、撮影したものを印刷して使用することも考えられる。

## 4 友達と読み合い、観点に沿って書けているか確かめる〈第3時・20分〉

T　家の人に知らせたいものが、絵と短い言葉で書けましたか。友達と交換して読み合ってみましょう。

○〈見るポイント〉を使って書けているかを確かめるように伝える。
・大きさは「手の平ぐらい」って書いたんだね。
・「餌をあげるとパクッと食べる」って様子がよく分かるね。
・触った感じも書くといいと思うよ。
・色は何て書けばいいと思う？

○友達と相談して加筆・修正してもよいことを伝える。このときに青色で書くようにすると、学びの変容が分かりやすい。

本時案

# しらせたいな、見せたいな

## 本時の目標

・メモと文章を比べ、見付けたことを文章にする方法を考えることができる。

## 本時の主な評価

・メモと文章を比べ、見付けたことを文章にする方法を考えている。

## 資料等の準備

・教科書 p.21のカードの拡大コピー
・教科書 p.22の文章の拡大コピー
・「カードのことばを文しょうにするポイント」を書く掲示用の短冊

・「○○は（が）、△△です。」

みじかい
ながい
→ ながいあしと
みじかいあしが　あります。

・カードのことばを　まとめて　文にして　よい。

はっぱをやると、すこしずつ　かじって

・カードのことばに　つけたして　かいて　よい。

## 授業の流れ ▷▷▷

### 1 本時のめあてを確認する 〈10分〉

T　前の時間のカードを使って、家の人に知らせたいことを文章にしていきます。どのように書いたらよいでしょう。このカードだったら、どんな文が書けそうですか。

○教科書 p.21のカードを見せながら子供に自由に発言させる。

・緑色で硬いです。
・どこのことか分からないので、「体は」って付けた方がよいと思います。
・足は茶色くなっています。
・ばったのぴょんは、むしゃむしゃと食べます。

T　今日は、カードに書いた短い言葉（メモ）から文章を書く方法を考えましょう。

### 2 カードの言葉と文章を比べ気付いたことを発表する 〈20分〉

T　カードに書いてあることが、どんな文になっているか調べましょう。

○教科書 p.21のカードに書いてある言葉に印を付けながら教科書 p.22の文章を読む。
気付いたことを、子供に発表させていく。

・「ぴょんの体は」という言葉が付け足してあります。
・カードと違って「です」「ます」と書いてあります。
・体のこと、頭のこと、足のこと、みたいにまとまりに分かれて書いています。
・「はっぱをやると、すこしずつかじって」はカードには書いていない言葉です。

○子供の気付きを生かして板書する。

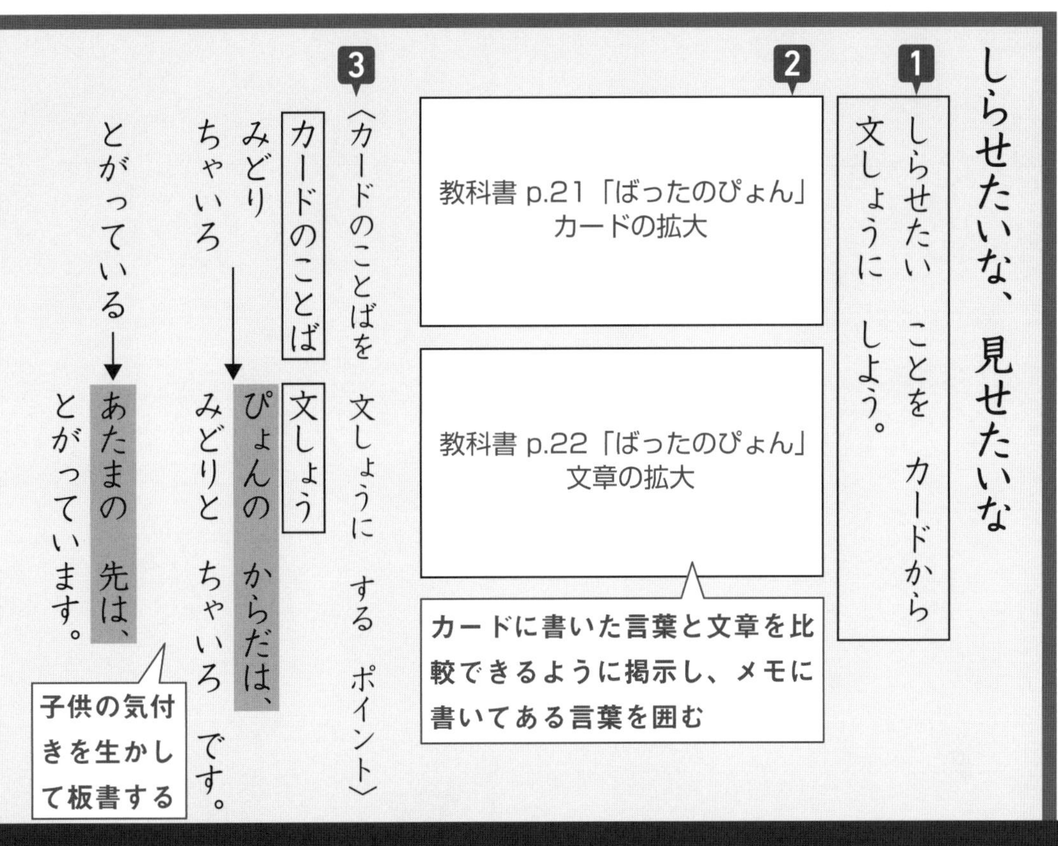


## 3 短い言葉から文章を書く方法を確かめる 〈15分〉

T カードに書いた言葉を文にするときに気を付けることが分かってきましたか。

・「みじかい」と「ながい」は2つとも足のことだから、まとめて書くといいです。

・「すこしずつかじって」のように詳しくするのが大事です。

○上巻「ぶんを つくろう」で学習した「〜は〜。」「〜が〜。」の文型を想起させ、分かりやすく説明する文章を書くためには、主語と述語の対応が大切であることを意識させる。

T 「○○は（が）、△△です。」という書き方で書くといいですね。2つの言葉を1つの文にまとめたり、言葉を付け足して書いたりしてもいいですね。

**よりよい授業へのステップアップ**

**カードの言葉をふくらませて書かせるための工夫**

短い言葉で書かれたカードから、伝えたい事柄が十分に伝わる文章にするためには、言葉を付け足す必要がある。子供が書く際には、主語と述語のある文になっているかだけでなく、よく見て分かったことが伝わるように、「どのくらい」や「どんなふうに」といった言葉で問いかけ、様子を表す言葉を付け足せるようにするとよい。

本時案

# しらせたいな、見せたいな

## 本時の目標

・メモから文章にする方法を考え、知らせるために必要な事柄を文章に書くことができる。

## 本時の主な評価

❹メモから文章にする方法を考え、語と語の続き方に注意しながら知らせるために必要な事柄を文章に書いている。【思・判・表】

❺知らせるために集めた必要な事柄を確かめながら、進んで書こうとしている。【態度】

## 資料等の準備

・前時で作成した「カードのことばを文しょうにするポイント」の掲示用短冊

・色分けした短冊カード

・短冊カードの拡大コピー

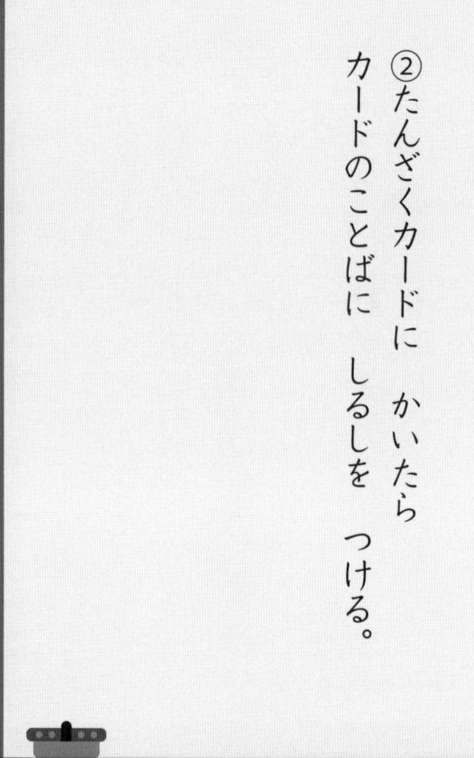


## 授業の流れ ▷▷▷

### 1 前時の学習を振り返る 〈5分〉

T　前の時間は、カードの言葉をどのように文章にするのかを学習しました。文章にするときに気を付けることを確かめましょう。

○前時の〈カードのことばを文しょうにするポイント〉を確かめる。

・「みどり」「ちゃいろ」だけだと、何のことか分からないから、「○○は、△△です。」という書き方にします。

・見付けたことをまとめて文にしてもいいし、付け足して文にしてもいいです。

### 2 短冊カードの書き方を知る 〈10分〉

○文章にするときのポイントを確認しながら、教科書のカードの言葉を色で囲み、同じ色の短冊カードに書いてみせる。

T　カードの「みどり」「かたい」「ちゃいろ」は体のことだから、緑色で囲みます。そして文を緑色の短冊カードに書きます。頭について知らせる言葉はどれですか。

・「とがっている」です。

T　そうですね。「とがっている」を青色で囲んで、文を青色の短冊カードに書きます。

・１枚の短冊カードが、１つのまとまりになるんだね。

・短冊カードの最初の１マスを空けて書き始めるんだね。

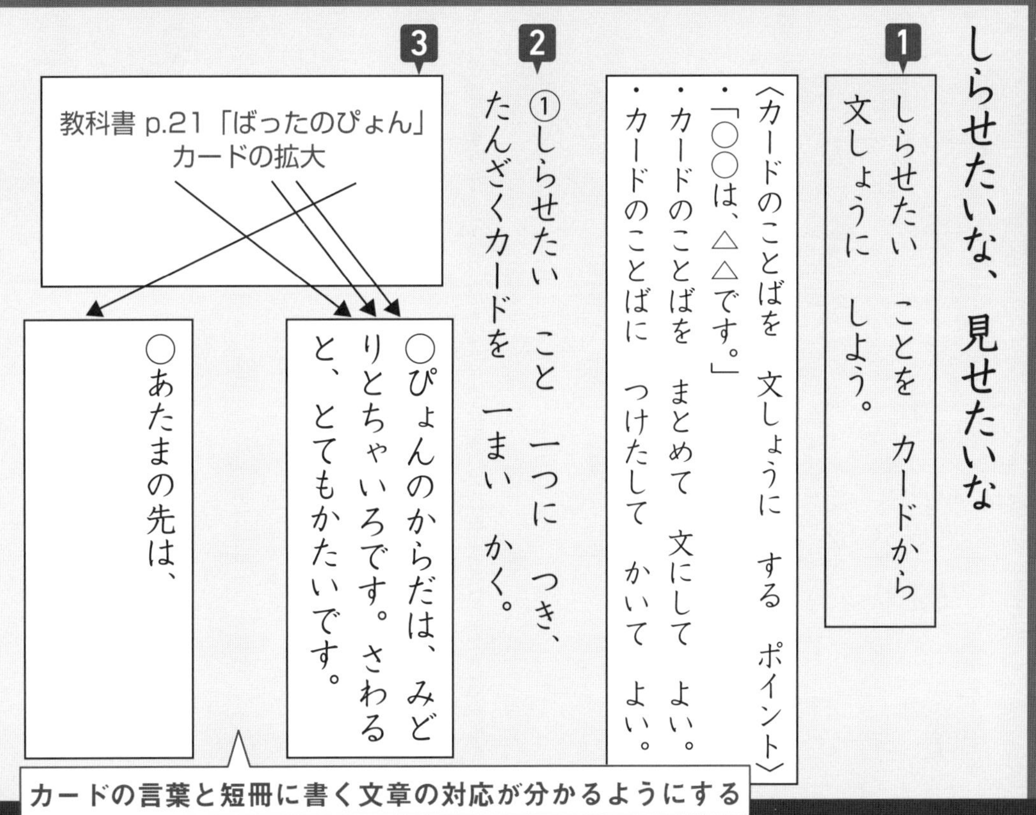


## 3 短冊カードを書く　〈30分〉

**T**　自分の書いたカードを見て、文を書いていきましょう。短冊カードに文を書いたら、カードの言葉に印を付けていくと、書き忘れずに済みますよ。配られた短冊カードが足りなければ、また別の色を後からもらいましょう。

・体のことは緑で囲もう。足のことは青にしよう。これとこれは、１つの短冊カードに書けそうだ。

○机間指導をしながら、手が止まっている子供には書き方の例を示すなどして、文章に書き換えることが苦にならないように支援する。また、活動の途中で子供同士が互いにアドバイスをする時間を取るのもよい。

### よりよい授業へのステップアップ

**内容のまとまりを意識させる工夫**

内容のまとまりを意識させるため、カードの言葉を色で囲み、同じ色の短冊カードに文を書かせる。色で分けることで、「体、頭、足」や「色、形、手触り」といった同じ事柄のまとまりを子供が考えるようになる。また、短冊カードを並べたときにも、色という視覚的な情報があることで、子供が内容のまとまりをより実感することができる。

本時案

# しらせたいな、見せたいな

## 本時の目標

・短冊カードに書いたことを確かめながら、伝えたい事柄が伝わるようにカードを並べ替え、順序を考えながら文章を書くことができる。

## 本時の主な評価

❸短冊カードに書いたことを確かめながら、伝えたい事柄が伝わるようにカードを並べ替え、文章の順序を考えている。【思・判・表】

## 資料等の準備

・色分けした短冊カードの拡大

2 じゅんじょが　きまったら　ばんごうを
かく。

3 おんどくして　じゅんじょを　たしかめる。
ともだちにも　きいて　もらおう。
ていねいに　ノートに　かこう。

## 授業の流れ ▷▷▷

### 1 文章の順序について考える 〈10分〉

T　カードから短冊カードを書けました。家の人に知らせたいことを分かりやすく伝えるために、短冊カードをどのようにつなげればよいのかを考えましょう。

○教科書 p.22の文章を音読し、４枚の短冊カードで構成されていることを確認する。

T　短冊カードは、どんな順序で並んでいますか。

・体、頭、足、餌を食べる様子です。

・体の様子を先に書いて、後から餌を食べる様子を書いています。

・体の色や触った感じを一番伝えたいからこの順序にしたのだと思います。

○教科書 p.22の挿絵にある吹き出しに着目させながら考えさせる。

### 2 短冊カードを並べ替え、文章の順序を考える 〈15分〉

T　家の人に知らせたいことがよく伝わるには、どの順序で書いたらよいかを考えて、短冊カードを並べ替えましょう。順序を決めたら、短冊カードに番号を振りましょう。

・教科書の文章と同じように、体の様子から書くことにしようかな。

・一番知らせたいことは、落ち葉の色がきれいだったことだから、色のことから書こう。

・どこで見付けたのかを最初に書こうかな、それとも最後に書くのがいいかな。

○迷っている子供には、順序を考えるよう助言する。実態に応じて友達にアドバイスをもらったり、教師と一緒に考えたりできるようにするとよい。

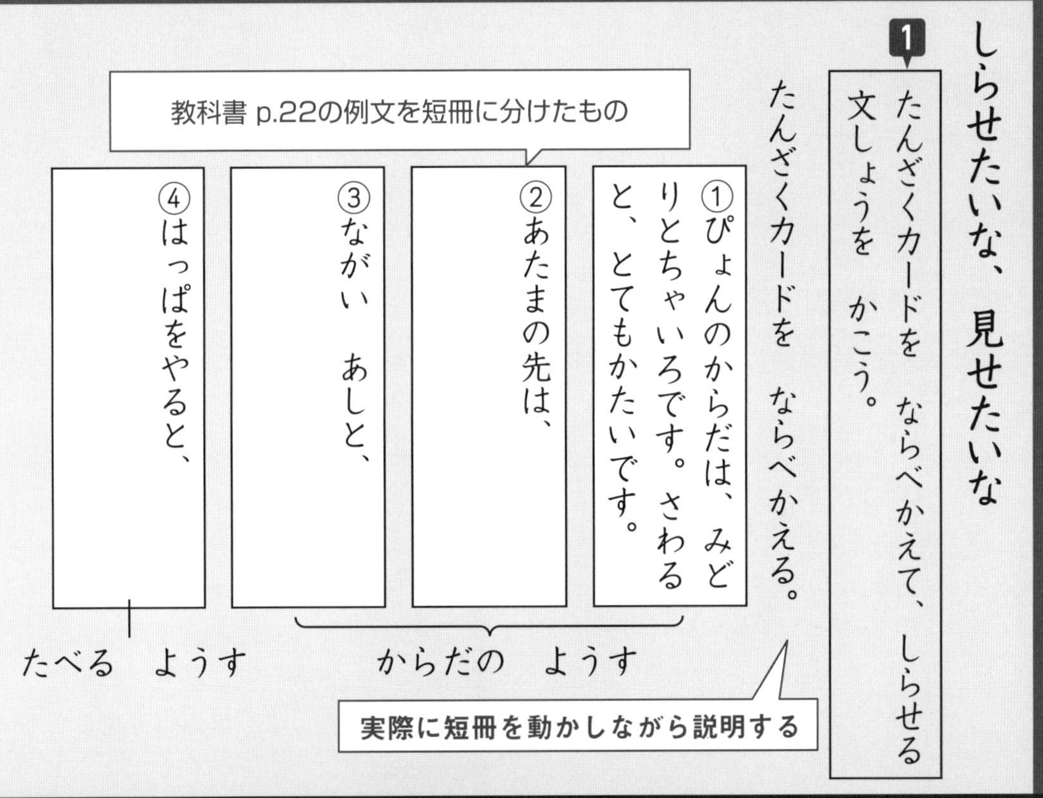


## 3 順序を決めた短冊カードをつなげて文章にまとめる〈20分〉

T　短冊カードを番号順につなげて音読してみましょう。友達にも聞いてもらってこの順序でよいか確かめましょう。

・動く様子は、体の様子の後に入れるといいと思うよ。

・「ふわふわしているので、触ると気持ちがいいです。」という文を最後にしたのだけれど、これでいいかな。

○友達からの感想や助言を聞いて順序を変えてもよいことを伝える。

T　読む人が読みやすいように、丁寧に正しく下書きの用紙に書きましょう。

○並べた短冊カードを見ながら、そのまま書き写すことで文章をまとめることができる。

### よりよい授業へのステップアップ

**短冊の操作を通して説明の順序を考える**

本時では、文章を書くときの順序について考える。短冊カードの操作を通して、伝えたいことによって説明する順序を変えられることに気付かせたい。説明の順序としては、一番知らせたいことから順に書く以外にも、全体から細部、またはその逆など、様々に考えられる。

「どうしてこの順序に並べたのか」を子供に問いかけて意識させたり、決めた順序の理由を交流させたりするのもよい。

本時案

# しらせたいな、見せたいな

**本時の目標**

・書いた文章を読み返し、間違いを正したり、文のつながりを確かめたりすることができる。

**本時の主な評価**

❷助詞の「は」、「へ」及び「を」の使い方、句読点の打ち方、かぎ（「　」）の使い方を理解して、文や文章の中で使っている。【知・技】

**資料等の準備**

・「よみかえすポイント」のチェックシート
・「よみかえすポイント」のチェックシートを拡大したもの
・清書用の用紙

3 ペアで　よみあおう。
☆まちがいは　あおで　なおす。
よんだら　サイン　を　しよう。

4 せいしょを　しよう。
あかもじ・青もじを　よく　見て
かこう。

責任をもって友達の文章を読むことができるように、読み終わったら名前を書くような習慣を付ける

**授業の流れ** ▷▷▷

## 1 文章を見直すときのポイントを考える 〈第７時・10分〉

T　文章を見直すときに、どんなところを確認するとよいですか。

〇教科書 p.19を示すなどして、前単元「まちがいを　なおそう」の学習内容を想起させて確かめていくとよい。

・文の終わりに丸が付いているかです。
・点を付けた方が読みやすいところはあるかです。
・「は」「を」「へ」の使い方が正しくできているかです。
・まとまりを分けて書いてあるかです。

〇教科書 p.22の例文を使い、「よみかえすポイント」が正しく書けていることを確かめる。

## 2 読み返して間違いを正したり、よりよく伝わるように直したりする〈第７時・15分〉

T　下書き用紙に書いた文章を声に出して読み返してみましょう。読み返して確認できたらチェックシートに印を付けましょう。間違いがあったら赤鉛筆で直しましょう。

・文の終わりに丸を付け忘れていた。
・「〜は」の後に「、」を付けた方がよさそうだ。
・赤で間違いを直したから、もう一度声に出して読んでみよう。

〇読み返した項目にレ点を書くなど、視覚的に分かるようにして、読み返す習慣を付けるようにする。

〇間違いも学びになるので、消さずに赤鉛筆で直すようにする。

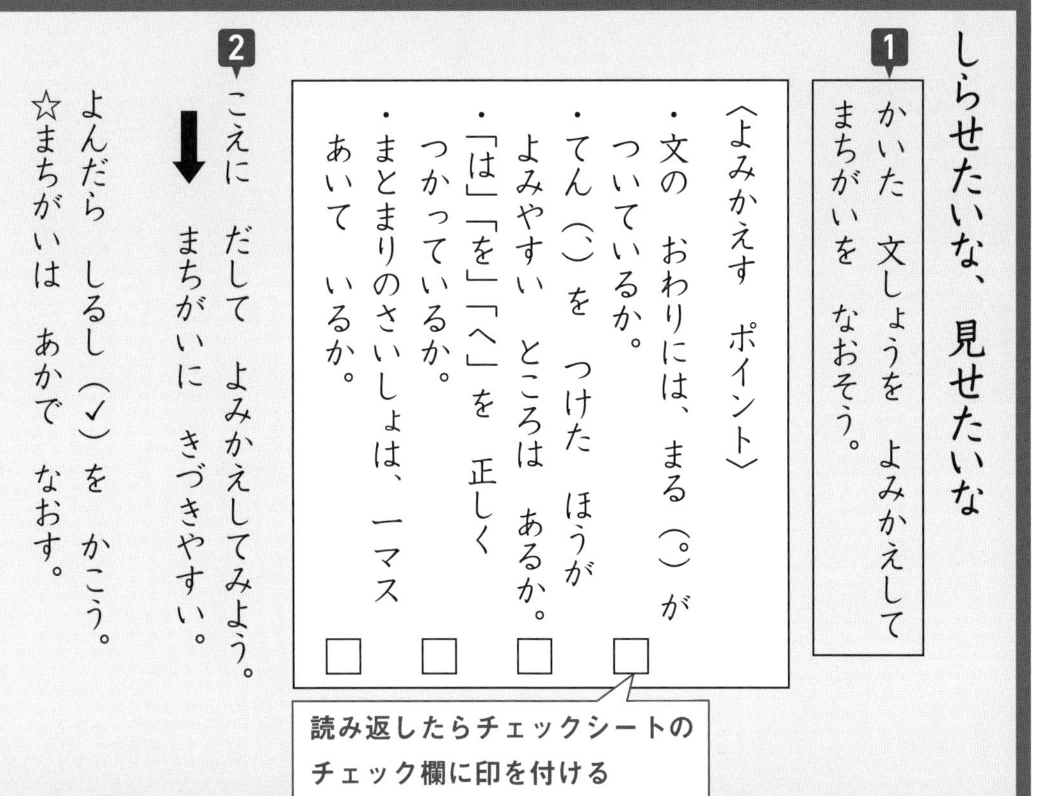


## 3 友達と読み合い、間違いを正したり、よりよく伝わるように直したりする 〈第7時・20分〉

T　書いた文章を友達と交換して読み合います。読み返すポイントのチェックシートを使って読みましょう。読んだ人が分かるようにサイン（自分の名前）を書きましょう。

○「読み返すポイント」を確かめながら友達の文章を読ませる。

・間違いがあったら直していいですか。

T　間違いがあったら、青色で直してあげましょう。分かりやすく書けているところも伝えることができたらいいですね。

○書いた文章を互いに読み合うことで、正確に書く意識をもち、読み返す習慣を付けるようにする。

## 4 文章を清書する 〈第８時・45分〉

T　自分で直した赤字と友達が直してくれた青字を見ながら、正しく書きましょう。心の中で読みながら書くと、間違えずに書くことができます。

○実態に応じて、ICT 機器を使用して、実際に下書きを清書用の用紙にどのように書くのかを見せられるとよい。

・間違えないように、ゆっくり書こう。

・まとまりが変わるときは、１マス空けて書くんだね。

○清書したものをお家の人に読んでもらうことを思い出させ、丁寧に書くよう伝える。

本時案

# しらせたいな、見せたいな

**本時の目標**

・書いた文章に対する感想を伝え合い、自分の文章の内容や表現のよいところを見付けることができる。

**本時の主な評価**

・書いた文章に対する感想を伝え合い、自分の文章の内容や表現のよいところを見付けようとしている。

**資料等の準備**

・教科書 p.22の文章の拡大コピー

3 よみあった　かんそう

・「たべます」だけではなく「すこしずつかじって」と、よく見たことを　くわしくかくと、いいことが　わかった。

・じぶんが　しらせたいことが　かけてよかった。

・いえのひとにも　よんでもらってかんそうを　ききたい。

感想の書き方の例を示す

**授業の流れ** ▷▷▷

## 1 例文を基に、感想の伝え方を考える 〈15分〉

T　知らせたいことを文章にまとめることができました。今日は、友達と読み合って感想を伝え合います。

○本時のめあてを提示する。

T　どんなふうに感想を伝えたらよいでしょう。教科書 p.22の文章のよいところを考えてみましょう。

・「むしゃむしゃと」という言葉で、食べている様子がよく分かります。

・「ながいあしと、みじかいあし」と書いてあるので、よく見ているなと思いました。

○どのような観点で友達の文章を読めばよいのかをつかませる。子供の発言を基に感想のモデルを作成する。

## 2 文章を読み合い、感想を書く 〈15分〉

T　友達と文章を交換して読み合いましょう。読み終わったら、感想を書いて相手に渡します。

・「ながいあしと、みじかいあしがあります」と書いてあるから、どんな体なのか分かりました。よく見て書いているなあと思いました。

・「さわると、とてもかたいです。」と書いてあるのがいいです。ぼくも触ってみたくなりました。

○手が止まっている子供には、感想の例を参考にしながら書くよう支援する。感想は付箋やカードに書き、相手に渡せるようにする。

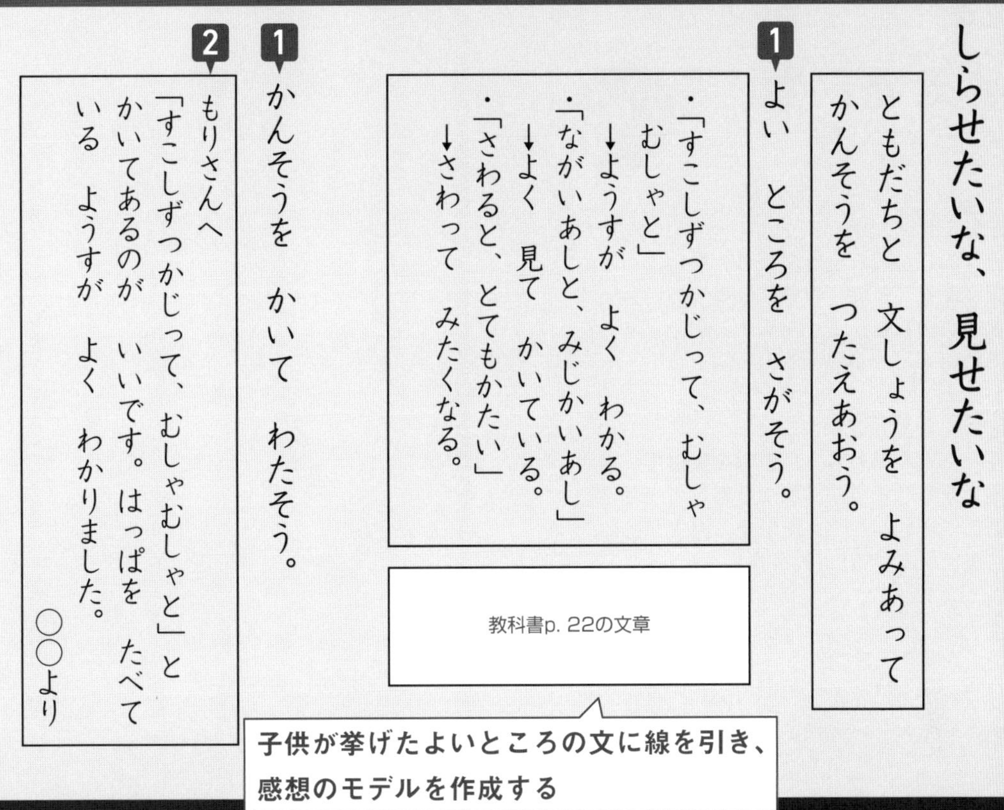


## 3 読み合った感想を発表する〈15分〉

T　友達の文章を読んで、どんな感想を書きましたか。友達から感想をもらってどんなことが分かりましたか。

・よく見て、詳しく書くといいことが分かったので、これからもよく見て書けるようにしたいです。
・「じぶんのしらないいきもののことがわかりました。」と書いてくれていたので、自分の見付けたことを書いてよかったなと思いました。
・お家の人にも読んでもらって、感想をもらいたいです。

○文章に書いて伝えるよさを子供の言葉から価値付けたい。

### よりよい授業へのステップアップ

**感想を伝え合う活動の工夫**

友達が書いた文章を読むことも勉強になる。友達から自分の文章のよいところを具体的に伝えてもらうことが、書く意欲を高めることにつながる。

違う題材で書いている子供をペアにする場合と、同じ題材で書いている子供をペアにする場合では、子供の気付きも変わってくる。また、実態に応じて、グループで読み合ったり、自由に相手を探して複数の友達と読み合ったりするなど、交流の形態についても工夫することができる。

本時案

# しらせたいな、見せたいな

## 本時の目標

・家の人に読んでもらった感想を受けて、学習を振り返ることで、言葉には事物の内容を表す働きや経験したことを伝える働きがあることに気付くことができる。

## 本時の主な評価

❶家の人に読んでもらった感想を受けて、学習を振り返ることで、言葉には事物の内容を表す働きや経験したことを伝える働きがあることに気付いている。【知・技】

## 資料等の準備

・家の人が書いた感想
・第４時で作成した「カードのことばを文章にするポイント」の掲示用短冊

・つたえたい　ことの　まとまりを　つくって　かいた。
・かいた　あとに　よみかえしたら　まちがいを　見つけたので、かいたら　よみかえす　ことが　たいせつ。
・見ていない人にも　わかるように　くわしく　かくことが　だいじ。

## 授業の流れ ▷▷▷

### 1 家の人からの感想を読む〈10分〉

○第９時から少し時間を空けて、全員に感想が届いてから第10時に入る。

T　みんなが一生懸命書いた文章を、家の人が読んで感想を書いてくれました。読んでみましょう。感想の中でうれしかったことを発表しましょう。

・「学校で飼っているモルモットを見たことがなかったけれど、文章を読んだら想像することができました。今度見てみたいです。」と書いてあってうれしかったです。

・「生活科の時間に拾った落ち葉が、とてもきれいだったことが分かりました。」と書いてもらってうれしかったです。

○発表し合うことで、書くことのよさや感想をもらえた喜びを実感できるようにする。

### 2 書くことのよさや、書くときに大切なことを考える〈20分〉

T　これまでの学習を振り返って、書いてよかったなと思うことや、書くときに大切だなと思ったことはありますか。ノートに書いて発表しましょう。

・「体の色や大きさ、形が順番に書いてあって分かりやすかったよ。」と書いてもらったので、分かりやすく書けてよかったなと思いました。

・「むしゃむしゃ食べる」と書いたら、食べている様子が伝わったので、よく見て詳しく書くことが大切だと思いました。

○実態に応じて、どういうことを考えればよいかが分かるよう、数人を先に発表させたり、一例をみんなで考えてから書かせたりするとよい。

しらせたいな、見せたいな

1 学しゅうを　ふりかえり、かく　ことの
よさを　かんがえよう。

2 かく　ときに　たいせつな　こと。

〈カードのことばを　文しょうに　する　ポイント〉
・「○○は、△△です。」
・カードのことばを　まとめて　文にして　よい。
・カードのことばに　つけたして　かいて　よい。

・まとまりや、じゅんじょに　きをつける。
・「ふわふわ」や「むしゃむしゃ」など、くわしく　かくと　つたわりやすい。

3 学しゅうを　ふりかえって
・よく見て　ようすが　つたわるように　かくのをがんばった。
・つたえる　じゅんじょを　かんがえるのを　がんばった。

**文章にするポイントをもう一度確認して、付け足してもよい。教室に掲示しておくと、書くときの参考になる**

## 3 単元の学習を振り返り、感想を発表する〈15分〉

T　お家の人に知らせたいものをよく見て、文章に書いて伝えることができました。知らせたいことを、たくさん見付けられたでしょうか。学習を振り返っての感想や頑張ったことを発表しましょう。
・よく見て、色や形や動く様子が分かるように書きました。
・伝える順番をよく考えました。一番伝えたいことから書きました。
・一度書いた後に読み返したら、間違いを見付けたので、書いたら読み返すことが大切だと思いました。
○文章を書くときに気を付けたポイントは、読み手によりよく伝えるためであることに気付かせる。

**よりよい授業へのステップアップ**

**保護者の協力を得て、書く意欲を高める**

保護者に感想を書いてもらうために、あらかじめ感想用紙を複数枚渡して依頼したり、保護者会の時間などを活用して様々な人に読んでもらったりして、感想をもらえるようにする。

自分が書いた文章に対する感想をもらうことで、書いたことが相手に伝わった経験や、書いてよかったという成就感を味わわせたい。それらの思いが、また書いてみようという意欲につながり、書くことが好きな子供を育てることにつながる。

# かん字の　はなし　（6時間扱い）

## 単元の目標

| | |
|---|---|
| 知識及び技能 | ・第1学年に配当されている漢字を読み、漸次書き、文や文章の中で使うことができる。((1)エ) |
| 思考力、判断力、表現力等 | ・語と語との続き方に注意しながら、内容のまとまりが分かるように書き表し方を工夫することができる。(B(1)ウ) |
| 学びに向かう力、人間性等 | ・言葉がもつよさを感じるとともに、楽しんで読書をし、国語を大切にして、思いや考えを伝え合おうとする。 |

## 評価規準

| | |
|---|---|
| 知識・技能 | ❶第1学年に配当されている漢字を読み、漸次書き、文や文章の中で使っている。(〔知識及び技能〕(1)エ) |
| 思考・判断・表現 | ❷「書くこと」において、語と語との続き方に注意しながら、内容のまとまりが分かるように書き表し方を工夫している。(〔思考力、判断力、表現力等〕Bウ) |
| 主体的に学習に取り組む態度 | ❸積極的に漢字の成り立ちに興味をもち、学習課題に沿って漢字を使った短い文を書こうとしている。 |

## 単元の流れ

| 次 | 時 | 主な学習活動 | 評価 |
|---|---|---|---|
| 一 | 1<br><br><br>2 | 学習の見通しをもつ<br>「なりたちクイズ」を行い、漢字に成り立ちがあることを知る。<br>新出漢字の書き順を確かめる。<br>「あんごうかいどく」を行い、漢字を使って短い文を書く。<br>「なりたちクイズ」「あんごうかいどく」をした感想を出し合い、学習計画を立てる。 | |
| 二 | 3<br>4<br>5 | オリジナルの「なりたちクイズ」や暗号文を作る。<br>印刷したものを貼り合わせて、自分の「かん字ブック」を作る。 | ❶❷ |
| 三 | 6 | 学習を振り返る<br>完成した「かん字ブック」を読み合って問題を解き合い、単元の学習を振り返る。 | ❸ |

## 授業づくりのポイント

〈単元で育てたい資質・能力〉

本単元のねらいは、漢字の成り立ちを知ることによって、漢字に興味をもち、今後の漢字学習への期待を高めることである。成り立ちを知ることで、その漢字の意味や読みの理解が確かになり、覚えやすくなる。漢字の字形と具体的な事物（実物や絵など）とを結び付けることで、漢字が表意文字であることを意識し、漢字への興味・関心を高めていくことができる。漢字単独の読みや書きだけでなく、文や文章の中で漢字を読んだり書いたりすることも目指す。

１年生は漢字学習の入門期である。学習した漢字を仲間分けしたりその漢字を使った言葉を集めたりと、楽しみながら漢字と関わる機会を本単元以降も継続して設け、漢字への興味・関心を高めていくことが大切となる。

〈教材・題材の特徴〉

１年生で学習する漢字80字には、象形文字や指事文字が多く含まれている。本教材では、「山・水・雨・上・下」の５文字の成り立ちが紹介されている。教科書にある QR コードを読み込むと、「山・雨・上」の３文字がどのように変化して漢字になったのかを動画で見ることができる。文章と動画を合わせて見ることで理解を深めることができるようになっている。p.26〜27には、絵と文字が交ざった文が提示されており、絵から漢字を予想しながら読むことができる。文を読んだり書いたりすることを通して、楽しく漢字の使い方を習得することを目指す。併せて、漢字ドリルや漢字絵本を見てみることで、今後の学習につなげていくようにする。

〈言語活動の工夫〉

第一次で「なりたちクイズ」と「あんごうかいどく」を行うことで、子供の中に「もっと解きたい」「自分でも作ってみたい」という思いが生まれる。その後、学習計画を立て、子供が「〜したい」という思いをもって主体的に学習に取り組むことができるようにする。

「なりたちクイズ」を作る際には、巻末の漢字一覧や漢字ドリルを活用するとよい。漢字ドリルには、成り立ちが書かれていることも多い。ICT 端末を活用して写真を撮れば、手軽にクイズを作成することができる。友達と問題を出し合う際には、答えをノートに手書きするようにする。友達と問題を解き合う中で、何度も漢字を書いたり文の中で使ったりと、活動を楽しみながら漢字を定着させていく。自分の考えた「なりたちクイズ」や暗号文を集めて「かん字ブック」を作ることで、学習の達成感を味わったり漢字への興味・関心を高めたりすることもできる。

〈ICT の効果的な活用〉

**提示**：教科書の QR コードを読み込み、漢字の成り立ちを紹介する動画を視聴することで、基の形から漢字への変遷の理解を深めることができる。電子黒板等で提示したり ICT 端末に配信したりと活用できる。

**共有**：学習支援ソフトを活用し、オリジナル「なりたちクイズ」や「暗号文」のカードを作成して問題を出し合う。漢字の基となる絵のカードを教師が用意して子供の ICT 端末に配信することで、手軽に問題を作成できるようになる。

**記録**：学習支援ソフト上で問題カードや答えカードを作成し蓄積していくことで、前時までの自分の学習を見返すことができる。出来上がったカードを印刷して貼り合わせると、オリジナルの「かん字ブック」となる。提出機能を活用して作成した問題カードや答えカードを提出させることで、評価に活用することもできる。

本時案

# かん字の はなし

## 本時の目標

・「なりたちクイズ」や「あんごうかいどく」を行い、漢字の成り立ちに関心をもつことができる。

## 本時の主な評価

・積極的に漢字の成り立ちに興味をもち、「なりたちクイズ」や「あんごうかいどく」の答えを漢字で書こうとしている。

## 資料等の準備

・教科書の QR コードを読み取り、子供の ICT 端末に配信
・漢字の基の絵と途中の形が分かる「なりたちクイズ」(教科書の絵と漢字を別々に印刷したもの)
・漢字の基の絵を使って作成した「あんごう」(教科書の短文を短冊に書いたもの)

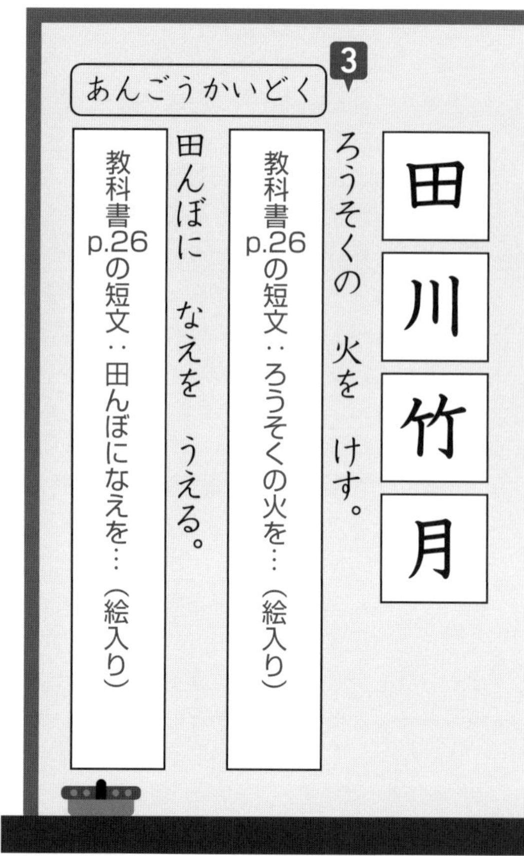


## 授業の流れ ▷▷▷

### 1 漢字に成り立ちがあることを知る 〈15分〉

○漢字になる途中の絵を 1 つ見せる。
T 問題です。これは、何でしょう。
・フォークの先かな。
・つりばりかな。
T ヒントです(基になった絵を見せる)。
・山だ。
T 答えは山です。漢字は、はじめは簡単な絵のようなものでした。
○教科書に載っているものを中心に数問「なりたちクイズ」を行い、漢字に成り立ちがあることを確認する。

**1人1台端末の活用ポイント**

教科書の QR コードを読み込み、「かん字ができるまで」の動画を子供の ICT 端末に配信する。

### 2 新出漢字の書き順を確かめる 〈15分〉

T 教科書にも漢字の成り立ちを紹介している文章があります。読んでみましょう。
○「かん字の はなし」を音読した後、11文字の漢字の書き順を確認する。
○デジタル教科書や漢字ドリルに付録として付いている ICT コンテンツを活用し、書き順を確認するのもよい。

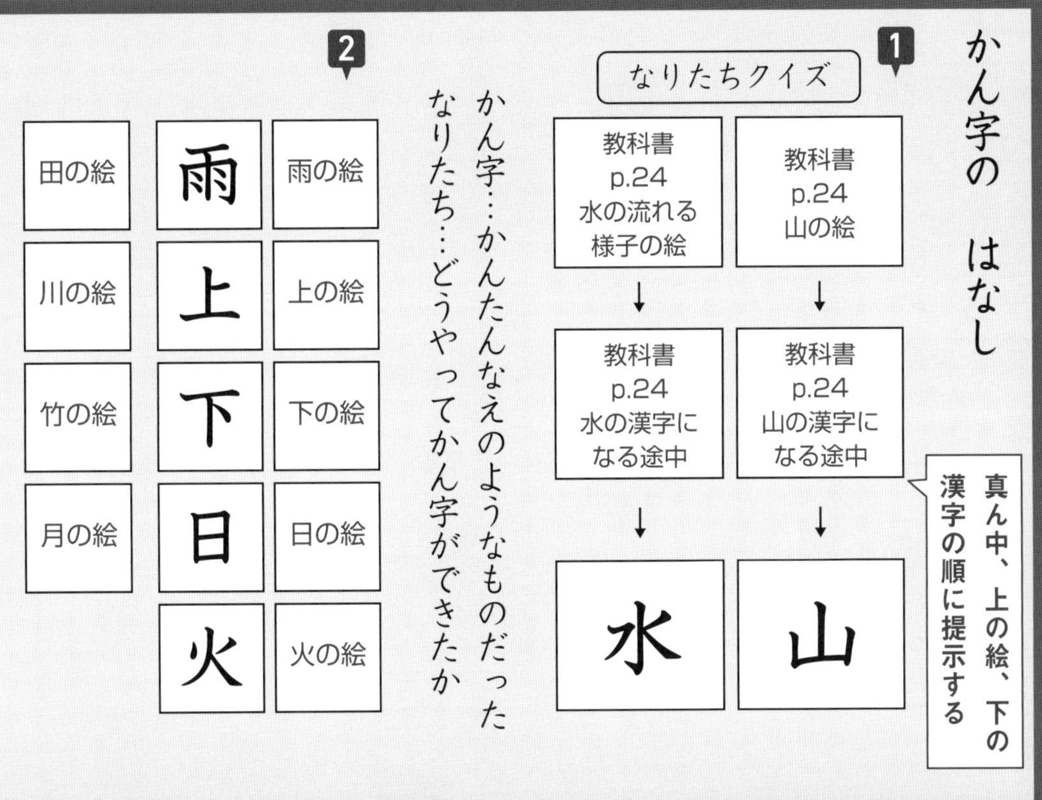


## 3 漢字を使って短い文を書く 〈15分〉

T　実は、昨日、こんなものが届きました。

○漢字の基になった絵を使った短文が書いてある紙を封筒から取り出す。

・絵が描いてある。

・字も書いてあるね。

・暗号だ！

T　何と書いてあるのか分かりますか。

○絵を漢字に直してノートに書かせる。

・この絵は火という字の基だから、この暗号は「ろうそくの火をけす。」だ。

T　おお。暗号が解読できましたね。あれ、紙がまだ入っている。

○教科書に紹介されているものを使っていくつか「あんごう」を解読していく。

### ICT 等活用アイデア

#### 教科書の QR コードの活用

教科書の QR コードを読み込み、漢字の成り立ちを紹介する動画を視聴することで、基の形から漢字への変遷の理解を深めることができる。教師の ICT 端末を活用して電子黒板等で提示したり子供の ICT 端末に配信したりするとよい。教科書に載っていることを紹介し、各自で見返すことができるようにしておきたい。

QR コードを読み込む作業は、それほど難しくない。１年生の間に身に付けておきたいスキルである。

本時案

# かん字の はなし

## 本時の目標

・前時の学習の感想を出し合い、学習計画を立てることができる。

## 本時の主な評価

・漢字の成り立ちに興味をもって学習計画を立てる話し合いに参加し、「なりたちクイズ」や「あんごう」を作る学習への見通しをもっている。

## 資料等の準備

・第１時に使用した漢字の基の絵と途中の形が分かる「なりたちクイズ」
・第１時に使用した漢字の基の絵を使って作成した「あんごう」

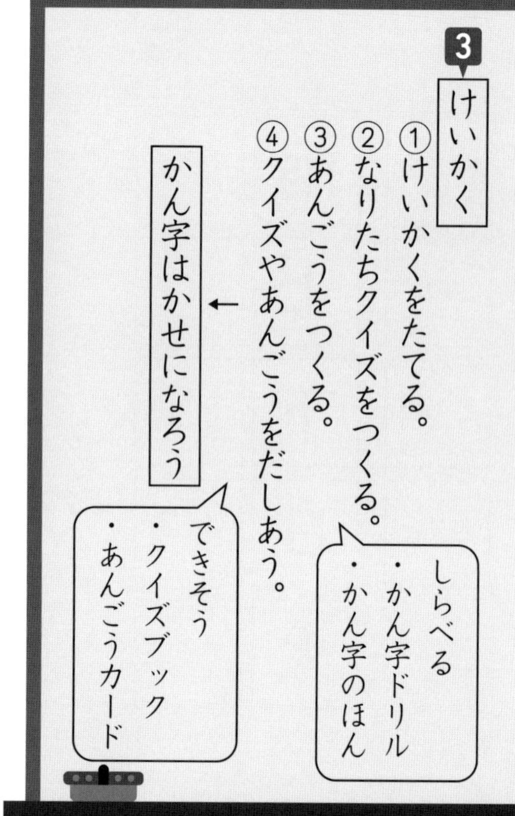


## 授業の流れ ▷▷▷

### 1 前時の学習を振り返り、感想を出し合う 〈10分〉

○子供たちとやりとりしたり答えを確かめたりしながら、前時にやった「なりたちクイズ」と「あんごう」の紙を黒板に貼る。

T　漢字は、もともと絵のようなものでした。漢字のでき方のことを、漢字の…。
・成り立ち。
T　そうそう。成り立ちと言いました。「なりたちクイズ」と「あんごうかいどく」をやってみて、どうでしたか。
・すぐ答えが分かりました。　・簡単でした。
・もっと、やりたいです。
・自分でもクイズや暗号を作ってみたいです。
・他の漢字にも成り立ちがあるのか知りたいです。
T　では、今日は自分で作ってみましょうか。

### 2 「なりたちクイズ」や「あんごう」を作る 〈20分〉

○教科書の挿絵を活用し、ICT 端末を使ってクイズや暗号を作らせる。
○学習支援ソフトを活用して、教科書の挿絵を基に作成した絵カードを配信し、活用させる。
○クイズや暗号を作成したり友達と出し合ったりする楽しさを経験させることがねらいなので、１～２問できたら出題し合うようにする。

**１人１台端末の活用ポイント**

学習支援ソフトを活用してクイズや暗号を作成する。完成したものは、提出機能で提出させるとよい。作成や操作の仕方を全体で学ぶことで、今後の学習をスムーズに行うことができる。

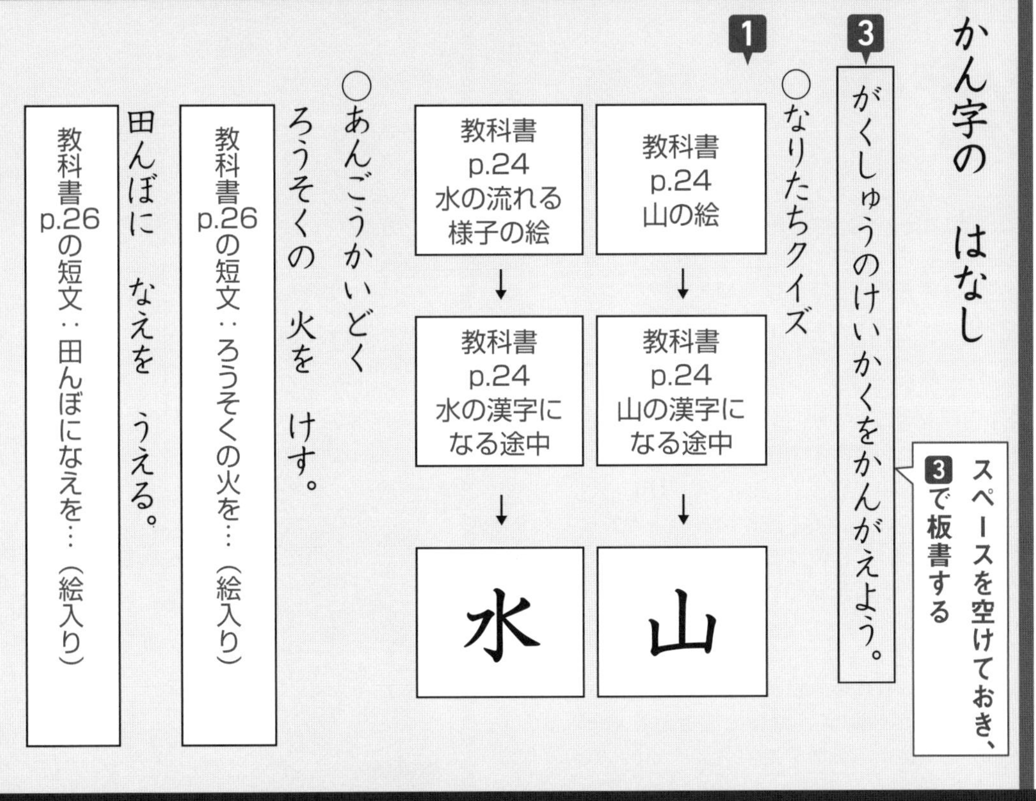


## 3 今後の学習計画を考える〈15分〉

T　作った「なりたちクイズ」や「あんごうかいどく」をしてみてどうでしたか。

・楽しかったです。　・もっとやりたいです。

・時間がなくて１つしかできませんでした。

T　なるほど、じゃあもっと「なりたちクイズ」や「あんごう」づくりをしていきましょうか。問題がたくさんできたらどうしますか。

・見せ合ったり、答えを考えたりしたいです。

T　なるほど。完成したら出し合うのですね。たくさん作って出し合うということだけど、「かん字の　はなし」に載っているのだとみんな同じクイズになりそうですね。

・他の漢字も使っていいことにしたらいいと思います。漢字ドリルに載っています。

○やりとりしながら学習計画を立てていく。

### よりよい授業へのステップアップ

**学習の見通しをもつ**

成り立ちへの興味を他の漢字にも広げさせたい。そのためにはクイズや暗号づくりが楽しい、もっとやりたいという思いをもたせることが大切である。

問題づくりを一度行った後に学習計画を考える時間を設定することで、「～したい」という思いや活動のアイデアをもって話し合いに参加することができる。やりとりをしながら、作ってどうするのか、どのように作るのかなど学習の目的や方法を整理したり明確にしたりしていくことで、子供が学習の見通しをもつことができる。

本時案

# かん字の　はなし

## 本時の目標

・自分で「なりたちクイズ」や「あんごう」を作成し、漢字の成り立ちに関心をもつことができる。

## 本時の主な評価

❶第１学年に配当されている漢字を読み、漸次書き、文や文章の中で使っている。【知・技】

❷「書くこと」において、語と語との続き方に注意しながら、内容のまとまりが分かるように書き表し方を工夫している。【思・判・表】

## 資料等の準備

・第２時に作成した学習計画（掲示しておく）
・第１時に使用した漢字の基の絵と途中の形が分かる「なりたちクイズ」
・第２時に使用した漢字の基の絵を使って作成した「あんごう」

あんごう

3 ふりかえり
○かん字ドリルを見たらたくさんできた。
○ながいあんごうがかけたとおもう。
○どのかん字にもなりたちがあるとわかっておもしろかった。

ネームカードを貼り、誰が今、何をやっているのかが分かるようにする

## 授業の流れ ▷▷▷

### 1 「なりたちクイズ」と「あんごう」の作り方を確認する〈第３時・10分〉

T　前回は、学習の計画を立てましたね。今日は、何をするのでしたか。

・自分で「なりたちクイズ」や「あんごう」を考えます。

T　そうでした。作り方を確かめておきましょう。

○前回作成したものを見返したり上手にできている作品を紹介したりして、問題―答え、問題―答えの順で作成することを確かめる。

T　「かん字の　はなし」だけじゃなくて…。

・漢字ドリルや漢字の本を見て探します。

**１人１台端末の活用ポイント**

前時に作成したものを振り返り、作成の仕方を確認する。学習支援ソフトの提出機能を活用し、共有した友達の作品を見て参考にする。

### 2 問題づくりをする〈第３・４時・70分〉

T　では、問題を作っていきましょう。どちらから始めてもよいです。

○どちらをやっているかが分かるよう、黒板にネームカードを貼らせる。

T　途中で、「困ったな」「ちょっと聞きたいな」というときは、どうしましょうか。

・誰かと一緒にやればいいんじゃないかな。

・友達に聞いたらいいと思います。

○困ったら、友達同士で相談し合ってよいことを確認してから活動に入らせる。

○子供の様子に応じて、途中全体で進み具合ややり方を確認する場面を設ける。

**１人１台端末の活用ポイント**

ICT 端末を使用して学習支援ソフトを活用し「なりたちクイズ」「あんごう」を考えさせる。

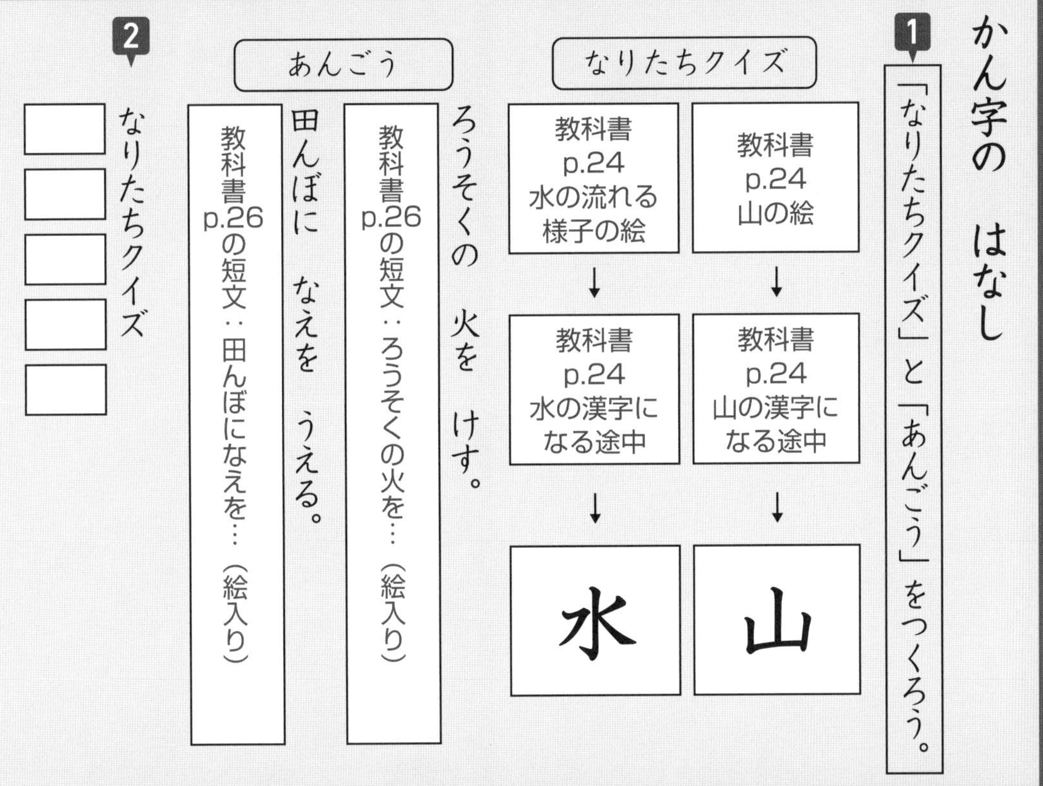


ICT 等活用アイデア

**ICT 端末を活用した問題づくり**

学習支援ソフトを活用し、オリジナル「なりたちクイズ」や「あんごう」のカードを作成する。漢字の基となる絵のカードを子供の ICT 端末に配信することで、手軽に問題を作成できるようになる。また、漢字ドリルや漢字の本などを写真に撮り、絵カードとすることもできる。子供の興味・関心に合わせて漢字の成り立ちを調べたり漢字の意味理解を確かにすることにつながる。

作成した問題や答えを見返して自分の学びを振り返ることや、提出させて評価に活用することもできる。

## 3 問題づくりを振り返る 〈第 4 時・10分〉

T　どうでしたか。
・たくさんできました。
・おもしろい成り立ちが見付かりました。
・長い暗号ができました。
T　いいですね。問題を出し合うのが楽しみですね。最後に、「あんごう」の文がおかしくないか、答えの漢字が正しくできているか、確かめておきましょう。
○読み返して、語と語との続き方がおかしくないか、内容が伝わるように書けているかを確認するように声をかける。

本時案

# かん字の はなし

**本時の目標**

・自分が作成した「なりたちクイズ」や「あんごう」を読み返し、正しく書けているか確かめることができる。

**本時の主な評価**

・積極的に自分の作成した「なりたちクイズ」や「あんごう」を読み返し、正しく書けているかどうか確かめようとしている。

**資料等の準備**

・第２時に作成した学習計画の紙
・一人一人の作成した「なりたちクイズ」や「あんごう」を印刷したもの。

④よみかえす

3 ふりかえり

○オリジナルのほんがかんせいしてうれしい。

○もんだいをだしあうのが、たのしみ。

○じぶんがかいたもののほかに、どんななりたちがあるのかたのしみ。

**授業の流れ** ▷▷▷

## 1 前時までの学習を振り返り、本時のめあてをもつ 〈10分〉

○子供たちとやりとりしながら、前時までの学習を振り返る。

T　この前は、オリジナルの「なりたちクイズ」や「あんごう」を作りましたね。今日は、みんなが作ったクイズを印刷してきました。

○印刷した紙を配布する。

T　たくさんできましたね。このままだと、バラバラになりそうで心配ですね。

・まとめたりとめたりしたらいいと思います。

・本にできそうです。

T　なるほど。じゃあ、今日は、オリジナルの「かん字ブック」を作ることにしましょうか。

## 2 ページを貼り合わせて、「かん字ブック」を作る 〈25分〉

○本の作り方やページの貼り合わせ方を説明する。実際の様子を見せたりイラストを描いたりすると分かりやすい。

○貼り合わせた後、本の名前を考えたり自分の気に入っているページを選んだりさせる。お薦めのページを選ぶために、「なりたちクイズ」や「あんごう」を読み返す必要がある。正しく書かれているのかを確認するように声をかけ、誤りがあれば正しておくようにする。

# かん字の　はなし

**1** かん字ブックをつくろう。

けいかく

①けいかくをたてる。
②なりたちクイズをつくる。
③あんごうをつくる。
④クイズやあんごうをだしあう。

しらべる
・かん字ドリル
・かん字のほん

← かん字はかせになろう

できそう
・クイズブック
・あんごうカード

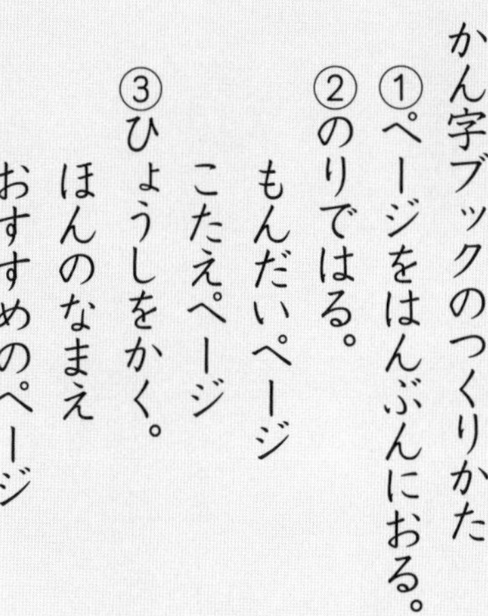


貼り合わせている絵

表紙の絵

## 3 完成した本を読み返して、本時の学習を振り返る 〈10分〉

T　自分だけの「かん字ブック」ができましたね。どんな名前を付けましたか。
・「○○のかん字なりたちブック」です。
・「かん字はかせなんでもブック」にしました。
・「かん字はかせ○○、ひみつブック」です。

T　いい本ができましたね。作ってみてどうでしたか。
・完成してうれしいです。
・友達の本も読んでみたいです。
・次は、問題を出し合うので楽しみです。
・お薦めのページの「あんごう」が友達に伝わるかドキドキします。
・他にどんな成り立ちがあるのか気になります。

### よりよい授業へのステップアップ

**作品化する**

学習の成果物として、本やカード集などの作品にすることで、学習の達成感を味わうことができる。

本単元では、自分の考えた「なりたちクイズ」や暗号文を集めて「かん字ブック」を作る。お薦めのページを選ばせることで、書いたものを読み返す必然性が生まれる。題名を付けさせたりサインやメモスペースを設けたりすることで読み合いへの意欲も高まる。

互いの本を読み合い問題を解き合うことで、楽しみながら漢字への興味・関心を高めたりすることもできる。

本時案

# かん字の はなし

## 本時の目標

・友達が作成した「なりたちクイズ」や「あんごう」を読み、問題を解き合う。

## 本時の主な評価

❸積極的に漢字の成り立ちに興味をもち、学習課題に沿って漢字を使った短い文を書こうとしている。【態度】

## 資料等の準備

・第２時に作成した学習計画の紙
・一人一人の作成した「かん字ブック」

3 ふりかえり
○あんごうのこたえをかんがえるのがおもしろい。
○しっているかん字がふえてうれしい。
○かん字には、なりたちがあることをはじめてしった。
○水と川のなりたちがにていておもしろかった。
○どのかん字にもなりたちがあるとわかったので、これからもっとしらべてみたい。
○かん字はかせになれたとおもう。

## 授業の流れ ▷▷▷

### 1 本時のめあてと交流の仕方を確かめる 〈10分〉

T　この前は、オリジナル「かん字ブック」を作りました。いい本ができましたね。今日は、何をする予定でしたか（計画を確認）。
・クイズや暗号を出し合います。
T　そうでした。クイズや暗号を出し合うと、どんないいことがありそうですか。
・楽しく漢字を覚えられそうです。
・漢字博士になれると思います。
T　なるほど。いいですね（めあてを板書）。
T　どうやって問題を出し合いましょうか。
・「かん字ブック」を見せたらいいと思います。
・問題を読んで答えて、合っているかどうか言ってもらう。
○やりとりしながら、方法を確認していく。答えは必ずノートに書くようにさせる。

### 2 互いの「かん字ブック」を見せ合って問題を解き合う 〈20分〉

○交流の形態は、子供の実態に応じ工夫する。自由に相手を見付ける、ペアを指定する、グループの中で行うなど、様々な方法がある。
○どのようにすればよいのかを板書し、いつでも確認できるようにしておくとよい。
○終わったらサインを書く、感想を伝え合う、おもしろい問題を自分の「かん字ブック」にメモするなど、交流の跡を残すようにすると、意欲的に取り組む子供が増える。

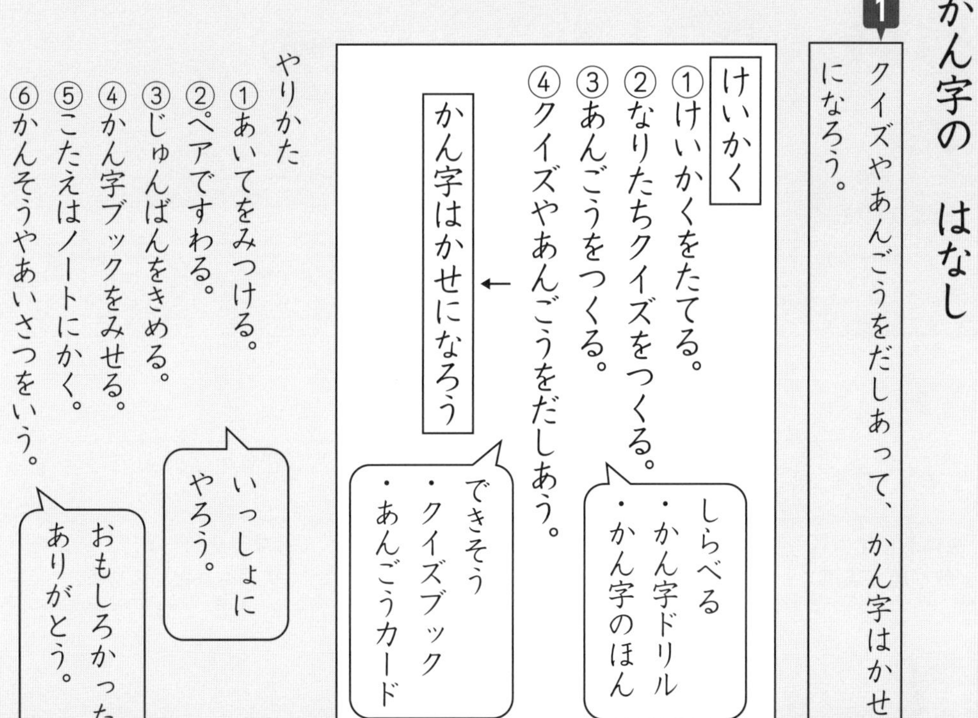


## 3 単元の学習を振り返る　〈15分〉

**T**　クイズや暗号を出し合って、どうでしたか。

・おもしろかったです。・たくさんできました。

・初めての漢字がありました。

・○○さんの暗号が長くてびっくりしました。

○数名の問題を、全体で共有する。

**T**　学習を振り返りましょう。

○「かん字の　はなし」を音読する。

**T**　今回の学習で分かったことや頑張ったこと、おもしろいなと思ったことやもっと知りたいなということをノートに書きましょう。

・漢字に成り立ちがあると初めて知りました。

・水と川が似ていておもしろかったです。

・どの漢字にも成り立ちがあると分かったので、これからもっと調べてみたいです。

・漢字博士になれました。

### よりよい授業へのステップアップ

**遊びと漢字学習**

漢字学習は、1年生から始まり6年間続いていく。正しく書くことだけの指導にならないように心掛けるとよい。

教室に、低学年向けの漢字辞典や漢字に関する本、漢字のカードゲームなどを置いておくことで、興味をもって手に取ったり遊びを通して漢字に親しんだりすることができる。かるたや双六づくりなどと、関連させていくのもおもしろい。

漢字を読んだり書いたりする必要があることを条件に、様々な遊びを開発したい。

# ことばを　たのしもう　（2時間扱い）

## 単元の目標

| | |
|---|---|
| 知識及び技能 | ・長く親しまれている言葉遊びを通して、言葉の豊かさに気付くことができる。((3)イ) |
| 学びに向かう力、人間性等 | ・言葉がもつよさを感じるとともに、楽しんで読書をし、国語を大切にして、思いや考えを伝え合おうとする。 |

## 評価規準

| | |
|---|---|
| 知識・技能 | ❶長く親しまれている言葉遊びを通して、言葉の豊かさに気付いている。(〔知識及び技能〕(3)イ) |
| 主体的に学習に取り組む態度 | ❷これまでの学習や経験を生かし、進んで言葉遊び歌や早口言葉を楽しみ、発声や姿勢に気を付けながら声に出して読もうとしている。 |

## 単元の流れ

| 時 | 主な学習活動 | 評価 |
|---|---|---|
| 1 | 学習の見通しをもつ<br>言葉遊び歌や早口言葉を音読する。 | ❶ |
| 2 | 学習を振り返る<br>気に入った言葉遊び歌や早口言葉を選んで発表する。<br>学習の感想を出し合う。 | ❷ |

## 授業づくりのポイント

〈単元で育てたい資質・能力〉

本単元のねらいは、言葉遊びを通して、言葉の豊かさに気付くことである。そのためには、言葉遊び歌や早口言葉を楽しみながら何度も声に出して読むことが大切である。声に出して読む中で、言葉の響きのおもしろさや楽しさを十分に味わうことで言葉への気付きが豊かになる。気に入った言葉遊び歌や早口言葉を選んだり発表したりすることを通して、言葉遊びの幅を広げ、存分に楽しんでいきたい。

〈教材・題材の特徴〉

教材の言葉遊び歌は、濁音・半濁音・促音・長音・拗音などが入っており、リズムよく音読でき、声に出して読む楽しさを味わうことができる。「ぞうさんのぼうし」には、濁音や半濁音の音の楽しさや意味のおもしろさがある。「きっときってかってきて」には促音の楽しさがある。早口言葉は、子供たちが聞いたことのある 3 つの例が取り上げられている。言葉遊び歌や早口言葉を大きな声ではっきりと言う、気に入った言葉遊びや早口言葉を選んでグループで発表する、視写するなどの活動を通して、言葉のおもしろさや豊かさに気付かせていく。

〈言語活動の工夫〉

言葉遊び歌や早口言葉は、何度も音読をすることで上手に音読するための工夫やコツに気付かせる。速さや強弱、読み方など、上手に音読するコツを考え、これからの音読にもつながるようにするとよい。教科書に挙げられているものだけでなく、子供たちの知っている早口言葉を取り上げるのもおもしろい。子供が気に入った言葉遊び歌や早口言葉を教室に掲示し、朝の会などで続けると、言葉のおもしろさに気付いたり言葉への感覚をさらに豊かにしたりすることができる。

[具体例]
リズムを手拍子で刻んだり、体を動かしたりしながら、読むようにする。速度や強弱を変えて読むことで、ただ早口で読むだけでなく、言葉を大切にしながら楽しむことができるだろう。読む場所を分けて、交代で読むのもよい。

〈ICT の効果的な活用〉

**調査**：教科書以外の言葉遊び歌、早口言葉を子供用端末に送る。

**記録**：家庭学習で音読の課題を行う際に、言葉遊び歌や早口言葉を唱えている様子を動画で撮り、自分の読み方を振り返る。保護者に協力してもらうとよい。学習支援ソフトの提出機能を活用すると、評価の材料としても活用できる。

本時案

# ことばを たのしもう

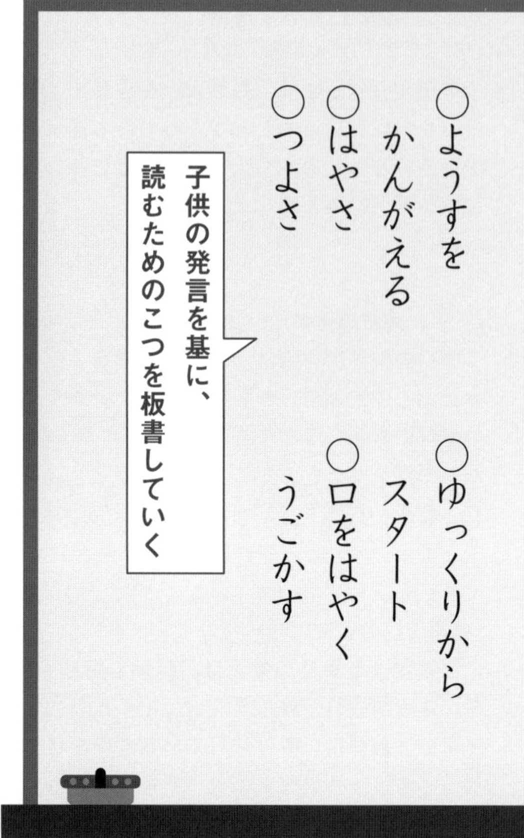


**本時の目標**

・様々な詩や早口言葉を楽しく読み、言葉の豊かさに気付くことができる。

**本時の主な評価**

❶様々な詩や早口言葉を楽しく読み、言葉の豊かさに気付いている。【知・技】

**資料等の準備**

・p.28、29の詩の拡大

**授業の流れ**▷▷▷

## 1 「ぞうさんのぼうし」を読む 〈10分〉

T　言葉遊び歌や早口言葉がたくさんあります。みんなで楽しみましょう。

T　先生の後に続けて読みますよ。

○口形に気を付けて、ゆっくり、はっきり読むようにする。

T　どんなところがおもしろいと思いましたか。

・「ぱぴぷぺぽんとふっとんだ」がおもしろいです。

○板書では、「ぞうさん」「ごつんと」「どしんと」「ぼうし」「ぽんと」を囲み、行の最後の言葉に注目させる。

T　どのように読みますか。

・ぞうさんの様子を考えて読みたいです。

・「どしんと」を強く読みたいです。

## 2 「きっときって…」と早口言葉を読む 〈15分〉

○教師が早口でp.28「きっときって…」を読む。ここでは、教師が失敗してもよく、早口言葉の醍醐味である、失敗してもおもしろいと感じさせたい。

○正しく読むことを大切にするためには、言える速さから徐々に早口にしていくとよい。

○音のリズムや言葉の調子で楽しむことができる。拡大コピーをして教室に掲示しておくと、日常的に声を出すことができる。

・○○さん、上手だね。もっと速くしてみたいな。

T　ペアで、早口言葉を聞き合いましょう。

**ICT端末の活用ポイント**

気付いた読み方をデジタル教科書に書き込んでいくとよい。保存をしておき、次時に生かす。

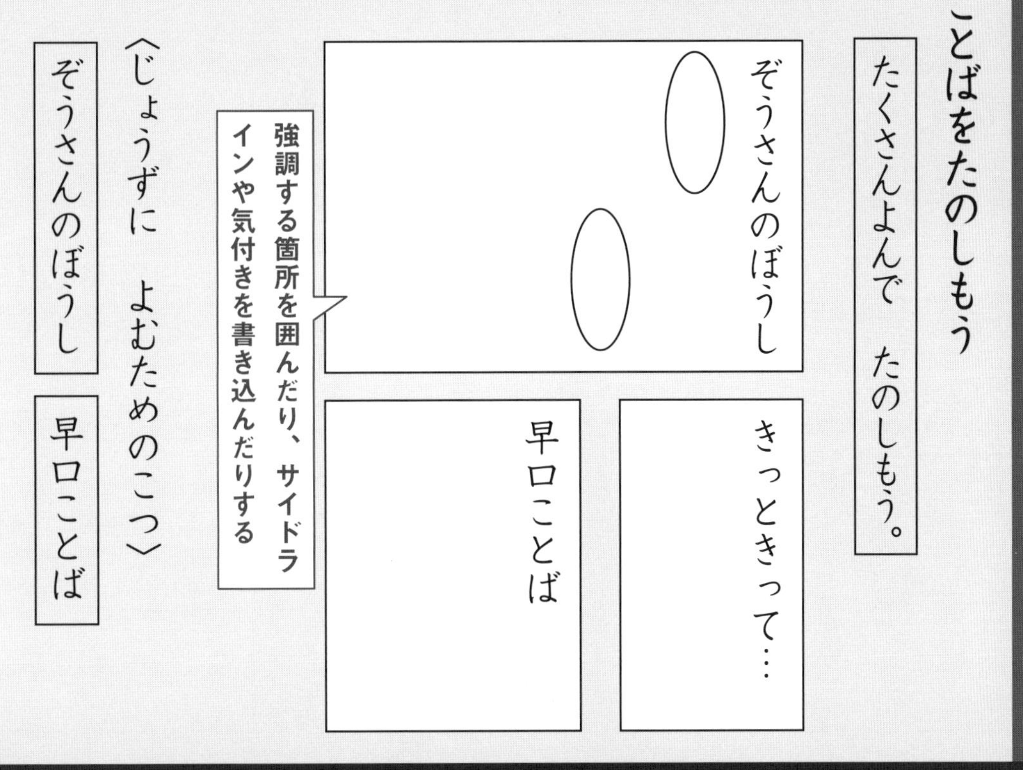


## 3 読み方のコツを話し合い、繰り返し読む 〈20分〉

**T**　上手に読むためのコツはありますか。
・最初から速いと難しいと思います。
・ジャンプする感じで読むといいです。
・いっぱい息を吸うといいのかな。
・口を速く動かします。
**T**　読むためのコツを使ってペアやグループで読んでみましょう。
**T**　みんなで読んでみてどう思いましたか。
・楽しかったです。もっとやってみたいです。
**T**　お家でもカメラで撮って、上手に読むためのコツを使って練習してみましょう。

**ICT 端末の活用ポイント**

可能であれば、音読練習として家庭で取り組む。お家の人の一言感想を連絡帳や音読カードに書いてもらってもよいだろう。

**よりよい授業へのステップアップ**

**言葉を楽しむ**

1年生は繰り返しを行うことで、楽しむことができる。読み方やリズム、人数などを変化させ、ことばを楽しむ時間としたい。

学級としてもまとまって、互いを認め合う学級文化ができている時期だからこそ、みんなで言葉をとことん楽しみ、学び合う空間をつくりたい。教科書以外にも言葉遊びの詩集があるため、朝の時間や授業の始まりのときなど、折を見て触れ合うようにしたい。

本時案

# ことばを たのしもう

## 本時の目標

・進んで言葉遊び歌や早口言葉を楽しむことができる。
・読み方のコツを使って、声に出して読むことができる。

## 本時の主な評価

❷これまでの学習や経験を生かし、進んで言葉遊び歌や早口言葉を楽しみ、発声や姿勢に気を付けながら声に出して読もうとしている。【態度】

## 資料等の準備

・p.28、29の詩の拡大コピー

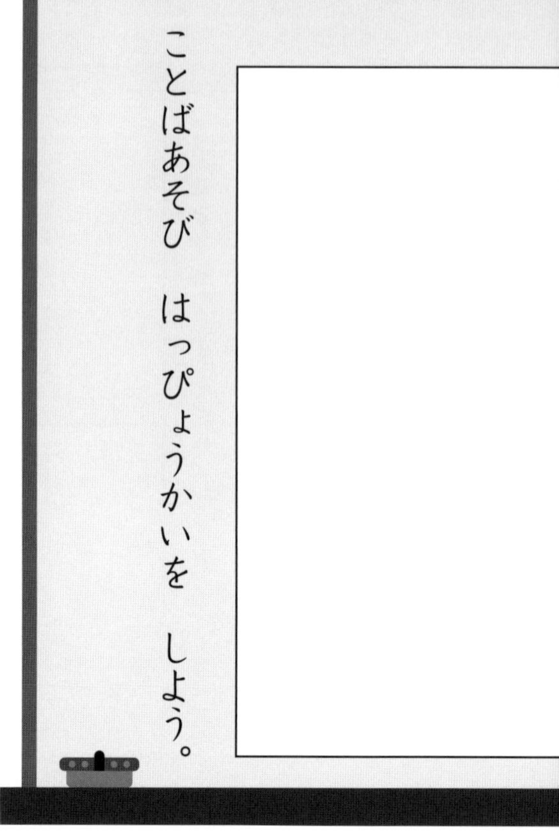


## 授業の流れ ▷▷▷

### 1 気に入った詩や早口言葉を音読する 〈10分〉

T　前の時間に確かめた上手に読むコツを使って読んでみましょう。
○前時の学習を振り返りながら、「ゆっくり」「小さく」など様々な声の出し方を指示し、リズムよく読んでいく。
・大きく読むところと小さく読むところを工夫しました。
・様子を考えるといいよ。
・リズムよく読めるようになりました。
○家庭学習として音読した動画を見せてもよいが、その場で音読する臨場感を大切にしたい。

**ICT 端末の活用ポイント**

前時の書き込みを保存しておき、コツが書き込まれた詩を投映する。

### 2 他の詩や早口言葉を音読する 〈15分〉

T　他にも知っている早口言葉はありますか。
・「かえるぴょこぴょこ」を知っています。
T　みんなで言ってみましょう。
○リズムを手拍子で刻んだり、体を動かしたりしながら、読むようにする。
○速度や強弱を変えることで、ただ早口で読むだけでなく、言葉を大切にしながら楽しむことができるだろう。
○読む場所を分けて、交代で読むのもよい。
○詩や早口言葉は、その場でタイピングして文書作成ソフトで見せるのもよい。

**ICT 端末の活用ポイント**

板書ではなく文書作成ソフトで詩や早口言葉を打ち込んでおくと、拡大印刷したり、朝の会等で続けて活動したりする際に提示しやすい。

ことばをたのしもう

お気に入りはどれかな。

ぞうさんのぼうし

きっときって…

早口ことば

子供たちが見付けてきた詩や早口言葉を見せる
（検索する、もしくは文書作成ソフトで打ち込む）

## 3 音読の様子を動画に撮り、発表する 〈20分〉

○グループで自分たちの音読の様子を動画に撮る。

○動画を見直し、自分たちの読み方を振り返る。

○音が交ざり合わないように、撮影する場所を離すようにする。

T　言葉遊び歌発表会をしましょう。

○みんなの前で発表したり、前に出た人の後に続けて、みんなで言ってみるなど、たくさんの言語活動を楽しませる。

**ICT 端末の活用ポイント**

机の上やロッカーの上など、安定した場所に置き、動画を撮る。

**ICT 等活用アイデア**

### 豊かに表現するために

　カメラ機能を用いると簡単に記録でき、見直すことができる。ただ、画像ばかりのおもしろさに目を向けてしまうと、肝心の言葉に着目できない。音声のみを記録するのもよいだろう。

　練習にタブレット端末等を使える経験を積み重ねることで、家での音読練習や、発表の機会があるときの練習で有効活用できることを実感していくことができる。言葉にこだわることができる姿を目指すために、価値付けて積み重ねを大切にしたい。

せつめいする　文しょうを　よもう

# じどう車くらべ　（7時間扱い）

## 単元の目標

| | |
|---|---|
| 知識及び技能 | ・事柄の順序など情報と情報との関係について理解することができる。((2)ア) |
| 思考力、判断力、表現力等 | ・事柄の順序などを考えながら、内容の大体を捉えることができる。(C(1)ア)<br>・文章の中の重要な語や文を考えて選び出すことができる。(C(1)ウ) |
| 学びに向かう力、人間性等 | ・言葉がもつよさを感じるとともに、楽しんで読書をし、国語を大切にして、思いや考えを伝え合おうとする。 |

## 評価規準

| | |
|---|---|
| 知識・技能 | ❶事柄の順序など情報と情報との関係について理解している。(〔知識及び技能〕(2)ア) |
| 思考・判断・表現 | ❷「読むこと」において、事柄の順序などを考えながら、内容の大体を捉えている。(〔思考力、判断力、表現力等〕Cア)<br>❸「読むこと」において、文章の中の重要な語や文を考えて選び出している。(〔思考力、判断力、表現力等〕Cウ) |
| 主体的に学習に取り組む態度 | ❹進んで説明の順序を考えながら読み、自分が説明するときに生かしたいことを見付けようとしている。 |

## 単元の流れ

| 次 | 時 | 主な学習活動 | 評価 |
|---|---|---|---|
| 一 | 1 | 「じどう車くらべ」を読み、感想を出し合う。<br>題名と何について書かれた文章かを確かめる。 | |
| | 2 | 学習の見通しをもつ<br>問いの文、書かれている自動車を確認し、文章の構造を大まかに捉え、学習計画を立てる。 | ❷ |
| 二 | 3 | 関係を考えながら、バスや乗用車の「しごと」と「つくり」を読む。 | ❷ |
| | 4 | 関係を考えながら、トラックの「しごと」と「つくり」を読む。 | ❹ |
| | 5 | 関係を考えながら、クレーン車の「しごと」と「つくり」を読む。 | ❸ |
| 三 | 6 | 「しごと」と「つくり」の関係を意識して、はしご車の「しごと」と「つくり」を考える。 | ❶ |
| | 7 | 学習を振り返る<br>単元の学習を振り返る。 | ❹ |

## 授業づくりのポイント

**〈単元で育てたい資質・能力〉**

本単元のねらいは、事柄の順序を考えながら読み、内容の大体を捉える力を育むことである。

そのためには、何がどのような順序で書かれているか、書かれている事柄と事柄の関係はどうなっているかを理解することが必要となる。

本教材では、「そのために」という言葉の働きを理解することが大切である。比較するそれぞれの自動車の「しごと」と「つくり」を関連付ける重要な言葉である。

[具体例]

○本教材は3種類の自動車が「しごと」と「つくり1」「つくり2」という順に説明されている。読み進めながら、3種を比較することで、「同じ順番になっている」と気付くことができる。

**〈教材・題材の特徴〉**

自動車について書かれた、1年生3本目の説明的文章である。はじめに「それぞれのじどう車は、どんなしごとをしていますか。」、そのために「どんなつくりになっていますか。」という問いがあり、その答えを探しながら読んでいく。聞き慣れない言葉や表現も出てくるので、丁寧に確認したい。

次単元は、自分で自動車を選んで説明する文章を書く学習である。自動車に関する図書資料を読む際に、本単元での学習が生かされる。次単元も見通して、単元の導入の工夫や学習計画の立案をするとよい。

[具体例]

○「座席」「荷台」「うで」「あし」等、どの部分を指しているのかを挿絵と対応させて確認するとよい。「〜できるように」「〜しないように」「〜たり〜たり」等の表現は、次の単元でも活用できる。

**〈言語活動の工夫〉**

子供が自動車の「しごと」や「つくり」を自然と意識できるよう導入を工夫する。他にもあるのだろうか、何のためにそうなっているのだろうかと、子供の知的好奇心を刺激する出合いにしたい。

内容を読み進める際は、挿絵や模型等を活用しながら読み取ったことを説明したり、自分の経験や知識と結び付けて話したりするなど、理解したことを表現する活動も大切にする。

「しごと」と「つくり」の関係を理解させるためには、「そのために」の「その」が示すことを考えるとよい。間違い探しをしたり「しごと」に全く関係のない「つくり」が書いてある文章を提示して比較したりすることも有効である。その際、「なぜよくないのか」「なぜよいのか」という理由を考えることが大切となる。

**〈ICT の効果的な活用〉**

**資料**：自動車やバス、トラック、クレーン車などの動画を子供の ICT 端末に配信し、どのように仕事をするのかを確認することができるようにする。子供の生活環境や生活経験によっては、目にしたり乗ったりする機会の少ない自動車もある。バスの内部やクレーン車の腕が伸び縮みしている様子など、実際の様子を見ることにより、言葉や内容の理解を確かにすることができる。

本時案

# じどう車くらべ

## 本時の目標

・自動車の「しごと」と「つくり」に着目し、今後の学習に対する関心をもつことができる。

## 本時の主な評価

・自動車の「しごと」や「つくり」に着目して、感想を書こうとしている。

## 資料等の準備

・走っている自動車を撮影した動画
・絵合わせカードの拡大（掲示用）
・絵合わせカード（グループ分）

↓「つぼみ」「うみのかくれんぼ」
のなかま

かんそう
○バスのざせきがひろいのは、しっていた。
○じどう車の「つくり」をくわしくしりたい。
○どんな「しごと」をしているのかをもっとしりたい。
○じどう車の「しごと」や「つくり」をおしえたい。
○ほかのじどう車のこともきになる。

## 授業の流れ ▷▷▷

### 1 自動車の動画を見て気付いたことを出し合う 〈10分〉

○学校の近くの道路を走っている自動車の動画を視聴する。子供たちは口々に「バス」「トラック」「ごみ収集車」などとつぶやくので、問いかけて「つくり」や「しごと」に着目させる。

T　どうしてトラックだと分かったのですか。
・荷物を積むところがあるからです。
・後ろに荷物を載せて運びます。
T　自動車の「つくり」で分かったのですね。トラックは、荷物を運んでいるのですか。
・トラックは荷物を運ぶのが仕事です。
T　なるほど、よく知っていますね。

○子供たちが知っていることを話したくなるように、感心しながら聞くとよい。

T　他に知っている自動車はありますか。

### 2 自動車絵合わせカードゲームをする 〈10分〉

○「じどう車くらべ」の挿絵の裏に本文を貼ったものを３枚に切り分けて、作成したカードを用意する。文を上にしてカードを並べ、３枚めくって自動車の絵が完成すればもらえる。はじめは適当にめくるが、次第に「簡単」「ヒントがある」などと言い始める。

T　簡単という声が聞こえましたが、なぜですか。
・トラックって、書いてあります。
・「そのために」が付いているのが２枚目です。
T　よく気が付きましたね。

○何度かゲームを行うと、カードに書かれている言葉に着目するようになる。気付きを共有して再度行うとよい。

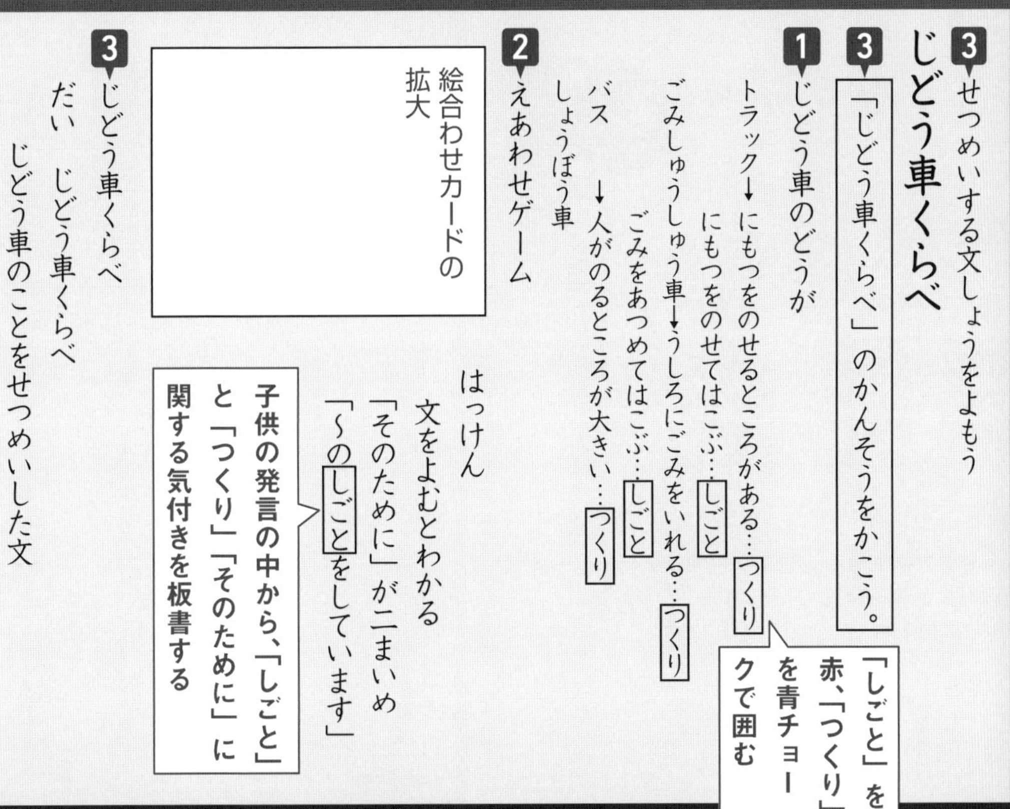


## 3 「じどう車くらべ」を読み、感想を出し合う 〈25分〉

○教師が範読し、題名や内容を確認した後、感想を書かせる。感想の視点を示すとよい。

T　感想を書きましょう。「なるほど」と思ったことや「びっくり」したこと、「しりたいな」と思ったことや「どうしてかな」と思ったこと、「やってみたい」ことが書けるとよいですね。

・自動車の「つくり」のことを詳しく知りたいです。
・どんな「しごと」をしているのかをもっと知りたいです。
・自動車に詳しくなりたいです。
・他の自動車の「しごと」や「つくり」を教えたいです。

○時間に余裕がなければ、次時に共有する。

### よりよい授業へのステップアップ

**身近なものを学習材化する**

　導入で使用する動画は、子供の生活の中に存在し、身近なものがよい。学校の近くの通りを走る自動車を撮影したり、子供たちが乗ったことのあるバスやタクシー、仕事をしているところを見たことのあるトラックやごみ収集車等を撮影したりするなど工夫したい。

　身近なものを学習材化することで、学習への関心を高めることや、経験と結び付けて理解することができる。日頃から、子供たちを取り巻く環境をリサーチしていくことが大切である。

本時案

# じどう車くらべ

## 本時の目標

・書かれている事柄に気を付けて読み、内容の大体や順序を捉えることができる。

## 本時の主な評価

❷「読むこと」において、事柄の順序などを考えながら、内容の大体を捉えている。
【思・判・表】

## 資料等の準備

・教科書の挿絵３枚（掲示用・配布用）
・問いの文を書く短冊 ⤓ 06-01
・デジタル教科書または拡大した本文

かんがえる。
①バス・じょうよう車
②トラック
③クレーン車
3「しごと」と「つくり」をせつめいする本をつくる。
＊がっこうのみんなにおしえよう！
①みんなで（おなじ　じどう車）
②じぶんで（いろいろな　じどう車）
4よみあう・かんそうをつたえる。

いろいろなじどう車をしらべる
・よくみる
・ほんをよむ

じどう車の「しごと」と「つくり」をしらべて、くわしくなろう。

## 授業の流れ ▷▷▷

### 1 題、文種を確認し、問いの文を探す 〈15分〉

○前時の学習を振り返った後、全文を音読し、題と文種を確認する。「問いの文」という用語も確かめるとよい。

T　説明する文章には、○○○○○がありました。何でしょう。

・問いの文です。

T　「じどう車くらべ」の問いの文を探してみましょう。探すときのヒントは、分かりますか。

・聞いている文です。

・最後が「〜でしょう。」とか「〜ますか。」みたいになっています。

○忘れていることが予想されるため手掛かりを確認後、探させるとよい。見付けたらサイドラインを引かせ、その後全体で確認する。

### 2 書かれている自動車の種類と順番を確かめる 〈10分〉

T　問いの文に書いてある「それぞれのじどう車」というのは、何のことですか。

・クレーン車です。

・バスです。

・トラックです。

T　どんな順番で書かれていますか。教科書を読んで挿絵を並べ替えてみましょう。

○３枚の挿絵を縮小して印刷したものを配布し、順番に並べてノートに貼らせることで、自動車の順序を確認し、文章の構造を大まかに捉えさせる。

せつめいする文しょうをよもう

# じどう車くらべ

せつめいの　じゅんばんを　たしかめて、がくしゅうの
けいかくを　たてよう。

**1** せつめいする文しょう…「つぼみ」・「うみのかくれんぼ」のなかま
といの文…よむ人にしつもんしている文
それぞれのじどう車は、
どんなしごとをしていますか。
そのために、
どんなつくりになっていますか。

「しごと」を赤、「つくり」を青チョーク、「そのために」を緑チョークで囲む（以下全て同じ）

**2** せつめいのじゅんばん

| 教科書p. 31の挿絵 バス・乗用車 | 教科書p. 32の挿絵 トラック | 教科書p. 33の挿絵 クレーン車 |
|---|---|---|
| じどう車① バス じょうよう車 | じどう車② トラック | じどう車③ クレーン車 |

**3** がくしゅうけいかく
1けいかくをたてる。
2「じどう車くらべ」をよんで「しごと」と「つくり」を

子供の発言を整理して板書し、学習計画を整理する。**3**の後半からは次単元になるが、併せて計画しておくと、見通しをもって学習に取り組むことができる

## 3 学習計画を立て、本時の学習を振り返る 〈20分〉

T　前の時間にはどんな感想を書きましたか。
・自動車の「しごと」をもっと知りたい。
・クレーン車の「つくり」をみんなでもっと調べてみたいです。
・いろいろな自動車に詳しくなりたいです。
・自動車のことを教えたいです。
T　どうやったら詳しくなれそうですか。
・文を読んで、自動車の「しごと」や「つくり」を調べたらよいと思います。
T　なるほど。いろいろな自動車の「しごと」と「つくり」を探したら、詳しくなれそうかな。
・はい。
T　詳しく分かったら、どうしましょうか。
○子供とやりとりしながら計画を立てる。

### よりよい授業へのステップアップ

**これまでの学びを活用する**

1年生も後半に入り、既習事項も増えてきた。一度学習したことを確かにするためにも、こまめに振り返るようにしたい。

これから学習する文章の種類や問いの文・答えの文等の用語、手掛かりとなる「〜でしょう。」「〜ますか。」等の文末表現を意識できるような問いかけをするとよい。

以前、学習をした際の模造紙や用語等を教室に掲示しておくと、活用して振り返ったり比較して考えたりすることができる。

本時案

# じどう車くらべ

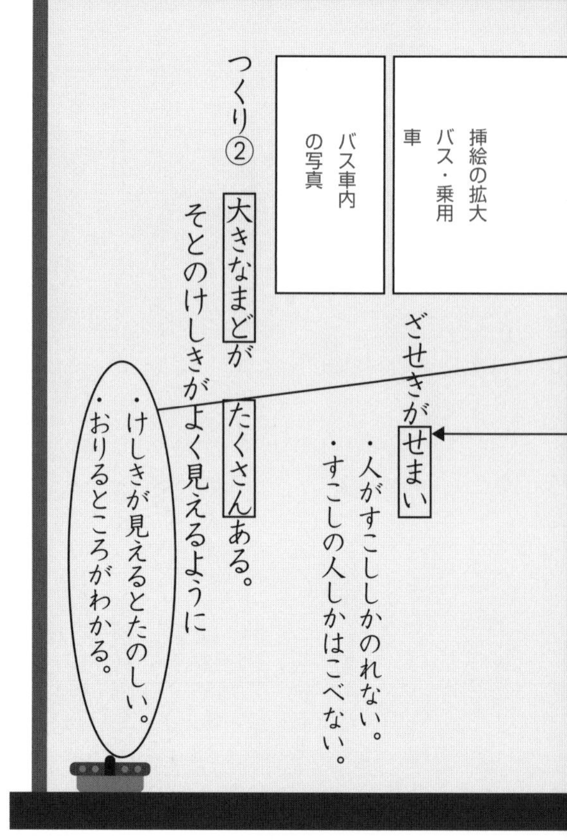


## 本時の目標

・バスや乗用車について書かれた文章を読み、「しごと」と「つくり」の関係を捉えることができる。

## 本時の主な評価

❷「読むこと」において、事柄の順序などを考えながら、内容の大体を捉えている。

【思・判・表】

## 資料等の準備

・学習計画表（掲示用・配布用）
・前時に作成した問いの文の短冊
・デジタル教科書または拡大した本文・挿絵
・「しごと」短冊（ピンクの色画用紙・１枚）
・「そのために」短冊（黄緑の色画用紙・１枚）
・「つくり」短冊（水色の画用紙・２枚）06-02
・バス車内の写真

## 授業の流れ ▷▷▷

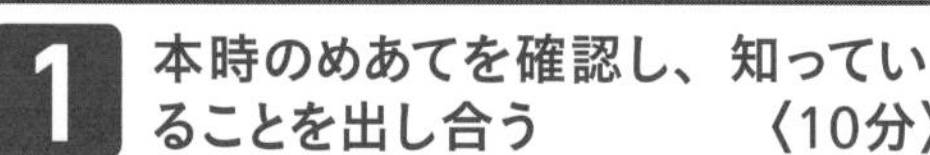

### 1 本時のめあてを確認し、知っていることを出し合う 〈10分〉

○学習計画表を掲示し子供が確認できるようにすることで、見通しをもち主体的に学習に取り組む態度の素地を養う。

T　今日は、何をするのでしたか。

・バスや乗用車の「しごと」と「つくり」を考えます。

T　バスや乗用車に乗ったことはありますか。

・この前、○○に行くときにバスに乗りました。

・降りるときにブザーを押すと止まります。

・生活科見学に行くときにクラス全員でバスに乗りました。

○経験を想起させたり、挿絵で乗用車を確認したりする。ここで初めて出合う言葉という子供も多いので挿絵と結び付けて確認したい。

### 2 バスや乗用車の「しごと」と「つくり」を読み取る 〈15分〉

○音読し、「しごと」は赤「つくり」は青等、色分けしてサイドラインを引かせてから、全体で確認する。色は板書とそろえる。

T　「しごと」は、何でしたか。

・「人をのせてはこぶしごと」です。

T　どうして分かりましたか。

・「人をのせてはこぶしごとをしています。」と書いてあるからです。

・「しごと」と書いてあるから分かります。

○拡大した本文を掲示し、子供たちに示させたり、子供たちの発言を基に書き込みをしたりしながら、どの言葉やどの文から分かったのかを確かめる。

○「つくり」も同様に確認する。

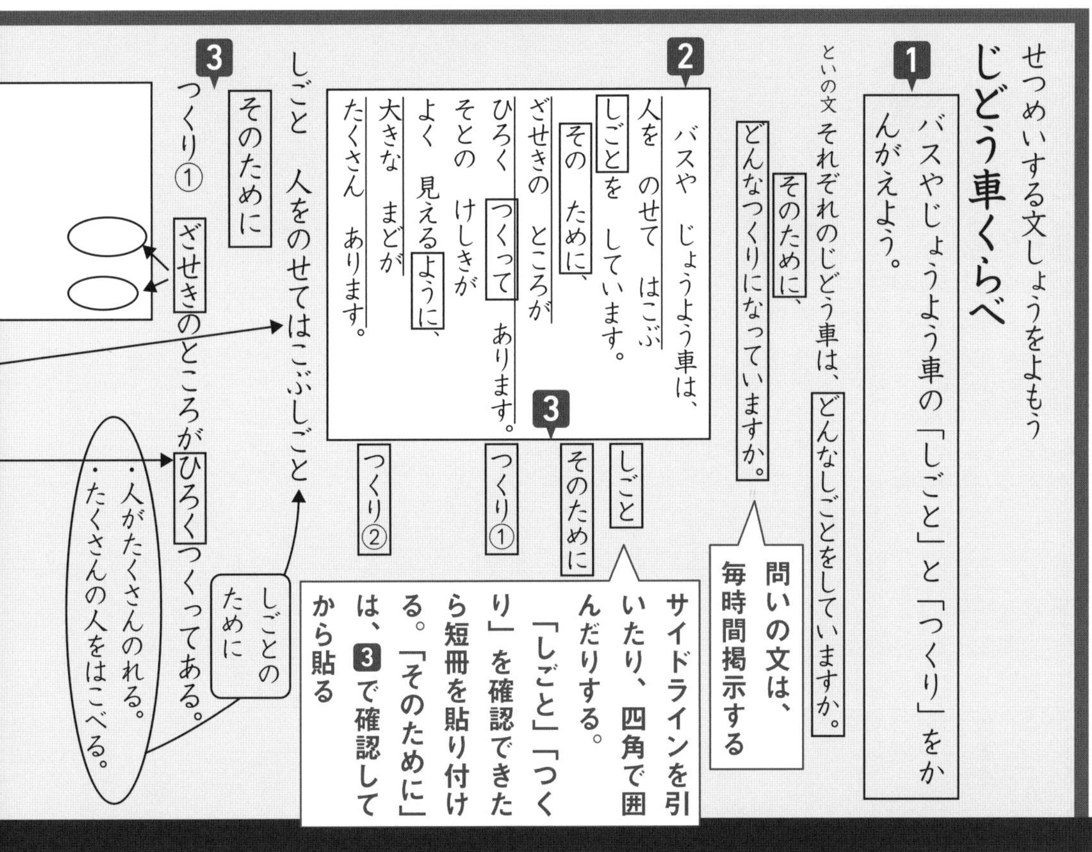


## ICT 等活用アイデア

### 経験を補い理解を確かにする

バスの内部や運行している様子の写真や動画を ICT 端末で視聴する。

子供の生活経験は、一人一人異なる。住んでいる地域や生活スタイルによっては、バスや乗用車に乗ったことがない子供がいることも考えられる。

書かれている内容について「確かにそうだ」「本当だ」と実感を伴うことで、「しごと」と「つくり」の関係や「そのために」という言葉の働きをより正確に捉えることができる。

ICT 機器の活用によって、経験を補い理解を確かにすることができる。

## 3 「しごと」と「つくり」の関係を考え「そのために」の働きを理解する 〈20分〉

○車内の写真や乗った経験から「ざせき」の意味や、広く作られていることを確かめる。

T どうして座席を広く作ってあるのでしょう。

・人がたくさん乗れるようにするためです。

T 座席が狭いとどうなりますか。

・少しの人しか乗れません。

・人を運ぶ仕事ができないと思います。

・バスや乗用車の仕事は、「人をのせてはこぶ」だから、広く作ってあるのだと思います。

T 「しごと」のための「つくり」になっているのですね。

○「その」の示す内容を確認し、「そのために」が「しごと」と「つくり」の関係をつなぐ働きをしている言葉であることを確かめる。

本時案

# じどう車くらべ

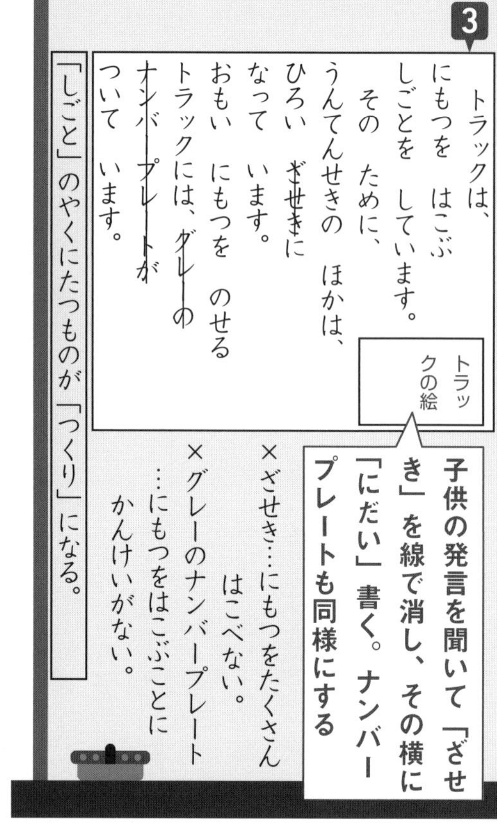


## 本時の目標

・トラックについて書かれた文章を読み、「しごと」と「つくり」の関係を捉えることができる。

## 本時の主な評価

❹進んで「しごと」と「つくり」との関係を考えながら内容の大体を捉え、学習課題に沿って分かったことを表現しようとしている。

【態度】

## 資料等の準備

・学習計画表・問いの文の短冊（掲示用）
・前時の拡大した本文（掲示用）
・デジタル教科書または拡大した本文・挿絵
・「しごと」「そのために」「つくり」の短冊
・トラックの写真
・教師作成の自動車図鑑ページ(間違い探し用)

## 授業の流れ ▷▷▷

### 1 本時のめあてを確認し、知っていることを出し合い音読をする 〈10分〉

○問いの文と前時に書き込みをした本文の拡大は、教室に掲示しておく。いつでも確認したり見比べたりすることができるようにする。
○前時の学習感想をいくつか紹介し、その後でめあてを確認する。
T　トラックを見たことはありますか。
・朝、給食室の前に止まっていました。
・長いトラックとそうでもないトラックがあります。
・引っ越しのときに荷物を運んでもらいました。
T　トラックの「しごと」と「つくり」は何か考えながら音読しましょう。

### 2 トラックの「しごと」と「つくり」を読み取る 〈15分〉

○個人で探した後に全体で確認する。
○短冊を貼る際「同じだ」等のつぶやきが出たら、何が同じか問いかける。出なければ次時でよい。
・「つくり」が２つあるのが同じです。
・バスもトラックも「しごと」「そのために」「つくり①」「つくり②」の順番になっています。
T　狭い荷台だとどうなりますか。
・荷物が少ししか載りません。
・荷物が少ししか運べないとトラックの仕事ができません。
T　「しごと」のための「つくり」になっているのですね。それを表す言葉がありました。
・「そのために」です。

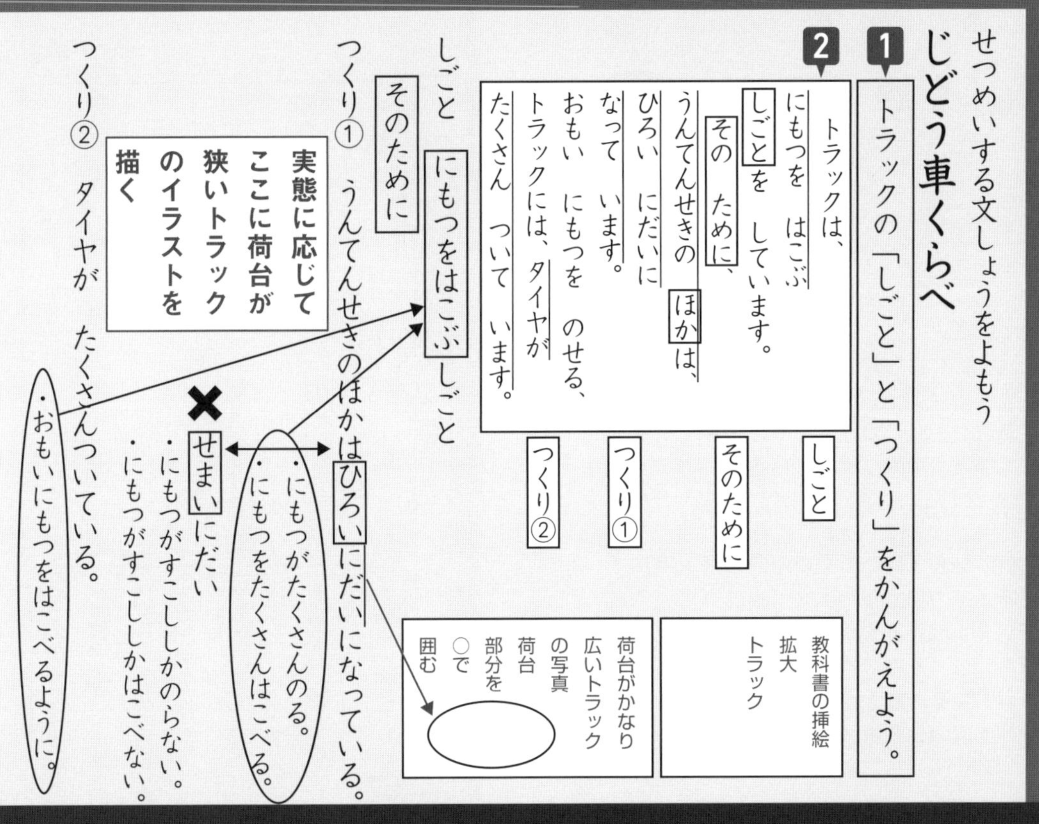


## 3 文章の間違い探しを行い「しごと」と「つくり」の関係を考える　〈20分〉

**T**　トラックのページを作ってみました。

○教師が作成したトラックのページを見せ、「あれ」「違う」等つぶやきが出てから尋ねる。

**T**　どこか違っているところがありますか。

・荷台が座席になっています。

・広い座席だとバスみたいに人はたくさん乗れるけれど、荷物が少ししか運べません。

・「グレーのナンバープレート」ではなくて、「タイヤがたくさん」です。

**T**　挿絵ではナンバープレートがグレーだからおもしろいと思って書いてみました。

・おもしろいかどうかではなくて、「しごと」に役立つものを書いた方がよいと思います。

○ここでその自動車の「しごと」に役立つものが「つくり」になることを理解させたい。

### よりよい授業へのステップアップ

**「しごと」と「つくり」の関係を捉える**

「しごと」と「つくり」の関係を捉えるのは、少々難易度が高い。

「そのために」の前後という理解ではなく、「しごと」のための「つくり」であるという関係を捉えるために、一度だけでなく何度も考えたり友達に理由を説明したりすることが大切である。繰り返すことで接続語の働きや関係の理解が、徐々に確かなものになる。

また、「しごと」と「つくり」が関連付いていないものと比較することで、「しごと」と「つくり」のつながりを意識させることも有効である。

本時案

# じどう車くらべ

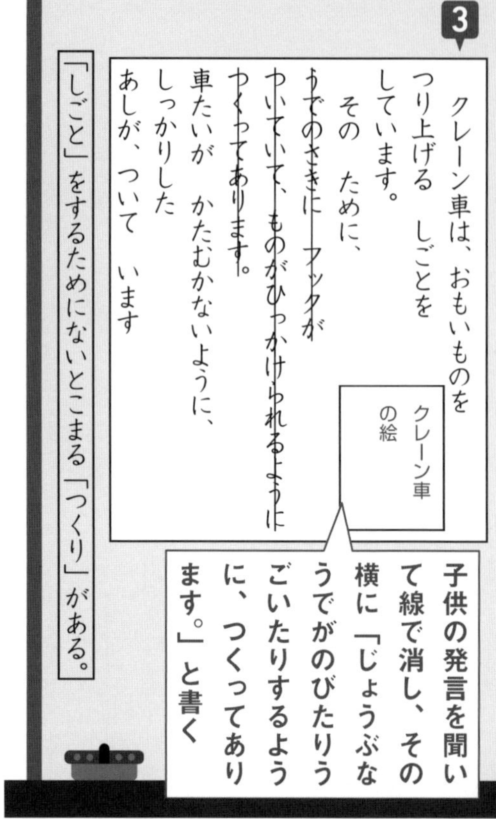


## 本時の目標

・クレーン車について書かれた文章を読み、「しごと」と「つくり」の関係を捉えることができる。

## 本時の主な評価

❸「読むこと」において、文章の中で重要な語や文を考えて選び出している。【思・判・表】

## 資料等の準備

・学習計画表・問いの文の短冊（掲示用）
・前時までの拡大した本文（掲示用）
・デジタル教科書または拡大した本文・挿絵
・「しごと」「そのために」「つくり」の短冊
・クレーン車の動画または模型
・教師作成の自動車図鑑ページ（途中まで）

## 授業の流れ ▷▷▷

### 1 本時のめあてを確認し、知っていることを出し合い音読をする〈10分〉

○問いの文と前時に書き込みをした本文の拡大は、教室に掲示しておき、いつでも確認したり見比べたりすることができるようにする。
○前時の学習感想をいくつか紹介し、その後でめあてを確認する。
T　クレーン車を見たことはありますか。
・生活科見学に行く途中に見ました。
○前出の２つに比べ、実際に作業をしているクレーン車を見たことがある子供は少ないことが予想されるので、様子によってはここで動画を視聴するとよい。
T　クレーン車の「しごと」と「つくり」は何か考えながら音読しましょう。

### 2 クレーン車の「しごと」と「つくり」を読み取る〈20分〉

○サイドラインを引く前に「つくり」は、いくつあるかを問う。
T　どうして２つだと思ったのですか。
・バスもトラックも２つだったからです。
○前時同様に個人で探した後に全体で確認する。「うで」「あし」の言葉が示す場所や、「のびたりうごいたり」「つり上げる」の意味を確かめる。
T　どうしてこの２つが「つくり」になるのですか。
・「しごと」に必要だからです。
・クレーン車の「しごと」は重い荷物をつり上げることだから、丈夫な腕が必要です。
・しっかりした脚がないと、重いものをつり上げるときに倒れてしまいます。

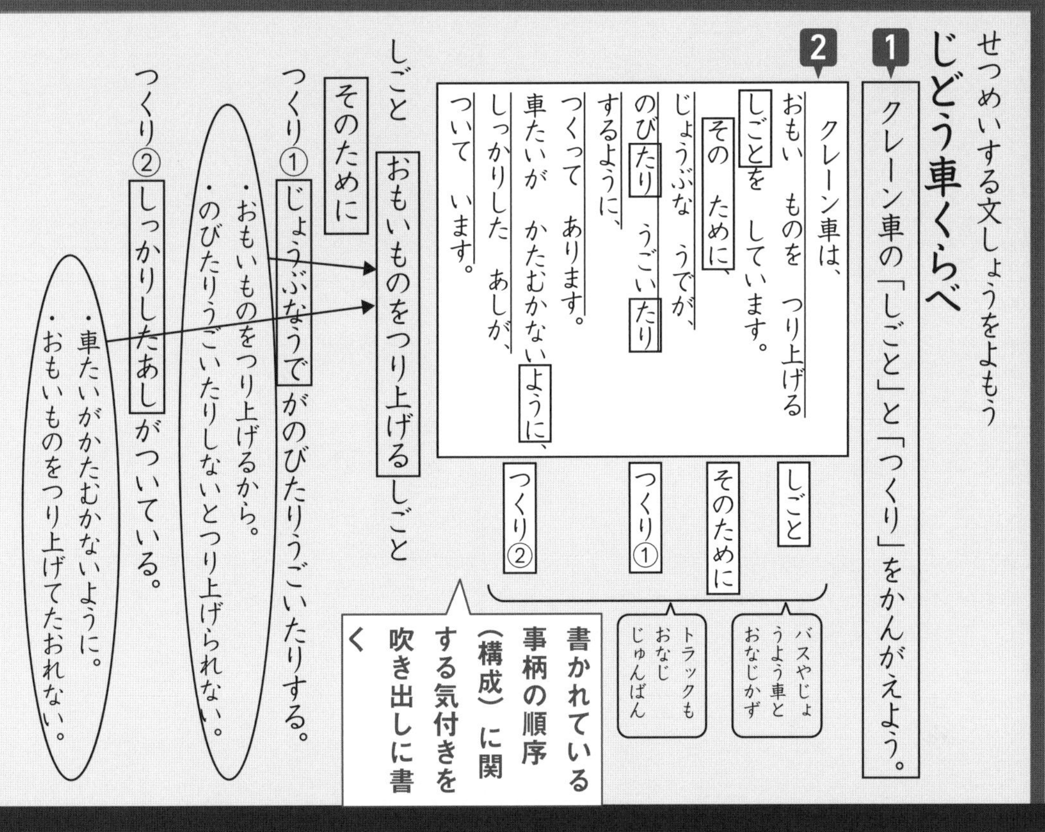


## 3 文章の間違い探しを行い「しごと」と「つくり」の関係を考える　〈15分〉

**T**　クレーン車の絵を見てページを作りました。

前回、「しごと」に役立つものが「つくり」だと分かったから、ものをつり上げるのに大事なところを書いてみました。どうですか。

○「しごと」に最も役立つ「つくり」があることに気付かせ、次時や次単元に生かす。

・フックで荷物をひっかけても、腕が伸びないとつり上げられないから、腕のことは書いた方がよいと思います。腕がないと「しごと」ができません。

・重いものをつり上げるのが仕事なのだから「じょうぶ」は大事だと思います。

**T**　「しごと」をするときにないと困る「つくり」があるということですね。

### よりよい授業へのステップアップ

**語句の意味理解**

「うで」や「あし」という言葉と示す場所が結び付いていないことがある。挿絵を活用して確認するとよい。

腕が「のびたりうごいたり」することは、クレーン車が仕事をするために欠かせない。動画や模型を活用して「のびる」「うごく」を確かめるとよい。「〜たり〜たり」は、今後も出合うことの多い表現である。いくつか例示し動作化することで、意味を理解させる。

語句の意味を理解することが、「しごと」と「つくり」という事柄同士の関係を捉えることにつながる。

本時案

# じどう車くらべ

## 本時の目標

・情報と情報との関係を意識して、はしご車の「しごと」と「つくり」を考えることができる。

## 本時の主な評価

❶事柄の順序など情報と情報との関係について理解している。【知・技】

## 資料等の準備

・学習計画表（掲示用）
・前時までの拡大した本文（掲示用）
・はしご車の拡大した挿絵
・はしご車の挿絵（児童配布用）

「しごと」のための「つくり」
「しごと」のやくにたつものが「つくり」になる
「しごと」をするためにないとこまる「つくり」がある

A　たかいところの　ひをけす
○はしごがのびたりちぢんだりする
○ほう水じゅうから水がでてひをけす

B　たかいところの　人をたすける
○はしごがのびたりちぢんだりする
○バスケットにたすけた人がのれる

## 授業の流れ ▷▷▷

### 1 はしご車の「しごと」を考える〈10分〉

○前時の学習感想をいくつか紹介し、その後めあてを確認する。

T　はしご車を見たことはありますか。
・消防署で見ました。
・火事のニュースで見ました。

○仕事をしているはしご車を見たことがない子供もいるため、ここで動画を視聴するとよい。

T　はしご車はどんな「しごと」をしていますか。
・火を消す仕事をしています。
・逃げ遅れた人を助ける仕事をしています。

T　どこの火を消しますか（人を助けますか）。
・高いところです。

○「高いところの」を必ず出させるようにする。
○ここでは「しごと」を１つに決めなくてよい。

### 2 はしご車の「つくり」を考える〈10分〉

○「つくり」を考える際は、手元の挿絵に印を付け、できることや何のためになるかを書き込ませる。
○個人で考えた後、ペアで相談しながら探すと、何をするための「つくり」なのか、その「つくり」が何に役立つか等の対話が生まれる。

T　はしご車は、どんな「つくり」になっていますか。
・伸びたり縮んだりするはしごが付いています。
・クレーン車と同じでしっかりした脚が付いています。
・はしごの先に人が乗れるようになっています。
・助けた人を乗せるためです。

○他の自動車と比べている場合には大いに褒め、問い返しながら用途や特徴を確認する。

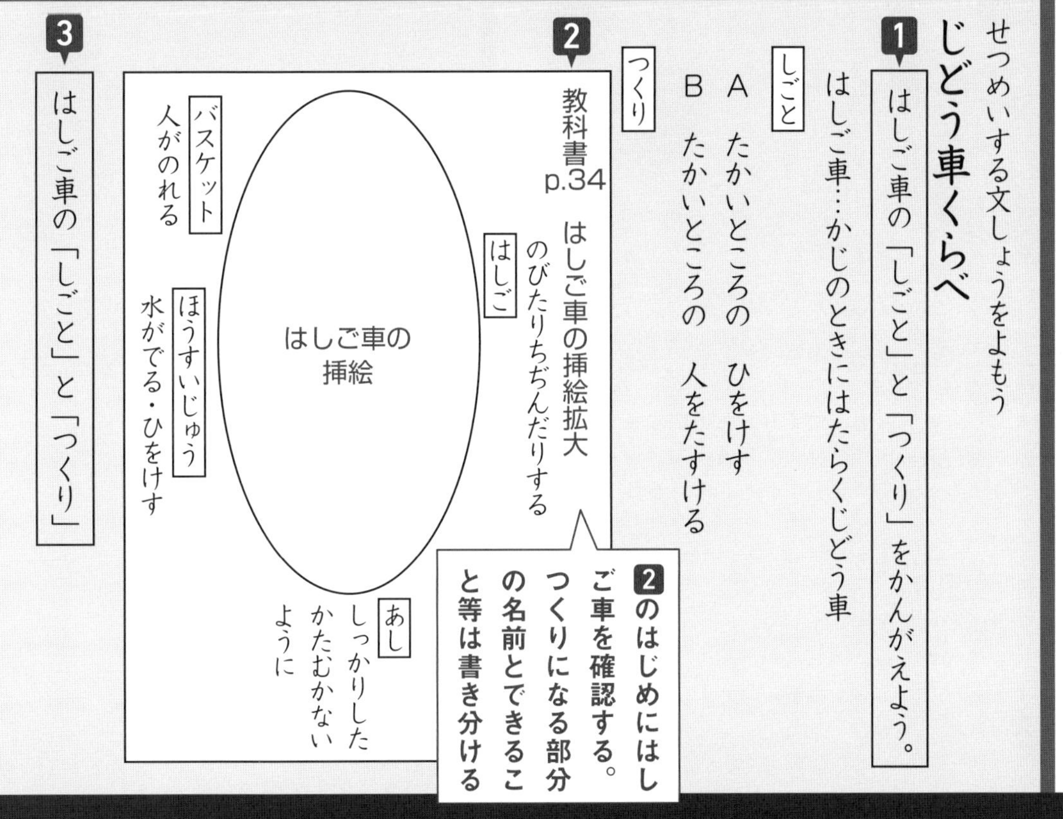


## 3 はしご車の「しごと」と「つくり」を関係付けて捉える〈15分〉

○前時までに気付いた「しごと」と「つくり」の関係を確かめ、はしご車の図鑑ページに書く「しごと」と「つくり」を決めていく。

○ＡとＢから「しごと」を選択しノートに書く。その後「しごと」をするために必要な「つくり」を選択し挿絵に印を付ける。「しごと」と関連している「つくり」を選択した子供は、情報と情報の関係を理解していると評価できる。

○同じ「しごと」を選択した友達と相談後、全体で確認する。理由をたくさん出させたい。

T　どうしてその「つくり」を選んだのですか。

・火を消すためには、放水銃が必要だからです。

・バスケットがないと助けた人が乗れないからです。

## 4 はしご車の「しごと」と「つくり」を決め、本時の学習を振り返る〈10分〉

T　図鑑に載せるはしご車の「つくり」を決めてノートに書いておきましょう。

○自分の選択した「しごと」に関連しているかどうかの視点で選択した「つくり」を見直し、最終的に決めたものをノートに記録するようにさせる。

T　今日の学習を振り返り、感想を書きましょう。

・高いところの火を消すには、はしごと放水銃が大事だと分かりました。

・みんなで話し合ったら、はしごがないと階段で建物の上まで上がることになって、時間がかかっちゃうから、早く助けるには長いはしごが必要だと分かりました。

本時案

# じどう車くらべ

## 本時の目標

・情報と情報との関係を意識して、はしご車の「しごと」と「つくり」を考えることができる。

## 本時の主な評価

❹進んで「しごと」と「つくり」との関係を考えながら内容の大体を捉え、学習課題に沿って分かったことを表現しようとしている。【態度】

## 資料等の準備

・学習計画表（掲示用）
・前時までの拡大した本文（掲示用）
・第６時に使用したはしご車の拡大した挿絵
・自動車図鑑作成用のシート

06-03〜04

## 授業の流れ ▷▷▷

### 1 文章に書く事柄と、順序を確かめる 〈10分〉

○前時の学習感想をいくつか紹介し、その後めあてを確認する。

T　何をどんな順番で文章に書けばよいですか。

・はしご車の「しごと」と「つくり」を書きます。

・「じどう車くらべ」の文章みたいに書けばよいと思います。

T　はじめに書くことは何でしょう。

・「しごと」です。

・「はしご車は、高いところの火を消す仕事をしています。」という感じで書きます。

○掲示してある「じどう車くらべ」の本文を見て、３つとも同じ文章構成になっていることを確認し、「しごと」「そのために」「つくり①」「つくり②」の順に書けばよいことを確かめる。

### 2 はしご車の「しごと」と「つくり」を文章でまとめる 〈20分〉

○クレーン車の文章をモデルにすると、書きぶりをまねて書きやすいため、黒板に掲示する。

T　「しごと」のための「つくり」になっているかをもう一度確かめてから、文章を書いてみましょう。

○声に出して「しごと」と「つくり」が関連しているかどうかを確かめてから書かせる。

○書き終わったら声に出して読み返し、出来上がった人から読み合うことができるようにする。友達と読み合う中で、誤字脱字に気付いたり、よりよい書き方に出合ったりすることができる。

○補助のあるシートを使わせるなど、個に応じた指導ができるように準備しておく。

せつめいする文しょうをよもう

じどう車くらべ

1 はしご車のことをせつめいするぶんしょうをかこう。

しごと
つくり

クレーン車は、
おもい　ものを　つり上げる
しごとを　しています。
その　ために、
じょうぶな　うでが、
のびたり　うごいたり
するように、
つくって　あります。
車たいが　かたむかないように、
しっかりした　あしが、
ついて　います。

しごと
そのために
つくり①
つくり②

2 しごと
A　たかいところの　ひをけす
B　たかいところの　人をたすける

つくり

教科書p.34　はしご車の挿絵拡大

## 3 書いた文章を読み合い、単元の学習を振り返る　〈15分〉

○文章を読み合った後、学習計画表に沿って単元の学習を振り返り、感想を書く。

T　「じどう車くらべ」の学習を振り返りましょう。

・じどう車の「しごと」と「つくり」が詳しく分かりました。

・「しごと」に合った「つくり」になっていると分かってよかったです。

・３つとも同じ順番で説明をしているのに気付きました。

・はしご車のページができてうれしいです。もっとページを増やしたいです。

・次は他の自動車のことを書くので、楽しみです。

**よりよい授業へのステップアップ**

**声に出して確かめる**

選んだ「しごと」と「つくり」が関連しているかを確かめる方法の一つとして、「声に出す」ことがある。

「はしご車は、〜しごとをしています。そのために…。…。」と声に出し自分で聞くことで、つながりがあるかどうかを確かめることができる。

一度書いた後に、考え直したり書き直したりすることは、子供にとって大きな負担である。自分で聞いたり友達に聞いてもらったりすることで、書く前に気付くことができるようにするとよい。

資料

## 1 第７時資料　自動車図鑑作成用シート 06-03

じどう車めい

ねん　くみ　なまえ（　　）

「しごと」と「つくり」を せつめいする 文しょう

じどう車の え

じどう車についての かんそう、えらんだ りゆう・じぶんの かお

じどう車めい

ねん　くみ　なまえ（　　）

じどう車の　え

じどう車に ついての かんそう、えらんだ りゆう・じぶんの かお

「しごと」と「つくり」を せつめいする 文しょう

## 2 第７時資料　自動車図鑑　はしご車児童作品例 06-04

はしご車は、たかい　ところの　火を
けして　人を　たすける　しごとを　して
います。
その　ためにに、ながい　はしごが　ついて
います。たすけた　人が　のれるように、はしごの
さきに、バスケットが　ついて　います。

はしご車は、たかい　ところの　火を
けして　人を　たすける　しごとを　して
います。
その　ために、ながく　のびる　はしごが
ついて　います。ながく　のびる　はしごの
さきの　バスケットから　水が　でます。

せつめいする　文しょうを　かこう

# じどう車ずかんを　つくろう　（5時間扱い）

## 単元の目標

| | |
|---|---|
| 知識及び技能 | ・事柄の順序など情報と情報との関係について理解することができる。((2)ア) |
| 思考力、判断力、表現力等 | ・事柄の順序に沿って簡単な構成を考えることができる。(B(1)イ) |
| 学びに向かう力、人間性等 | ・言葉がもつよさを感じるとともに、楽しんで読書をし、国語を大切にして、思いや考えを伝え合おうとする。 |

## 評価規準

| | |
|---|---|
| 知識・技能 | ❶事柄の順序など情報と情報との関係について理解している。(〔知識及び技能〕(2)ア) |
| 思考・判断・表現 | ❷「書くこと」において、事柄の順序に沿って簡単な構成を考えている。(〔思考力、判断力、表現力等〕Bイ) |
| 主体的に学習に取り組む態度 | ❸進んで情報と情報の関係を捉え、説明の順序を考えて粘り強く文章を書こうとしている。 |

## 単元の流れ

| 次 | 時 | 主な学習活動 | 評価 |
|---|---|---|---|
| 一 | 1 | 学習の見通しをもつ<br>教科書を読み、「じどう車ずかん」を作るための学習計画を立てる。 | ❶ |
| 二 | 2<br>3<br>4 | 図鑑に載せる自動車を選び、「しごと」と「つくり」を考える。<br>文章の構成を考え、記述する。<br>推敲をした後、清書する。 | ❶<br>❷<br>❸ |
| 三 | 5 | 学習を振り返る<br>完成した図鑑を読み、感想を伝え合う。<br>単元の学習を振り返る。 | ❶❸ |

## 授業づくりのポイント

〈単元で育てたい資質・能力〉

本単元のねらいは、事柄の順序に沿って簡単な構成を考えて書く力を育むことである。

そのためには、書こうと思う事柄と事柄との関係はどうなっているかを理解し、集めた情報の中から何をどのような順序で書くかを考えることが必要となる。

ここでは、前単元の学習を生かして、自動車の「しごと」と「つくり」を説明する文章を書く。「しごと」と「つくり」を関連付け、順序を意識して書くことができるように指導する。

［具体例］
○教科書の文例では、救急車が取り上げられている。取材メモの例や文例を見ながら、「けがをした人やびょうきの人をはこぶ」ために、「うんてんせきのうしろは、ベッドがいれられるようになっています。」という「しごと」と「つくり」の関係を改めて考えさせる。
○メモには「しごと」も「つくり」も、複数書かれている。考えたこと全てを書けばよいのではなく、その中からどれが「しごと」として、また「そのために」「つくり」としてふさわしいかを考え、必要な情報を選択する必要があるということである。

〈教材・題材の特徴〉

自分で自動車を選び、説明する文章を書く図鑑づくりの活動が例示されている。そのためには、図書資料を読む時間が必要となる。情報を収集する時間が十分に確保できるよう工夫したい。

第１時には、子供とともに学習計画を立て、どのように学習を進めるか完成した図鑑をどうするかを考える。このことで、子供の目的意識や相手意識が明確になり、見通しをもって学習に取り組むことができる。主体的な学びにつながる工夫である。

［具体例］
○前単元の学習に入る前に図鑑づくりの計画を立てる、前単元の学習の関連読書として自動車のことが書いてある本を読む、第１時と第２時の間を１週間程度空ける、といった工夫が考えられる。生活の中で、道路を走っている自動車を意識したり図書資料を読んでおいたりすることで、自分が図鑑に載せたい自動車を比較的スムーズに選ぶことができる。

〈子供の実態に合わせた工夫〉

自分で選んだ自動車の説明文を書いて図鑑を作ることは子供にとって魅力的な活動だが、図書資料から「しごと」と「つくり」を読み取ったり関係を考えて書くことを選んだりすることを、少々難しいと感じる子供もいる。図鑑の形や書かせ方等、子供の実態に合わせて工夫するとよい。

図書資料には、「しごと」と「つくり」が明確に書き分けられていないものや書かれていないものもある。前単元での経験を生かし、写真や絵を基に考えさせたり、必要に応じて別の図書資料を紹介したりするなど個に応じた指導が必要となる。また、「しごと」と「つくり」を考える際、図書資料を読むだけでなく実際に働いている自動車を観察したり動画を見たりして考えることもできる。

［具体例］
○１人で図鑑のページを作成することが難しい場合には、友達に相談したり助言をもらったりしてよいことにする。それでも困難が予想される場合には、ペアで同じ自動車を選び、一緒に「しごと」と「つくり」を考え、文章化する方法もある。併せて文章の量も調節するとよい。

〈ICT の効果的な活用〉

**共有**：下書きが完成したら写真を撮影し、学習支援ソフトを活用して友達の下書きを見ることができるようにする。清書の前に読み合えば、友達の文章が推敲のヒントとなる。

本時案

# じどう車ずかんを　つくろう

## 本時の目標

・学習計画を考えることを通して、「じどう車ずかん」を作る学習への見通しをもつことができる。

## 本時の主な評価

❶事柄の順序など情報と情報との関係について理解している。【知・技】
・「じどう車ずかん」を作るための学習計画づくりを通して、見通しをもってこれからの学習に取り組もうとしている。

## 資料等の準備

・前単元の学習計画表（掲示用）
・「しごと」「そのために」「つくり」の短冊（色は前単元と同じ）
・デジタル教科書または拡大した救急車のモデル文

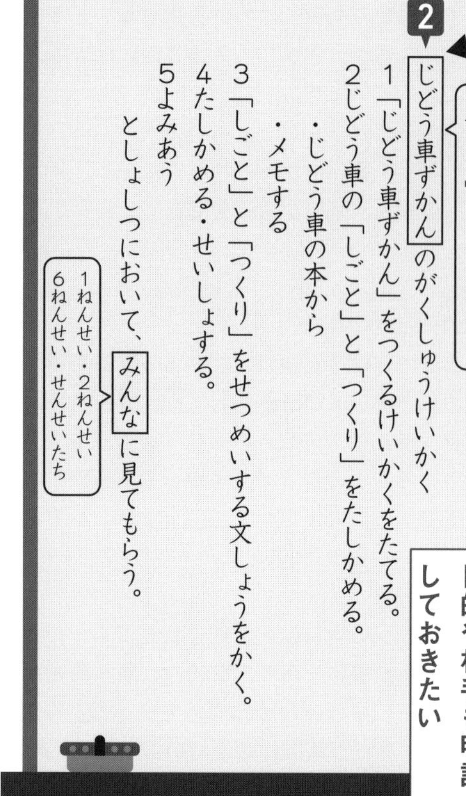


## 授業の流れ ▷▷▷

### 1 前単元の学習を振り返り、教科書を読む 〈10分〉

○「じどう車くらべ」の学習感想を出し合う。
・じどう車の「しごと」と「つくり」が詳しく分かりました。
・「しごと」に合った「つくり」になっていると分かってよかったです。
・はしご車のページができてうれしいです。もっとページを増やしたいです。
・次に他の自動車のことを書くのが楽しみです。
○前単元で、説明する本を作る計画を立ててあれば、その学習計画表を確認する。
**T**　いよいよこれから自動車の「しごと」と「つくり」を説明する本を作るのですね。今日はその計画を立てます。まず、教科書を読んでみましょう。

### 2 自動車図鑑を作るための学習計画を考える 〈15分〉

**T**　救急車のページには何が書いてありましたか。
・「しごと」と「つくり」です。
・「そのために」も入っています。
○モデル文の内容を確認後、学習計画を考える。
**T**　これから作る本の名前を決めましょう。
・私たちも「じどう車ずかん」がいいと思います。
・「1年1組スーパーじどう車ずかん」がいいです。
○やりとりしながら学習計画の2～5を整理する。名前もここで決めると意欲が高まる。
**T**　「じどう車ずかん」が完成したらどうしますか。
・見せたいです。
**T**　誰に見せますか。
○やりとりしながら目的と相手を明確にしていく。

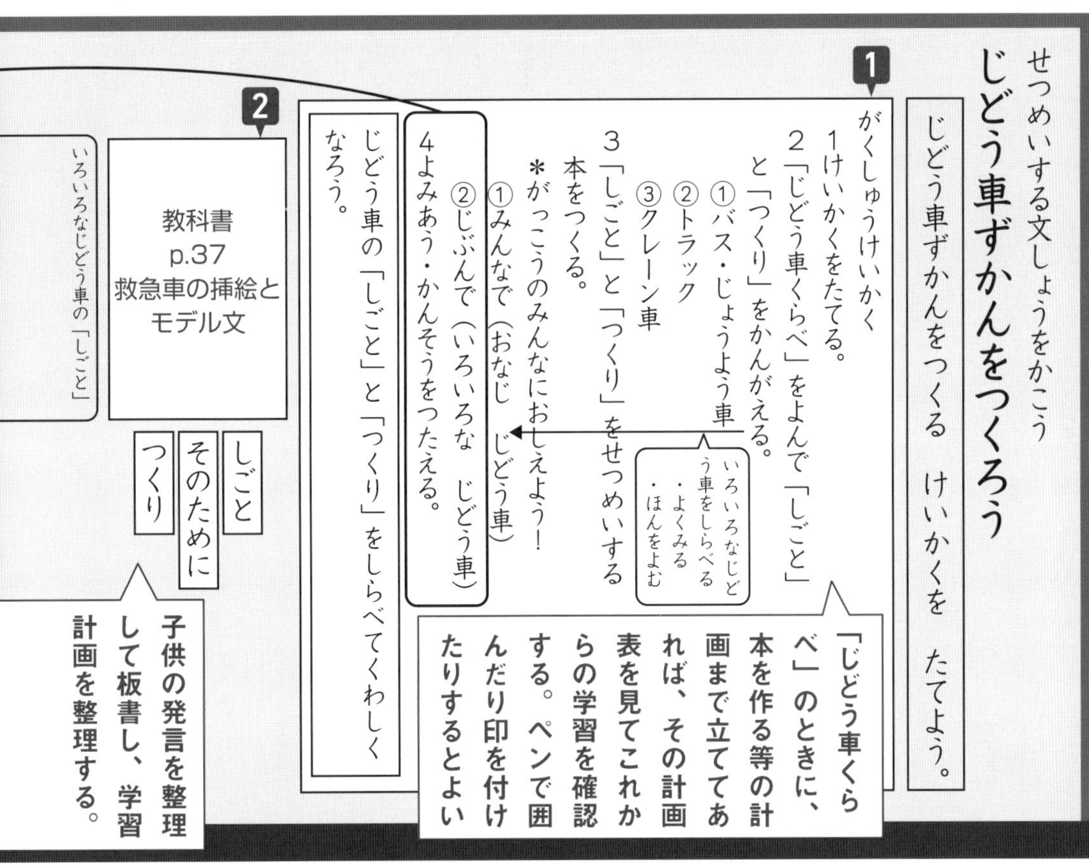


## 3 自動車の本を読む 〈20分〉

T　計画が決まったので、早速自動車の本を読んでみましょう。

○自動車の本を教室に置いておき、読みながらどの自動車がよいか考えられるようにする。次回は、「しごと」と「つくり」を探すので、ここでも少し意識して読ませておきたい。

T　本を読んで、何を探すのでしたか。

・どんな「しごと」をしているかです。
・どんな「つくり」になっているかもです。
・「しごと」のための「つくり」を探します。

○本時を振り返り、学習感想を書く。

・計画が立ったので、次は「しごと」と「つくり」を探すのを頑張ります。

### よりよい授業へのステップアップ

**図書資料の用意**

自動車の「しごと」と「つくり」を紹介する本は、たくさん出版されている。難易度も様々あり、教科書に紹介されているもの以外の本もある。学校司書や地域の図書館に協力を仰ぎ、1人1冊以上の冊数を確保できるように用意したい。

事前にある程度難易度を把握しておくと、情報を集めるのに困っている子供に「これを読んでみたら」と、紹介することができる。

気になるページをICT端末を活用して写真で撮影させておくとよい。

本時案

# じどう車ずかんを　つくろう

## 本時の目標

・「しごと」のための「つくり」という関係を理解して、「じどう車ずかん」に載せる「しごと」と「つくり」を決めることができる。

## 本時の主な評価

❶事柄の順序など情報と情報との関係について理解している。【知・技】

## 資料等の準備

・学習計画（掲示用）
・教科書の救急車のメモカード（拡大）
・救急車の図書資料のページ（拡大）
・メモカード（児童用）07-01
・選んだ自動車を書く短冊

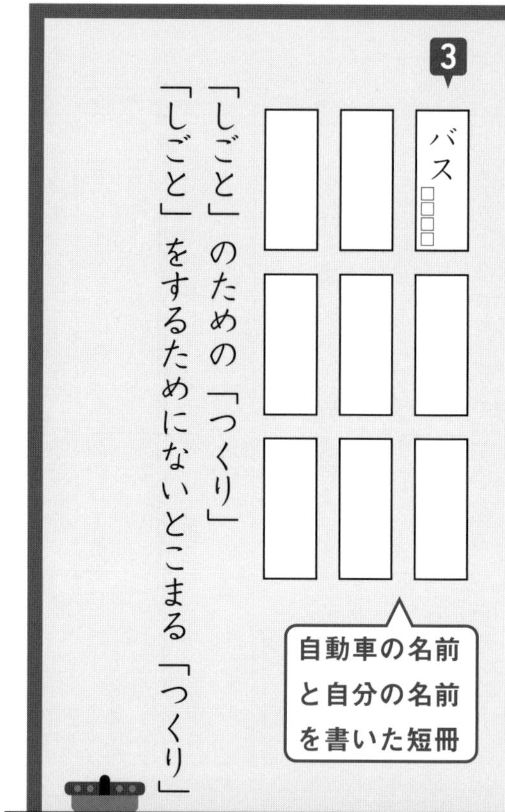


## 授業の流れ ▷▷▷

### 1 図書資料から情報の探し方やメモの仕方を確かめる 〈10分〉

○学習計画を見て、本時のめあてを確認する。
T　メモカードのどこに何が書いてありますか。
・上の段に「しごと」、下の段に「つくり」が書いてあります。
T　メモカードは、この本を読んで書いたそうです。救急車と書いてあるのはどこですか。
・右の一番上です。大きな字で書いてあります。
T　カードには「しごと」は何と書いてありますか。
・「けがをした人やびょうきの人をはこぶ」です。
T　本のページだとどこに書いてありますか。
○指示棒でその場所を示すようにさせるとよい。
○同様に「つくり」も確かめる。内容をつなげたり、絵や写真から考えたこともよいことを確認する。

### 2 図書資料を読んで「しごと」と「つくり」を考える 〈20分〉

T　それでは、自分で本を読んで自動車の「しごと」と「つくり」を探していきましょう。
○１つ終わったら、別の自動車についても調べるようにする。
○個別に様子を見て、困っている子供には本を紹介したり、複数で一緒に本を読み、探してみるように促したりする。
○ここで、様々な種類の自動車の「しごと」と「つくり」を探しておくと、次の時間に交流する際に役立つ。

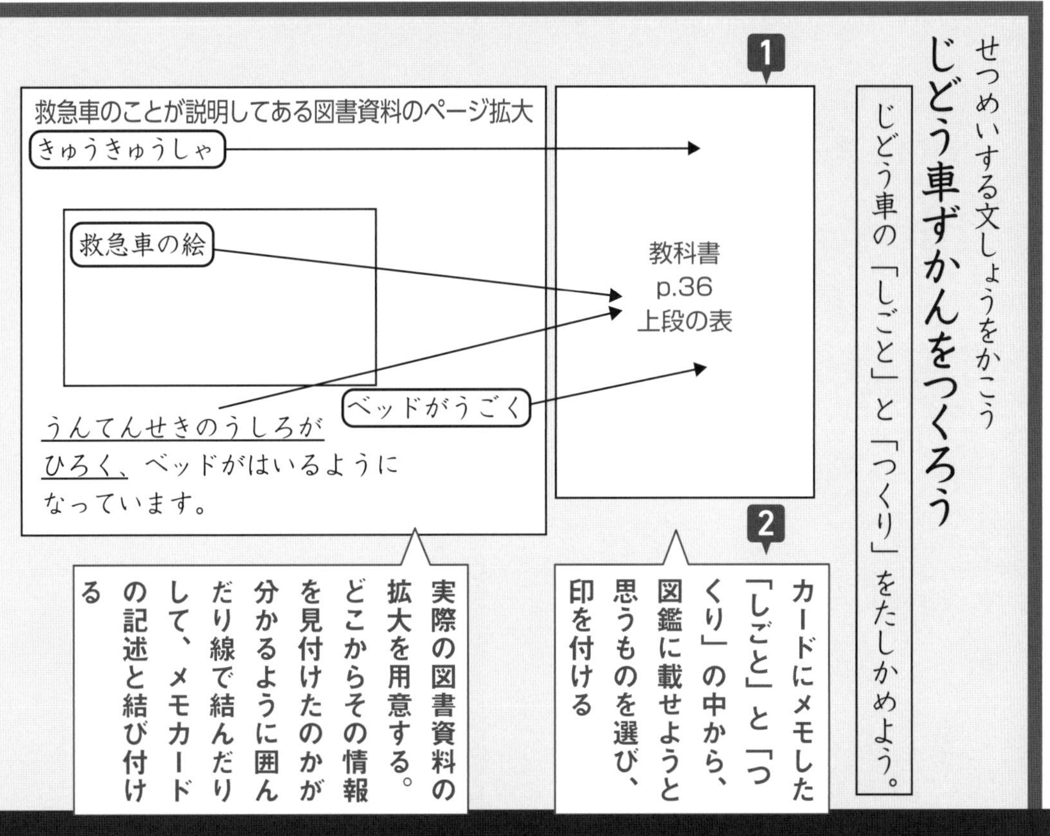


## 3 図鑑に載せる自動車を決め「しごと」と「つくり」を確かめる 〈15分〉

**T** メモカードの中から自分が「じどう車ずかん」に載せたいと思うものを選びましょう。

○希望を書いた短冊を黒板に貼って全体で調整すると、自動車の種類の偏りを防ぐことができる。１種類２人までとすると、同じ自動車を選んだ同士で相談したり確かめたりしながら今後の学習を進めることもできる。

**T** 「しごと」と「つくり」を決めるときに大切なことは何でしたか。

・「しごと」のための「つくり」にすることです。

・「しごと」をするときにないと困る「つくり」を選びます。

**T** 自分のメモカードを見て、書こうと思う「しごと」と「つくり」を決めて印を付けましょう。

### よりよい授業へのステップアップ

**相手意識・目的意識の効果**

学習計画を立てる際に、子供とやりとりをして「誰に読んでもらうのか」「何のために書くのか」を設定した。

図鑑に載せたい自動車の希望が偏ることがある。相手意識や目的意識があることで「１冊の図鑑に同じ種類の自動車のページばかりあるのはおもしろくない」と考える子供が現れる。「どうしようか」と尋ねることで、自然と「人数を調整しよう」という意見が生まれる。相手意識と目的意識をもたせることが、子供主体の学習を進めることにつながるのである。

本時案

# じどう車ずかんを　つくろう

## 本時の目標

・「しごと」のための「つくり」という関係を理解して、「じどう車ずかん」に載せる「しごと」と「つくり」を決めることができる。

## 本時の主な評価

❷「書くこと」において、事柄の順序に沿って簡単な構成を考えている。【思・判・表】

## 資料等の準備

・学習計画（掲示用）
・デジタル教科書または拡大した救急車のモデル文
・教科書の救急車のメモカード（拡大）
・作文用シート
・メモカード（児童用）⊻ 07-01
・前時に選んだ自動車を書いた短冊

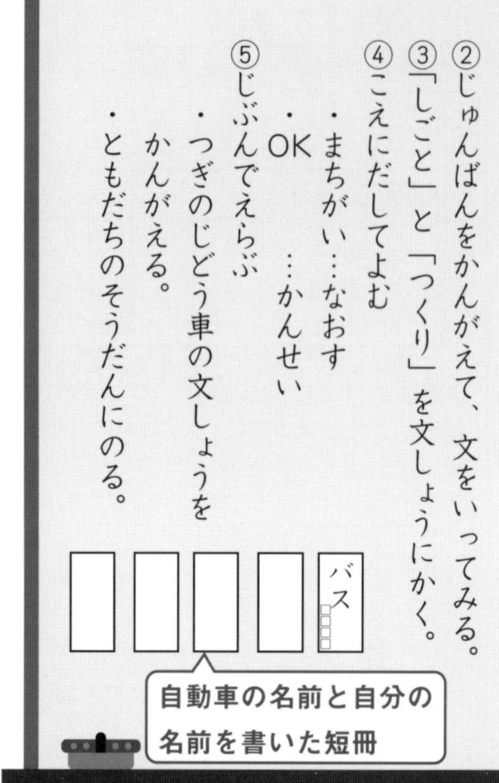


## 授業の流れ ▷▷▷

### 1 前時に決めた「しごと」と「つくり」を見直す 〈15分〉

○学習計画を見て、本時のめあてを確認する。
T　救急車の文を見てみましょう。どんな順番で書いてありますか。
・「しごと」「そのために」「つくり」の順番です。
T　「しごと」と「つくり」を選ぶときに大切なことは何でしたか。
・「しごと」のための「つくり」を選びます。
・「しごと」をするときにないと困る「つくり」が大事です。
T　前の時間に決めた「しごと」と「つくり」が大丈夫かどうか、友達と一緒に見直してみましょう。
○ペアで確認し合い、関係付いていないものがあれば、修正するようにする。

### 2 メモと文章を見比べ、文章化する方法を確かめる 〈10分〉

T　メモカードを基に、図鑑の文章を書きました。どこがどの文になったのか考えましょう。
・「しごと」には、１つ目のことを書いています。
・「つくり」は、メモカードと文章でちょっと違っています。
T　なぜ、変えているのだと思いますか。
・「うんてんせきのうしろがひろくなっています」だと、どうしてかが分かりません。
・何のために広いかの理由を書いているのだと思います。
・ベッドが入らないと、けがや病気の人をどうやって運ぶかが分からないからです。
○メモを書き写すだけではないことを確認する。

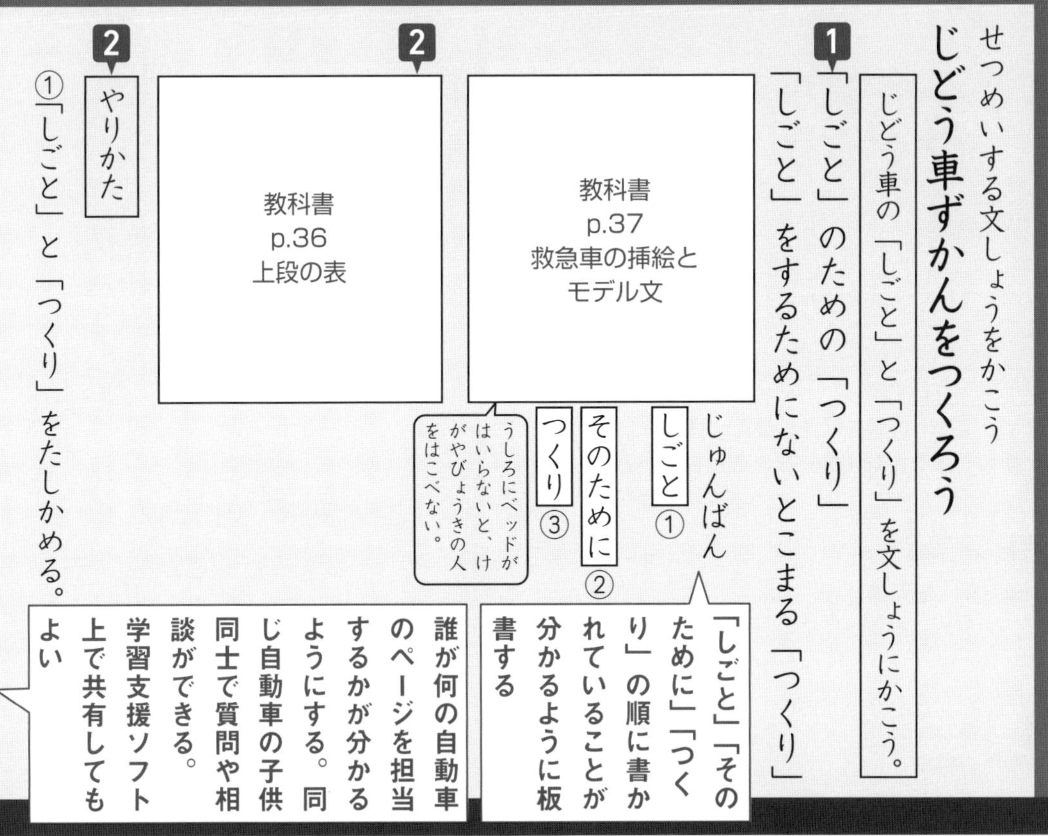


## 3 構成を確かめて文章を書く 〈20分〉

T 「しごと」と「つくり」の順番に気を付けて、書いてみましょう。

○手順を板書し、確認しながら進めることができるようにする。

○終わったら、自分で声に出して読み返す。その後、別の自動車のページを書くか友達の相談に乗って教えるのかは、本人に選択させる。

○困ったら友達に相談し、内容の順番を確かめたり一緒に文を考えたりする等、対話的に学習をすることができるようにする。

T 隣の友達の文章を声に出して読みましょう。

○声に出して読むことで、誤字脱字に気付かせ修正させる。

## ICT 等活用アイデア

### ヒントを得るための共有

書き終えたらICT端末で写真に撮り、学習支援ソフトを活用して共有する。書き方に困ったときや清書の前など、その子にとって必要なタイミングで自由に読むことができるようにする。

文章を書くことは、１年生の子供たちにとって難しい活動の一つである。書き出しや改行の仕方などでつまずく子供もいる。少し困ったときに、自分でヒントを得て書き進めることができるようにするための手だてとして、ICT端末を活用できる。

本時案

# じどう車ずかんを　つくろう

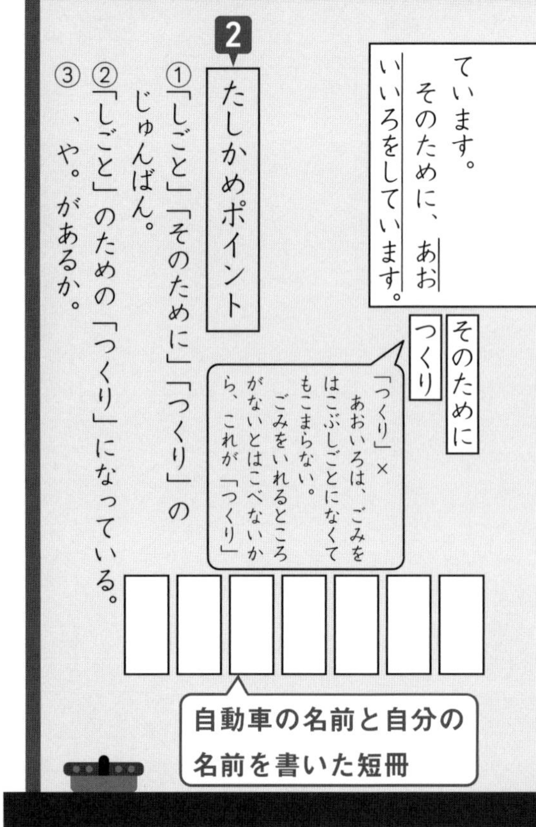


## 本時の目標

・「しごと」と「つくり」の関係や順序に気を付けて書いた文章を読み返し、文章の構成を確かめることができる。

## 本時の主な評価

❸進んで情報と情報の関係を捉え、説明の順序を考えて粘り強く文章を書こうとしている。
【態度】

## 資料等の準備

・学習計画（掲示用）
・デジタル教科書または拡大した救急車のモデル文
・間違いのある文例（２つ）
・正しく直した文例
・清書用の用紙
・前時に選んだ自動車を書いた短冊

## 授業の流れ ▷▷▷

### 1 文例を見て読み返す際のポイントを確かめる〈10分〉

○学習計画を見て、本時のめあてを確認する。「しごと」と「つくり」の関係と順序を確かめる。
○Ａの文例を黒板に貼る。「あれ、違う」「さかさま」等のつぶやきが出たら、問いかける。
T　どこが違いますか。どう直したらよいですか。
・「つくり」が先に書いてあります。
・「つくり」と「しごと」を反対に書きます。
○やりとりしながらＡを直し、Ｂを提示する。
T　これは、どうですか。
・「しごと」と「つくり」の順番はいいけど、「つくり」を変えた方がいいです。
・青色は、ごみを運ぶときなくても困りません。
○読み直しのポイントを板書してまとめる。

### 2 前時に書いた文章を読み返し、間違いがあれば直す〈15分〉

T　前の時間に書いた文章を読み直してみましょう。
○まず、自分で読み返し、修正する箇所があれば赤鉛筆で書き直させる。それぞれのポイントを意識して３回読み直しをするとよい。
○友達と交換して読み合い、気付いたことがあれば相手に伝え、青鉛筆で書き込ませる。
○ペアを替えて複数回行う。
T　どんな文章で清書するか考えてから、声に出して確かめましょう。

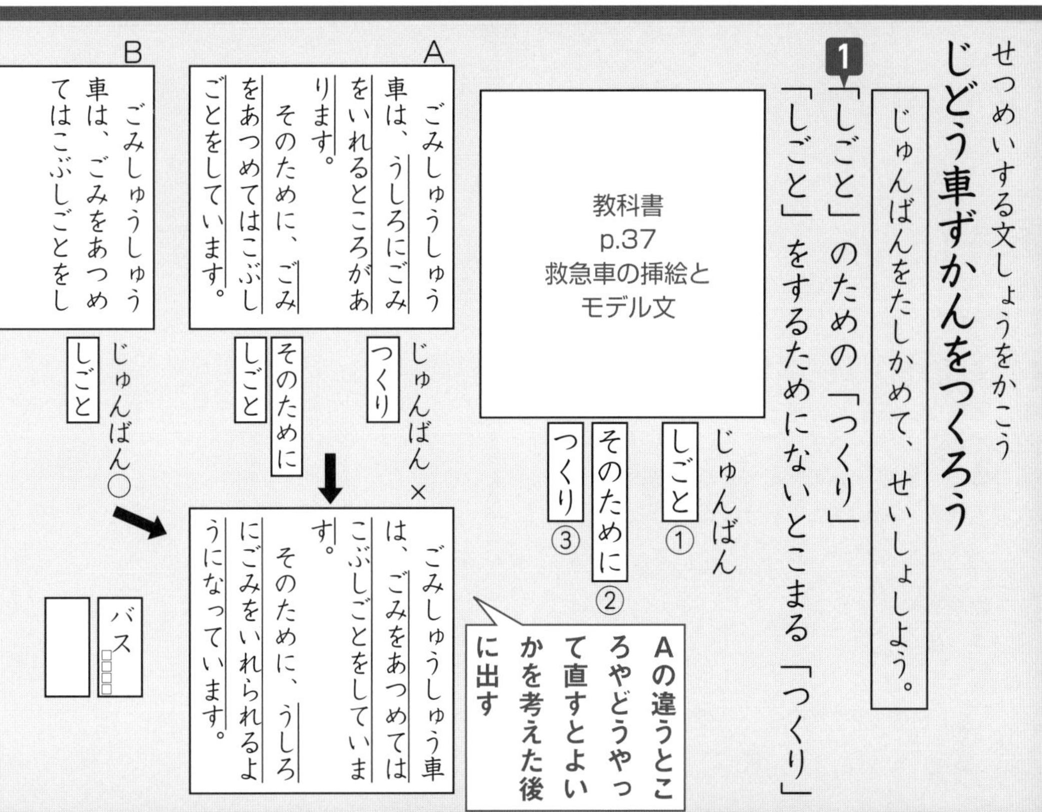


## 3 文章と絵をかいて図鑑のページを仕上げる〈20分〉

**T** 文章と絵をかいて、図鑑のページを仕上げましょう。

○文章から書かせるとよい。図書館に置いて様々な人に読んでもらうということを確認し、清書に取り組ませる。姿勢や鉛筆の持ち方等も確認するとよい。

○１枚できたら読み返し、完成。時間に余裕があれば、２枚目の清書をしてもよい。

### よりよい授業へのステップアップ

**読み返す習慣を付ける**

文章を書いたら読み返し、誤りがあれば修正をする習慣を付けたい。

その際、観点を示し、それに沿って読み返すようにさせるとよい。意識させたい観点が複数の場合は、１つの観点につき１回読み返すようにする。指で文をなぞりながら声に出して読ませ、１つでも誤りに気付くことができたら大いに褒めるとよい。

読み返して直す経験を重ねることで活動に慣れ、次第に複数の観点を意識しながら読み返すことができるようになっていく。

本時案

# じどう車ずかんを　つくろう

**本時の目標**

・完成した文章を読み合い、感想を伝えることができる。

**本時の主な評価**

❶事柄の順序など情報と情報との関係について理解している。【知・技】

❸進んで情報と情報との関係を考えながら内容の大体を捉え、学習課題に沿って分かったことを書こうとしている。【態度】

**資料等の準備**

・学習計画（掲示用）
・学習感想モデルを書くための画用紙
・「じどう車ずかん」（児童用１人１冊）

3 ふりかえり
①じどう車ずかんのこと（かく・よむ）
②「しごと」と「つくり」について

**授業の流れ** ▷▷▷

## 1 完成した「じどう車ずかん」を読む 〈10分〉

○製本した「じどう車ずかん」を配布する。ページを開いて読み始めるので、しばらく読ませておく。

T　どうですか。

・私のページがあってうれしいです。
・いろいろな自動車のページがあってすごい。
・もっと読みたいです。

○学習計画を確認し、本時のめあてを確認する。

## 2 友達の「じどう車ずかん」に感想を書く 〈25分〉

T　友達の書いたページを読んで、感想を書きましょう。どんなことを書いたらよいと思いますか。

・「○○がよかったよ。」です。（よいところ）
・「○○の「しごと」がよくわかりました。」です。（よくわかったこと）
・「○○なのを初めて知りました。」もいいと思います。（はじめてしったこと）

○文型で板書し書くとき参考にできるようにする。

T　救急車のページだったら、何を書きますか。

・「後ろにベッドが入ると初めて知りました。」
・「びっくりしました。」

○発言を聞きながら感想のモデル文を作成する。

○図鑑の裏表紙に感想を書くことができるようにし、互いの図鑑に感想を書き合うようにする。

せつめいする文しょうをかこう

じどう車ずかんをつくろう

「じどう車ずかん」をよみあって、かんそうをかこう。

2

よみあいポイント

①よむ

②かんそうをかく

○よいところ　〜がよかったよ。

○よくわかったこと　〜がよくわかったよ。

○はじめてしったこと　はじめてしって…だよ。

きゅうきゅう車のうしろにベッドがはいるのをはじめてしってびっくりしたよ。　なまえ

## 3 単元の学習を振り返る　〈10分〉

T　学習の振り返りをしましょう。

○振り返りの視点を示す。

・図鑑のページを書くのが楽しかったです。

・移動する水族館や本屋さんがあるのを知ってびっくりしました。

・「しごと」「そのために」「つくり」の順に書くのを頑張りました。

・いろんな「しごと」と「つくり」があって、びっくりしました。

・「しごと」が分かりやすかったけど、「つくり」が難しかったので、どれが「つくり」か考えることが大事だと思いました。

・「つくり」がないと「しごと」にならないと思いました。

### よりよい授業へのステップアップ

**製本の工夫**

一人一人が書いたページをまとめて図鑑にする。1人1冊作成し、感想を書き合ったり家に持ち帰ったりすることができるようにするとよい。印刷機で増刷りしたものを子供用、原本を図書室用にする。カラーコピーやスキャナーが使える場合には活用すると簡単にできる。

子供が端末を自由に使用できる環境にある場合は、ICT 端末と学習支援ソフトを活用し、オンライン上の図鑑にすることもできる。

資　料

## 1 自動車図鑑例

図書室用

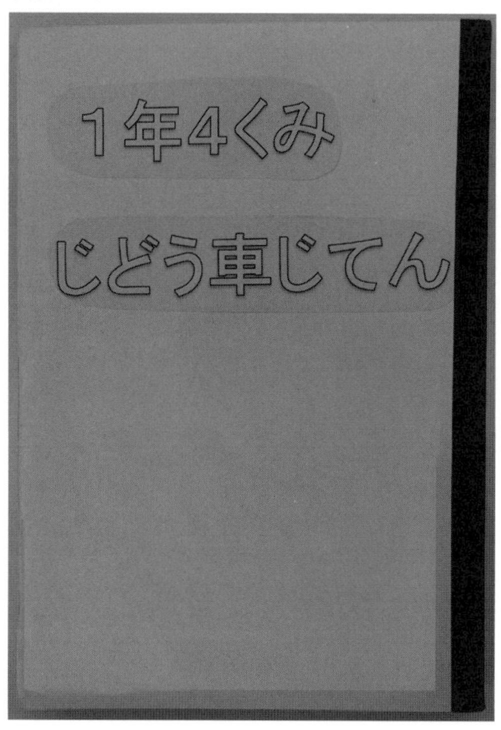


## 2 第2・3時資料　メモカード 07-01

ねん　くみ　なまえ（　　　　）

じどう車の　なまえ

しごと

つくり

## 3 作品例①「しごと」そのために「つくり」

サファリバス

ねん　くみ　なまえ（　　　　）

サファリバスは　どうぶつえんで　人を　のせて　どうぶつを　見せる　しごとを　して　います。

その　ために、バスの　まどは　あみあみに　なって　いて、ガラスが　いっさい　ついて　いません。

**作品例②　「しごと」そのために「つくり①」「使い方」**

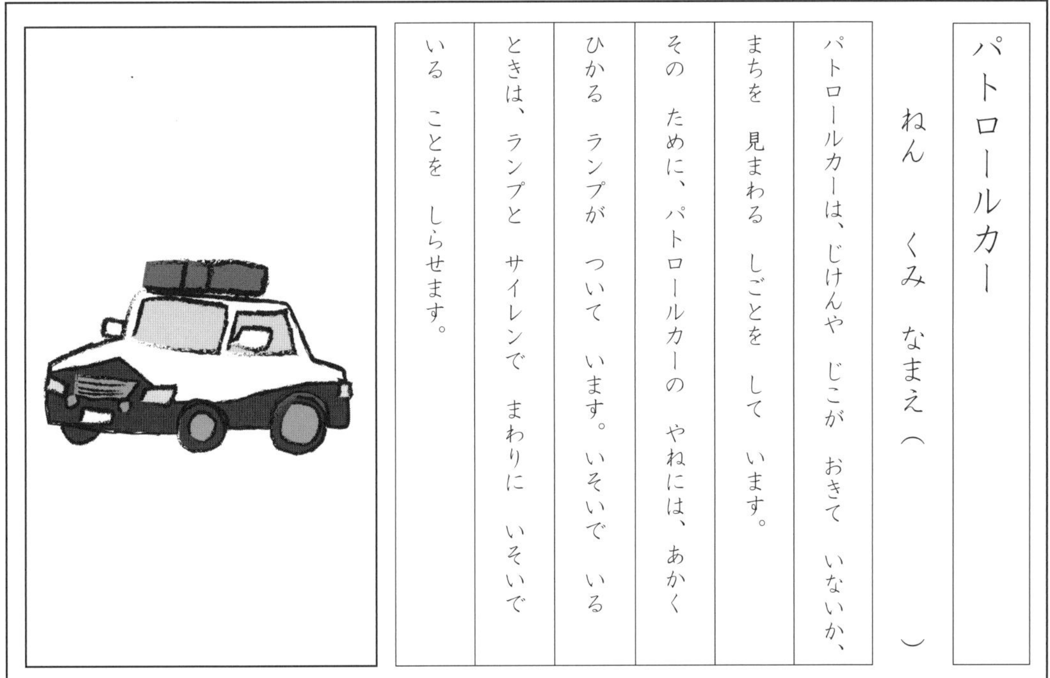


**作品例③　「しごと」そのために「つくり①」「つくり②」**

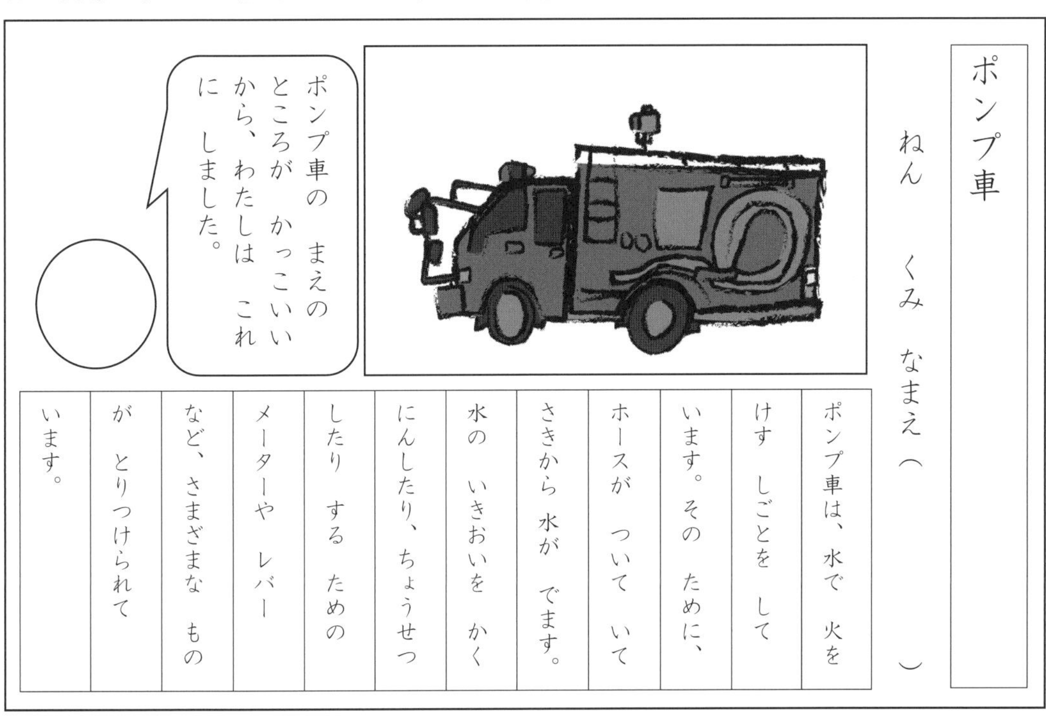

# かたかなを　かこう　（2時間扱い）

## 単元の目標

| | |
|---|---|
| 知識及び技能 | ・片仮名を読み、書くとともに、文や文章の中で使うことができる。((1)ウ) |
| 思考力、判断力、表現力等 | ・語と語との続き方に注意しながら、書き表し方を工夫することができる。(B(1)ウ) |
| 学びに向かう力、人間性等 | ・言葉がもつよさを感じるとともに、楽しんで読書をし、国語を大切にして、思いや考えを伝え合おうとする。 |

## 評価規準

| | |
|---|---|
| 知識・技能 | ❶片仮名を読み、書くとともに、文や文章の中で使っている。(〔知識及び技能〕(1)ウ) |
| 思考・判断・表現 | ❷「書くこと」において、語と語との続き方に注意しながら、書き表し方を工夫している。(〔思考力、判断力、表現力等〕B ウ) |
| 主体的に学習に取り組む態度 | ❸片仮名の表記の仕方に気を付けて書き、これまでの学習を生かして文の中で片仮名を使おうとしている。 |

## 単元の流れ

| 時 | 主な学習活動 | 評価 |
|---|---|---|
| 1 | 学習の見通しをもつ<br>教科書 p.38に出てくる挿絵と言葉のフラッシュカードを読み、長音の書き方を確認する。<br>身近なものの中で、片仮名で表記する言葉を集める。<br>ペアやグループで紹介し合い、発表する。 | ❶❸ |
| 2 | 教科書 p.39に出てくる挿絵と言葉のフラッシュカードを読み、書き方を確認する。<br>拗音・促音をマス目のどこに表記するのか確認する。<br>片仮名で書く言葉を集め、短文を作る。<br>学習を振り返る<br>作った短文を発表する。 | ❷❸ |

## 授業づくりのポイント

〈単元で育てたい資質・能力〉

片仮名の学習が始まり、まだ書き慣れていない時期にあたる。片仮名の言葉は日常生活の中で、親しんではいるものの、表記の仕方については、定着しているとは言い難い状況もあるだろう。本単元では、片仮名で書く言葉をたくさん集め、文を作る。その中で、片仮名で表記する言葉には、長音や拗音、促音がたくさんあることに気付くとともに、正しく書けるようにしていきたい。

[具体例]
〇子供たちは、多くの言葉を今までの生活経験の中で知っている。また、新しい言葉にも興味・関心が高い。その意欲を生かしながら、たくさんの言葉を集める活動を行っていく。平仮名で表記する言葉も、片仮名で表記しようとする場合もあるため、平仮名、片仮名のどちらで書く言葉か指導する。
〇片仮名がたくさん使われている詩を音読したり、絵本の読み聞かせを聞いたりすることによって、片仮名の字体や長音・拗音・促音の特徴を確認し、書き方に興味をもてるようにする。
〇ペアや班など協働的に言葉集めを行う中で、発音と表記の仕方が一致できるようにするとともに、自分が知らない新しい言葉に触れ、語彙を増やすことにもつなげたい。

**〈教材・題材の特徴〉**

教科書 p.38では長音の言葉、p.39では促音と拗音のある言葉が取り上げられている。挿絵のイメージに片仮名を一致できるように、挿絵を活用しながら指導していくことが、定着に向けての有効な手だてとなる。

教科書に▲マークが付いているが、筆順が正しく書けるように指導するとともに、機会あるごとに繰り返し確認することで、定着につなげていく。

[具体例]
〇片仮名の文字指導については、指導時間が十分に確保されておらず、平仮名ほど丁寧に行うことが難しい。学年が上がっても間違った表記を目にすることもある。「ソ」と「ン」や「シ」や「ツ」の筆順が違うことを確認して、正しく書けるように指導したい。

**〈言語活動の工夫〉**

長音、拗音、促音の定着に向けて、言葉に合わせて手拍子することが有効である。長音（伸ばす音）は手を合わせて下げる動作、拗音（ねじる音）は手を×のように合わせ、ねじる動作、促音（つまる音）は手を合わせたらすばやく引っ込める動作を取り入れ、確実に読めるようにするとともに、表記にもつなげていきたい。言葉集めでは、想起しやすいように、動物、乗り物、野菜、果物など、子供にとって身近な言葉の分類を示すことで、集めやすくなると考えられる。

[具体例]
〇言葉を集めるとき、Ｂ６（Ｂ５の半分）サイズに切った画用紙のカードに書かせる。１枚に１つの言葉を書くようにすることで、言葉が増えていく様子を、実感できるようにする。本単元だけでなく、常時活動として広げていくことで、語彙を増やすことにもつながっていく。また、この後の単元「ものの名まえ」で活用することもできる。

**〈ICT の効果的な活用〉**

片仮名で表記する言葉を集めるときに、端末の手書きと、共有や提出機能を活用する。タイプ入力やパッド入力ではなく、画面に直接書き込んでいく。１枚のカードに１語書いていくようにすると、たくさんカードが増えていくため、意欲も高まる。提出や共有機能を使うことで、どんな言葉を想起しているのかや、正しく表記できているか、個別に見取り、指導することも可能である。

本時案

# かたかなを かこう

## 本時の目標

・長音に気を付けて、片仮名の言葉を読み、書くことができる。

## 本時の主な評価

❶片仮名を読み、書くとともに、文や文章の中で使っている。【知・技】

❸長音に気を付けて、片仮名の言葉を読み、言葉を書こうとしている。【態度】

## 資料等の準備

・フラッシュカード（片仮名表記）
・教科書 p.38の挿絵
・平仮名・片仮名五十音表

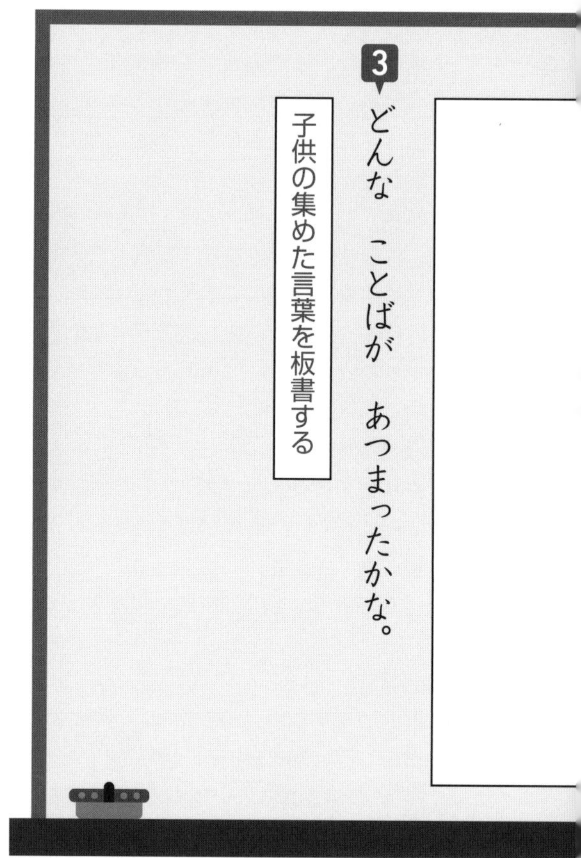


## 授業の流れ ▷▷▷

### 1 単元のめあてを捉える 〈15分〉

T　平仮名をたくさん練習して、上手に書けるようになりましたね。次のものは何でしょうか（「テープ」「ノート」「チョーク」など教室にある身近なものを提示する）。片仮名で書く言葉ですね。今日は片仮名で書く言葉を学習していきます。

T　この絵はどのように書くのか分かりますか（教科書の挿絵を提示する）。

・ソース　・ホース　・ケーキ

・カヌー　・ガードレール

○表記の確認が終わった後、用意しておいた片仮名を見せながら、読む練習を行う。

○長音を読ませるとき、動作を入れる（清音は１拍子、長音は拍子を打ち、手を合わせたまま、長音に合わせ縦に動かす）。

### 2 片仮名の言葉を集める 〈20分〉

T　練習した言葉の他にも、片仮名の言葉がありますね。どんなものがあるか、ノートに書いていきましょう。

○片仮名を書くことが難しい子供も安心して取り組めるように、片仮名一覧表を掲示する。

○平仮名で表記する言葉も片仮名で書くことが予想される。片仮名で書けたことを認めつつ、平仮名で書く言葉であることを指導する。

○キャラクターの名前を書く子供もいると予想される。身近なものの中で片仮名で書く言葉の語彙を増やすこともねらいとしたい。宿題で集めてくるようにして、その子の意欲を損なわないように配慮する。

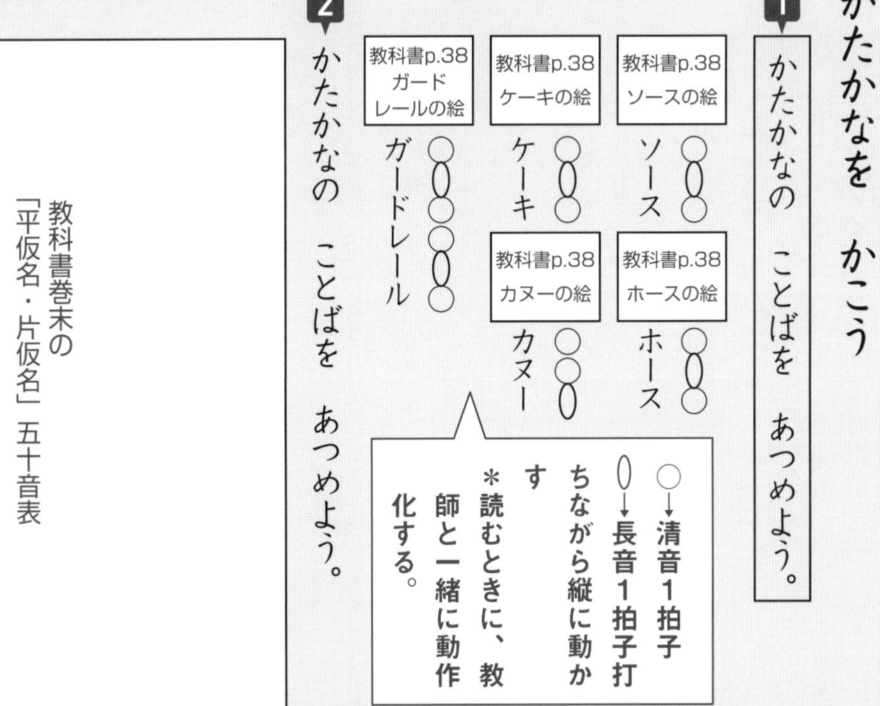


## 3 ペアやグループで交流する〈10分〉

**T**　どんな言葉がありましたか。友達はどんな言葉を見付けたのか、交流しましょう。

○交流の視点として、同じ言葉が何個あったか、知らない言葉が何個あったか数えることで、語彙が広がっていく。また、ペアやグループで何個集めることができたのか紹介することで、ゲーム性をもたせることもできる。

**T**　集めた言葉を写真に撮って先生に送りましょう。

○ノートを端末の写真機能で撮り、教師に提出、共有することで、一人一人の見取りや評価もできる。

### よりよい授業へのステップアップ

**言葉集めカードの活用**

子供たちの遊びとして、トレーディングカードを集めたり、友達と勝負したりしている話をよく聞く。カードと同じ大きさになるような画用紙を用意しておき、片仮名の言葉をカードに書き、集めていくことで、言葉が増えていく様子が手に取って分かるようになる。

友達から教えてもらった言葉もカードに記したり、言葉のイメージを絵でも描かせたりすることで、確実な語彙の獲得につながっていく。

本時案

# かたかなを かこう

2/2

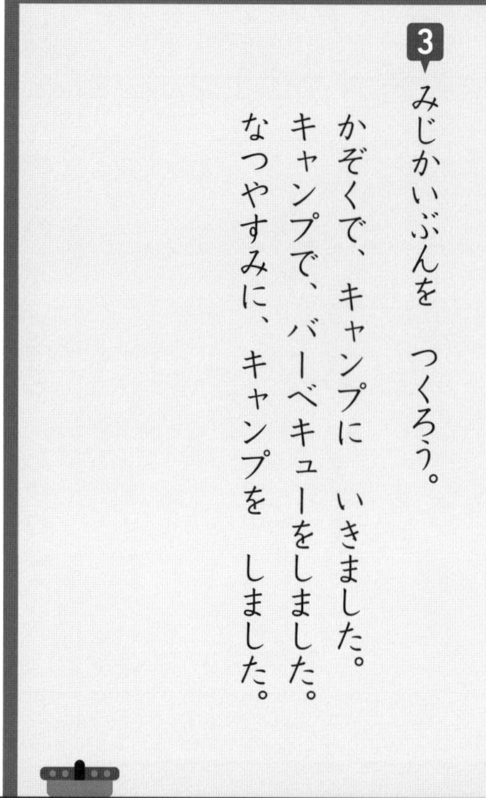


## 本時の目標

・拗音や促音に気を付けて、片仮名の言葉を読み、短文を書くことができる。

## 本時の主な評価

❷語と語との続き方に注意しながら、書き表し方を工夫している。【思・判・表】
❸拗音や促音に気を付けて、片仮名の言葉を読み、集めた言葉を使って短い文を書こうとしている。【態度】

## 資料等の準備

・フラッシュカード（片仮名表記）
・挿絵
・マス目黒板
・平仮名・片仮名五十音表

## 授業の流れ ▷▷▷

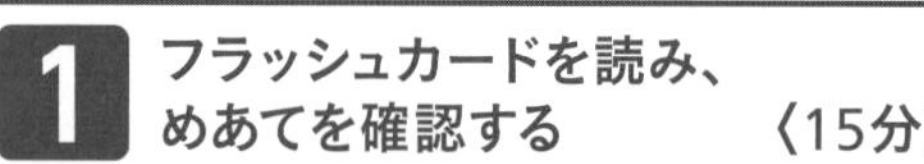

### 1 フラッシュカードを読み、めあてを確認する 〈15分〉

T　この絵の言葉は分かりますか（教科書の挿絵を提示する）。
○絵の裏側に片仮名を表記しておき、繰り返し読む練習ができるようにする。
○読ませるときに動作化を取り入れる。拗音はねじる音として、手をひねる動作を入れたり、促音はつまる音として、拍子を打ったら、すばやく手を引っ込ませる動作を入れたりして、確実な定着を図る。
T　今日は、小さいヤユヨやツのある、片仮名の書き方を学習していきます。

### 2 拗音、促音の表記の仕方を確認して、言葉を集める 〈15分〉

T　片仮名にも小さいヤユヨツがあります。どのように書くか分かりますか。
・平仮名と同じです。
・マスの右上に書きます。
○マス目黒板を使って確認する。
T　小さいヤユヨツがある言葉を集めてみましょう。
○集めることが難しいときは、食べ物や乗り物の言葉など、子供にとって身近で思い付きやすいヒントを与えるとよい。
T　集めた言葉を使って、短い文を作りましょう。

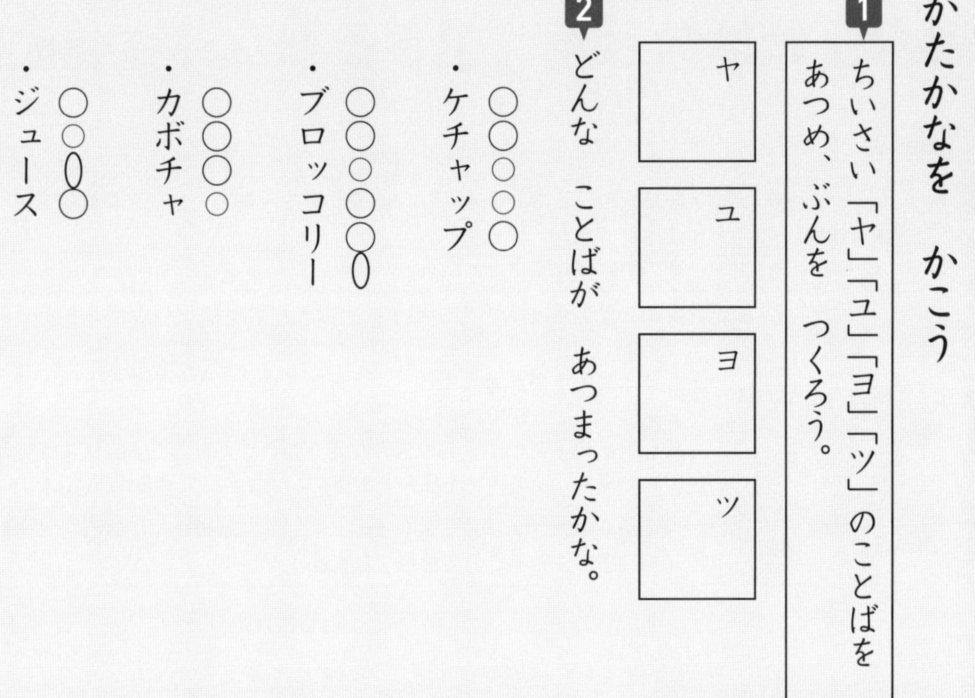


## 3 短い文を作り、交流する〈15分〉

○短文を作る前に、教師と一緒に文を作ることで、取り組みやすくする。

T 「キャンプ」の言葉を使って、文を作ってみましょう。

・かぞくで、キャンプにいきました。
・キャンプで、バーベキューをしました。
・なつやすみに、キャンプをしました。

○作ることが難しい子供には、集めた言葉から選ばせたり、身近な学校生活を振り返らせたりしながら、一緒に作るとよい。

○作り終わった子供には、次の文を作らせる。また、作り終わった子供の文を読み上げることで、まだ終わっていない子供の支援につながる。

T 作った文を発表しましょう。

### よりよい授業へのステップアップ

**意図的に間違いを入れて、正しい認識を育てる**

子供の間違いとしてよく見受けられるのは、「ロケット」を「ロッケト」と表記していることである。フラッシュカードに「ロッケト」と意図的に間違いを入れることで、子供たちに「何か変だぞ」と思わせ、正しい表記を考えさせる。

「よく気付いたね」や「この間違いが多いです」などと伝えることで、正しく書こうという意識を育てることができる。

ともだちと　はなして、おはなしを　かこう

# どんな　おはなしが　できるかな

（6時間扱い）

## 単元の目標

| | |
|---|---|
| **知識及び技能** | ・句読点の打ち方、かぎ（「 」）の使い方を理解して文や文章の中で使うことができる。((1)ウ)<br>・文の中における主語と述語との関係に気付くことができる。((1)カ) |
| **思考力、判断力、表現力等** | ・互いの話に関心をもち、相手の発言を受けて話をつなぐことができる。(A(1)オ)<br>・文章に対する感想を伝え合い、自分の文章の内容や表現のよいところを見付けることができる。(B(1)オ)<br>・話し手が知らせたいことや自分が聞きたいことを落とさないように集中して聞き、話の内容を捉えて感想をもつことができる。(A(1)エ) |
| **学びに向かう力、人間性等** | ・言葉がもつよさを感じるとともに、楽しんで読書をし、国語を大切にして、思いや考えを伝え合おうとする。 |

## 評価規準

| | |
|---|---|
| **知識・技能** | ❶句読点の打ち方、かぎ（「 」）の使い方を理解して文や文章の中で使っている。(〔知識及び技能〕(1)ウ)<br>❷文の中における主語と述語との関係に気付いている。(〔知識及び技能〕(1)カ) |
| **思考・判断・表現** | ❸「話すこと・聞くこと」において、互いの話に関心をもち、相手の発言を受けて話をつないでいる。(〔思考力、判断力、表現力等〕A オ)<br>❹「書くこと」において、文章に対する感想を伝え合い、自分の文章の内容や表現のよいところを見付けている。(〔思考力、判断力、表現力等〕B オ)<br>❺「話すこと・聞くこと」において、話し手が知らせたいことや自分が聞きたいことを落とさないように集中して聞き、話の内容を捉えて感想をもっている。(〔思考力、判断力、表現力等〕A エ) |
| **主体的に学習に取り組む態度** | ❻進んで友達と対話し、学習の見通しをもって、お話を書こうとしている。 |

## 単元の流れ

| 次 | 時 | 主な学習活動 | 評価 |
|---|---|---|---|
| 一 | 1 | 学習の見通しをもつ<br>教科書を見て、学習課題を確認する。<br>どうぶつになったつもりでともだちとはなして、おはなしをつくろう | |
| 二 | 2 | p.40～41の挿絵を参考に、登場人物を決める。 | ❷ |
| | 3 | 友達と役割を決めて、動物になったつもりで話をする。 | ❸ |

| | 4 | 作例を参考にして、友達と話したことを基に、お話を考えて作る。 | ❶❻ |
|---|---|---|---|
| | 5 | 書いたお話を読み合い、感想を交流する。 | ❹❺ |
| 三 | 6 | 学習を振り返る<br>友達が言ったことをよく聞いて話を続けることができたか、お話で気に入っているところを伝えることができたかを振り返る。 | ❹ |

## 授業づくりのポイント

### 〈単元で育てたい資質・能力〉

本単元のねらいは、互いの話に関心をもち、相手の発言を受けて話をつなぐ力、また、文章に対する感想を伝え合い、自分の文章の内容や表現のよいところを見付ける力を育むことである。挿絵を参考にして、登場人物の動物になったつもりで友達と話し、友達と話したことを基にお話を作る2段階の学習過程である。登場人物を決め、友達と話したことを基にお話を作っていく過程では、友達と話したことが登場人物の行動や会話といったお話づくりの大切な要素となる。友達が言ったことをよく聞いて、積極的に話を続けることに主体的に取り組めるようにしていく。また、作ったお話を、みんなで読み合い、自分のお話の気に入っているところや友達が書いたお話のおもしろいところを伝え合うことで、お話の要素に着目するだけでなく、達成感を味わうこともできるであろう。

［具体例］

○教科書には、きつねが湖に行く内容の、会話のある4文のお話ができる過程が挙げられている。友達と動物になったつもりで話すことで、登場人物の行動や会話となるお話の要素ができていく。ただ友達と話すことを続けるのではなく、話をつないだことがお話の要素となり、お話ができていくことを意識させていく。

### 〈教材・題材の特徴〉

教科書では、例として男の子がきつね役、女の子がからす役になっている。ここで最初にお話の登場人物が決まる。そして、動物になったつもりで友達と話すやりとりを通して、登場人物の行動や会話ができていく。友達とのやりとりを通して、無理なくお話を作っていくことができる。

［具体例］

○男の子と女の子のやりとりを実際にやってみる。その後、教科書の「動物のお話」も音読してみるとよい。やりとりをしたことがどのようにお話になるかを知ることで、学習のゴールを意識して、友達と話すことができるであろう。

### 〈ICT の効果的な活用〉

**共有**：教師が教科書の挿絵を取り込み、そこに動物の行動や様子を書いて記録する。または、拡大した模造紙をデータ化する。それを学習支援ソフトで子供に共有することで、お話づくりに生かすことができる。

本時案

# どんな　おはなしが　できるかな　1/6

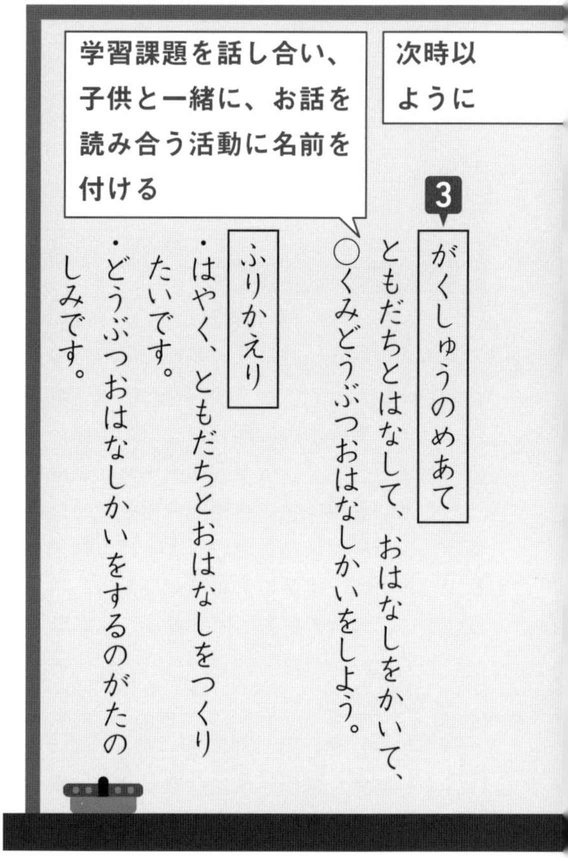

## 本時の目標

・「ともだちとはなして、おはなしをかこう」という学習をすることを知り、学習計画を立て、見通しをもつことができる。

## 本時の主な評価

・挿絵を見て、友達と話してお話を書く学習に関心をもち、学習計画を立てている。

## 資料等の準備

・教科書 p.40〜41の挿絵の拡大コピー（または ICT 機器で映す）
・教師作成の「動物のお話」の見本または教科書の作例 09-01〜02
・学習計画の模造紙

学習課題を話し合い、子供と一緒に、お話を読み合う活動に名前を付ける

次時以
ように

3

がくしゅうのめあて

ともだちとはなして、おはなしをかいて、
○くみどうぶつおはなしかいをしよう。

ふりかえり

・はやく、ともだちとおはなしをつくりたいです。
・どうぶつおはなしかいをするのがたのしみです。

## 授業の流れ ▷▷▷

### 1 教師作成のお話を聞いて、学習への見通しをもつ 〈10分〉

T　先生は、この絵のお話を作ってきました。聞いてください。

T　からすは、宝の地図を見付けました。からすが、「きつねくん、見て。宝の地図を見付けたんだ。」と言いました。きつねは、「からすさん、宝探しに行こうよ。」とわくわくして言いました。
「よし！　あの山のお城に宝があるみたい。」からすときつねは、一緒に宝を探しにあの山へ行きました。

○教師作成のお話または教科書の作例を、絵を見せながら話す。活動への意欲を高め、単元のゴールイメージをもたせる。

### 2 「ともだちとはなして、おはなしをかこう」の学習計画を立てる〈30分〉

T　お話は楽しかったですか。
・宝は探せたのかな。
・ぼくも作ってみたいです。
・一人でお話を作るのは難しそうだな。
・友達と一緒にお話を作ってみたい。
・友達が作ったお話を読みたいな。

○教師作成の「動物のお話」の見本を提示し、学習計画を子供と話し合いながら作っていく。その際、子供の発言を上手く整理し、①登場人物を決める。②友達と役割を決めて、動物になったつもりで話をする。③友達と話したことを基に、お話を考えて作る。④書いたお話を読み合い、感想を交流する。という学習の流れを作っていく。

どんなおはなしができるかな

ともだちとはなして、おはなしをかく学しゅうのけいかくを立てよう。

**1** 教科書の挿絵と教師作成のお話を掲示する

教科書p.40～41の挿絵

からすは、たからのちずを見つけました。からすが、「きつねくん、見て。たからのちずを見つけたんだ。」といいました。きつねは、「からすさん、たからさがしにいこうよ。」とわくわくしていいました。「よし！あの山のおしろにたからがあるみたい。」からすときつねは、たからをさがしにあの山へいきました。

**2** 模造紙に書くとよい 降も使うことができる

がくしゅうけいかく

①どうぶつをきめよう。
②ともだちと、どうぶつになりきってはなそう。
③おはなしをかんがえて、つくろう。
④おはなしかいをして、かんそうをつたえあおう。

## 3 学習の最後に、お話を読み合うという単元の見通しをもつ 〈5分〉

T　友達と一緒にお話を作って、読み合うと楽しそうですね。
・早く友達とお話を作りたいな。
・どんなお話を作ろうかな。
・友達が作ったお話を読むと楽しそうです。
T　みなさんのお話会はどんな名前にしますか。
・「〇組動物お話会」がいいな。
・「〇組動物お話会」って楽しそうだね。
〇学習課題を話し合い、子供と一緒に、お話を読み合う活動に名前を付け、単元の見通しをもたせる。
T　次回は、お話に書きたい動物を選びましょう。振り返りを書きましょう。
・「〇組動物お話会」をするのが楽しみです。

### よりよい授業へのステップアップ

**教師作成のお話のモデル**

教師作成のお話または教科書の作例により、子供は活動への意欲を高め、単元のゴールイメージをもつことができる。教師作成のお話だと、クラスの実態により合わせることができる。

**単元末のお話を読み合う活動名**

単元末のお話を読み合う活動に子供と一緒に話し合いながら、名前を付けるとよい。活動への意欲をより高め、見通しをもつことができる。

本時案

# どんな　おはなしが　できるかな　2/6

## 本時の目標

・お話に書きたい動物（登場人物）を決め、動物が何をしているかを話し合うことができる。

## 本時の主な評価

❷文の中における主語と述語との関係に気付いている。【知・技】

## 資料等の準備

・教科書 p.40～41の挿絵の拡大コピー（または ICT 機器で映す）
・学習計画の模造紙
・子供のネームプレート

教科書の挿絵を掲
ICT 端末に映した
子供の発言を書い

教科書

からすが、ちずをよんでいます。

ぶたが、だんごをたべています。

コアラとぶたとねずみが、たのしそうにピクニックをしています。

ふりかえり

・どうぶつが、なにをしているかがわかりました。ぶたのピクニックのおはなしをつくりたいです。

## 授業の流れ ▷▷▷

### 1 教師作成のお話を聞いて、登場人物を確認する 〈5分〉

T　先生の作ったお話には誰が出てきましたか。
　からすは、宝の地図を見付けました。からすが、「きつねくん、見て。宝の地図を見付けたんだ。」と言いました。きつねは、「からすさん、宝探しに行こうよ。」とわくわくして言いました。
　「よし！　あの山のお城に宝があるみたい。」
　からすときつねは、宝を探しにあの山へ行きました。
・からすときつねです。
T　そうですね。今日は、お話に書きたい動物を選びましょう。

### 2 挿絵を見て、絵にいる動物とその行動や様子について話し合う 〈30分〉

T　絵にはどんな動物がいますか。また、その動物は何をしていますか。
・きつねがいます。釣竿を持っています。
・からすが切り株に座って、地図を読んでいます。
・ぶたが、だんごを食べています。
・コアラとぶたとねずみが、楽しそうにピクニックをしています。
・うさぎがギターを弾いて、パレードをしています。
・うさぎが、ギターを運んでいます。
○挿絵を見ながら、どの動物が何をしているかを話し合う。絵から読み取れる範囲で、同じ動物で、行動や様子が違っていてもよい。

どんなおはなしができるかな

1

おはなしにかきたいどうぶつをきめよう。

がくしゅうけいかく

★①どうぶつをきめよう。
②ともだちと、どうぶつになりきってはなそう。
③おはなしをかんがえて、つくろう。
④おはなしかいをして、かんそうをつたえあおう。

2

子供が選んだ動物のところにネームプレートを貼るとよい

示したり、りして、ていく

3

p.40～41の挿絵

やました

うさぎが、ギターをひいて、パレードをしています。

うさぎが、ギターをはこんでいます。

きつねが、つりざおをもっています。

からすが、きりかぶにすわっています。

## ICT 等活用アイデア

### 挿絵の書き込みの共有

挿絵を ICT 端末に取り込んでおき、そこに動物の行動や様子を書き込んでいくようにする。書いたものは、教室のテレビや電子黒板に映すと、クラスで共有できる。

また、挿絵に書き込んだ子供たちの話し合いの記録を保存しておき、学習支援ソフトで共有しておくと、この時間だけでなく、この学習中にいつでも振り返ることができる。

## 3 話し合いを受けて、自分が書きたい動物を決める 〈10分〉

T　絵の中の動物が何をしているかが分かりましたね。自分が書きたい動物を選びましょう。

・パンダにします。
・だんごを持っているぶたがいいです。
・うさぎのパレードのお話を作りたいから、うさぎにします。

○どうしてその動物にするのか理由も言えると、次の活動へつながる。

T　次回は、友達と、自分の選んだ動物になりきって話しましょう。振り返りを書きましょう。

・動物が何をしているかが分かりました。ぶたのピクニックのお話を作りたいです。

本時案

# どんな　おはなしが できるかな 3/6

## 本時の目標

・友達と役割を決めて、動物になったつもりで話をすることができる。

## 本時の主な評価

❸「話すこと・聞くこと」において、互いの話に関心をもち、相手の発言を受けて話をつないでいる。【思・判・表】

## 資料等の準備

・教科書 p.40〜41の挿絵の拡大コピー（または ICT 機器で映す）
・教師作成の「動物のお話」の見本または教科書の作例 09-01〜02
・学習計画の模造紙

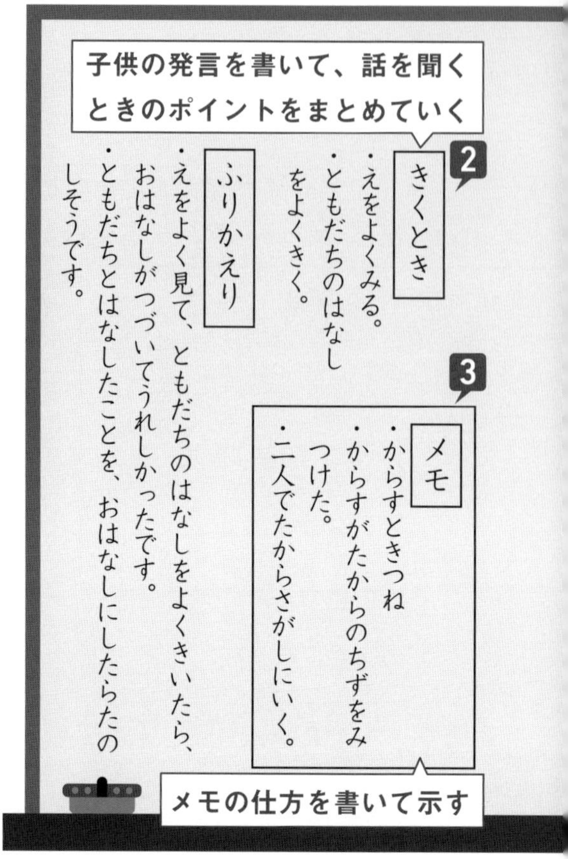

子供の発言を書いて、話を聞くときのポイントをまとめていく

2 きくとき
・えをよくみる。
・ともだちのはなしをよくきく。

ふりかえり
・えをよく見て、ともだちのはなしをよくきいたら、おはなしがつづいてうれしかったです。
・ともだちとはなしたことを、おはなしにしたらたのしそうです。

3 メモ
・からすときつね
・からすがたからのちずをみつけた。
・二人でたからさがしにいく。

メモの仕方を書いて示す

## 授業の流れ ▷▷▷

### 1 教師作成の「動物のお話」ができるまでの対話の動画を見る 〈10分〉

T　先生の作った「動物のお話」ができるまでの動画を見てください。
T1　きつねくん、見て。宝の地図を見付けたんだ。
T2　からすさん、宝探しに行こうよ。
T1　よし！　あの山のお城に宝があるみたい。
T2　どんな宝があるのかなあ。
T1　行ってみよう。
・こうやって相手と話すとお話になるんだ。
○学校や学年の教員と協力して、対話のモデルを作成できるとよい。その際、動物の役名を提示すると、見ている子供に分かりやすくなる。教科書 p.41の QR コードの動画も活動内容が分かりやすく有効である。

### 2 友達と役割を決めて、動物になったつもりで話す 〈25分〉

T　今日は、友達と役割を決めて、動物になったつもりで話しましょう。どうしたら、友達と話を続けることができますか。
・友達の話していることをよく聞きます。
・友達が言った動物と自分の動物の絵をよく見て話します。
○話を聞くときに気を付けることを確認する。
T　隣の席の友達と話をしましょう。できるだけお話が続くといいですね。
○最初はなかなか会話が続かないことが予想される。何回も練習して続けてよいことを知らせる。途中で、会話が上手に続いているペアを紹介するとよい。

# どんなおはなしができるかな

ともだちと、どうぶつになりきってはなそう。

1

がくしゅうけいかく

①どうぶつをきめよう。
★②ともだちと、どうぶつになりきってはなそう。
③おはなしをかんがえて、つくろう。
④おはなしかいをして、かんそうをつたえあおう。

1

教科書p.40～41の挿絵

からすは、たからのちずを
見つけました。からすが、
「きつねくん、見て。たからの
ちずを見つけたんだ。」
といいました。きつねは、
「からすさん、たからさがしに
いこうよ。」
とわくわくしていいました。
「よし！あの山のおしろにたか
らがあるみたい。」
からすときつねは、たからを
さがしにあの山へいきました。

## 3 友達と話したことをノートにメモする 〈10分〉

T　隣の席の友達と話をしたことをノートにメモしましょう。短くまとめましょう。

○友達と話したことを簡単に書かせておくと、第４時の書く活動に生かすことができる。話したことを思い出せればよい。

・ぶた：おだんごおいしいね。
・ねずみ：おにぎりもおいしいよ。どうぞ。
・ぶた：ありがとう。おいしい、おいしい。

T　次回は、友達と話したことをお話にしましょう。振り返りを書きましょう。

・絵をよく見て、友達の話をよく聞いたら、お話が続いてうれしかったです。
・友達と話したことをお話にしたら楽しそうです。

### よりよい授業へのステップアップ

**教師作成の対話のモデル**

第１時に教師が話した動物のお話の対話のやりとりを見せることで、お話ができる過程のイメージをもちやすくなり、「友達と話す」→「お話を書く」の学習の流れも分かりやすくなる。

**話したことのメモ**

友達と話したことを簡単に書かせておくと、第４時の書く活動へと生かすことができる。誰が何をしたかが大まかに分かればよい。

本時案

# どんな　おはなしが できるかな 4/6

## 本時の目標

・友達と話したことを基に、お話を考えて作ることができる。

## 本時の主な評価

❶句読点の打ち方、かぎ（「 」）の使い方を理解して文や文章の中で使っている。【知・技】
❻進んで友達と対話し、学習の見通しをもって、お話を書こうとしている。【態度】

## 資料等の準備

・教科書 p.40〜41の挿絵の拡大コピー（または ICT 機器で映す）
・教師作成の「動物のお話」の見本または教科書の作例 09-01〜02
・学習計画の模造紙
・かぎ（「 」）用のマス黒板

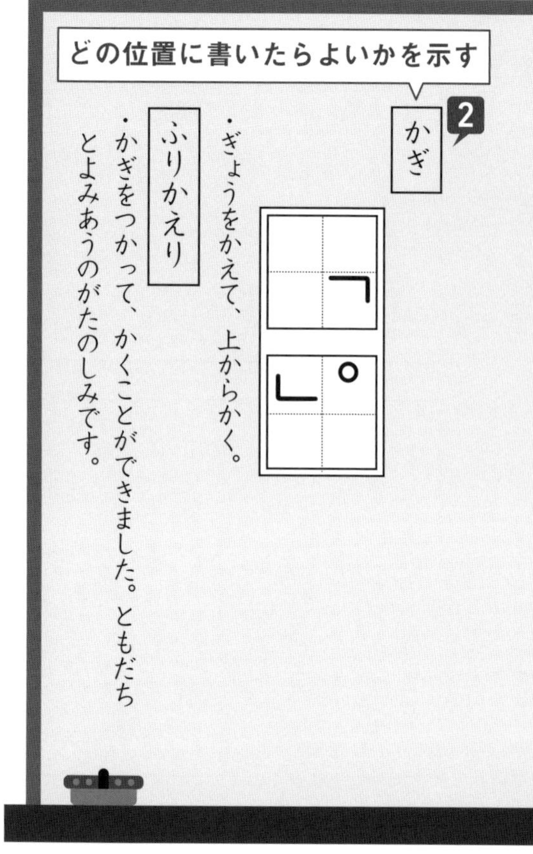


## 授業の流れ ▷▷▷

### 1 教師作成の「動物のお話」と対話の動画を見て、お話の書き方を知る〈5分〉

T　先生の作った「動物のお話」ができるまでの動画をもう一度見てください。
T1　きつねくん、見て。宝の地図を見付けたんだ。
T2　からすさん、宝探しに行こうよ。
T1　よし！　あの山のお城に宝があるみたい。
T2　どんな宝があるのかなあ。
T1　行ってみよう。
T　先生の「動物のお話」と比べて、気付いたことはありますか。
・かぎ（「 」）が付いています。
・友達と話したことを書くとお話になります。
○友達と話したことを会話文にしてお話を書いていく見通しをもたせるとよい。

### 2 かぎ（「 」）の書き方を確認する〈10分〉

T　友達と話したことをかぎ（「 」）を使ってお話に書きましょう。かぎ（「 」）の書き方を思い出しましょう。かぎ（「 」）を使うときは、行を変えて上から書きます。
・友達と話したことは、かぎ（「 」）を使って書くんだね。
・かぎ（「 」）は、上から書くんだね。
・こうやって書いたら、お話になっていくんだね。
○教師作成の「動物のお話」の見本を示しながら、かぎ（「 」）の書き方を確認する。「くじらぐも」で学習したかぎ（「 」）の書き方を想起させるとよい。

どんなおはなしができるかな

おはなしをかんがえて、つくろう。

がくしゅうけいかく

①どうぶつをきめよう。

②ともだちと、どうぶつになりきってはなそう。

★③おはなしをかんがえて、つくろう。

④おはなしかいをして、かんそうをつたえあおう。

教科書p.40～41の挿絵

からすは、たからのちずを見つけました。からすが、

「きつねくん、見て。たからのちずを見つけたんだ。」

といいました。きつねは、

「からすさん、たからさがしにいこうよ。」

とわくわくしていいました。

「よし！あの山のおしろにたからがあるみたい。」

からすときつねは、たからをさがしにあの山へいきました。

## 3 友達と話したことを基に、お話を考えて書く 〈30分〉

T　友達と話したことはメモしましたね。メモを見て、お話を書きましょう。かぎ（「 」）を使って書きましょう。

・友達と話したことを思い出そう。

・メモを見て書くと、分かりやすいね。

・かぎ（「 」）の使い方に気を付けよう。

○会話文を入れてお話を書くことができているかを確認しながら書かせる。会話文の書き方ができているかを机間指導する。

T　次回は、書いたお話を読み合いましょう。振り返りを書きましょう。

・会話を入れて書くことができました。友達と読み合うのが楽しみです。

**よりよい授業へのステップアップ**

**かぎ（「 」）の書き方**

かぎ（「 」）の使い方については、「くじらぐも」で既習事項ではあるが、実際に書くことの学習で出てくるのは初めてなので、丁寧に確認できるとよい。

マスの書く位置、会話文は行を変えて書くことなど、ここで学んだことが次の学習や日常生活でも生かせるように指導していきたい。他の学習でも会話文が出てきたときに、適宜、取り上げて、確認したり使っていったりできるようにしていく。

本時案

# どんな　おはなしが　できるかな　5/6

## 本時の目標

・書いたお話を読み合い、感想を交流することができる。

## 本時の主な評価

❹「書くこと」において、文章に対する感想を伝え合い、自分の文章の内容や表現のよいところを見付けている。【思・判・表】

❺「話すこと・聞くこと」において、話し手が知らせたいことや自分が聞きたいことを落とさないように集中して聞き、話の内容を捉えて感想をもっている。【思・判・表】

## 資料等の準備

・教科書 p.40～41の挿絵の拡大コピー（または ICT 機器で映す）
・感想を書く付箋紙
・教師作成の「動物のお話」の見本または教科書の作例 09-01～02
・学習計画の模造紙

子供の感想を聞いて、感想を交流するときのポイントをまとめていく

☆○くみどうぶつおはなしかい☆

かんそうをつたえあうとき

・いいなとおもったところ
・おもしろいとおもったところ

からすがもっているちずをたからのちずにしたところがおもしろかったです。　やました

3 付箋紙の書き方を示す

ふりかえり

・○○さんのおはなしをよんで、わたしとおなじどうぶつだったけど、おはなしがちがっておもしろかったです。

## 授業の流れ ▷▷▷

### 1 教師作成の「動物のお話」を聞き、感想を伝える　〈5分〉

T　先生の作った「動物のお話」を聞いて感想を教えてください。

からすは、宝の地図を見付けました。からすが、「きつねくん、見て。宝の地図を見付けたんだ。」と言いました。きつねは、「からすさん、宝探しに行こうよ。」とわくわくして言いました。

「よし！　あの山のお城に宝があるみたい。」からすときつねは、宝を探しにあの山へ行きました。

・宝探しがいいなと思いました。

○今日は、書いたお話を読み合い、感想を伝え合いましょう。

### 2 感想を交流する観点を確認する　〈10分〉

T　先生のお話の感想をもう少し教えてください。

・からすが持っている地図を宝の地図にしたところがおもしろかったです。

・宝探しに行くのはワクワクするからいいなと思いました。

○子供の感想を整理しながら、「いいなと思ったところ」「おもしろいなと思ったところ」という感想を交流する観点を出していく。

T　友達の書いたお話の「いいなと思ったところ」「おもしろいなと思ったところ」など、お話のよかったところを伝えていくようにしましょう。

どんなおはなしができるかな

おはなしかいをして、かんそうをつたえあおう。

1

がくしゅうけいかく

①どうぶつをきめよう。
②ともだちと、どうぶつになりきってはなそう。
③おはなしをかんがえて、つくろう。
★④おはなしかいをして、かんそうをつたえあおう。

1

教科書p.40～41の挿絵

2

からすは、たからのちずを見つけました。からすが、
「きつねくん、見て。たからのちずを見つけたんだ。」
といいました。きつねは、
「からすさん、たからさがしにいこうよ。」
とわくわくしていいました。
「よし！あの山のおしろにたからがあるみたい。」
からすときつねは、たからをさがしにあの山へいきました。

## 3 書いたお話を友達と読み合い、感想を交流する 〈30分〉

T　友達のお話を読んだら、付箋紙に感想を書いて、友達に渡しましょう。では、友達と読み合い、付箋紙に感想を書きましょう。

○お話を読み合う前に、交流の仕方を丁寧に示しておくと、子供同士でどんどん読み合うことができる。

○感想を付箋紙に書いて残すと、子供が交流後に振り返ることもできる。また、教師の評価に使うこともできる。

T　振り返りを書きましょう。

・友達のお話を読んで、おもしろかったです。
・○○さんのお話を読んで、私と同じ動物だったけど、お話が違っておもしろかったです。

### よりよい授業へのステップアップ

**付箋紙を使った感想の交流**

方法はいくつかあるが感想を書いて残すと、お手紙をもらった気分になって子供はうれしい。学習後に友達からもらった感想を読み、学習を振り返ることができる。

**友達の「動物のお話」との違い**

同じ動物や同じ場面でも、友達とストーリーが違うことが予想される。友達との違いを楽しみ、認め合うことができるとよい。今後の人間関係にもつながっていくだろう。

本時案

# どんな　おはなしが できるかな　6/6

## 本時の目標

・友達が言ったことをよく聞いて話を続けることができたか、お話で気に入っているところを伝えることができたかを振り返ることができる。

## 本時の主な評価

❹「書くこと」において、文章に対する感想を伝え合い、自分の文章の内容や表現のよいところを見付けている。【思・判・表】

## 資料等の準備

・教科書 p.40～41の挿絵の拡大コピー（または ICT 機器で映す）
・学習計画の模造紙
・教師作成の「動物のお話」の見本または教科書の作例 09-01～02

子供の発言を聞いて、聞くときと書くときのポイントをまとめていく

きくとき
・えをよくみる。
・ともだちのはなしをよくきく。

3
かくとき
・かいわぶんをいれる。
・ぎょうをかえて、上からかく。

ふりかえり
・さいしょはおはなしをかくことはむずかしいとおもっていたけど、ともだちとはなしたらどんどんかくことができました。
・ともだちとはなしておはなしをつくりました。ともだちのおかげで、たのしいおはなしになりました。

## 授業の流れ ▷▷▷

### 1 お話を書くまでの学習を振り返る〈５分〉

T　友達のお話を読んでおもしろかったですね。お話を書くまでにどんな学習をしてきましたか。
・絵を見て、誰がどんなことをしたかを話し合いました。
・友達と動物になりきって、話し合いました。
・友達と話したことをお話にしました。かぎ（「 」）を使ってお話を書きました。
・かぎ（「 」）の書き方に気を付けました。
・友達のお話のよいところを見付けました。
○今日は、今までの学習で大切だったことを振り返りましょう。

### 2 絵を見て友達と話した学習について振り返る〈20分〉

T　絵を見て友達と話した学習について振り返りましょう。絵を見て、友達と話すことができましたか。友達と話すときに気を付けたことは何ですか。
・友達の話していることをよく聞きます。
・友達の方を向いて話を聞くようにしました。
・絵もよく見て話をしました。
・友達が言った動物と自分の動物の絵をよく見て話します。
・友達との話が続くように、友達の言ったことをつなげるようにしました。
○再度、話を聞くときに大切なことを振り返り、子供の意見を整理する。

どんなおはなしができるかな

がくしゅうのふりかえりをしよう。

1

がくしゅうけいかく

①どうぶつをきめよう。
②ともだちと、どうぶつになりきってはなそう。
③おはなしをかんがえて、つくろう。
④おはなしかいをして、かんそうをつたえあおう。

1

教科書p.40～41の挿絵

2

　からすは、たからのちずを見つけました。からすが、
「きつねくん、見て。たからのちずを見つけたんだ。」
といいました。きつねは、
「からすさん、たからさがしにいこうよ。」
とわくわくしていいました。
「よし！あの山のおしろにたからがあるみたい。」
からすときつねは、たからをさがしにあの山へいきました。

## 3 友達と話したことを基に、お話を書いた学習を振り返る 〈20分〉

T　友達と話したことから、お話を書いた学習を振り返りましょう。お話を書くときに気を付けたことは何ですか。
・かぎの書き方に気を付けました。
・会話文を書くときは、次の行にしました。
○かぎ（「 」）の書き方を再度、振り返る。
T　書いたお話で、気に入っているところはどこですか。
・コアラとぶたとねずみで楽しくピクニックをしているところです。
T　書いたお話を友達と伝え合うことができましたね。振り返りを書きましょう。
○単元全体の振り返りをする。

**よりよい授業へのステップアップ**

**学習の振り返り**

　本単元は、「話すこと・聞くこと」の領域と「書くこと」の領域の融合された単元である。振り返りを行う際には、「話すこと・聞くこと」についてと「書くこと」についてのそれぞれを振り返ることができるようにする。

**書いたお話のその後**

　子供が作ったお話は、この後、保護者に読んでもらったり、教室で自由に読めるようにしたりすると、書いた達成感をさらに味わえる。

## 1 資料 「動物のお話」清書用紙 09-01

**2** 資料　教師作成の「動物のお話」見本 09-02

からすは、たからのちずを見つけました。からすが、

「きつねくん、見て。たからのちずを見つけたんだ。」

といいました。きつねは、

「からすさん、たからさがしにいこうよ。」

とわくわくしていいました。

「よし！　あの山のおしろにたからがあるみたい。」

からすときつねは、たからをさがしにあの山へいきました。

すきな　ところを　見つけよう

# たぬきの　糸車　（8時間扱い）

## 単元の目標

| | |
|---|---|
| 知識及び技能 | ・文の中における主語と述語との関係に気付くことができる。((1)カ)<br>・語のまとまりや言葉の響きなどに気を付けて音読することができる。((1)ク) |
| 思考力、判断力、表現力等 | ・文章の内容と自分の体験とを結び付けて、感想をもつことができる。(C(1)オ)<br>・場面の様子に着目して、登場人物の行動を具体的に想像することができる。(C(1)エ) |
| 学びに向かう力、人間性等 | ・言葉がもつよさを感じるとともに、楽しんで読書をし、国語を大切にして、思いや考えを伝え合おうとする。 |

## 評価規準

| | |
|---|---|
| 知識・技能 | ❶文の中における主語と述語との関係に気付いている。(〔知識及び技能〕(1)カ)<br>❷語のまとまりや言葉の響きなどに気を付けて音読している。(〔知識及び技能〕(1)ク) |
| 思考・判断・表現 | ❸「読むこと」において、文章の内容と自分の体験とを結び付けて、感想をもっている。(〔思考力、判断力、表現力等〕C オ)<br>❹「読むこと」において、場面の様子に着目して、登場人物の行動を具体的に想像している。(〔思考力、判断力、表現力等〕C エ) |
| 主体的に学習に取り組む態度 | ❺場面の様子に着目して登場人物の様子や行動を粘り強く想像し、物語の中で自分が好きなところとそのわけを考えようとしている。 |

## 単元の流れ

| 次 | 時 | 主な学習活動 | 評価 |
|---|---|---|---|
| 一 | 1 | 学習の見通しをもつ<br>読み聞かせを聞き、登場人物を確かめたり、心に残った場面について感想を伝え合ったりする。<br>学習のおおよその見通しをもち、学習課題を確認する。<br>すきなところと　そのりゆうを　みんなに　しらせよう | ❶❸ |
| 二 | 2 | 音読したり、動作化したりしながら、山奥に住む夫婦やたぬきの様子について考えたり、話し合ったりする。 | ❹ |
| | 3 | 音読したり、動作化したりしながら、家の中の様子をのぞくたぬきや、それに気付いたおかみさんの様子について考えたり、話し合ったりする。 | ❹ |
| | 4 | 音読したり、動作化したりしながら、罠に捕まったたぬきや、そのたぬきを逃がしてあげるおかみさんの様子について考えたり、話し合ったりする。 | ❹ |

| | 5 | 音読したり、動作化したりしながら、たぬきに気付いたおかみさんや、小屋から帰っていくたぬきの様子について考えたり、話し合ったりする。 | ❷❹ |
|---|---|---|---|
| 三 | 6 | 好きな場面を選び、文を書き抜き、その理由やイラストをかく。 | ❷❺ |
| | 7 | 好きな場面とその理由について、ペアや全体で紹介し合う。 | ❺ |
| | 8 | 学習を振り返る<br>好きなところを見付けたり、好きなわけを紹介し合ったりする学習をして気付いたことや感想を伝え合う。 | ❺ |

## 授業づくりのポイント

**〈単元で育てたい資質・能力〉**

本単元のねらいは、文章の内容と自分の体験とを結び付けて感想をもつ力、また、場面の様子について登場人物の行動に着目して読み、表情や口調、行動の理由などを具体的に想像する力を育てることである。主語と述語の関係を理解しながら読んだり、本文と挿絵を結び付けて作品世界を具体的にイメージして読んだりしながら、場面の様子を捉えていく。

子供たちは「おおきな　かぶ」や「くじらぐも」など、これまでの学習において、登場人物の行動を想像する活動を行ってきている。これまで身に付けてきた力を発揮し、登場人物になりきって気持ちを想像したり、自分だったらどうするかを考えたりする。これらの活動を通して、物語を読んで感じたことを言葉で表現する力が高まるであろう。

**〈教材・題材の特徴〉**

おかみさんといたずら好きのたぬきが交流する心温まる話である。また、「キーカラカラ」などの擬音語、「くるりくるり」などの擬態語など、音読を楽しめる言葉も多くある作品である。

糸車に興味をもち、毎晩おかみさんが糸を紡ぐ様子をのぞくたぬき。糸車そのものへの興味、そして命を助けてくれたおかみさんへのお礼として、たぬきは冬の間に糸車を使って糸を紡ぐ。たぬきの、人間生活や糸車への興味、おかみさんへの思い、おかみさんのたぬきへの思いに溢れている作品で、温かみのある作品世界となっている。

**〈言語活動の工夫〉**

単元の後半では、好きな場面の本文を書き抜き、その理由を友達と紹介し合う活動を行う。選んだ場面について、選んだ理由も簡単に説明できるようにし、教師の見本を紹介したり、ワークシートを活用したりする。

[具体例]
○好きな場面を画用紙に描いたり、タブレット端末内の画像に描き込んだりして、視覚的に理解できるようにする。また、理由もワークシートに記入し、説明できるようにする。

**〈ICT の効果的な活用〉**

**共有**：教科書挿絵の画像を教師が共有し、子供に好きな場面を選ばせる。共通点や相違点をお互いに見合い、選んだ理由を説明することで、より作品の魅力に気付くことが期待できる。

**記録**：場面に応じた読み方を考え、それを生かした音読の様子を撮影する。繰り返し撮影することで、自分自身の音読の能力が伸びたことを自覚できる。

本時案

# たぬきの　糸車

## 本時の目標

・物語を読んで感想を伝え合ったり、本単元の学習全体の見通しをもったりすることができる。

## 本時の主な評価

❶主語と述語の関係に着目し、誰が何をしたのかを正しく理解している。【知・技】

❸物語の登場人物や内容の大体を把握し、感想をもっている。【思・判・表】

## 資料等の準備

・教科書 p.44～53の挿絵

・おかみさん、たぬきのイラスト

・ワークシート① 10-01

教科書p.51の挿絵

教科書p.53の挿絵

・じょうずに　糸を　つむぐ　たぬきは　すごい。

・たぬきは　おかみさんに　おかえしが　できて　うれしい。

・たぬきは　糸車を　まわせて　うれしかった。

4

すきなところと　そのりゆうを　みんなに　しらせよう。

## 授業の流れ ▷▷▷

### 1 題名から話の内容を想像する 〈10分〉

○これまでの物語文の学習を振り返る。

T　１年生になってから、学校ではどんなお話を読みましたか。また、どんなことをしましたか。

・「おおきな　かぶ」で、劇をしました。

・「くじらぐも」では、みんなでジャンプしながら読みました。

T　「たぬきの　糸車」という題名から、どんなお話だと思いますか。

・たぬきが糸車を回すお話だと思います。

・糸車が何か分かりません。たぬきが出てきそうです。

→教科書や実物、写真で確認する。

### 2 「たぬきの　糸車」を読み、内容の大体をつかむ 〈15分〉

○「たぬきの　糸車」の読み聞かせをし、場所や登場人物を確認する。

T　お話に出てきた場所は、どんな場所でしたか。

・山奥でした。

T　山奥ってどんな場所ですか。

・人がいなくて、静かそうです。

・少し暗くて、寂しい感じがします。

T　誰が出てきましたか。

・おかみさんとたぬき。あと、きこりも。

T　どんな出来事がありましたか。

・たぬきが罠にひっかかってしまいました。

・たぬきが糸車で糸を作っていました。

○挿絵を黒板に貼りながら、登場人物や内容を確認する。

たぬきの　糸車

1

・たぬきが　出てくる　おはなし
・たぬきが　糸を　つくる

「たぬきの　糸車」を　よんで、
かんそうを　かこう。

糸車の写真や
イラスト

3

いつ・・・むかし
どこ・・・山おく　一けんや
だれ・・・おかみさん　たぬき　きこり

・たぬきに　いたずらを　されて、
かわいそう。
・おかみさんは、たぬきのことが　すき。
・たぬきは　糸車を　まわしたいと
おもっている。
・たぬきの　目が　うごいて　おもしろい。
・わなに　かかって、たぬきが
かわいそう。
・なぜ　おかみさんは、たぬきを　にがして
やったのか。
・おかみさんの　おどろいた　かおが
おもしろい。
・おかみさんは　白い　糸にびっくりした。

2

教科書
p.44～45
の挿絵

教科書
p.47の挿絵

教科書
p.48の挿絵

教科書
p.49の挿絵

## 3 「たぬきの　糸車」を読んだ感想を書いて、発表する　〈15分〉

T　「たぬきの　糸車」を読んで、「いいな」と思ったところや、「なぜ」と思ったところをワークシートに書きましょう。

○書き終えたら、近くの人と感想を共有したり、発表したりする。

・たぬきの目がくるくる回るところがかわいかったです。

・おかみさんにばれても、たぬきがうれしそうに帰るところが、おもしろかったです。

○感想を発表させる際、「同じ場面を選んだ人はいますか」「つけたしはありますか」などと子供たちに聞き、感想がつながるような声掛けをする。

## 4 学習課題を確認する　〈5分〉

T　もっともっと聞いてみたいですね。このお話の好きなところを見付けて理由も一緒にみんなに知らせることにしましょうか。

○子供たちとやりとりしながら、学習課題を確かめる。

○理由まで付けて好きな場面を紹介することを説明する。また、子供たちが「繰り返し読めば、新しいおもしろさが分かるかもしれない」と意欲をもてるよう、「たぬきやおかみさんのことがもっと分かりそうですね」などの声掛けをする。

本時案

# たぬきの　糸車

**本時の目標**

・本文や挿絵を基に、たぬきの行動やきこり夫婦の様子を想像しながら、読むことができる。

**本時の主な評価**

❹場面の様子に着目して、登場人物の行動を具体的に想像している。【思・判・表】

**資料等の準備**

・教科書 p.44,45の挿絵
・たぬきとおかみさんの顔のイラスト 10-06〜07
・音読で気を付けるポイント（画用紙か画像）
・ワークシート② 10-02

せいかつ　できない。
・たぬきを　こらしめないと。

たぬきのいたずらにどれだけ困っているか分かるよう、悪い印象を色チョークを活用して、強調する

**授業の流れ** ▷▷▷

## 1 第一場面を音読し、場面の様子を確認する 〈10分〉

T　今日は、はじめから p.45の 3 行目までのところを読んで、たぬきやおかみさんのことを考えます。まずは音読をします。音読をするとき、どんなことに気を付けますか。
・点や丸に気を付けます。
・姿勢をよくし、口をしっかり開けます。
○場面の様子を本文や挿絵を基に確認する。
T　山奥ってどんな様子ですか。絵を見てみましょう。音は聞こえますか。
・虫の声が聞こえそうです。
・少し暗くてこわい感じがします。

**ICT 端末の活用ポイント**

音読で気を付ける点については、毎時間確認するので、電子黒板に投映する形がよい。

## 2 たぬきがどんないたずらをしていたのか、話し合う 〈20分〉

T　たぬきは、どんないたずらをしていたのでしょうか。
・野菜を盗む。
・畑を荒らす。
T　他にもありそうですね。隣の人とペアになって、話し合ってみましょう。また、たぬきがどんな気持ちでやっていたのかも考えましょう。
○たぬきの表情なども考えさせ、話し合った内容を発表させる。
・笑いながら、畑を荒らしていそうです。
・一人ぼっちで寂しいから、遊んでほしかったのかもしれません。
・困らせて、喜んでいそうです。

たぬきの　糸車

一のばめん

たぬきや　おかみさんが　したことや
おもったことを　よみとろう。

**1**

〈山おくの　ようす〉
・とても　しずか。
・人が　あまり　いない。
・虫の　こえが　きこえそう。
・くらくて　こわい　かんじ。

教科書
p.44〜45の
挿絵

**2**

〈たぬきの　いたずら〉
・やさいを　とる。
・きった　木を　ぬすむ。
・どうぐを　かくす。

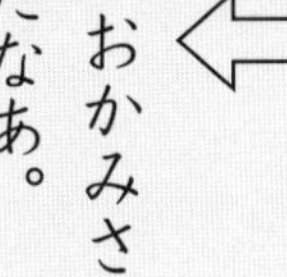

**3**

〈きこり・おかみさん〉
・こまったなあ。
・このままだと　山おくで

## 3 おかみさんやきこりの様子を想像する 〈15分〉

T　次に、おかみさんやきこりの様子や気持ちを考えましょう。たぬきにいたずらをされて、どんなことを考えていたのでしょうか。

・困っていたと思います。
・早く捕まえたいな。
・いたずらは本当にやめてほしい。
・たくさん罠をしかけようかな。

○たぬきに対して、悪い印象をもっていたことを捉えさせるようにする。

T　今日考えたり話し合ったりしたことを思い出しながら、もう一度今日学習した一の場面を音読しましょう。

### よりよい授業へのステップアップ

**動作や資料で、理解を深める**

たぬきがいたずらする様子や、それに困っているきこりの夫婦の様子について想像し、実際に声に出したり顔の表情で表現させたりする。そうすることで登場人物の心情理解が期待できる。

山奥の生活は子供たちには想像しにくい場合もある。山奥で聞こえそうな音を聞かせたり、写真資料などを見せたりして、十分に作品の世界を想像させる。

本時案

# たぬきの　糸車

## 本時の目標

・本文や挿絵を基に、糸車を見つめるたぬきや、その様子を眺めるおかみさんの行動や様子を、想像を広げながら読むことができる。
・擬音語のよさに気付くことができる。

## 本時の主な評価

❹場面の様子に着目して、登場人物の行動を具体的に想像している。【思・判・表】
・擬音語の言葉の響きに気を付けて音読している。

## 資料等の準備

・教科書 p.47の挿絵
・段ボールや半紙で作った障子
・ワークシート③ 10–03
・これまでの学習の記録（掲示物やワークシート）

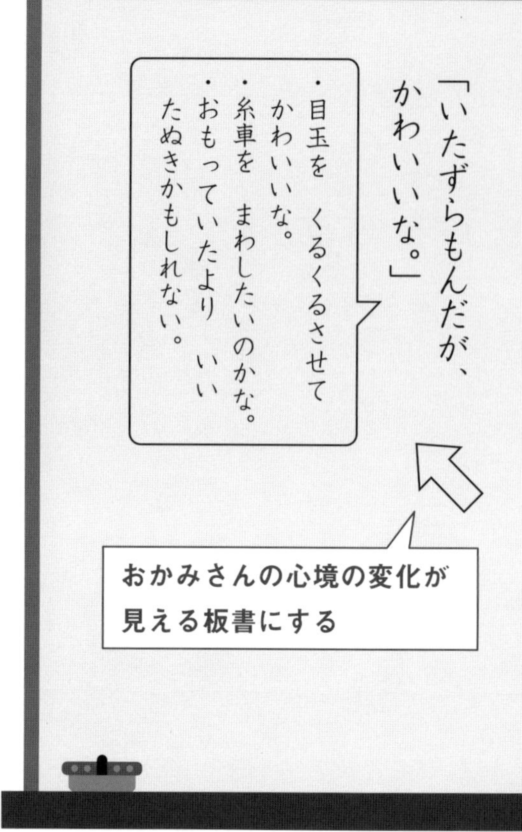


## 授業の流れ ▷▷▷

### 1 第二場面を音読し、場面の様子を確認する 〈10分〉

T　今日は p.45の 4 行目から p.47の 7 行目までのところを読んで、たぬきやおかみさんのことを考えます。それでははじめに音読をします。
○登場人物の様子を考えるという目的をもって音読させる。
T　「月の　きれいな　ばん」とは、どんな夜のことでしょうか。
・天気がよくて、すごく明るい感じがします。
T　「キーカラカラ」は何の音でしょうか。
・糸車の音です。
○「キーカラカラ　キークルクル」の様子を捉えさせるために、実際に声に出させたり、動作化させたりする。

### 2 たぬきの様子について、動作化しながら考える 〈15分〉

○たぬき役の子とおかみさん役の子を決め、教室の前に出させ、破れ障子も使いながら、場面の様子を動作化しながら再現する。
T　たぬきはどんな様子で中を見ていたのでしょうか。
・目玉がくるりくるり回っています。
○糸車をじっと見つめていたからこそ、糸車の動きに合わせて、くるりくるりと動いていたことを確認する。
T　たぬきのまねをしてみましょう。
○たぬきの様子を動作化して捉えさせる。
T　たぬきは、どんなことを考えていたのか、ワークシートに書きましょう。
・おもしろそう。やってみたいな。

たぬきの　糸車　　　二のばめん

1

たぬきや　おかみさんが　したことや
おもったことを　よみとろう。

教科書
p.47の挿絵

キーカラカラ　キーカラカラ
キークルクル　キークルクル

・すこし　ふるい　かんじ。
・ゆっくり　うごいている。
・手づくりって　かんじ。

2

たぬきの　ようす

・こやを　のぞく。
・糸車を　見る。
・糸車を　まわす　まねを
する。

・なんだか
おもしろそう。
・やって　みたいな。
・目がまわりそう。

3

おかみさんの　ようす

一のばめん
・いたずら　たぬき
・こまっている

## 3 「いたずらもんだが、かわいいな。」について考える 〈20分〉

T　なぜおかみさんは、たぬきのことを「かわいい」と思ったのでしょうか。

・毎晩家にのぞきに来ているからです。

・おかみさんのまねをしているからです。

T　前の時間に学習したところと、おかみさんの様子は変わりましたか。

・少し許している。

・「かわいいな」と話しているから、もっと見ていていいよと思っている。

○おかみさんの心境の変化を読み取らせる。以前の心境と比較できるように板書をまとめる。

T　今日話し合ったことを基に、二の場面を音読しましょう。

### よりよい授業へのステップアップ

**小道具の活用**

想像する力を伸ばすことも大切だが、実際に見たことがないものは想像することが難しい場合もある。

そのようなときは小道具を活用して想像することの手助けをすることが有効である。

おかみさんやたぬきのお面、実際に破れ障子を段ボールや半紙で作成し、学習の中で使うことで、たぬきのかわいらしい様子、それをほほえましく見つめるおかみさんの様子を楽しみながら理解することができるであろう。

本時案

# たぬきの　糸車

## 本時の目標

・本文や挿絵を基に、たぬきを逃がしてあげたおかみさんの様子や、逃がしてもらったたぬきの様子について、想像を広げながら読むことができる。

## 本時の主な評価

❹場面の様子に着目して、登場人物の行動を具体的に想像している。【思・判・表】

## 資料等の準備

・教科書 p.45、47～48の挿絵
・たぬきとおかみさんの顔のイラスト　10-06～11
・音読で気を付けるポイント（画用紙または画像）
・ワークシート④　10-04

・かわいいところもあるし、にがしてあげよう。
・もういたずらしないでね。

・おかみさんはやさしいな。
・なにか、おれいをしないと。
・ありがとう。

3

## 授業の流れ ▷▷▷

### 1 第三場面を音読し、場面の様子を確認する　〈10分〉

T　これまでおかみさんとたぬきには、どんなことがありましたか。
・たぬきのいたずらに困っていました。
・おかみさんが糸車を動かす様子をたぬきがのぞいていました。
○これまでの学習を振り返り、お話の先を読む意欲をもたせる。
T　今日は p.47の 8 行目から p.49の 3 行目までのところを読んで、たぬきやおかみさんのことを考えます。それではははじめに音読します。
○音読は、一人一人読んだり、役割を決めて読んだりし、様々なバリエーションで楽しませる。

### 2 おかみさんの行動や様子について考える　〈15分〉

T　「キャーッ」と叫んでいたのは誰ですか。
・たぬきです。
・きこりが仕掛けた罠にかかったからです。
T　それを見たおかみさんの様子はどうでしたか。
・「こわごわ」と書いてあります。
・その後は「かわいそうに。」と言ってます。
T　はじめ、たぬきのいたずらに困っていたのに、おかみさんはなぜ「かわいそうに」と言ったのですか。
・二の場面で「いたずらもんだがかわいいな」と思ったからです。
○第二場面のおかみさんや、毎晩やって来たたぬきの様子を想起させる。

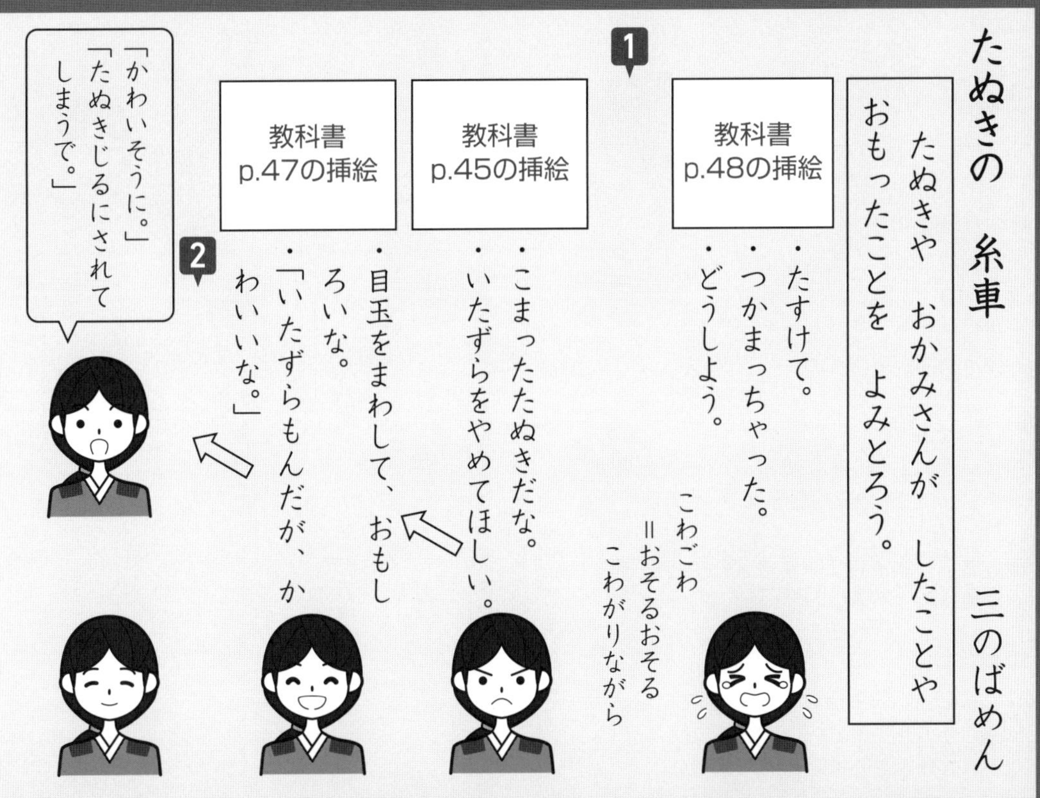


## 3 逃がしてもらったたぬきの様子について考える 〈20分〉

T　おかみさんが逃がしてくれたことを、たぬきはどのように思ったのか、ワークシート④に書きましょう。
・助かった。おかみさん、ありがとう。
・おかみさんは優しいな。
T　おかみさん役、たぬき役に分かれ、それぞれの気持ちを発表しましょう。
・おかみさん役（逃がしてあげたとき）→たぬきじるにされるのは、かわいそう。もういたずらをしないでね。
・たぬき役（逃げていくとき）→おかみさん、ありがとう。何かお礼をしなくちゃ。
T　話し合ったことを基に、三の場面を音読しましょう。

### よりよい授業へのステップアップ

**心境の変化を視覚化する**

　おかみさんのたぬきに対する心境の変化が捉えられるよう、場面に応じたおかみさんの表情を描いたイラストを掲示したり、これまでの場面のおかみさんの様子を板書したりする。

　それに対するたぬきの心境の変化についても板書する。心境の変化が視覚的に分かるように、対比して板書できるとよい。

本時案

# たぬきの　糸車

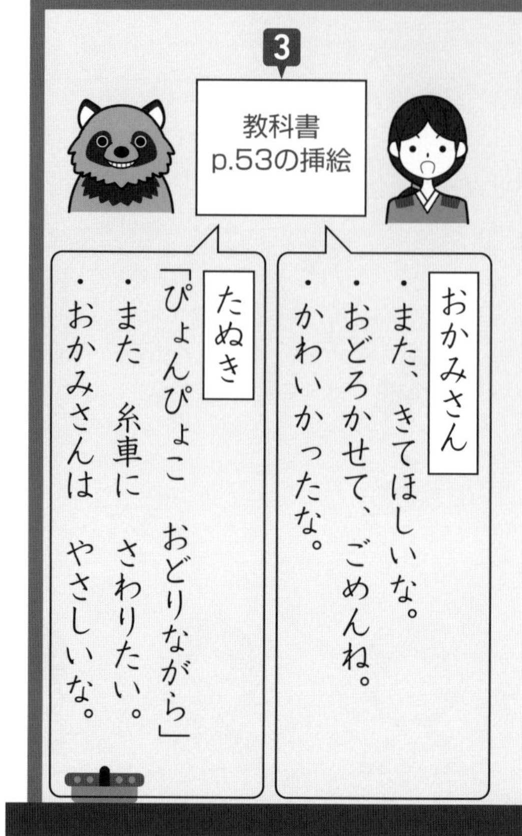


## 本時の目標

・本文や挿絵を基に、糸車を回すたぬきや、その様子を見つめるおかみさん、帰っていくたぬきの様子について、想像を広げながら読むことができる。

## 本時の主な評価

❷「ぴょこんと」「ぴょんぴょこ」という言葉から、たぬきの様子を想像し、音読している。【知・技】

❹場面の様子に着目して、登場人物の行動を具体的に想像している。【思・判・表】

## 資料等の準備

・教科書 p.49,51,53の挿絵
・ワークシート⑤ 10-05
・たぬきとおかみさんの顔のイラスト 10-06〜07

## 授業の流れ ▷▷▷

### 1 第四場面と第五場面を音読し、場面の様子を確認する 〈10分〉

T　今日は p.49の４行目から最後までのところを読んでいきます。
○これまでの学習を生かし、読み方の工夫ができているか、子供たちの様子を見ながら確認する。
○冬から春への時間の経過を意識させる。
T　おかみさんはなぜ驚いたのでしょうか。
・糸のたばがあったからです。
・糸車がきれいだったからです。
T　糸車の音を聞いたとき、おかみさんはどんな様子ですか。
・なぜ糸車の音がするんだろう。
・あれ、おかしいな。少しこわいな。

### 2 第四場面のおかみさんとたぬきの様子について考える 〈15分〉

T　たぬきが糸を紡いでいるのを見て、おかみさんはどう思ったでしょうか。
・おっ、すごい上手だな。かわいいな。
・いつの間にできるようになったのかな。
○少しずつ真相に近づく展開のおもしろさを味わいながら発表させる。
T　たぬきはどんなことを考えながら、糸車を回していたのでしょうか。
・おかみさんにお礼をしなくちゃ。
・予想どおり、糸を紡ぐのは楽しいな。
・もっとやっておきたいな。
○糸車に触れられたうれしさ、おかみさんへの感謝の思いの両方について捉えられるようにする。

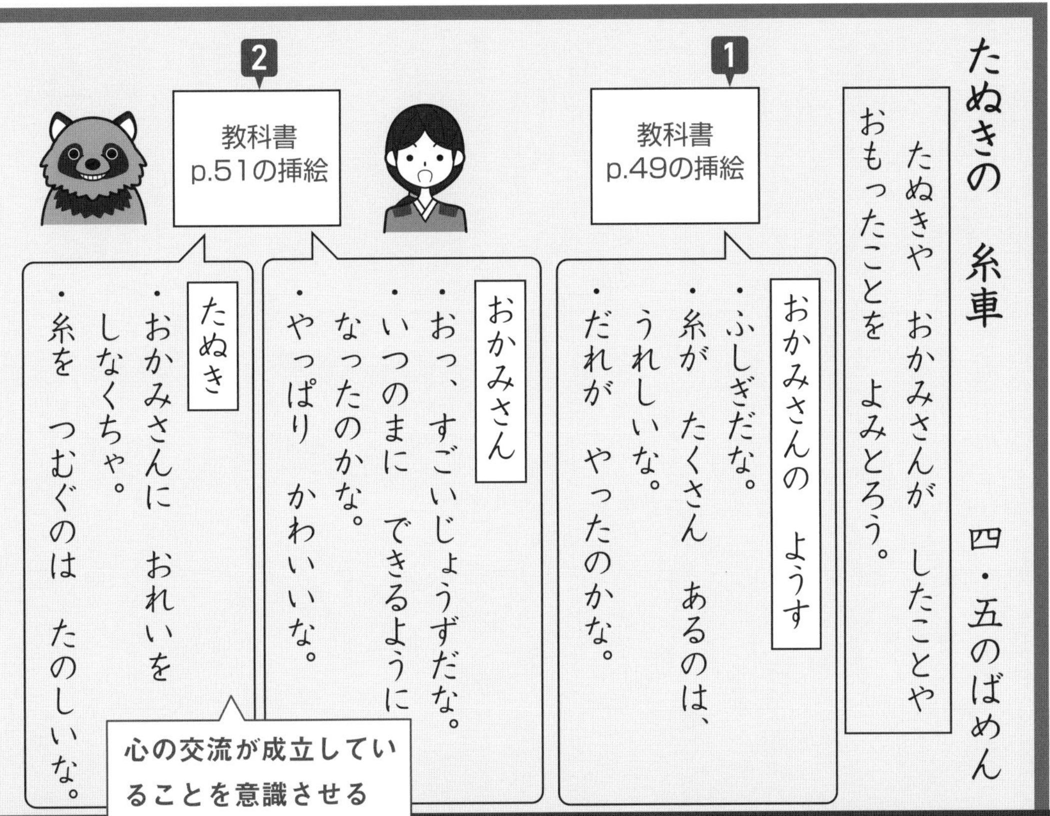


## 3 第五場面のおかみさんとたぬきの様子について考える〈20分〉

T　おかみさんに気付いたたぬきは、どんなことを思ったでしょうか。
・見付かっちゃった。
・おかみさんの糸車だから、返さないと。
T　おかみさんは、どんな気持ちでたぬきを見送ったでしょうか。
・また来てほしいな。
・驚かしちゃって、ごめんね。また来ないかな。
T　「ぴょんぴょこ」って、どんな様子ですか。
・スキップみたいに、楽しそう。
・笑っていそうです。
○「ぴょんぴょこ」の様子を動作化させ、たぬきの気持ちを想像させる。「おどりながら」にも注目させ、踊ってしまった理由も考えさせたい。

**ICT 等活用アイデア**

**動画による音読の工夫の共有**

第5時となると、子供たちは内容も覚えてくるようになり、音読の読み方も工夫が見られるようになる。そこで、代表の子の音読の様子を教師が動画撮影し、共有する。共有したものを見ながら、そのよさを話し合ったり、家庭学習の際の参考にさせたりする。

家庭学習で音読の課題を出す際、録画を保護者にお願いし、学習支援ソフトを活用して提出させるとよい。授業の中で共有したり、評価に生かしたりすることができる。

本時案

# たぬきの　糸車

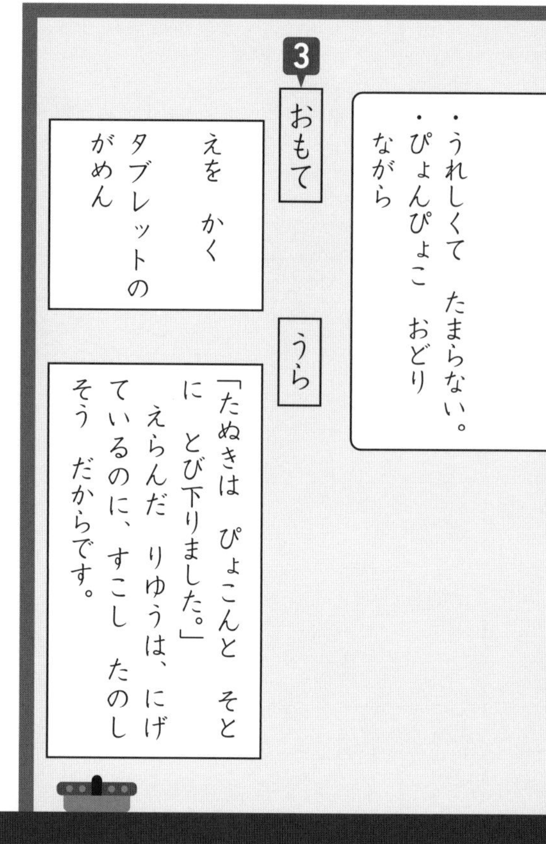


## 本時の目標

・「たぬきの　糸車」の中から、自分の好きな場面を選び、挿絵や文を視写したり、音読したりすることができる。

## 本時の主な評価

❷語のまとまりや言葉の響きなどに気を付けて音読している。【知・技】

❺「たぬきの　糸車」の登場人物の様子や行動を想像し、自分の好きな場面や理由を、進んで考えている。【態度】

## 資料等の準備

・教科書の挿絵
・音読で気を付けるポイント（画用紙か画像）
・これまでの学習の記録（掲示物やワークシート）
・紹介するカードの見本

## 授業の流れ ▷▷▷

### 1 音読をし、好きな場面を選ぶ 〈15分〉

T 「たぬきの　糸車」を最後まで読みましたね。どんなことが分かりましたか。

・たぬきとおかみさんは、少し仲良くなったと思います。

・たぬきは糸車に触れて、お礼もできて、うれしかったと思います。

T まず全ての文を音読します。

○誰が読むかは実態に応じて決める。内容を想像しながら捉えることを最優先に考える。

T 次に、挿絵の中から好きな場面を選んで丸を描きましょう。

**ICT 端末の活用ポイント**

挿絵の画像データを子供に配布し、好きな場面を選んで丸を付けさせ、それを共有する。

### 2 好きな場面を共有しながら、理由を話し合う 〈10分〉

○一覧表示にして電子黒板やスクリーンに投映し、それぞれがどの場面のどこが気に入ったのかを共有する。

・○○さんと一緒だ。

・○○さんが丸を描いてあるところ、私も気になりました。

・どこに丸を描こうか、迷いました。

T 同じ場面でも、違うところに丸を描いている人がいますね。文にも注目しながら、好きな理由を発表しましょう。

○全体発表のときは個人のタブレット端末は閉じ、互いの顔を見ながら話し合う。

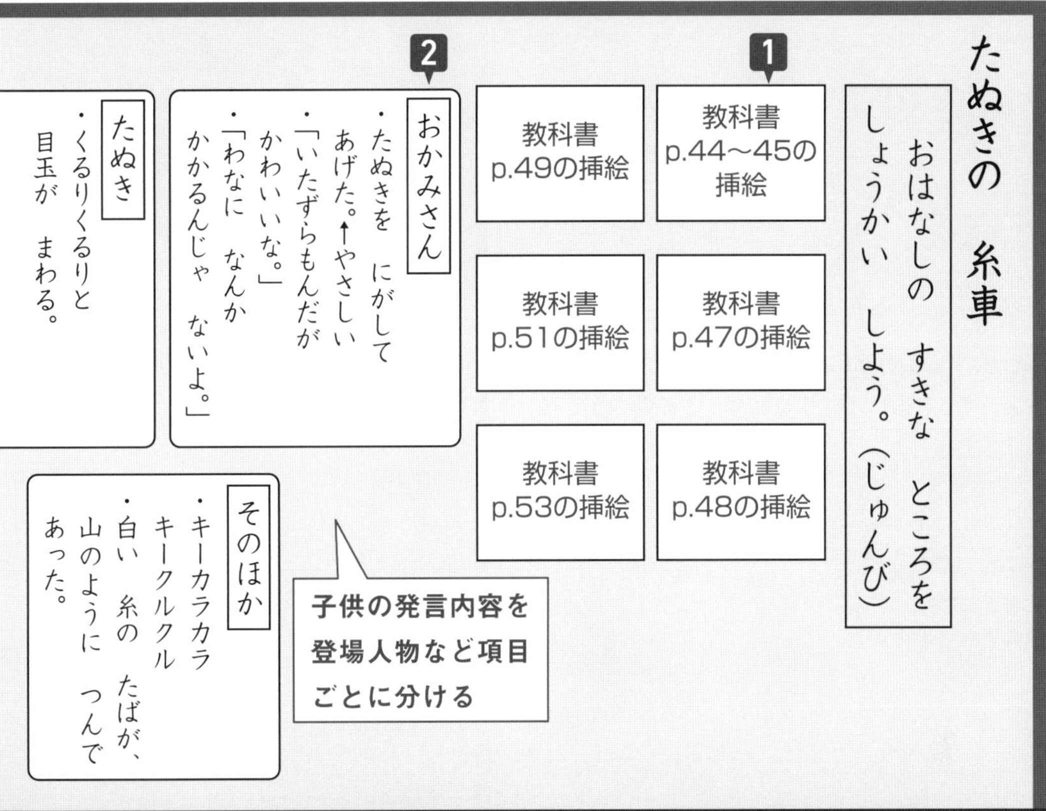


## 3　好きな場面とその理由をまとめる〈20分〉

T　次の時間は「たぬきの　糸車」の好きな場面について一人一人紹介します。今日はそのための準備をします。

○好きな場面の絵を見せながら音読し、選んだ理由を話す活動について、見本を見せながら説明する。発表方法として、自分が描いた絵を使うか、本時に使った画像データを使うかを選択する。

・帰っていくたぬきがかわいいから、最後の場面を読みます。
・糸車を回すたぬきがおもしろいので、二の場面を読みます。

### ICT 等活用アイデア

**タブレット端末を活用した発表**

　本時の中では、タブレット端末を活用した好きな場面選びを行う。選んだ場面を共有して終わりではなく、例えば絵を描くのが苦手な子には、その画像を使いながら好きな理由のみワークシートに書かせ、好きな場面を説明させることができる。

　発表方法を子供に選択させることで、新たな表現方法に気付かせることができる。また、個に応じた指導ができる。

本時案

# たぬきの　糸車

## 本時の目標

・自分が好きな場面とその理由について、友達と紹介し合うことができる。

## 本時の主な評価

❺場面の様子に着目して登場人物の様子や行動を粘り強く想像し、物語の中で自分が好きなところとそのわけを考えようとしている。【態度】

## 資料等の準備

・教科書の挿絵
・紹介のカードの見本
・音読で気を付けるポイント（画用紙か画像）

（おんどくする）
えらんだ　りゆうは　○○だからです。
これで　おわります。」

3 しょうかいした　かんそう

・おなじ　ところを　えらぶと、うれしい。
・おはなしの　おもしろさが　わかった。
・この　おはなしの　つづきを　かんがえたい。
・じょうずな　おんどくの　しかたが　わかった。

## 授業の流れ ▷▷▷

### 1 選んだ場面について、音読・発表練習をする 〈15分〉

・前の時間は、好きな場面について伝えるための準備をしました。
・他の友達が選んだところも知りたいな。
T　今日は、自分が選んだ好きな場面について、友達と紹介し合います。新しいおもしろさにも気付けそうですね。その前に選んだ場面について音読の練習をしましょう。
○これまで学習してきた音読のためのポイントを提示し、相手意識をもった音読ができるようにする。

**ICT 端末の活用ポイント**

練習の様子を自分で撮影し、見直す活動をさせることで、発表本番をより分かりやすく伝えられるようになる。

### 2 選んだ場面について紹介し合う 〈20分〉

T　それでは、友達に向けて好きな場面とその理由を紹介します。まず先生が見本を見せます。その次に、3人グループになって紹介し合います。
○グループ分けは、極力場面が重ならないように配慮する。グループ全員の音読・発表が終わったら、互いに絵を見せ合ったり、他に好きな場面があるか話し合ったりさせる。
T　紹介し合ってみて、どうでしたか。
・自分と違うところを選んでいて、おもしろかったです。
・このお話がもっと好きになりました。

たぬきの　糸車

おはなしの　すきな　ところを
しょうかい　しよう。（ほんばん）

教科書
p.44〜45の
挿絵

教科書
p.49の挿絵

教科書
p.47の挿絵

教科書
p.51の挿絵

教科書
p.48の挿絵

教科書
p.53の挿絵

1
おんどくで　気を　つける　こと
・口を　しっかり　あけて　よむ。
・きく　人の　ほうを　よく　見る。
・「、」や「。」に　気を　つける。

2
はなしかた
「ぼくが　えらんだのは、○ページの
○ぎょうめです。よみます。

電子黒板に投映してもよい

必ず教師が見本を見せる

## 3 活動を振り返る 〈10分〉

T　友達の発表を聞いて、この人の音読や理由がよかったなと思った人はいますか。

○何名か代表を出させ、全体で発表させる。同じ場面を選んだ子も確認し、理由の違いなどに注目させるのもよい。

・同じところを選んでいて、うれしくなりました。
・グループとは違うところが出ていて、おもしろかったです。
・音読のときの声の大きさが、お話ととても合っている気がしました。
・理由が分かりやすかったです。

ICT 等活用アイデア

### 発表のツールとして活用する

動画撮影は1年生でもすぐに覚えられる使い方である。自分の声や表情を見る機会はあまりないので、動画で見直すことで、音読の成果と課題を自覚できるであろう。

発表の際には、前時に使った挿絵の静止画を使うことで、絵が苦手な子も集中して発表することができる。

本時案

# たぬきの　糸車

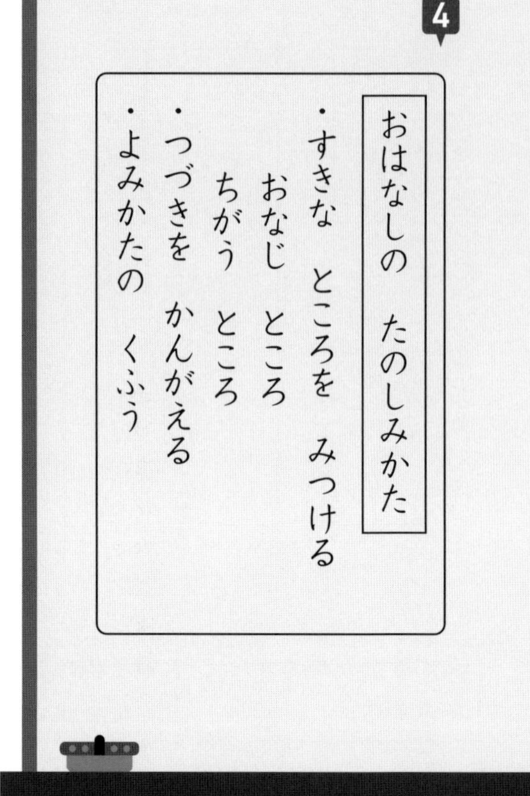


## 本時の目標

・場面の様子に着目して読んだり、好きなところを見付けて発表したりした学習を振り返りながら、学習の感想を考えることができる。

## 本時の主な評価

❺好きな場面を紹介し合う学習で気付いたことや、お話を読むことのおもしろさについて、粘り強く考えている。【態度】

## 資料等の準備

・教科書の挿絵

## 授業の流れ ▷▷▷

### 1 これまでの学習内容を振り返る 〈5分〉

T　「たぬきの　糸車」の学習では、どんなことをしてきましたか。
・動きを付けながら音読をしました。
・好きなところを理由を付けて説明しました。
・いろんな言葉から、様子を想像しました。
○これまで学習したことを記録した掲示物なども活用しながら、積み重ねてきた学びを確認する。
T　今日は「たぬきの　糸車」の学習のまとめをしていきます。これまで学習してきたことを思い出しながら、お話について考えましょう。

### 2 友達の音読を聞きながら、お話を振り返る 〈15分〉

T　「たぬきの　糸車」では、音読の工夫についても学習しました。まずは学習したことを生かして音読をしましょう。
○読み方の工夫ができていた子や、場面の様子を捉えられていた子に代表で音読をさせる。読み終わった後には、よかった点を全体で共有する。
○黒板に貼った挿絵の下にネームプレートを貼り、心に残った場面を視覚化する。
T　おかみさんやたぬきのどんな様子が心に残りましたか。
・おかみさんが優しいところがよかったです。
・たぬきも糸を紡いで、優しかったです。
○その場面を選んだ理由を聞き合う。

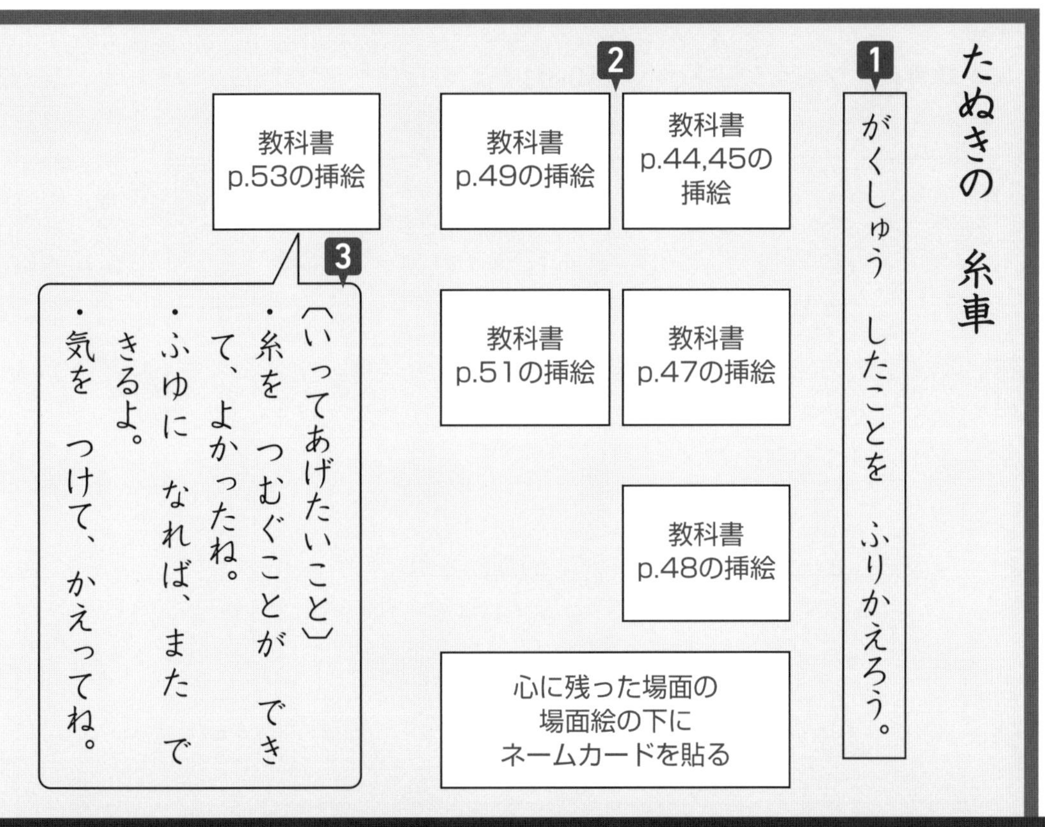


## 3 たぬきに言ってあげたいことを考え、話し合う 〈15分〉

○お話の余韻も楽しめるよう、五の場面に注目して考える。

T　最後に帰っていくたぬきに、どんなことを言ってあげたいですか。

・糸を紡ぐことができてよかったね。

・冬になれば、また糸紡ぎができるよ。

・気を付けて森へ帰ってね。

T　この後たぬきはどうなったでしょうか。

・また冬になったら、糸紡ぎに来ると思う。

・おかみさんにこっそり会いに来るかも。

・森の中で楽しく過ごしていそうです。

○物語を読み終えているので、少し発展させて物語の続きを楽しみながら想像する。

## 4 お話の楽しみ方を確認する 〈10分〉

T　好きなところを見付けて、その理由を話しました。やってみてどうでしたか。

・自分と違うところを選んでいて、おもしろかったです。

・同じところでも感じたことが違いました。

T　同じお話を読んでも、心に残ることや考えることは、違うこともありましたね。それがお話を読む楽しさの一つです。

・続きを考えるのも楽しいです。

・動きながら読むと、うきうきしました。

○お話の楽しみ方も多様である。「また読んでみたい」と一人一人が思えるよう、様々な意見を尊重しながら学習を終えるように工夫する。

資料

## 1 第1時資料　ワークシート① 10-01

## 2 第2時資料　ワークシート② 10-02

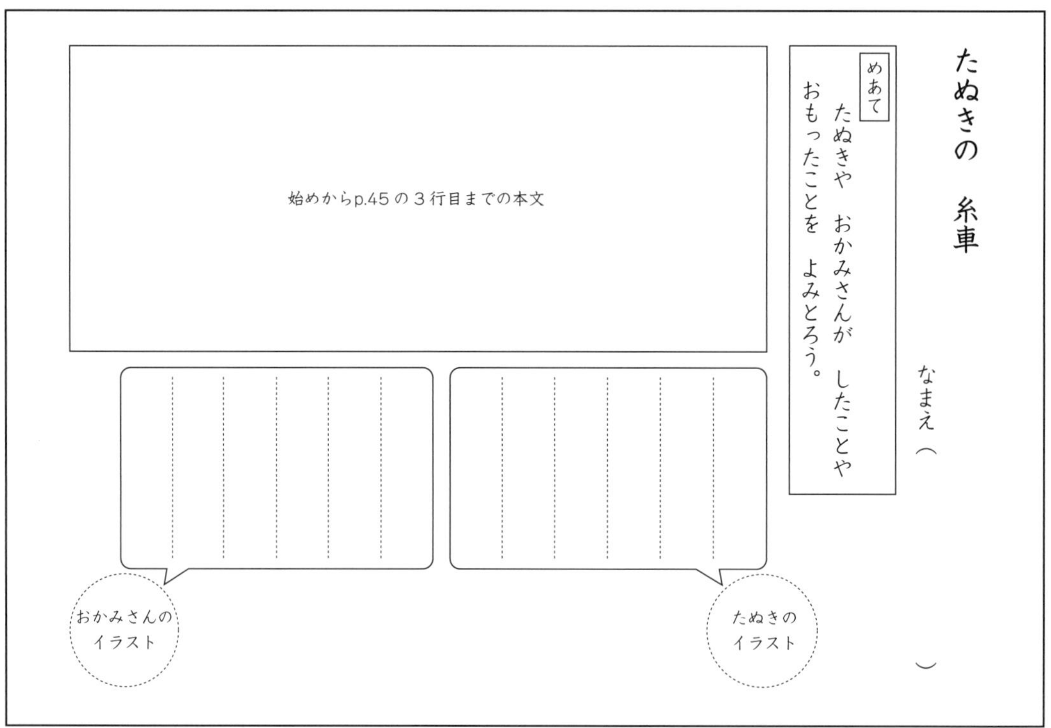

## 3 第３時資料　ワークシート③ 10-03

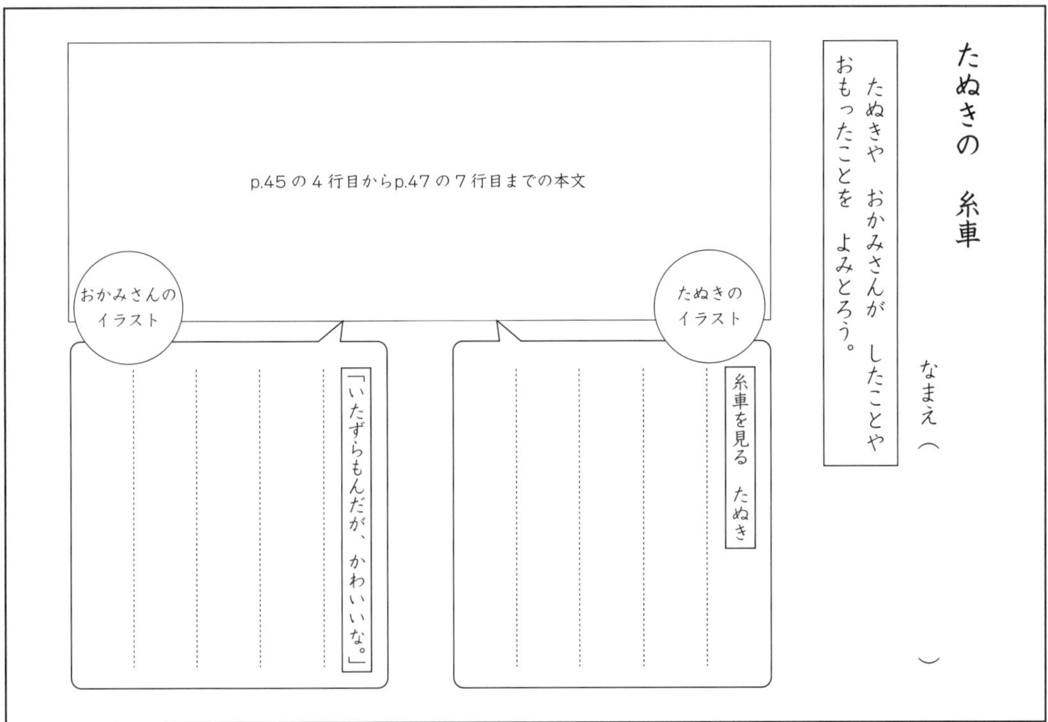


## 4 第４時資料　ワークシート④ 10-04

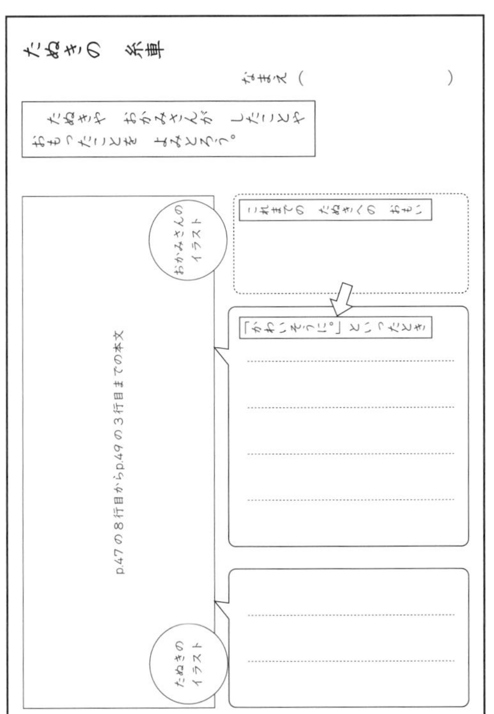


## 5 第５時資料　ワークシート⑤ 10-05

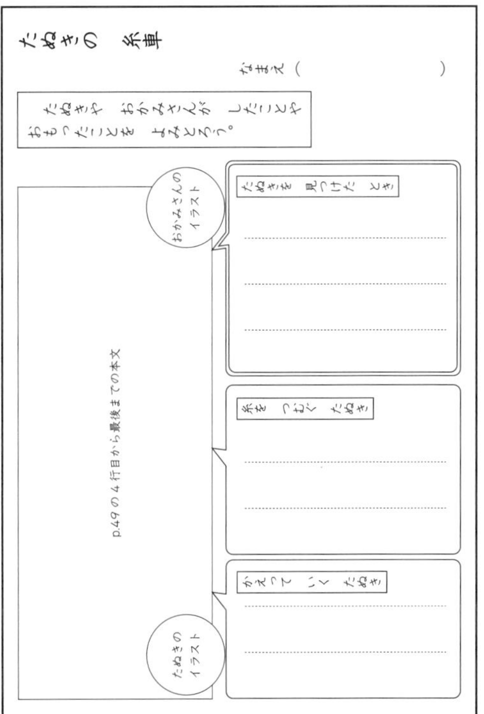

# 日づけと　よう日　（3時間扱い）

## 単元の目標

| | |
|---|---|
| **知識及び技能** | ・漢字を読み、漸次書き、文や文章の中で使うことができる。((1)エ)<br>・身近なことを表す語句の量を増し、語彙を豊かにすることができる。((1)オ) |
| **思考力、判断力、表現力等** | ・語と語との続き方に注意しながら、内容のまとまりが分かるように書き表し方を工夫することができる。(B(1)ウ) |
| **学びに向かう力、人間性等** | ・言葉がもつよさを感じるとともに、楽しんで読書をし、国語を大切にして、思いや考えを伝え合おうとする。 |

## 評価規準

| | |
|---|---|
| **知識・技能** | ❶漢字を読み、漸次書き、文や文章の中で使っている。(〔知識及び技能〕(1)エ)<br>❷身近なことを表す語句の量を増し、語彙を豊かにしている。(〔知識及び技能〕(1)オ) |
| **思考・判断・表現** | ❸「書くこと」において、語と語との続き方に注意しながら、内容のまとまりが分かるように書き表し方を工夫している。(〔思考力、判断力、表現力等〕B(1)ウ) |
| **主体的に学習に取り組む態度** | ❹積極的に日付や曜日を表す漢字に関心をもち、今までの学習を生かして、自分でも唱え歌を作ろうとしている。 |

## 単元の流れ

| 時 | 主な学習活動 | 評価 |
|---|---|---|
| 1 | 学習の見通しをもつ<br>教科書を見て、日付歌や曜日歌を唱え、学習課題を確認する。<br>日付歌や曜日歌に出てくる漢字の読み方を知る。<br>じぶんの日づけうた、よう日うたをつくろう | ❶❷ |
| 2 | 日付歌を唱える。<br>自分の日付歌を作る。 | ❸❹ |
| 3 | 曜日歌を唱える。<br>自分の曜日歌を作る。<br>学習を振り返る<br>作った歌を唱えて、日付の特別な読み方や、曜日に使われている漢字の他の読み方を確認し、学習を振り返る。 | ❸❹ |

## 授業づくりのポイント

**〈単元で育てたい資質・能力〉**

本単元のねらいは、日付歌や曜日歌を楽しくリズムよく唱えることを通して、日付や曜日の漢字の読み方を知るとともに、自分でも日付歌や曜日歌を作ることを通して、語彙を増やしていくことである。日付歌や曜日歌を繰り返し唱えることで、日付の特別な読み方や、曜日に使われている漢字の他の読み方も自然と楽しく身に付けていけるようにできるとよい。

[具体例]

○日付歌や曜日歌を音読する際、手拍子をしながらリズムを意識させるようにする。月ごとに、列ごとに、自分の誕生月のときに、その内容に合った身振りをしながら音読するなど、音読の仕方を様々に工夫し、繰り返し楽しく音読できるとよい。何度も聞いたり音読したりするうちに、自然と日付や曜日の読み方に親しみ、身に付けられるようになる。

**〈題材・教材の特徴〉**

本教材は、基本的に七音・五音の句の繰り返しの唱え歌である。声に出して音読することによって伝統的な七五調のリズムに親しむこともできる。日付歌には、各月ごとに、その季節に関連した語句が使われている。出てくる言葉に着目し、様子を具体的に想像させることで、語彙を増やすとともに季節の感覚も育てていく。曜日歌には、曜日以外の部分に、曜日とは違った読み方をする言葉が使われている。そこに気付かせ、漢字にはいくつもの読み方があることを確かめる。日付歌や曜日歌を作る際には、各月に関連する語句や曜日の漢字が使われている語句を出し合うようにする。関連する語句とたくさん出合うことが、語彙を豊かにすることにつながる。

[具体例]

○日付歌に出てくる季節をイメージさせる絵や写真を用意し、各月の季節をイメージしやすくする。また、自分で日付歌を考えさせる前に、各月から思い浮かぶ言葉をたくさん出させることで、季節に関する語彙が増えるとともに、季節に合った歌を作りやすくなる。

○曜日歌では、例えば月曜日では、「つき」が出てくる言葉にはどのようなものがあるかを考える。子供から出た「お月見」「三日月」「月明かり」などの言葉を板書することで、自分で言葉を思い付くことができない子供への手だてとなり、唱え歌づくりに取り組むことができる。

**〈ICT の効果的な活用〉**

**記録**：自分の作った日付歌、曜日歌を音読し、その様子を動画で記録しておくとよい。子供が気に入った唱え歌は、この単元後もクラスで音読し、学習を継続できるとよい。また、記録した動画は、教師の評価にも活用することができる。

本時案

# 日づけと　よう日 

## 本時の目標

・日付や曜日の読み方を理解し、季節に関する言葉や曜日の言葉を読むことができる。

## 本時の主な評価

❶漢字を読み、漸次書き、文や文章の中で使っている。【知・技】
❷身近なことを表す語句の量を増し、語彙を豊かにしている。【知・技】

## 資料等の準備

・教科書 p.56〜57の「日づけと　よう日」の歌の本文
・季節を表す絵や写真
・日付が見やすく、季節感のある絵やイラスト入りのカレンダー

教科書の歌を提示する

教科書p.56〜57

水よう日　すいようび
木よう日　もくようび
金よう日　きんようび
土よう日　どようび

ふりかえり

・かん字にはいろいろなよみかたがあることがわかりました。
・じぶんでもつくってみたいです。

## 授業の流れ ▷▷▷

### 1 日付歌を音読し、日付の読み方を確かめる〈15分〉

T　日付歌を、声に出して読みましょう。
・声に出すと、リズムがあります。
・いろいろな漢字の読み方があるよ。
・知らない読み方がある。
・季節のことが分かるね。
○様々な読み方で何度も音読する。また、書いてある言葉について、絵や写真で示し、イメージをつかませる。
T　日付の読み方を確かめましょう。
○日付の読み方を確かめ、ノートに書く。特に、十日の「お」を「う」と間違えないように、赤で囲ませるなどして、きちんと押さえる。

### 2 曜日歌を音読し、曜日の読み方を確かめる〈15分〉

T　曜日歌を、声に出して読みましょう。
・この歌も声に出すと、リズムがあります。
・知らない読み方がある。
・同じ漢字でも読み方が違うよ。
T　曜日と同じ漢字の読み方を確かめましょう。
○全ての曜日で、その曜日と同じ漢字が使われているが、全て読み方が違うことに着目させる。漢字には複数の読み方があることを押さえる。
・「にち」曜日だけど、お「ひ」さまと読む。
・「げつ」曜日だけど、「つき」が出たと読む。

日づけと　よう日

日づけとよう日のうたを、こえに出してよもう。

1

教科書の歌を提示する

教科書p.56〜57の「日づけ歌」

一日　ついたち
二日　ふつか
三日　みっか
四日　よっか
五日　いつか
六日　むいか
七日　なのか
八日　ようか
九日　ここのか
十日　とおか
十一日　じゅういちにち
二十日　はつか

2

の「よう日歌」

日よう日　にちようび
月よう日　げつようび
火よう日　かようび

## 3 日付歌と曜日歌を続けて音読する〈15分〉

T　日付歌と曜日歌を繰り返し読みましょう。
・リズムよく読めるようになってきました。
・すらすら読めます。
・漢字にはいろいろな読み方があることが分かりました。
・自分でも作ってみたいです。
T　みんなだったら、どんな言葉を入れますか。
○リズムよく唱えながら、子供は自分だったらどんな言葉を入れるかと思考し始める。オリジナルの歌を作りたいという気持ちを高めることで、次時の活動へとつなげていく。課外で季節の言葉を集めておくとよい。

### よりよい授業へのステップアップ

**カレンダーの使用**

日付や曜日の読み方が定着してきたら、カレンダーの数字や曜日を見ながら読ませてみるとよい。漢字だけでなく、数字の日付を見ても、すぐに日付の読み方ができるようになるとよい。

また、カレンダーのイラストが、季節や行事を表すものであれば、それも季節を感じたり、季節に関する言葉を知ったりするきっかけとなる。語彙を増やしていく機会としたい。

本時案

# 日づけと　よう日

## 本時の目標

・季節に関する言葉を文の中で適切に使い、日付歌を作ることができる。

## 本時の主な評価

❸「書くこと」において、語と語との続き方に注意しながら、内容のまとまりが分かるように書き表し方を工夫している。【思・判・表】

❹積極的に日付や曜日を表す漢字に関心をもち、今までの学習を生かして、自分でも唱え歌を作ろうとしている。【態度】

## 資料等の準備

・教科書 p.56〜57の「日づけと　よう日」の歌の本文（日付の部分以外は空欄か紙を貼る）
・季節を表す絵や写真
・日付歌を書き込むワークシート
・言葉集めのヒントとなる絵本や図鑑

子供から出た季節の

○五月
・かぶと
○六月
・アジサイ

○十一月
・七五三
○十二月
・クリスマス

ふりかえり

・きせつのことばをつかって、じぶんのうたをつくることができました。
・ともだちのうたも、たのしく音どくできました。

## 授業の流れ ▷▷▷

### 1 各月に関係のある言葉を集める 〈15分〉

T　日付歌を音読しましょう。リズムよく読めるようになりましたか。
○日付歌を音読し、めあてを確認する。
T　今日は、自分の日付歌を作りましょう。月に関係のある言葉を集めましょう。
○課外で言葉を集めておくと活動がスムーズに進む。グループごとに月を分担して言葉集めをし、全体で共有する。自分の誕生月に関係のある言葉を集め、全体で共有する。季節の絵本等を提示しながら、そこに出てくる季節に関する言葉を拾い上げながら共有するなど、子供ができるだけたくさんの言葉に触れられるような工夫をする。

### 2 日付以外の部分を考えて、自分の日付歌を作る 〈15分〉

T　自分の日付歌を作りましょう。
・季節の言葉をうまく使いたいです。
・一月一日はみんなでおもちつき。
・一月一日はお年玉をもらいたい。
・四月四日は入学式。
・六月六日は雨ザーザー。
○自分の作りたい月を作る。他の月は教科書のままでもよい。自力で考えるのが難しい子供は、黒板で共有した季節の言葉の中から言葉を見付けたり、あらかじめ用意しておいた季節や行事に関する絵本などを自由に見たりして日付歌を考えさせる。友達と相談しながら作ることもよい。

日づけと　よう日

じぶんの日づけうたをつくろう。

**1** 教科書 p.56～57の日付歌を提示する

一月一日。
二月二日は。
三月三日は。
四月四日は。
五月五日は。
六月六日は。
七月七日は。
八月八日は。
九月九日。
十月十日は。
十一月十一日。
十二月二十日は。

一日　ついたち
二日　ふつか
三日　みっか
四日　よっか
五日　いつか
六日　むいか
七日　なのか
八日　ようか
九日　ここのか
十日　とおか
十一日　じゅういちにち
二十日　はつか

**1** 言葉を月ごとに整理する

○一月
・お年玉
○二月
・まめまき
○三月
・ひなまつり
○四月
・入学しき

○七月
・プール
○八月
・花火大かい
○九月
・お月見
○十月
・うんどうかい

## 3 歌を読み合い、自分の日付歌を推敲し、完成する〈15分〉

T　作った歌を声に出して、読んでみましょう。

○隣同士で歌を見せ合い、2人で読んだり、いくつかの歌を教師が取り上げ、画面に映しながら全員で読んだりする。

○友達の歌を参考に、自分の歌を推敲し、完成する。

T　完成した歌を音読して、記録しましょう。

○隣同士で、ICT 端末に音読の様子を記録させる。

**ICT 端末の活用ポイント**

自分の作った日付歌を音読し、その様子を動画で記録させる。子供が気に入った唱え歌は、この単元後もクラスで音読し、学習を継続できるとよい。

**よりよい授業へのステップアップ**

**評価の視点を示す**

教師が子供の作った歌を全体で取り上げた際、何がよかったかという評価の視点を全体に広げるようにする。例えば、リズムがよい、季節に合った言葉を適切に選んでいる、誰も取り上げていない言葉を使っている、発想がユニークであるなどが考えられる。そうすることで、自分の日付歌を見直す際、その視点を基に推敲することができる。

本時案

# 日づけと　よう日

### 本時の目標

・曜日の漢字が使われている言葉を文の中で適切に使い、曜日歌を作ることができる。

### 本時の主な評価

❸「書くこと」において、語と語との続き方に注意しながら、内容のまとまりが分かるように書き表し方を工夫している。【思・判・表】

❹積極的に日付や曜日を表す漢字に関心をもち、今までの学習を生かして、自分でも唱え歌を作ろうとしている。【態度】

### 資料等の準備

・教科書 p.56～57の「日づけとよう日」の歌の本文（日付の部分以外は空欄か紙を貼る）
・季節を表す絵や写真
・曜日歌を書き込むワークシート
・言葉集めのヒントとなる絵本や図鑑

○金
・おう金
○土
・ねん土

ふりかえり

・よう日のかん字のことばをつかって、じぶんのうたをつくることができました。
・ともだちのうたも、リズムよく音どくできました。

### 授業の流れ ▷▷▷

## 1 各曜日の漢字の入った言葉を集める 〈15分〉

T　曜日歌を音読しましょう。リズムよく読めるようになりましたか。
○曜日歌を音読し、めあてを確認する。
T　今日は、自分の曜日歌を作りましょう。曜日の漢字の入った言葉を集めましょう。
○課外で言葉を集めておくと活動がスムーズに進む。グループごとに曜日を分担して言葉集めをし、全体で共有する。自分の好きな曜日の言葉を集め、全体で共有する。お家の人にインタビューして言葉を集めてきて共有するなど、子供ができるだけたくさんの言葉に触れられるような工夫をする。

## 2 曜日以外の部分を考えて、自分の曜日歌を作る 〈15分〉

T　自分の曜日歌を作りましょう。
・曜日の漢字の入った言葉をうまく使いたいです。
・お月見大好き、月曜日。
・水泳するよ、水曜日。
・大きな木だよ、木曜日。
・黄金に輝く、金曜日。
○自分の作りたい曜日を作る。他の曜日は教科書のままでもよい。自力で考えるのが難しい子供は、黒板で共有した曜日の言葉の中から言葉を見付けたり、教科書などを自由に見たりして曜日歌を考えさせる。友達と相談しながら作ることもよい。

日づけと　よう日

じぶんのよう日うたをつくろう。

教科書 p.56〜57 の曜日歌を提示する

1

日よう日。
月よう日。
火よう日。
水よう日。
木よう日。
金よう日。
土よう日。

日よう日　にちようび
月よう日　げつようび
火よう日　かようび
水よう日　すいようび
木よう日　もくようび
金よう日　きんようび
土よう日　どようび

子供から出た曜日の漢字が使われている言葉を、曜日ごとに整理する

1

○月
・お月見
○火
・たき火
○水
・水えい
○木
・木のみ

## 3 歌を読み合い、自分の曜日歌を推敲し、完成する　〈15分〉

T　作った歌を声に出して、読んでみましょう。

○隣同士で歌を見せ合い、2人で読んだり、いくつかの歌を教師が取り上げ、画面に映しながら全員で読んだりする。

○友達の歌を参考に、自分の歌を推敲し、完成する。

T　完成した歌を音読して、記録しましょう。

○隣同士で、ICT 端末に音読の様子を記録させる。

**ICT 端末の活用ポイント**

自分の作った曜日歌を音読し、その様子を動画で記録させる。子供が気に入った唱え歌は、この単元後もクラスで音読し、学習を継続できるとよい。

**よりよい授業へのステップアップ**

**作った歌の活用**

自分が作った「日づけとよう日」の歌を音読する。友達の使った言葉や漢字を読むことで、さらに語彙を増やすことができる。

また、音読の宿題にすることで、日付や曜日の読み方や順番を覚えることにもつながる。クラスで気に入った歌は、この学習後も継続して音読できるとよい。

てがみを　かこう

# てがみで　しらせよう　6時間扱い

## 単元の目標

| | |
|---|---|
| 知識及び技能 | ・丁寧な言葉と普通の言葉との違いに気を付けて使うとともに、敬体で書かれた文章に慣れることができる。((1)キ) |
| 思考力、判断力、表現力等 | ・文章を読み返す習慣を付けるとともに、間違いを正したり、語と語や文と文との続き方を確かめたりすることができる。(B(1)エ)<br>・語と語や文と文との続き方に注意しながら、内容のまとまりが分かるように書き表し方を工夫することができる。(B(1)ウ) |
| 学びに向かう力、人間性等 | ・言葉がもつよさを感じるとともに、楽しんで読書をし、国語を大切にして、思いや考えを伝え合おうとする。 |

## 評価規準

| | |
|---|---|
| 知識・技能 | ❶丁寧な言葉と普通の言葉との違いに気を付けて使うとともに、敬体で書かれた文章に慣れている。(〔知識及び技能〕(1)キ) |
| 思考・判断・表現 | ❷「書くこと」において、文章を読み返す習慣を付けるとともに、間違いを正したり、語と語や文と文との続き方を確かめたりしている。(〔思考力、判断力、表現力等〕Bエ)<br>❸「書くこと」において、語と語や文と文との続き方に注意しながら、内容のまとまりが分かるように書き表し方を工夫している。(〔思考力、判断力、表現力等〕Bウ) |
| 主体的に学習に取り組む態度 | ❹書いた文章を積極的に見直しながら、これまでの学習を生かして、身近な人に手紙を書こうとしている。 |

## 単元の流れ

| 次 | 時 | 主な学習活動 | 評価 |
|---|---|---|---|
| 一 | 1 | 学習の見通しをもつ<br>これまでの手紙を書いたり、もらったりしたときの経験を出し合う。<br>学習課題を確認し、学習計画を立てる。 | |
| 二 | 2 | 教科書の手紙の例を参考にして、共通の相手（校長先生、栄養士など）に手紙を書き、読み返す方法や書くときに気を付けることを確かめる。 | ❶ |
| | 3<br>4 | 誰にどんなことを知らせたいか考え、手紙に必要なことを確かめて書く。<br>間違いの修正の仕方を確かめ、書いた文章を読み返し、間違いがあれば修正する。 | ❸❹ |
| 三 | 5<br>・<br>6 | 清書をする。<br>（課外）手紙を送る。<br>学習を振り返る<br>届いた返信を紹介し合い、学習を振り返る。 | ❷ |

## 授業づくりのポイント

〈単元で育てたい資質・能力〉

本単元は、相手に知らせたいことを考え、書いた文章を読み返したり間違いを正したりしながら、正しく丁寧に文章を書く力を育む。初めての手紙の学習となるため手紙を書くことのよさを実感できるようにしたい。

読む人のことを意識して手紙を書く中で、正しい文を書くための見直しの仕方や間違いの正し方を学ぶ。文章を書き終えたら音読や読み合いをして、間違いを正すことを習慣付けるようにしていく。

〈教材・題材の特徴〉

教科書には、手紙には種類があることや書き方の例が示されている。２種類の手紙の作例を音読して、どのような内容になっているのかを確認する。たかしおじさん宛てに書いた手紙の例の下に、手紙をもらって読んでいるたかしおじさんの挿絵がある。そのうれしそうな様子から、特定の相手に対して気持ちを伝えられることが分かる。

手紙では、自分が経験したことや出来事の中から、相手がもらってうれしくなるような内容を選んで書くことや、正しく丁寧な文章を書くことの大切さに気付かせたい。話し言葉とは異なり、書き言葉にするときには、「です・ます」の敬体で書くことも確かめる。

〈言語活動の工夫〉

学校での出来事の中から手紙に書くことを決め、経験や出来事を想起しやすいように、ペアで話をしたりワークシートに書いたりする。手紙の書き出し、文末表現など、形式的な部分を示し、内容を豊かに表現することを重視していく。手紙を書いて渡した後に返事が戻ってくると、よさを実感できる。書く相手を事前に決めて、返事を書いてもらえるように連絡をし、協力してもらう準備をしておく。

[具体例]

お世話になっている校内の先生や親戚、幼稚園や保育園の先生など、家庭の協力を得て毎日会う人ではない人に宛てて実際に手紙を出せるようにするとよい。具体的な相手がいることで、間違いなく書けているか読み返そうとしたり、丁寧な文字で書こうとしたりする姿が自然と現れる。また、返事をもらったり、読んだ反応を見たりすることができると、また手紙を書いてみたいという思いが高まる。

はがきや便箋の色やデザインを複数種類用意しておき、自分で選ぶことで清書の特別さを感じることもできる。

〈ICT の効果的な活用〉

**調査**：これまで楽しかった学校生活の思い出の写真を撮りため共有フォルダに入れておき、伝えたいことを選ぶ際に参考にできるようにする。

本時案

# てがみで しらせよう

## 本時の目標

・丁寧な言葉と普通の言葉との違いに気を付けて手紙を書くことに気付き、手紙の工夫を見付けることができる。

## 本時の主な評価

・丁寧な言葉と普通の言葉との違いに気を付けて手紙を書くことに気付き、手紙の工夫を見付けている。

## 資料等の準備

・今までにもらった手紙
・教科書 p.58～59の作例

てがみをもらうと……
うれしいな
たいせつにしたいとおもう

もらってうれしいてがみをかこう

4 けいかく

・かきかたをしる
・あいてとしらせたいことをきめる
・文をかく
・よみなおす
・出す
・ふりかえる

## 授業の流れ ▷▷▷

### 1 手紙について考える 〈10分〉

T　みんながもらったことのある手紙はどんなものですか。

・おじいちゃん、おばあちゃんからもらいました。
・２年生から学校探検の後にもらいました。

○２年生や６年生などとこれまでに交流してきた様子の写真を残しておき、共有できるようにしておく。

・仲良くなりたいなと思いました。
・優しい６年生だなと思って、学校生活が楽しみになったよ。

○６年生や２年生からもらった手紙を用意しておき、手紙をもらった喜びやよさを共有できるようにする。

### 2 教材文を読み、手紙の書き方を知る 〈15分〉

○p.58～59の手紙を音読する。

T　あきとさんが手紙で伝えたかったことは、どんなことでしょう。

・雪が降って雪だるまを作ったことです。
・おじさんと遊びたい気持ちです。

T　手紙を読んでどんなことを感じましたか。

・あきとさんは、たかしおじさんと遊びたいという気持ちが伝わってきます。
・前にたかしおじさんと遊んで楽しかった思い出があるのだなと思いました。

T　たかしおじさんは、この手紙をもらったらどんな気持ちになるでしょうか。

・遊びたいなと思ってくれると思います。
・元気かなと考えてくれると思います。

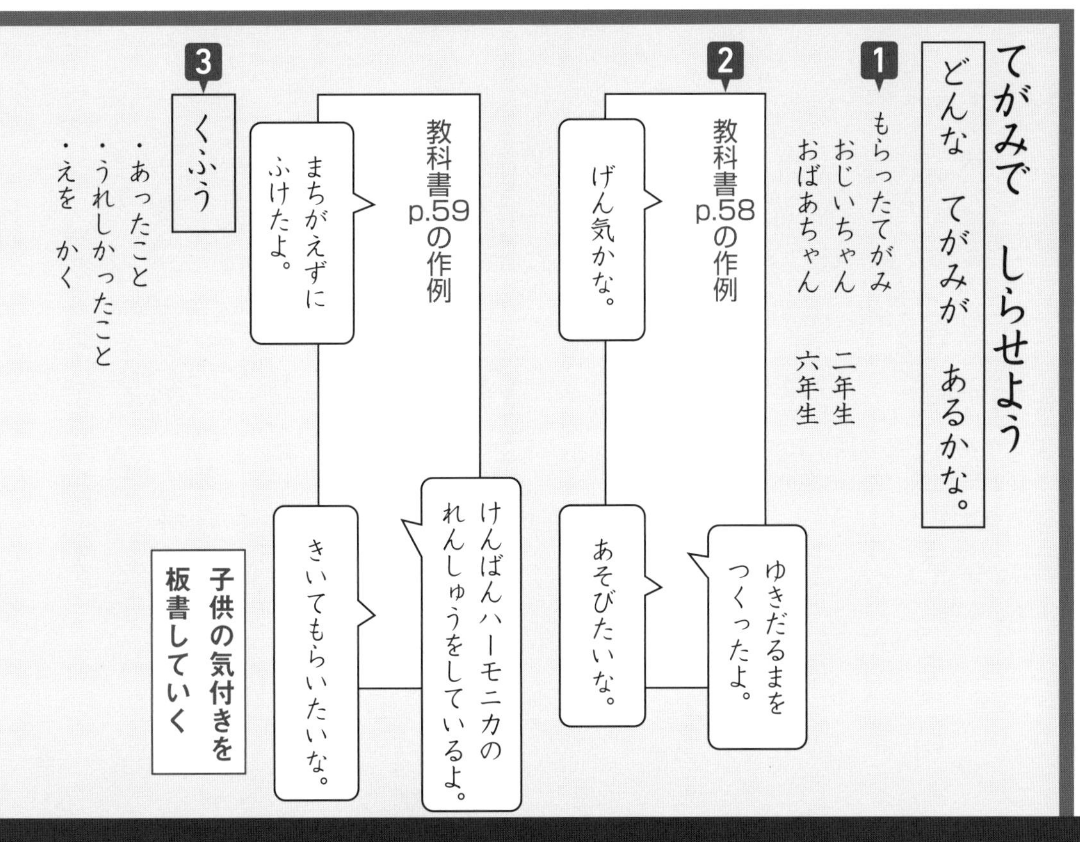


## 3 手紙の作例から書き方の工夫を見付ける 〈15分〉

○教科書の作例を示し、工夫しているところを見付けさせる。
・どんなことがあったのかが書いてあります。
・うれしかったことを書いています。
・絵があるといいなと思いました。
T　手紙を読んでどんなことを感じましたか。
・つぐみさんは、鍵盤ハーモニカの練習を頑張っているんだなと思いました。
T　この手紙をもらったらどんな気持ちになるでしょうか。
・元気でよかったなと思うと思います。
・つぐみさんのことを思い出して、会いたいと思ってくれると思います。

## 4 学習の見通しをもつ 〈5分〉

T　もらった人がうれしい気持ちになるような手紙が書けるとよいですね。
T　手紙を書くために必要なことは何か、学習計画を立てましょう。
・誰に書こうかな。
・どんな気持ちを伝えようかな。
・丁寧な文字で書くために下書きをする。
○子供と話し合いながら、学習計画を立てていく。
T　次回は、みんなが手紙を書いてみたい先生に手紙を書きましょう。

**ICT 端末の活用ポイント**

手紙の作例を投映し、気付いたところにサイドラインを引く。色分けをしたり、吹き出しを付け足したりするとよい。

本時案

# てがみで しらせよう

## 本時の目標

・手紙の下書きを読み返し、間違いを正したり、語と語や文と文との続き方を確かめたりすることができる。

## 本時の主な評価

❶手紙の下書きを読み返し、間違いを正したり、語と語や文と文との続き方を確かめたりしている。【知・技】

## 資料等の準備

・教科書の作例

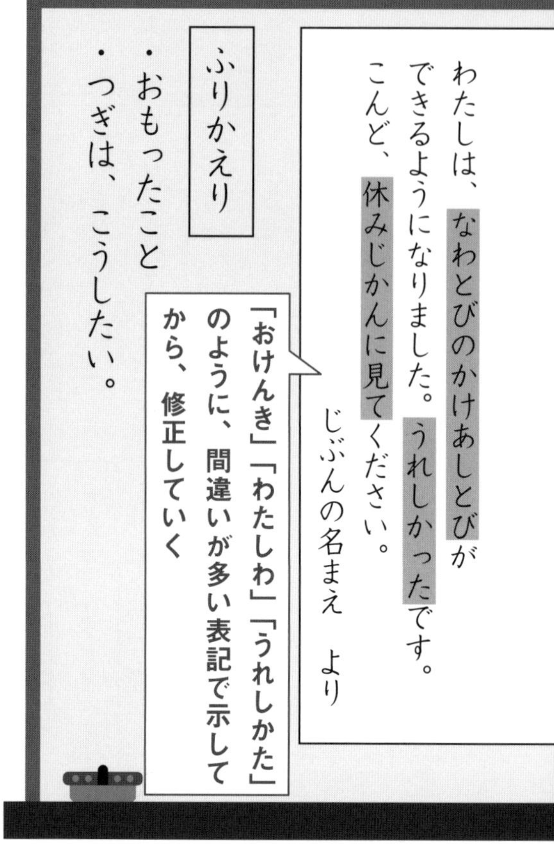


## 授業の流れ ▷▷▷

### 1 共通の相手への手紙を全体で考える 〈15分〉

T 今日は、手紙の書き方を考えていきますよ。みんなで手紙を考えてみますが、いつもお世話になっていて、手紙を書いてみたい先生はいますか。

・いつも、朝、「おはよう」と言ってくれるから、校長先生がいいです。

T 教科書の例に合わせて書くと、どうなりますか。どんなことを伝えたいですか。

・最初に挨拶を書きます。

・なわとびで駆け足跳びができたことです。

○学級の状況によって、普段から関わりがあって共通認識できる相手を想定する。

### 2 読み返す方法や書くときに気を付けることを確かめる 〈5分〉

T こんな手紙になりました。

○やりとりをしながら考えた文を入力する際、子供に多い間違いである、拗音、促音、撥音、句読点の抜けなどがある表記で示していくとよい。

・「へ」が「え」？ 変だよ。

・「。」がないよ。

T こんな間違いだらけの手紙が届いたら、どんな気持ちになるでしょう。

・もっとちゃんと書いてほしいから、合っているかなと読んだ方がいいと思います。

T 正しく直してみましょう。

**ICT 端末の活用ポイント**

子供と一緒に考えた手紙を文書作成ソフトで打ち込むと、修正がしやすい。板書するところと、次時に生かすための記録を考えるとよい。

てがみで　しらせよう

てがみの　かきかたを　かんがえよう。

校ちょう先生にてがみを　かこう。

①あいての名まえ
②あいさつの　ことば
③したこと、あったこと
④おもったこと
⑤じぶんの名まえ

※最初にp.59の作例を投映する。

※文書作成ソフトを使って、子供から出た言葉を使って手紙を書く。

校ちょう先生へ

さむくなってきましたが、おげんきですか。

一人一人が変えて書くところは、色や囲みで示しておくとよい

## 3 手紙を書き、学習を振り返る〈25分〉

T　校長先生への手紙を書いてみましょう。できるようになったことを、自分の言葉に直して書くといいですよ。

・漢字が書けるようになったことを書こう。

・友達と遊んだこともいいな。

○書き方を確かめながら視写をしていくが、もっと書いてみたいと思う子供は内容を変更してもよい。

○教室に手紙用の紙を用意したり、ポストを作ったりして、係活動や日常の活動につなげていくことも考えられる。

T　今日の学習の振り返りを書きましょう。

○振り返りをノートに書き、次時の学習につなげる。

### よりよい授業へのステップアップ

**手紙を送り合う楽しさ**

1年生では、3文程度の短い手紙にはなるが、書くための基礎が多く含まれている。手紙の内容を決める、下書き、推敲、清書の流れは、他の書く活動においても生かされる。手紙は型があるため、普段書くことが難しい子供でも、ある程度の文を書くことはできるだろう。ただ、それだけでは形ばかりの手紙になってしまう。伝えたいことを考えて相手意識をしっかりともたせ、返事が届いたときの喜びの経験を重ねる。その積み重ねでもっと書きたいと思う気持ちを育んでいきたい。

本時案

# てがみで しらせよう

## 本時の目標

・進んで、伝えたいことや思ったこと、手紙に必要なことを考え、書くことができる。

## 本時の主な評価

❸語と語や文と文との続き方に注意しながら、内容のまとまりが分かるように書き表し方を工夫している。【思・判・表】

❹進んで、伝えたいことや思ったこと、手紙に必要なことを考え、書いている。【態度】

## 資料等の準備

・ワークシート（便箋・はがき）⤓ 12-01〜02

・チェックシート ⤓ 12-03

3

てがみに　かくこと

①あいての名まえ
②あいさつの　ことば
③したこと、あったこと
④おもったこと
⑤じぶんの名まえ

## 授業の流れ ▷▷▷

### 1 誰に書くかを決める 〈10分〉

T 前回書いた、学習の振り返りを紹介してください。

・幼稚園のときのお友達に書きたいです。

・すてきな手紙を書きたいと思いました。

○前時の振り返りから、子供の記述を共有し、相手意識をもたせることを大切にする。

T 今日は、手紙を書くために、誰に何を伝えたいかを考えます。

T 誰に書くのかを決めて、ノートに書きましょう。

○誰に書くか決められない場合は、家族に渡すこともよいと伝える。

○相手によって知らせたいことも変わってくるのでそのことも伝える。

### 2 手紙で伝えたいことを考える 〈10分〉

T どんなことを伝えたいのかを、ノートに書きましょう。前回、みんなで書いた手紙を見て、考えてもいいですね。

○したこと、あったことを書き出し、その中から相手に伝えたいことを選ぶ。

○選んだことについて自分が思ったことを書き出す。

○友達と対話することで想起させてもよい。

**ICT 端末の活用ポイント**

共有フォルダに入れてある写真を提示し、どんなことがあったか、どんな気持ちだったかなどと声かけし、思い出す手だてとする。

てがみで　しらせよう

てがみの　したがきを　かこう。

1 だれ

おじいちゃん
おばあちゃん
ようちえんのときのともだち
ほいくえんのせんせい

2 つたえたいこと

なわとび
ともだちとあそんだ
あいたいな

＊思い出の写真を投映する
＊教科書の手紙の例を投映する

## 3 手紙の下書きを書く　〈25分〉

○前時に学習した手紙を書くために必要なことを想起し、確認する。

T　そのときのことや気持ちが伝わるように、手紙の下書きを書きましょう。

・保育園のときの先生になわとびが跳べるようになってうれしかったことを知らせたいな。喜んでくれるかな。

T　下書き用の紙は、２種類あります。伝えたいことに合わせて選びましょう。

・絵も描きたいから、はがきの紙にしようかな。

・いっぱい書きたいから、紙が２枚欲しいな。

○推敲のことを考え、たくさん書きたい子供がいても今回は２枚までにする。

### ICT 等活用アイデア

**思い出の写真を共有する**

学校生活の思い出の写真を撮りため、共有フォルダに入れておくとよい。フォルダを整理しておき、子供が情報を選びやすい方法を準備しておく。

各学校で用いている教育クラウドサービスや子供用共有フォルダなど、学級の実態に合わせて選びやすい方法で提示するようにする。

本時案

# てがみで しらせよう

## 本時の目標

・間違いを正し、手紙の書き表し方を工夫することができる。

## 本時の主な評価

・間違いを正し、手紙の書き表し方を工夫している。

## 資料等の準備

ワークシート（便箋・はがき）⤓ 12-01〜02
チェックシート ⤓ 12-03

③もういちど　よむ。
④あいてに　よんでもらう。
⑤まちがいや　もっとよくするための
ことばを　たしかめる。
⑥したがきを　なおす。

ふりかえろう

## 授業の流れ ▷▷▷

### 1 手紙の下書きの続きを書く 〈20分〉

T 前回書いた下書きの続きを書きましょう。
○教材文を提示し、下書きに書くことを確かめさせる。
○書くことが苦手な子供には、個別に教科書の作例からまねできる表現を示す。
・いっしょに……したいな、とおもいました。
・わたしは……のじかんに、○○をれんしゅうしています。
○下書きが終わっている子供には、手紙に添える絵を考えさせる。

### 2 自分の下書きを読み直してチェックする 〈10分〉

T チェックシートを使い、間違いがないか、足りないことはないかを確かめましょう。
・小さい「つ」がなかった。
・「は」が「わ」になっていた。
○子供の実態に合わせて、気付きにくい子には個別に声掛けをする。
T 間違いがあったら、直しましょう。
○消しゴムを使わず色を変えて修正していく。修正を書き込むことのできるような下書き用紙にしてもよい。

てがみで　しらせよう

1

したがきを　よんで、正しく
かけているか　たしかめよう。

2

※教科書p.59の作例を投映する
※チェックシートを投映する
※チェックシートを縮小して差し込む

3

よみかえそう

①じぶんで　よむ。
②まちがいを　なおす。

## 3 友達の下書きを読んでチェックする〈15分〉

T　書いた下書きを見せ合いましょう。直した方がよいところを見付けて伝えましょう。

・思ったことを書いた方がいいと思うよ。

・「。」がないよ。

○指摘されたことや自分で気付いた間違いは書き直すように促す。

T　直した下書きをもう一度声に出して読んでみましょう。

T　次の時間には、本番用の紙に手紙を書いていきましょう。

T　今日の時間に頑張ったこと、できるようになったことは何ですか。

・小さい「つ」が抜けていることに気付いたので、気を付けて書きたいと思いました。

### よりよい授業へのステップアップ

**推敲の仕方**

読み直すことの大切さに気付かせるようにし、日常の書く学習にもつなげていきたい。

間違いやすい表記は教室に掲示し、普段から意識できるようにするとともに、「終わりは、ま〜る♪」のように合言葉を学級で決め、リズムを付けて確かめる学級文化をつくってもおもしろい。

本時案

# てがみで しらせよう

## 本時の目標

・語と語や文と文との続き方に注意しながら、丁寧に正しく手紙を書くことができる。（第5時）
・手紙のよさを振り返り、自分の思いを表すことができる。（第6時）

## 本時の主な評価

❷語と語や文と文との続き方に注意しながら、丁寧に正しく手紙を書いている。（第5時）【思・判・表】
・手紙のよさを振り返り、自分の思いを表そうとしている。（第6時）

## 資料等の準備

・便箋、はがき〈第5時〉
・子供がもらった手紙〈第6時〉

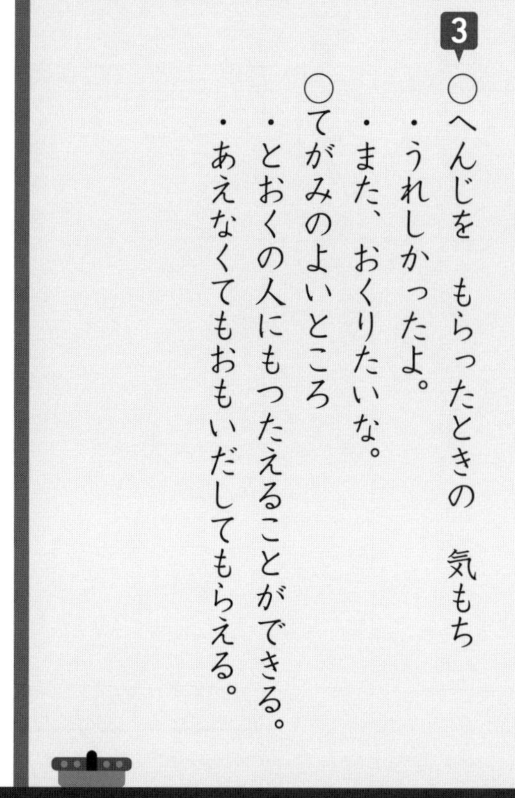


## 授業の流れ ▷▷▷

### 1 丁寧に正しく書くことを意識する〈第5時・45分〉

T　下書きを本番用に書くことを清書と言います。
T　清書をするときに大切なことは何だと思いますか。
・ゆっくり丁寧な字で書きます。
・間違いがないように気を付けよう。
○様々な大きさや色の便箋やはがきサイズの紙を用意し、書く意欲を高める。
○清書した手紙は内容の修正が難しいため、できるだけ消しゴムを使わないで書く。
○書いた手紙を実際に投函したり、渡したりする。

### 2 書いた手紙を読み合い交流する〈第6時・30分〉

T　手紙を送ったときどんな気持ちでしたか。
・喜んでくれるかなと楽しみでした。
T　もうお返事をもらった人はいますか。どんな手紙をもらいましたか。
○返事の手紙を持ってきていて、本人の了承が得られればもらった手紙をICT端末で撮影し、投映する。
T　お返事をもらって、どんな気持ちになりましたか。
・また、お手紙を書きたいと思いました。
・宝物にしたいと思いました。

**ICT端末の活用ポイント**

もらった手紙を共有するために、写真で撮って全体に見せることができる。個人情報には留意しながら共有し、思いを交流させたい。

てがみで　しらせよう

〈第5時〉

てがみを　せいしょしよう。

1 ゆっくり　ていねいな　字で　かく。

よみかえそう

〈第6時〉

てがみの　よさを　ふりかえろう。

2 ○てがみを　おくったときの　気もち

・よろこんでくれるかな。

・はやく　よんでほしいな。

※子供がもらった返事を投映する。

## 3 学習を振り返る 〈第6時・15分〉

T　手紙のお返事をもらって、どんな気持ちになりましたか。

・うれしかったです。

・また、お手紙を送りたいと思いました。

T　手紙を書くことのよさは、どんなことだと思いますか。

・遠くに住んでいる人に「楽しい」と伝えられます。

・会えなくても思い出してくれます。

T　手紙を送ると、普段会えない相手に、今の自分のことを知らせることができますね。

### よりよい授業へのステップアップ

**手紙のよさを実感するために**

学習の振り返りでは、手紙を渡すうれしさ、手紙をもらううれしさを実感させたい。そのためにも、言語化が難しい場合は、教師が言葉を添えて、あまり「どうして」と問いかけすぎず、心の動きを大切にさせたい。

2年生以上になったときも、手紙をもらってうれしかった経験から、1年生にお手紙をあげたいと思う子供もいるだろう。経験がつながっていくことを意識して単元をつくっていきたい。

資 料

## 1 第２～４時資料　ワークシート①　便箋Ａ４サイズ 12-01

## 2 第２～４時資料　ワークシート②　はがきサイズ　12-02

## 3 第２～４時資料　チェックシート　12-03

チェックシート

名まえ

| できたかな | じぶん | さん |
|---|---|---|
| ①あいての名まえ | | |
| ②あいさつの　ことば | | |
| ③したこと、あったこと | | |
| ④おもったこと | | |
| ⑤じぶんの名まえ | | |
| 文のおわりに「。」 | | |
| 「は」「を」「へ」 | | |
| ～です。～ました。 | | |
| 小さい「っ」「ゃ」「ゅ」「ょ」 | | |

# むかしばなしを　よもう　（8時間扱い）

## 単元の目標

| | |
|---|---|
| 知識及び技能 | ・読書に親しみ、いろいろな本があることを知ることができる。((3)エ) |
| 思考力、判断力、表現力等 | ・語と語や文と文との続き方に注意しながら、内容のまとまりが分かるように書き表し方を工夫することができる。(B(1)ウ)<br>・文章を読んで感じたことや分かったことを共有することができる。(C(1)カ) |
| 学びに向かう力、人間性等 | ・言葉がもつよさを感じるとともに、楽しんで読書をし、国語を大切にして、思いや考えを伝え合おうとする。 |

## 評価規準

| | |
|---|---|
| 知識・技能 | ❶読書に親しみ、いろいろな本があることを知っている。(〔知識及び技能〕(3)エ) |
| 思考・判断・表現 | ❷「書くこと」において、語と語や文と文との続き方に注意しながら、内容のまとまりが分かるように書き表し方を工夫している。(〔思考力・判断力・表現力〕B(1)ウ)<br>❸「読むこと」において、文章を読んで感じたことや分かったことを共有している。(〔思考力、判断力、表現力等〕C(1)カ) |
| 主体的に学習に取り組む態度 | ❹これまでの学習を生かし、積極的に世界の昔話を読み、感想をカードに書いて伝えようとしている。 |

## 単元の流れ

| 次 | 時 | 主な学習活動 | 評価 |
|---|---|---|---|
| 一 | 1 | 昔話のブックトークや読み聞かせを聞いて、感想を伝え合い、世界の昔話に興味をもつ。「おはなしのいえづくり」について知る。<br>**学習の見通しをもつ**<br>読み聞かせで聞いた昔話について読書カードに書き、記録の仕方を知る。<br>「いろいろなむかしばなしをよんで、ともだちにしらせよう」という学習課題を確認する。<br>自分で選んだ本を手に取って読む。 | ❶ |
| 二 | 2 | 「おかゆの　おなべ」の範読を聞き、感想を伝え合う。<br>誰がどんなことをした話なのかを確認し、お話の大体をつかむ。 | ❸ |
| | 3 | 「おかゆの　おなべ」の登場人物を確認する。「おはなしのいえ」づくりの登場人物の紹介を書く。 | ❷ |
| | 4 | 「おかゆの　おなべ」の好きなところやおもしろかったところを伝え合う。「おはなしのいえ」づくりの好きなところやおもしろかったところの紹介を書く。 | ❷ |
| 三 | 5 | 自分の選んだ本を読んで、「おはなしのいえ」づくりをする。 | ❷❹ |
| | 6 | 選んだ本の題名（ドアカード）、登場人物の紹介（木カード）、好きなところと理由 | ❷❹ |

| | 7 | （窓カード）を書く。もっと書ける場合は、同じカードを２枚書く。 | ❷ |
|---|---|---|---|
| | 8 | 学習を振り返る<br>友達の書いた「お話の家」を読んで感想を書いたり、紹介された本を読んだりする。 | ❸ |

## 授業づくりのポイント

**〈単元で育てたい資質・能力〉**

本単元では、様々な外国の昔話を、読んだり紹介し合ったりしながら読書に親しむ姿勢を育てたい。日本と同様、外国でもたくさんの昔話が語り継がれてきた。本のジャンルの１つとして、外国の昔話に触れ、読書のおもしろさを感じることができるようにする。

**〈教材・題材の特徴〉**

たくさんの本が紹介されているので、第１時は図書室で行ったり学校司書の方に関わってもらったりしてもよい。３年生２学期の教材「はんで意見をまとめよう」には１年生へ読み聞かせの本を決めるという話し合いが載っている。他学年に昔話の読み聞かせを端末で録画してもらい、お話を聞きたいときに見せる等の関わりもよいだろう。昔話の本を手に取りやすいところにたくさん用意し、積極的に関わらせたい。

「おかゆの　おなべ」は、登場人物が身近な「女の子」であり親しみやすいお話である。不思議な道具が出てくること、リズムのよい言葉や繰り返し等昔話の要素がたくさん出てくる。他の昔話を読んだときにも「『おかゆの　おなべ』と同じで呪文みたいな言葉が出てくるね」とみんなで確認することができる。

**〈言語活動の工夫〉**

本単元では、それぞれが読んだ本の「お話の家」を作って紹介する。家に貼るカードを種類で分け、ドアに題、窓に好きなところ、木に人物について書かせる。感想を書くときに使うとよいフレーズを教え、自分の力で感想が書けるようにしていきたい。

［具体例］

○「好きなところと理由」「おもしろいところと理由」は、窓カードに書く。感想を書くときの定番なので、どの子にも自力で書けるようになっていってほしい。「すきなところは〜です。りゆうは〜だからです。」という文型を下書き用のカードの端に参考にできるように書いておく。現段階ではうまく書けなくても、繰り返し聞く中で書き方に慣れていくようにしたい。

○「登場人物の紹介」は、一番簡単な形なら「□□が出てきます。」でも紹介になる。「□□という女の子が出てきます。□□は〜です。しばらくしたら」と、もう少し詳しく書ける場合には、その人物の行動や、性格を表す言葉を入れるとよい。性格を表す言葉については教科書の巻末に載っている「言葉の宝箱」が活用できる。

**〈ICT の効果的な活用〉**

読書記録として、紙の用紙を用意する方法もあるが、端末のカメラ機能を使って自分の読んだ本の表紙を写真に撮っておくこともできる。おもしろかった度合いによって印を付けたり、一番おもしろかったページの写真もセットで撮っておいたりすると、５時間目に本を選ぶときの参考になる。

本時案

# むかしばなしを よもう

## 本時の目標

・昔話のブックトークや読み聞かせを聞いて、感想を伝え合い、世界の昔話に興味をもつことができる。

## 本時の主な評価

❶昔話のブックトークや読み聞かせを聞き、読書に親しみ、いろいろな本があることを知っている。【知・技】

## 資料等の準備

・紹介する昔話の本
・「お話の家」の見本 13-01
・子供が手に取ることのできる昔話の本

3 ふりかえり
～ができた。
～をがんばった。
「　」の本をよんで、～とおもった。
～したい。

## 授業の流れ ▷▷▷

### 1 絵を見て知っていることを話す ブックトークを聞く 〈15分〉

T　みなさん、このお話は知っていますか。（絵本の表紙を見せる）見たことがある人もいるみたいですね。今日からいろいろな昔話を読んでいきましょう。

○教科書で紹介されている絵本を見せ、教科書に載っている絵を見ながらどんなお話なのだろうと話し、興味をもたせる。

○学校と連携している図書館の司書さん等にブックトークを依頼しておき、本の紹介をしてもらうのもよい。

○第１時は図書室で行い昔話の置いてある棚を紹介する、もしくはすぐに手に取れるように、学級や学年の場所にある程度の冊数（１クラスの子供の人数より少し多め）の本を用意しておく。

### 2 「お話の家」の内容を知り、読み聞かせを聞く 〈15分〉

T　いろいろな昔話があるのですね。何か読んでみたいなと思った本はありますか。

・知らなかったので、ライオンとネズミが読みたいです。

・ブレーメンの音楽隊は知っているけど、また読みたいと思いました。

T　私は、この昔話を読みました。おもしろかったので、こんなものを作ってみました。（「お話の家」の見本を見せる）

○「お話の家」に書いてあることを一部読み、紹介する。

T　紹介したいなと思う本を見付けて、「お話の家」を作ってみました。どんな昔話か、読み聞かせをするので聞きましょう。

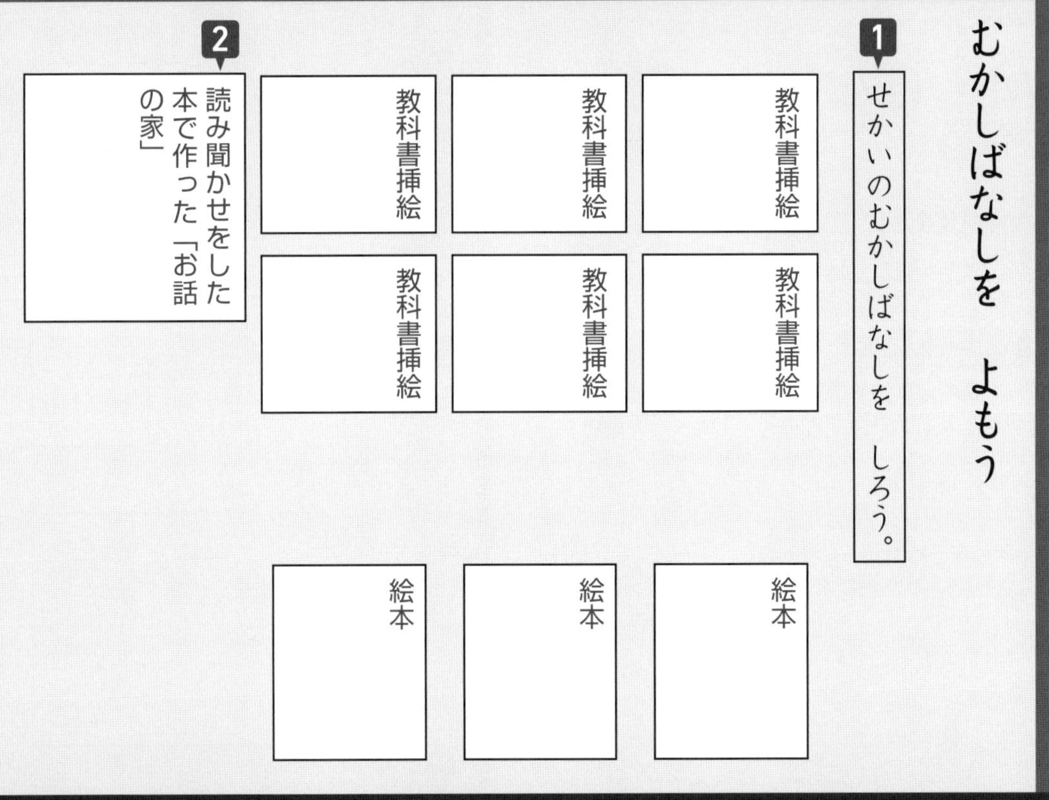


## 3 好きな昔話の本を読む　〈15分〉

T　お話はどうでしたか。
・おもしろかったです。
・私も、鏡の言葉はおもしろいと思います。
T　同じ感想ですね。お話を紹介したり、感想を伝え合ったりすると、外国の昔話に詳しくなれそうですね。いろんなお話と出会えそう。「お話の家」づくりしてみませんか。
○「お話の家」の見本を紹介する。お手本を見せてゴールのイメージをつかませる。
○それぞれが本を読む時間を取る。

**ICT 端末の活用ポイント**

カメラ機能を使って表紙を写真に撮る記録の仕方もある。どれがおもしろかったのかが分かるようにペン機能で写真に印を付けておけばよい。

**ICT 等活用アイデア**

**選書に困っている子への支援**

どの本を読もうか悩んでなかなか決められない子もいる。

こんな人物が出てきた、こんなおもしろい道具が出てきた、おもしろいお話だった等、撮りためた本の表紙の写真を見せながら何人かに紹介させるとよい。表紙の写真があると、探すときに見付けやすい。

自力で読むことがかなり難しい子がいる場合、別の場所で読み聞かせ動画を流しておくのもよい。それぞれが本を読む場は、静かに集中できるようにしたい。

本時案

# むかしばなしを よもう

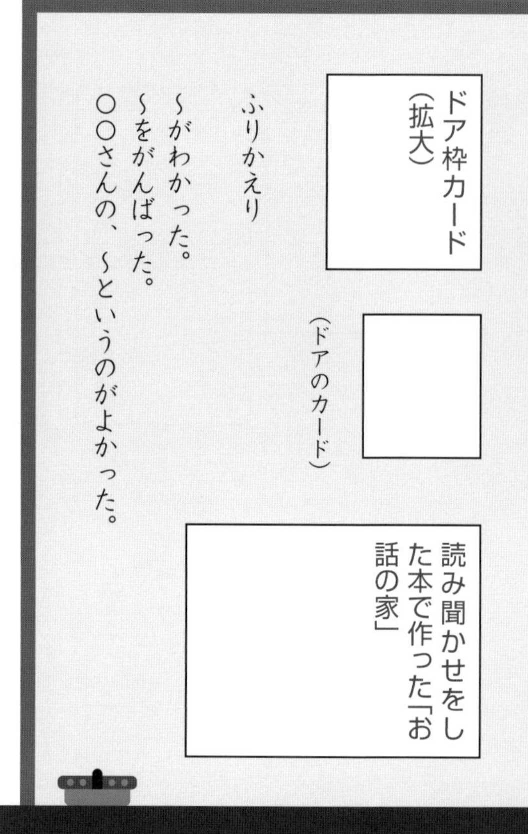


## 本時の目標

・「おかゆの　おなべ」を読み、感想を伝え合うことができる。

## 本時の主な評価

❸「おかゆのおなべ」を読んで、感じたことや分かったことを共有している。【思・判・表】

## 資料等の準備

・「おかゆのおなべ」の挿絵
・「お話の家」の見本 13-01
・「お話の家」の台紙、ドア枠カード 13-02
・子供が手に取ることのできる昔話の本
・読書カード

## 授業の流れ ▷▷▷

### 1 「おかゆの　おなべ」の範読を聞く 〈10分〉

T　外国の昔話「おかゆの　おなべ」を読みます。まず「おかゆの　おなべ」で「お話の家」を作ります。作り方が分かったら、自分の選んだ本で作りましょう。

○単元の見通しをもたせる。

T　おかゆって何か分かりますか。

・食べ物です。
・ご飯の料理です。病気のときに食べるよ。

T　そうですね。お米を使った料理で、世界のいろいろな場所で食べられています。雑炊やおじやとも似ています。少しずつ違うのだけど、どれもお米の料理です。「おかゆのおなべ」ってどんな鍋でしょう。

○「おかゆの　おなべ」の範読をする。

### 2 簡単な感想を書いて交流し、お話の大体を確かめる 〈25分〉

T　「おかゆのおなべ」ってどんな鍋でしたか。

・たくさんおかゆが出てきます。
・「なべさん、なべさん。とめとくれ」って言わないと止まらない鍋です。

T　そうですね。お話の中でも大変なことになっていました。お話を聞いて、びっくりしたこと、おもしろいと思ったこと、どうしてだろうと思ったこと等感想に書きましょう。

○ノートに感想や疑問を書かせる。時間を十分に取る。

○感想を聞きながら、出てきた人物や起こった出来事を簡単に確認する。

T　町がおかゆでいっぱいになるなんて、たくさんのおかゆが出てきたのですね。

# むかしばなしを　よもう

「おかゆのおなべ」の　かんそうをつたえあおう。

おかゆ　ごはんのりょうり
おかゆのおなべ　「なべさん、なべさん。とめとくれ。」
おかゆが出てくる

たべものがなかったらどうするの
↓森でたべものをさがす
おばあさんはなぜなべをもっていたの
おばあさんもやさしい

おなかいっぱいたべられる
ふしぎななべ
↓おばあさんもなべもふしぎ

じゅもんが大じだった
「なべさん、なべさん。とめとくれ。」
とまってよかった
↓すぐわかって、女の子はあたまがいい

町がおかゆでいっぱい
たべながらすすむのが大へんそう

| 教科書p. 64の挿絵 | 教科書p. 67の挿絵 | 教科書p. 69の挿絵 | 教科書p. 72の挿絵 |
|---|---|---|---|

## 3 題をドアのカードに記入する〈10分〉

T　今日から「おかゆの　おなべ」の「お話の家」を作ります。今日はドアのカードを書きます。ドアには何を書いたらよいでしょう。

○第1時に見せたお手本のドアの部分を読み上げて、考えさせる。実態に合わせて、ドア部分のお手本をいくつか用意して示してもよい（簡単な内容を書いたもの、童話の種類を書いたもの等）。

・題名を書きます。「おかゆのおなべ」と書きます。
・教科書に「グリム童話」と書いてあります。
・「おかゆが出てくるお鍋の話」がいいと思います。

T　ドアのカードを配るので「おかゆのおなべ」と書きましょう。

**よりよい授業へのステップアップ**

**振り返りシートの活用**

今回の単元では、ノートを使う時間もあれば、読み聞かせを聞いたり読書をしたりしてノートを使わない時間もある。

それぞれの子供の理解度や進行状況、興味の方向性を知るためにも毎回振り返りを書く時間はつくりたい。そのために、各時間の振り返りを書き込めるワークシートを活用するとよい。

個別の状況を把握できることで、どんな本に興味があるか知ることや、どんなアドバイスをするとよいか考えることができ、評価にも活用できる。

本時案

# むかしばなしを よもう

## 本時の目標

・「おかゆのおなべ」を読み、「お話の家」の木カードに、登場人物について内容のまとまりが分かるように書き表し方を工夫して書くことができる。

## 本時の主な評価

❷語と語や文と文との続き方に注意しながら、内容のまとまりが分かるように書き表し方を工夫している。【思・判・表】

## 資料等の準備

・「お話の家」の見本 ⤓ 13-01
・「お話の家」の木の枠カード ⤓ 13-03
・教科書巻末「言葉の宝箱」
・子供が手に取ることのできる昔話の本

3
このおはなしには、〇〇が出てきます。
〇〇は、〜です。

木の枠カード（拡大）

読み聞かせをした本で作った「お話の家」

ふりかえり
〜がわかった。
〜をがんばった。
〇〇さんの、〜というのがよかった。

## 授業の流れ ▷▷▷

### 1 お話のときや場所、登場人物について確かめる 〈10分〉

**T** 前の時間は、「おかゆのおなべ」のドアのカードを書きました。今日は「おかゆのおなべ」の木のカードを書きます。木のカードは登場人物についてです。まずは、お話を思い出すために音読をしましょう。

〇最初に音読の時間を取る。長めの話なので、好きなページを選びペアで交代しながら音読させるとよい。

**T** このお話は、いつのことですか。

・よく分からないです。

・ある日って書いてあります。

〇いつどこで誰が何をしたお話か、お話を読むときには簡単に確認したい。登場人物は女の子、お母さん、おばあさん（会話をしていないその他大勢である人々は省く）。

### 2 登場人物について考える 〈15分〉

**T** 今日は人物の紹介を書きます。誰の紹介が書きたいですか。どんなことをしたか考えていきましょう。

〇自分の選んだ人物について書いてあるところを探して線を引かせる。どんなことをしたか、どんなことを言ったか分かるところを探すようにさせ、クラスで確認する。

**T** 女の子はどんなことをしましたか。言ったことでもいいですよ。

・食べる物がなくて、探しに行きました。

**T** なぜ探しに行ったのかな。

・お母さんと一緒に食べたかったからです。

**T** お母さんのために自分が探しに行ったのですね。優しいね。

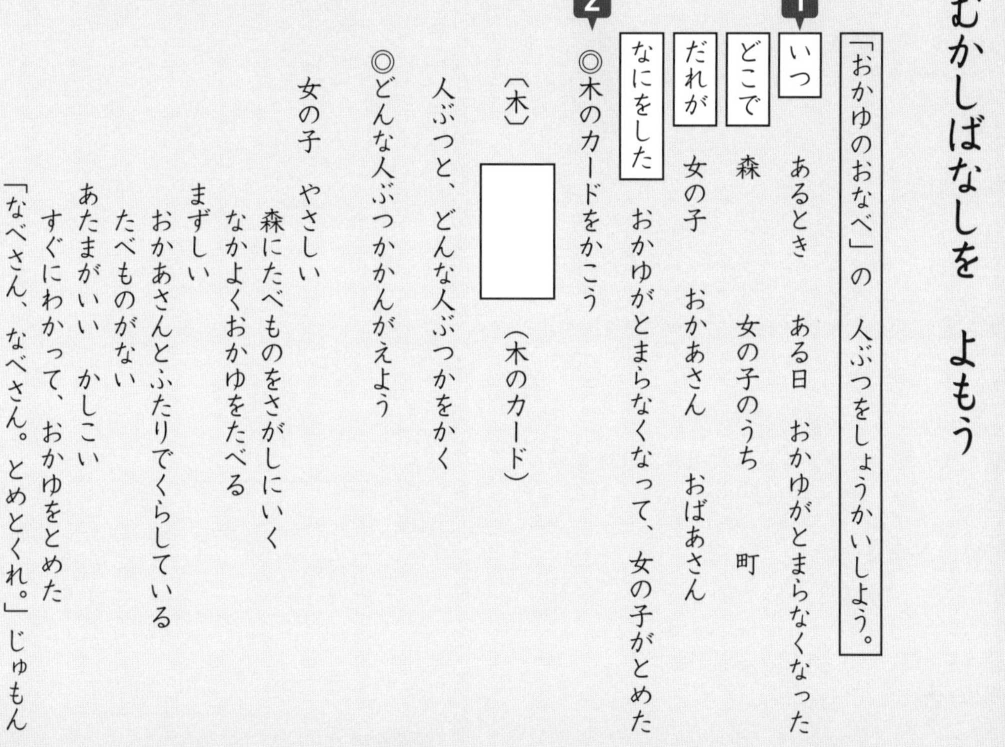


## 3 人物について木のカードに記入する　〈20分〉

T　自分の選んだ人物のことを木のカードに書きましょう。木のカードは、最初に「このおはなしには、○○が出てきます。」と書きます。

○確認しながら一緒に作業を進める。

T　その後に、その人物がしたことや言ったこと、自分が思ったことを足しましょう。

○クラスで確認した「どんな人物か」を使って書き方の例を示し、参考にして書かせる。

・こころのやさしい女の子です。
・女の子は、おかあさんとふたりでくらしています。
・おかゆのおなべに、じゅもんのことばをいう女の子です。

### よりよい授業へのステップアップ

**「お話の家」づくりや読書感想文につなげるために**

単元の後半には、それぞれが自分の選んだ本で「お話の家」づくりを行う。そのときに自分の力で書けるように、また、後に読書感想文等でも使えるように、書き方の型を教えたい。もちろん、書けるようになったら自由に書いてよいのだが、まずは書き方に沿って書けるようにすることが第一歩である。

人物の紹介では、「このお話には○○が出てきます。」「〜○○です。」「○○は、〜。」と最初か最後に人物を入れる。

本時案

# むかしばなしを よもう

## 本時の目標

・「おかゆの　おなべ」を読み、「お話の家」の窓カードに、好きなところやおもしろかったところについて内容のまとまりが分かるように書き表し方を工夫して書くことができる。

## 本時の主な評価

❷語と語や文と文との続き方に注意しながら、内容のまとまりが分かるように書き表し方を工夫している。【思・判・表】

## 資料等の準備

・「お話の家」の見本 13-01
・「お話の家」の窓枠カード 13-04
・子供が手に取ることのできる昔話の本
・読書カード

2 わたしは、〇〇が～するところがすきです。
りゆうは、～だからです。

3 窓枠カード
（拡大）

ふりかえり
～がわかった。
～をがんばった。
〇〇さんの、～というのがよかった。

読み聞かせをした本で作った「お話の家」

## 授業の流れ ▷▷▷

### 1 場面ごとに、何が起きたのか確かめる 〈10分〉

T　前の時間は、「おかゆの　おなべ」の木のカードを書きました。今日は「おかゆの　おなべ」の窓のカードを書きます。窓のカードには好きなところやおもしろかったところ、その理由を書きます。まずは、お話を思い出すために音読をしましょう。

○音読の時間を取る。

T　前回は人物について書きました。主人公の女の子は、どんな子でしたか。どんなことをしましたか。

○貧しいが優しい子であること、鍋をもらったこと、おかゆを出して食べていたこと、止まらなくなったおかゆを止めたこと、と女の子のことを確認しながら、簡単にお話の流れを確かめる。

### 2 好きなところや理由について書き、聞き合う 〈15分〉

T　「おかゆの　おなべ」のお話の中で、好きだと思うところを探しましょう。見付けた人はそこに、シールを貼りましょう。

○丸いシールを１枚ずつ配り、教科書の自分が選んだ場面に貼らせる。

○選んだ場面のページ数と、好きな理由を書く。

○書き終えた子同士で、どこが好きかや理由について話す時間を取る。

・「すきなところはどこですか」

T　「～するところがすきです。」

・「どうしてすきなのですか。」

T　「～だからです。」

○教室の後方等交流する場所を指定し席から立たせることで、まだ迷っている子を把握しアドバイスしやすくなる。

むかしばなしを　よもう

「おかゆのおなべ」の　すきなところをつたえよう。

まどのカードをかこう

1

〈まど〉
すきなところとりゆう

（まどのカード）

| 教科書p. 64の挿絵 | 教科書p. 65の挿絵 | 教科書p. 69の挿絵 | 教科書p. 72の挿絵 |
|---|---|---|---|
| 女の子が森へいく<br>女の子がなべをもらう | 二人でおかゆをたべる | おかあさんがおかゆをたべる<br>おかゆがとまらない | 女の子がおかゆをとめる<br>町へむかう人がおかゆをたべながらすすむ |

## 3 書き方を知り、好きなところと理由を窓のカードに記入する　〈20分〉

T　自分の選んだ場面を窓のカードに書きましょう。最初に「わたしのすきなところは、〜ところです。」と書きます。「〇〇が〜するところです。」と書きます。

〇確認しながら一緒に作業を進める。

T　その後に続けて、好きな理由も書いてみましょう。「りゆうは、〜です。」と書きます。

〇難しい場合、無理に全員書かせなくてもよい。

〇完成したら台紙に貼り、「お話の家」を作る。

**ICT 端末の活用ポイント**

上手に書けている子の窓カードを写真に撮っておく。振り返りを書くとき、自分でお話の家を作るときによい例として示すと参考になる。

**よりよい授業へのステップアップ**

**文例を写真に撮っておく**

子供のよい文例は、その場で紹介もできるし、似た活動をするときにまた見せて、参考にして書かせることもできる。

書いた本人もよい文例として紹介されたらうれしいし、他の子たちにとってはこんな書き方もあるのだなと知ることにつながり、書き方の幅が広がっていく。実際に書いたものを書画カメラを活用して見せるのももちろんよいが、違う時間にも参考にさせたいのなら、写真に撮っておくのもよいだろう。

本時案

# むかしばなしを よもう

## 本時の目標

・昔話を読み、語と語や文と文との続き方に注意しながら、内容のまとまりが分かるように書き表し方を工夫して、感想や人物の紹介を書くことができる。

## 本時の主な評価

❷語と語や文と文との続き方に注意しながら、内容のまとまりが分かるように書き表し方を工夫している。【思・判・表】
❹これまでの学習を生かし、積極的に世界の昔話を読み、感想をカードに書いて伝えようとしている。【態度】

## 資料等の準備

・「お話の家」の見本 13-01
・「お話の家」の台紙、各枠のカード 13-02〜04
・子供が手に取ることのできる昔話の本
・読書カード

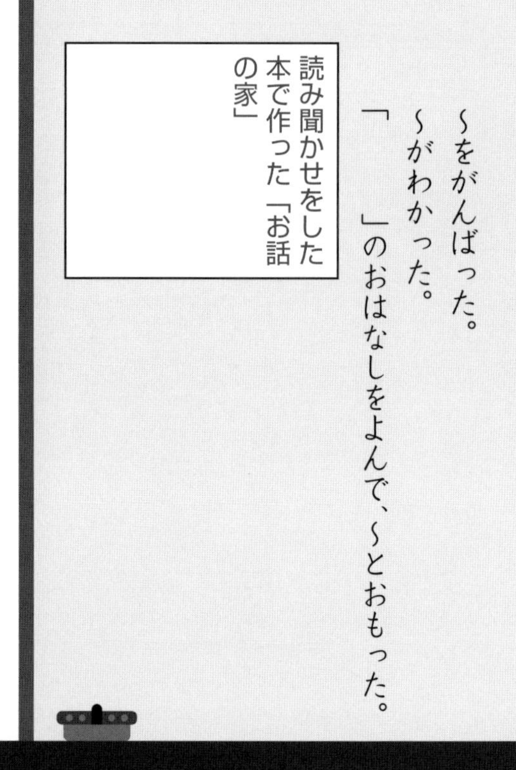


## 授業の流れ ▷▷▷

### 1 めあてを確かめる 〈5分〉

T　今日から、自分で選んだ本を使っての「お話の家」づくりを始めます。今日は、どの昔話で作りたいか決めるために、本を読みましょう。この本がいいなと決めている人は、他の本も読んでみたり、その本をよく読んで何を書きたいか考えたりしましょう。今日の終わりに全員、ドアのカードに題が書けるといいですね。
○何冊か本を紹介する。

**ICT端末の活用ポイント**

動物の出てくる本、不思議な道具の出てくる本等、グループにして本の表紙の写真を紹介するのもよい。読むときに参考にできるよう画面に映しておく。

### 2 どの本で書くのか決めるために昔話の本を読む 〈30分〉

○本を読む時間を十分に取る。静かに読むことができるようにする。
○読書カードに記録するとともに、タブレット端末のカメラ機能で本の表紙と一番好きなページを写真に撮らせておくと、この後の活動で使うことができる。著作権について話し、活動が終わったら好きなページの写真は消すように話す。

**ICT端末の活用ポイント**

本を決めるときや自分の選んだ本で「お話の家」づくりをするときに、表紙の写真があると、内容を思い出せたりすぐに見付けられたりする。

むかしばなしを　よもう

オリジナル（じぶんの）「おはなしのいえ」をつくる、本をきめよう。

〈ドア〉

本のだい　（かんたんなおはなしのしょうかい）

〈木〉

人ぶつのしょうかい

〈まど〉

すきなところとりゆう

2 ◎いろいろなむかしばなしを　よんでみよう

◎きまった人は、その本をよくよもう
（つぎのじかんに木やまどがかけるように）

◎ドアのカードをかこう

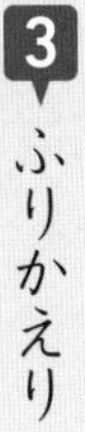

3 ふりかえり

## 3 ドアのカードを書く、自分のお話の活動を振り返る　〈10分〉

**T**　自分が何の本で「お話の家」を作りたいか決まりましたか。自分の書きたい本の題をドアのカードに書きましょう。

○ドアのカードを書かせて集める。後から確認することで、「お話の家」づくりの本が決まったのかを知ることができる。名簿にメモして全体を把握する。書くことの苦手な子が選んだ本の内容を知らない場合、読んでおくとアドバイスがしやすい。

○振り返りを書く。特に自分で進めるこの時間以降は、めあてが達成できたのか、次に何を頑張ったらよいのかを自分で自覚することが大切である。

**ICT 等活用アイデア**

**カメラ機能の活用**

記録しておいて自分で思い出したり、まわりの人に見せて紹介するために、カメラ機能を使うことができる。ローマ字を習っていない1年生でも有効に手軽に活用することのできる機能である。

何かを説明するときに1年生の言葉だけではうまく伝わらないこともあるが、写真が見たままを正確に記録してくれるので、どんな本なのか相手に伝わりやすくなる。

本時案

# むかしばなしを よもう

## 本時の目標

・昔話を読み、語と語や文と文との続き方に注意しながら、内容のまとまりが分かるように書き表し方を工夫して、感想や人物の紹介を書くことができる。

## 本時の主な評価

❷語と語や文と文との続き方に注意しながら、内容のまとまりが分かるように書き表し方を工夫している。【思・判・表】

❹これまでの学習を生かし、積極的に世界の昔話を読み、感想をカードに書いて伝えようとしている。【態度】

## 資料等の準備

・「お話の家」の見本  13-01
・「お話の家」の台紙、各枠のカード ⤓ 13-02～04
・子供が手に取ることのできる昔話の本
・読書カード

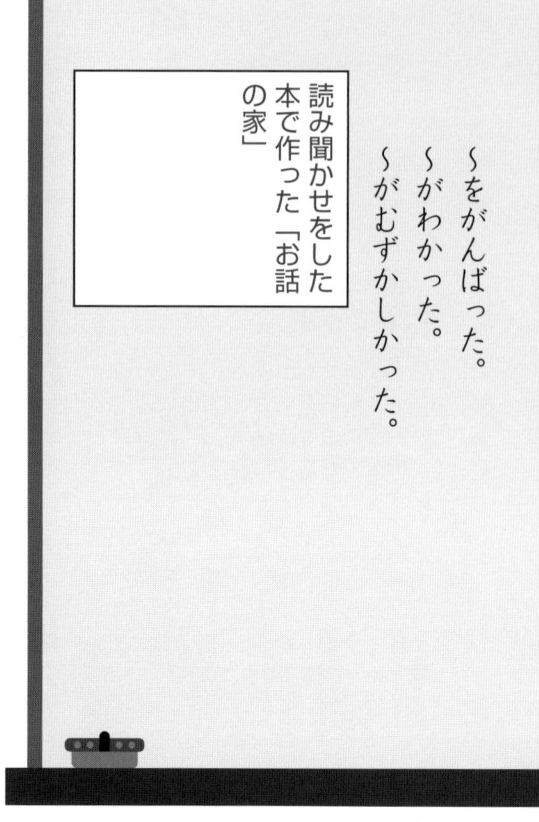


## 授業の流れ ▷▷▷

### 1 友達の作品の紹介を聞く、書き方を確認する 〈5分〉

T 今日と次の時間で、自分で選んだ本の「お話の家」づくりをします。完成したら、お互いの「お話の家」を読み合います。

○見通しがもてるように、今後の学習の流れを確認する。

○第1時に読み聞かせした本で書いた「お話の家」のお手本と、「おかゆの おなべ」でよく書けていた子たちの「お話の家」を紹介して読む。

T 木のカードには何を書きますか。

・人物の紹介です。

○木のカード、窓のカードに書くことの確認をする。書き方を忘れた場合はカードの端のヒントを見るように伝える。

### 2 自分が選んだ本を読み、「お話の家」づくりのカードを書く 〈30分〉

T 自分の選んだ本でカードを書きましょう。ドアのカードが書き終わっていない人はドアのカードから書きましょう。木のカードと窓のカードはどちらから書いても構いません。好きなカードから書きましょう。

○ドアのカードを仕上げる、木のカードや窓のカードを書く作業をする。基本的には見守りたいが、自力で文を書くことが難しい場合や、まだ本が決まっていない子には声をかけて一緒に作業を進めるとよい。

○ドア、木、窓のカードを書き終えた子が出始めたら、読み返してみることや木や窓のカードの2枚目を書くことを勧める。

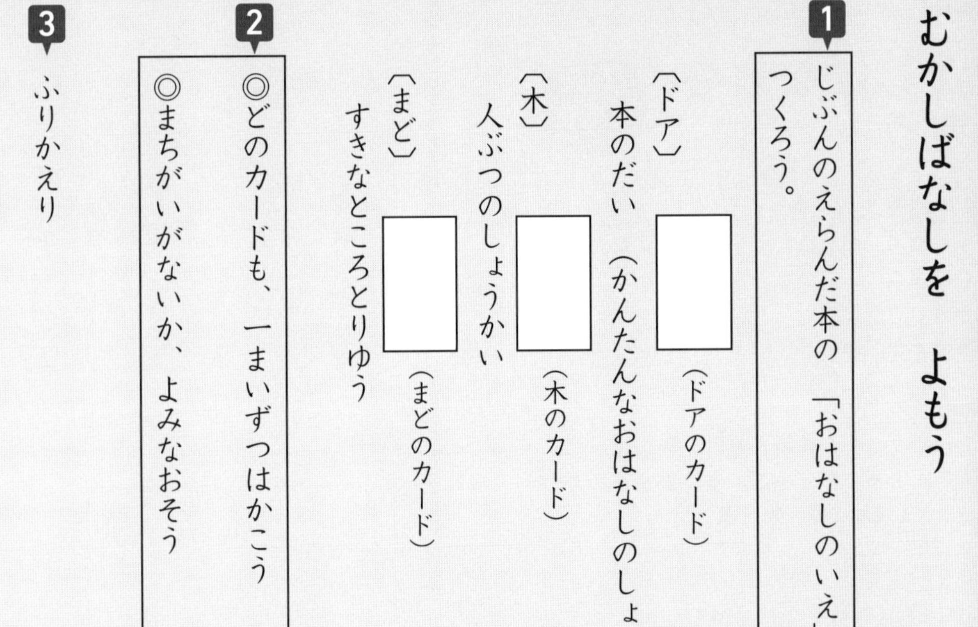


## 3 書いたカードを読み返して直す、振り返りを書く 〈10分〉

○書いたカードを読み返す時間を取る。

**T** 自分の書いたカードを読み返しましょう。書いたことが伝わるように書かれていますか。読み合いで友達が読みやすいように丁寧な字で書いてありますか。間違いを見付けた場合は、消して直しましょう。

○ペアでカードを読み合う時間を取る。

**T** どんなカードが書けましたか。内容が伝わりやすいかどうか、ペアで読み合って確認しましょう。読み終えたら相手に、よかったところや、分かりにくかったところを伝えましょう。

○振り返りを書く。めあてが達成できたか、次に何を頑張ったらよいのかを自分で自覚できるようにする。

### よりよい授業へのステップアップ

今回の「お話の家」づくりでは、ドアのカードに題、木のカードに人物の紹介、窓のカードに好きなところと理由を書くこととして学習を進めた。「この場合はこうするとよい」という約束事を作って教えると、2回目以降に自分の力で学習を進めることができるようになってくる。

多くの子が自力で進められれば、うまくできない子たちを支援する時間も取れる。種類ごとになっているので、ヒントとして文型を書いておくこともできる。

本時案

# むかしばなしを よもう

## 本時の目標

・昔話を読み、語と語や文と文との続き方に注意しながら、内容のまとまりが分かるように書き表し方を工夫して、感想や人物の紹介を書くことができる。

## 本時の主な評価

❷語と語や文と文との続き方に注意しながら、内容のまとまりが分かるように書き表し方を工夫している。【思・判・表】

## 資料等の準備

・「お話の家」の見本 13-01
・「お話の家」の台紙、各枠のカード 13-02～04
・子供が手に取ることのできる昔話の本
・読書カード

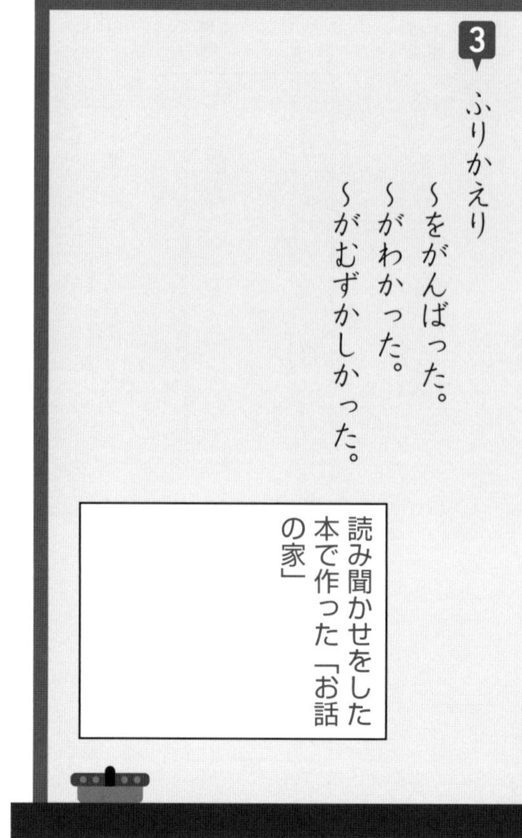


## 授業の流れ ▷▷▷

### 1 友達の作品の紹介を聞く、書き方を確認する 〈5分〉

T　今日も、自分で選んだ本の「お話の家」づくりをします。今度の時間にお互いの「お話の家」を読み合います。楽しみですね。カードの書き方を確認しておきましょう。

○見通しがもてるように、今後の学習の流れを確認する。

○第1時に読み聞かせした本で書いた「お話の家」のお手本と、「おかゆの　おなべ」でよく書けていた子たちの「お話の家」を紹介して読む。

○木のカード、窓のカードに書くことの確認をする。書き方を忘れた場合はカードの端のヒントを見るように伝える。

### 2 自分が選んだ本を読み、「お話の家」づくりのカードを書く 〈30分〉

T　自分の選んだ本でカードを書きましょう。木のカードと窓のカードはどちらから書いても構いません。どちらも書き終わったら、2枚目を書いてみましょう。

○お話を読んで、木のカードや窓のカードを書く作業をする。基本的には見守りたいが、自力では難しそうな場合、まだ1枚目の木や窓のカードが終わっていない子には声をかけて一緒に作業を進めるとよい。

○木や窓のカードを2枚ずつ書き終えた子が出てきたら、台紙にカードを貼って「お話の家」を完成させるように伝える。空いている部分に絵を加えさせてもよい。

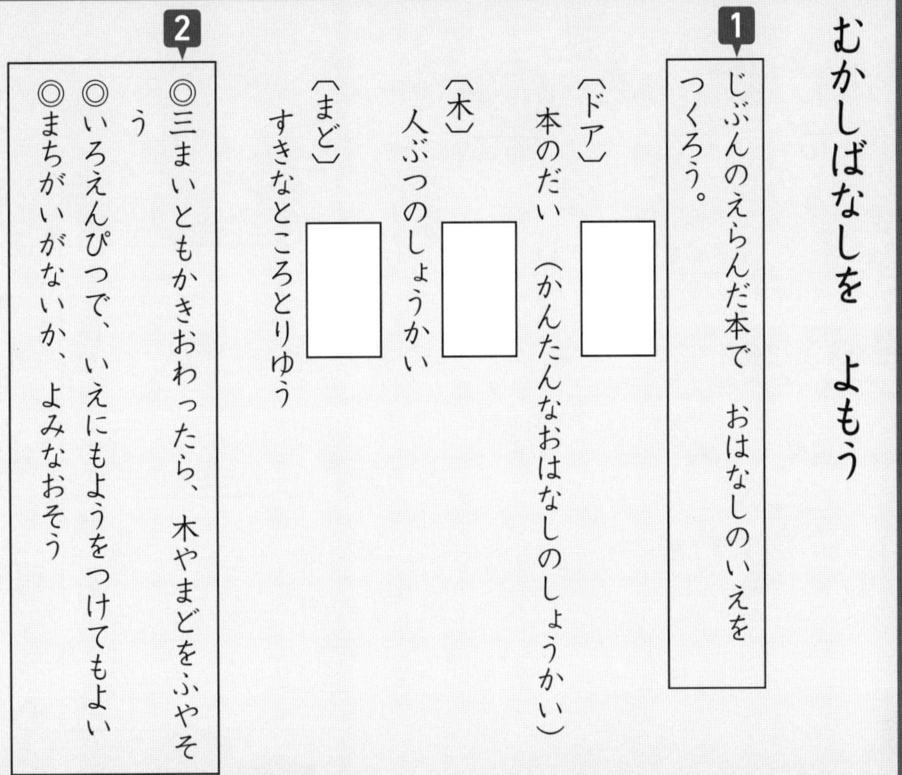


## 3 自分のお話の家を読み返して直す、振り返りを書く　〈10分〉

○早く完成した子は昔話を読んで待つようにする。

○書いたカードを読み返す時間を取る。

**T**　自分の書いたカードを読み返しましょう。書いたことが伝わるように書かれていますか。読み合いで友達が読みやすいように丁寧な字で書いてありますか。間違いを見付けた場合は、消して直しましょう。

○振り返りを書く。めあてが達成できたか、次の時間に自分の作った「お話の家」を読んでもらうための準備ができたか振り返らせる。次の時間にクラスの子の作った「お話の家」や、紹介している本を見ることへ意欲をもたせる。

### ICT 等活用アイデア

**読書の記録**

自分の読んだ本の記録として読書カードを書きためていくと、どれだけ読んだのか、どんな本を読んだのか、振り返ることができる。

読書カードに書くのではなくて、本の表紙を写真に撮って記録することもできる。読んだ本全てを記録しなくとも、学期ごとに今一番好きな本の表紙を撮っておく、おもしろい本があったら表紙を写真に撮っておく等、きまりを作り、フォルダを作ってためていくのもよい学びの記録になる。

本時案

# むかしばなしを よもう

**本時の目標**

・友達の書いた「お話の家」や紹介された本を読んで、感想を伝えることができる。

**本時の主な評価**

❸友達の書いた「お話の家」や紹介された本を読んで、感じたことや分かったことを共有している。【思・判・表】

**資料等の準備**

・子供の作った「お話の家」
・「お話の家」で紹介された本
・感想用の花カード 13-05

～をがんばった。
～がわかった。
むかしばなしをよんで、～。
〇〇さんの、～というおはなしをよんでみたい。

読み聞かせをした本で作った「お話の家」

庭 花のカード（感想）の説明用

**授業の流れ** ▷▷▷

## 1 読み合いの方法、感想カードの書き方を知る 〈5分〉

**T** 今日は、クラスの友達の作った「お話の家」を読みましょう。「お話の家」で紹介されている本も一緒に置いてあります。紹介されている本を読んでもいいです。

○今日の学習について確認する。

**T** 今日は、みんなの作った「お話の家」に庭を付けます。友達の作った「お話の家」を読んだり紹介されている本を読んだりしたら、感想の花のカードを書きましょう。庭に花がたくさん咲くといいですね。読んで、感想を書きましょう。

○感想カードの書き方を確認する。「お話の家」のお手本に感想カードを加えておき、書き方を例示する。また、相手が書かれてうれしいと思う感想を書くように伝える。

## 2 友達の作った「お話の家」や、紹介されている本を読む 〈35分〉

**T** 机の上に出しておくものは「お話の家」と本だけにします。自分で鉛筆を1本持ちます。それでは、いろいろな「お話の家」を読んでいきましょう。

○「お話の家」や本を読み合う時間を取る。机の上にそれぞれの作った「お話の家」と本を置いておき、読みたい人の席に座って読む。花のカードに感想と自分の名前を書いて置いておくようにする。

○花のカードは教室内の何か所かに置いておく。感想を書いてなくなったら、次のカードを取りに行くようにする。

○作品に向き合いそれぞれが静かに読むことができるように、様子を見て声をかける。

# むかしばなしを　よもう

**1** おはなしのいえや本をよんで　かんそうをつたえよう。

「おはなしのいえ」をよんで、かんそうを花カードにかく。

（花のカード）

〈つくえの上〉　じぶんの「おはなしのいえ」本

〈もってあるくもの〉　えんぴつ

1 よみたい「おはなしのいえ」のところにすわってよむ
2 かんそうを花のカードにかく
3 つぎの「おはなしのいえ」をよむ

◎しずかによもう。

◎よんでうれしい、かんそうをかこう。

**3** ふりかえり

## 3 感想カードを読む、振り返りを書く　〈5分〉

○自分のところに来た花のカードを読む。なくならないように、庭に貼る。

**T**　「お話の家」の感想をもらってどうでしたか。どんな感想がありましたか。

・カードがたくさんありました。

・読んでみたいとあってうれしかったです。

**T**　すてきな紹介が書けて、お薦めの本に興味をもってもらえたのですね。

○振り返りを書く。

**T**　「むかしばなしを　よもう」の学習をしてきてどうでしたか。いろいろな昔話を知ることができましたね。「お話の家」を作ることもできました。頑張ったこと気付いたこと、昔話について思ったことを書きましょう。

### よりよい授業へのステップアップ

**ワークシートで振り返る**

振り返りをワークシートに書きためていくことで、単元全体を通して見て、振り返ることができる。

特に自分の力で進めることを大切にしている時間（第5～7時）は、自分の進め方はどうなのか、子供が自分でも振り返って考えられるようにしたい。全体を通して考えることがまだ難しい場合も、単元を通して何をしているのか、今日はどこまで進んでいるのか自覚できるよう、振り返りで促していく。

資 料

## 1 資料 「お話の家」の見本 13-01

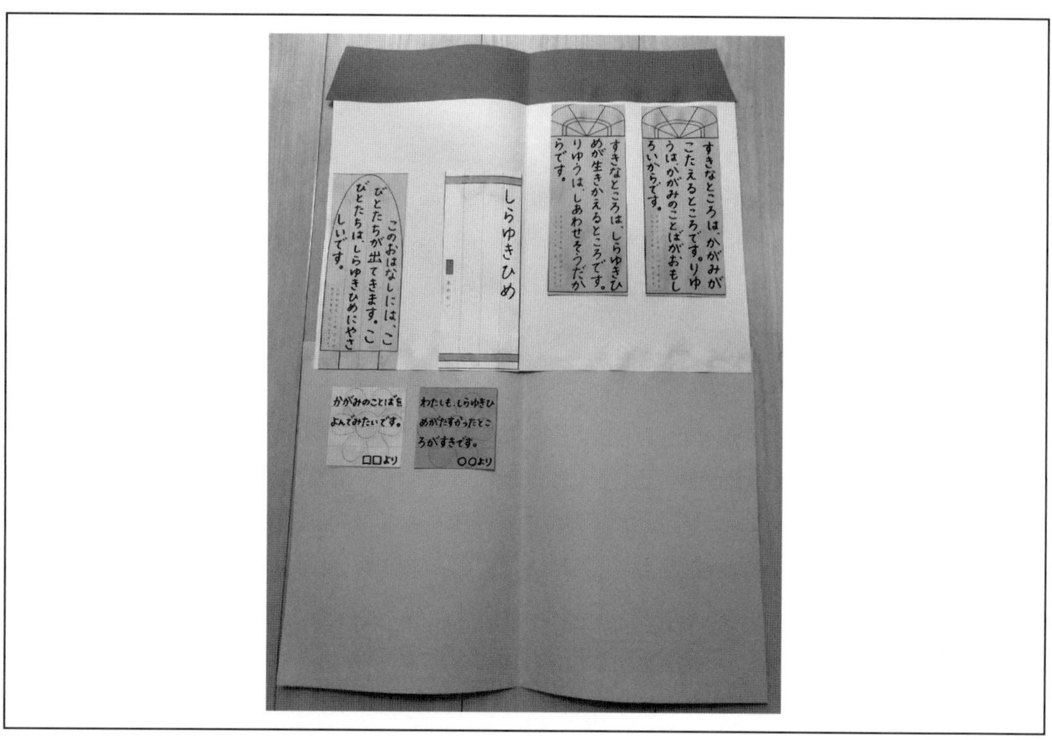


## 2 資料 ドア枠カード 13-02

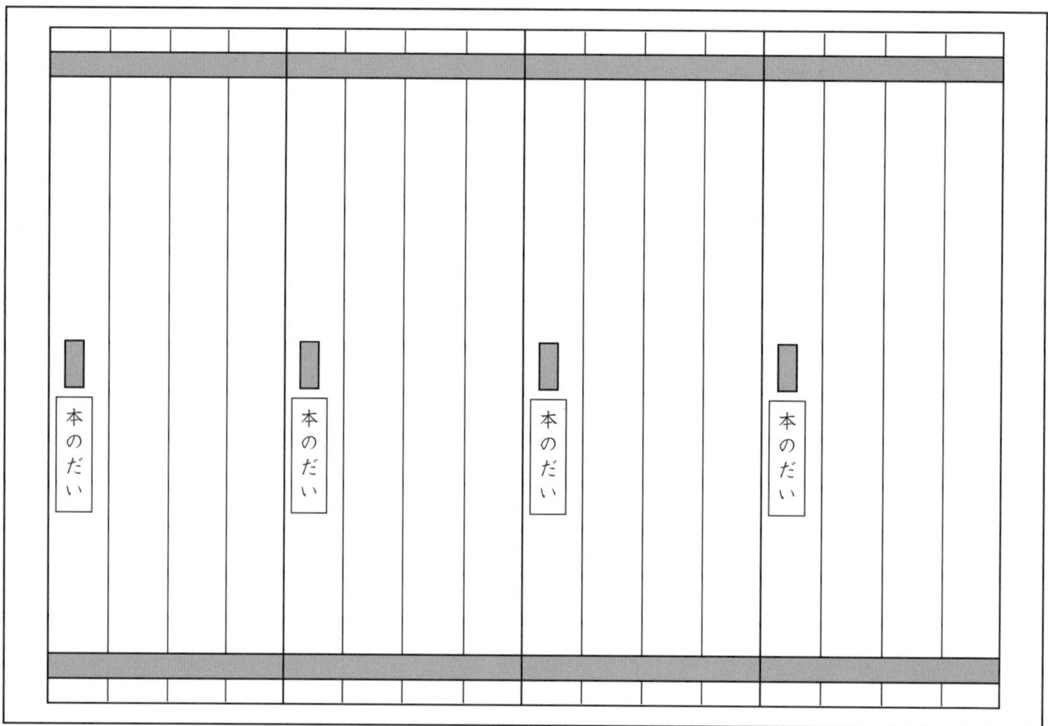

## 3 資料　木の枠カード 13-03

## 4 資料　窓枠カード 13-04

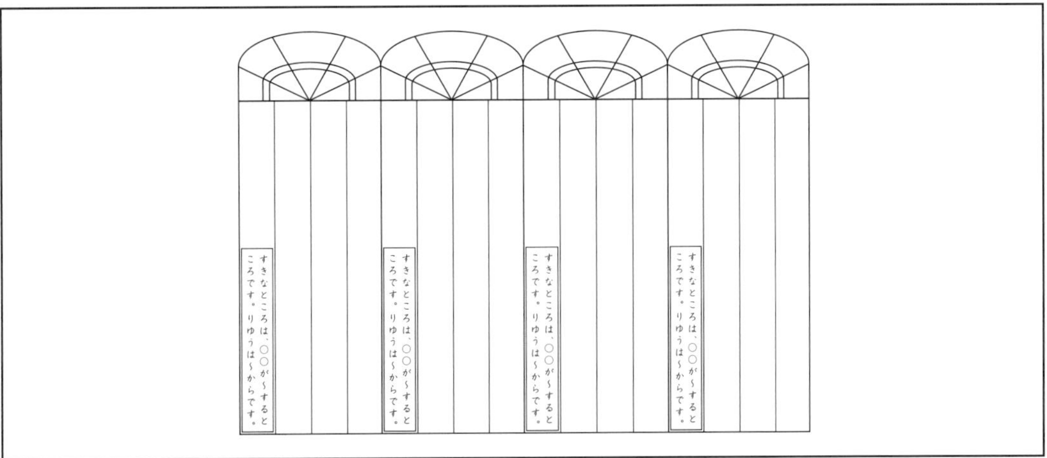


## 5 資料　花の枠カード 13-05

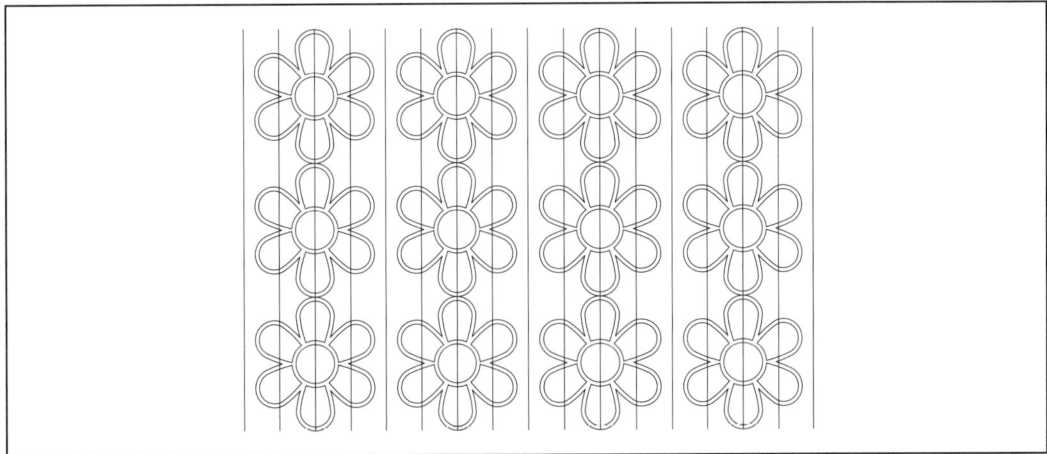

ことばの　たいそう

# なりきって　よもう　（2時間扱い）

## 単元の目標

| | |
|---|---|
| 知識及び技能 | ・語のまとまりや言葉の響きなどに気を付けて音読することができる。((1)ク) |
| 思考力、判断力、表現力等 | ・場面の様子や登場人物の行動など、内容の大体を捉えることができる。(C(1)イ) |
| 学びに向かう力、人間性等 | ・言葉がもつよさを感じるとともに、楽しんで読書をし、国語を大切にして、思いや考えを伝え合おうとする。 |

## 評価規準

| | |
|---|---|
| 知識・技能 | ❶語のまとまりや言葉の響きなどに気を付けて音読している。(〔知識及び技能〕(1)ク) |
| 思考・判断・表現 | ❷「読むこと」において、場面の様子や登場人物の行動など、内容の大体を捉えている。(〔思考力、判断力、表現力等〕C(1)イ) |
| 主体的に学習に取り組む態度 | ❸場面の様子や登場人物の行動など、詩の内容の大体を進んで捉えるとともに、今までの学習を生かして音読しようとしている。 |

## 単元の流れ

| 時 | 主な学習活動 | 評価 |
|---|---|---|
| 1 | 学習の見通しをもつ<br>「かたつむり」「にじ」について知っていることやイメージを発表する。<br>「かたつむりの　ゆめ」を音読し、詩の中の言葉に注目しながら、かたつむりの様子について話し合う。<br>「おいわい」を音読し、詩の中の言葉に注目しながら、にじの様子について話し合う。<br>話し合ったことを基に、作者の気持ちを想像して音読したり、動作化したりする。 | ❶❷ |
| 2 | 「かたつむりの　ゆめ」「おいわい」を音読する。<br>「のはらうた」に書かれている他の詩の中から、自分のお気に入りの詩を選び、音読する。<br>学習を振り返る<br>友達とお気に入りの詩を紹介し合ったり、詩を音読した感想を共有したりする。 | ❸ |

## 授業づくりのポイント

**〈単元で育てたい資質・能力〉**

本単元のねらいは、「かたつむりの　ゆめ」「おいわい」の2編の詩を音読し、登場人物の気持ちを想像したり、読んだ感想などを伝え合ったりすることで、詩の場面や登場人物の様子を捉えるとともに、詩という表現に親しむことである。また、「ことばのたいそう」の帯単元のまとめとして、登場人物の様子や思いを様々な言葉で説明したり、それぞれの解釈を基に音読を工夫したりすることも大切である。

そのためには、かたつむりやにじのイメージを子供の中にもたせることに加え、「どんなことを考えているかな」「なぜこのように考えたのかな」などと教師が子供に問いかけ、詩の中にある言葉から様々な情景を豊かに想像させていくことが大切である。

**〈教材・題材の特徴〉**

かたつむりが自分の夢について語り、虹が野原に虹を架ける思いについて語る詩である。かたつむりやにじが擬人化され言葉を話すことで、言葉の新たな楽しみ方に気付くことができる。また、普段何気なく見ている自然の営みの豊かさを再認識できる教材である。

「かたつむりの　ゆめ」は、いつもはゆっくり歩くかたつむりが速く走る夢について語る。実際にかたつむりを見たことがある子供にとっては、その夢が意外で、詩の内容と現実との違いを楽しむことができるであろう。「おいわい」は、虹が野原に虹を架ける理由を「おいわい」とし、「リボン」と表現していることに他者への温かさを感じることができる。

子供たちにとって身近にあるがそこまで意識しないものに心を向けさせ、その魅力に改めて気付かせてくれる作品である。また、言葉の新たな表現、新たな視点の可能性を認識させられ、言葉への感性を磨くことにも適した作品である。

**〈言語活動の工夫〉**

第2時では、「のはらうた」に所収されている他の詩の中から、自分の気に入った作品を選び、友達同士で音読し合ったり、全体の前で発表したりする活動を行う。友達が選んだ詩との共通点や相違点を楽しめるように、5編ほど教師が選んでおく。年間に3回設定されている「ことばの　たいそう」のまとめの学習なので、作品から感じたことや選んだ理由を話し、詩のよさについて改めて考える機会になるように工夫する。

[具体例]

○例えば、「はちみつの　ゆめ」という作品を紹介し、かたつむりの夢との違いを話し合う。

○「のはらうた」には、動植物や昆虫の多くの詩が所収されている。教師が作品を選ぶときにも、動植物や昆虫など、様々なテーマで選んでも、テーマを決めて選んでもよい。

○詩の学習は子供たち一人一人の感性を尊重した交流になるよう、「そういう感じ方もあるんだね」「その言葉に注目したんだね」などの声掛けを教師が率先して行う。

**〈ICT の効果的な活用〉**

**記録**：工夫した読み方を動画撮影し、友達と交流する。保護者会などで見せるのもよい。授業中の撮影が難しい場合には、家庭学習で音読している様子を録画し学習支援ソフトを活用して提出させる。共有機能を活用して互いの音読を聞き合うこともできる。

本時案

# なりきって よもう

## 本時の目標

・詩に書かれた語のまとまりや言葉の響きなどに気を付けて音読することができる。
・詩に描かれた世界の様子や登場人物の行動など、内容の大体を捉えることができる。

## 本時の主な評価

❶語のまとまりや言葉の響きなどに気を付けて音読している。【知・技】
❷「かたつむり」や「にじ」の様子や登場人物の行動など、内容の大体を想像しながら捉えている。【思・判・表】

## 資料等の準備

・詩の拡大コピー
・かたつむりやにじの写真やイラスト
14-01〜02

教科書p.75の
「おいわい」
詩と挿絵の拡大コピー

・雨が　上がって　うれしい。
・ともだちが　げんきに　なった。
・にこにこ　している。

## 授業の流れ ▷▷▷

### 1 「かたつむり」「にじ」のイメージを発表する 〈5分〉

○かたつむりや虹について、知っていることを発表させる。
T　今日は、かたつむりと虹の詩を読みます。かたつむりや虹について、知っていることや思うことはありますか。
・かたつむりは、ゆっくり進みます。
・かたつむりは、ぬるぬるしています。
・虹はとても大きいです。
・虹は雨の後に見えて、とてもきれいです。
T　皆が考えるかたつむりや虹を思い浮かべながら詩を読んでみましょう。
○はじめに教師が範読し、次に子供たちに読ませる。声の大きさや姿勢など、音読のよかった点を称賛する。

### 2 「かたつむりの　ゆめ」を音読し、話し合う 〈20分〉

T　もう一度「かたつむりの　ゆめ」を自分の速さで読んでみましょう。
○語のまとまりを意識させながら読ませるようにする。
T　かたつむりは、なぜこんな夢を見たのでしょうか。
・いつもゆっくりだけど、本当は速く進みたいと思っているからです。
・速く走ったら、敵から逃げられそう。
T　なるほど。それでは、その気持ちも想像しながら詩を読んでみましょう。
○現実との違いを意識させる。詩の言葉を基に、動作化や読み方の工夫につなげていく。

なりきって　よもう

ようすを　かんがえて　よもう。

1

ゆっくり
ぬるぬる
やわらかい

教科書p.74の
「かたつむりの　ゆめ」
詩と挿絵の拡大コピー

カラフル
大きい
きれい

2

・いつも　ゆっくり　だけど、はやく　はしりたい。
・うちゅう一はやく　うごきたい。
・わくわくする。

3

子供たちが想像した思いを書く。ここで実際とのギャップに気付かせたり、作品世界を味わったりする

## 3 「おいわい」を音読し、話し合う〈20分〉

T　次は「おいわい」を自分の速さで読んでみましょう。

○「にじ」という言葉は作者名にしか出てきていない。そこにも注目させ、想像させながら読ませる。

T　「おいわい」「うれしい　こと」って、どんなことでしょうか。

・雨が上がったことだと思います。

・誰かが元気になったのかも。

T　「リボン」って何のことですか。

・虹はリボンに見えます。

・とても大きなリボンですてきです。

T　今話したことを基に、もう一度読みましょう。

### ICT 等活用アイデア

**音読の様子の撮影**

「かたつむりの　ゆめ」「おいわい」について、作品の様子を話し合った後に音読をする際、端末で動画を撮影する。それらを全員で見合い、読み方の工夫について共有したり、共有したことをまねて再度音読活動に取り組んだりする。

実態や時間によっては、家庭学習で音読の様子を撮影し、学習支援ソフトを活用して提出させるとよい。保護者の協力も期待できる。

本時案

# なりきって よもう

## 本時の目標

・自分のお気に入りの詩について、場面の様子や登場人物の行動など、内容の大体を捉えるとともに、今までの学習を生かして音読することができる。

## 本時の主な評価

❸「かたつむりの　ゆめ」や「おいわい」、他の詩の中から自分が好きな作品を選び、場面の様子や登場人物の行動などを想像しながら、音読しようとしている。【態度】

## 資料等の準備

・詩の拡大コピー
・かやつむりや虹のイラスト
・他の詩の作品の拡大図や書籍

3 1
〈よみかたの　くふう〉
・こえの　大きさ
・かおの　ひょうじょう
・からだの　うごき
・よむ　はやさ

既習内容を振り返りながら、子供の言葉で読み方の工夫を板書する

## 授業の流れ ▷▷▷

### 1 「かたつむりの　ゆめ」「おいわい」を音読する　〈10分〉

T　前の時間、みなさんは「かたつむりの　ゆめ」「おいわい」をいろいろな工夫をしながら読むことができました。それを思い出しながら、もう一度読んでみましょう。

○読み方や動きなどを工夫したことを想起させる。

・かたつむりだから、ゆっくり読みました。
・「おいわい」は明るい感じで読みました。

○読み方の工夫として出たものを板書する。

T　今までどんな詩を読んできましたか。

・「あさの　おひさま」です。顔を洗う動きをしました。

T　今日は、自分が好きな詩を選んで、声に出して読んでみましょう。

### 2 好きな詩を選び、読んだり、想像したりする　〈15分〉

T　今日読む詩は、昨日読んだ詩でもいいですし、新しく選んだ詩でもいいです。

○選択肢が多いと、選ぶことに時間を割いてしまう。あくまで詩を声に出して読むことが大切なので、選ぶ詩は教師が５点ほどに決めておく。

・ぼくは、「おいわい」を体を動かしながら読みます。
・私は、「あさの　おひさま」を大きな声で読みます。おひさまは大きいからです。

**ICT 端末の活用ポイント**

自分で音読する姿を友達に動画撮影してもらい、それを見直して音読の工夫を考えられるようにする。

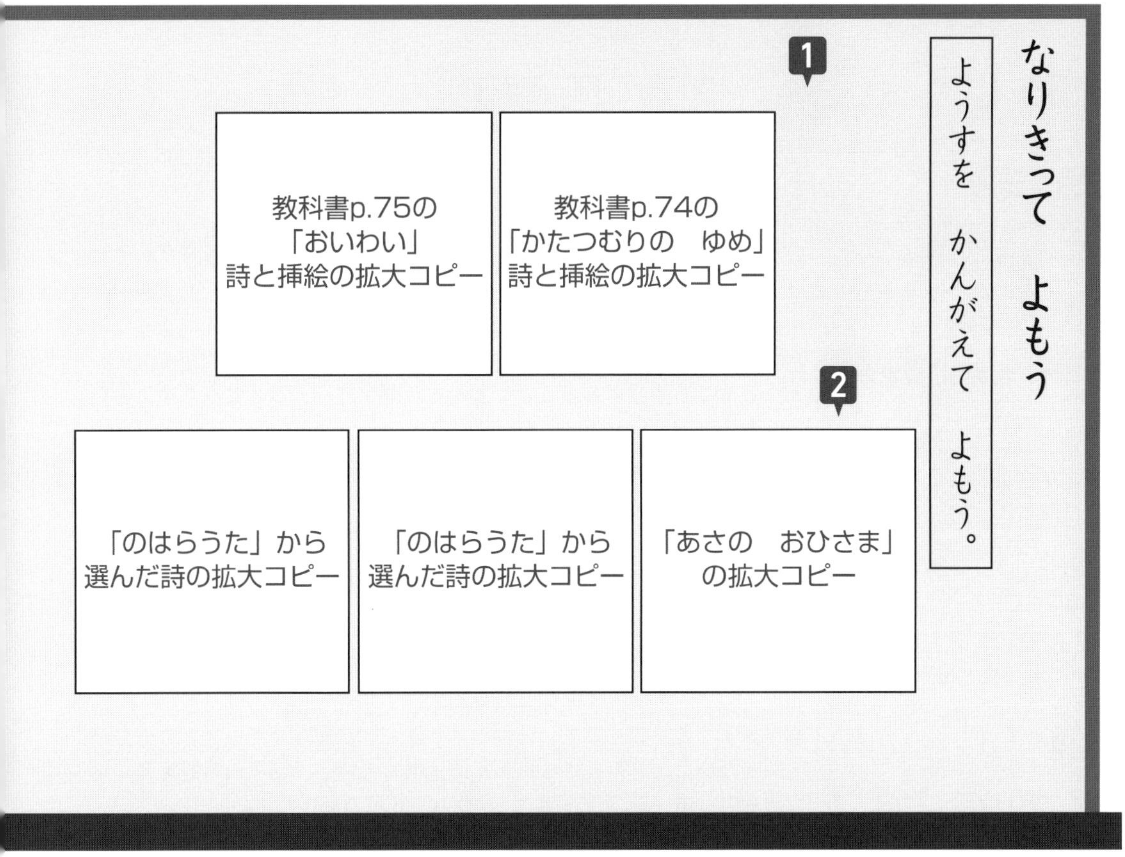

なりきって　よもう

ようすを　かんがえて　よもう。

1

教科書p.74の「かたつむりの　ゆめ」詩と挿絵の拡大コピー

教科書p.75の「おいわい」詩と挿絵の拡大コピー

2

「あさの　おひさま」の拡大コピー

「のはらうた」から選んだ詩の拡大コピー

「のはらうた」から選んだ詩の拡大コピー

## 3 好きな詩を発表する 〈20分〉

T　みなさん、詩の読み方がとても上手になってきました。それでは自分が好きな詩を班になって読み合いましょう。

○教師は班を回りながら、子供たちの工夫を見取っていく。その場で称賛もし、読み方の工夫について子供たちに具体的に理解させるようにする。

・○○さんは、「かたつむりの　ゆめ」をゆっくり読んでいて、おもしろかったです。

・私は、「おいわい」を空を見ながら、笑顔で読みました。

○読み方の工夫を全体で共有する。

### よりよい授業へのステップアップ

**読み方のまねっこ**

それぞれ好きな詩を選んだり、読んだりしたら、そこで終わりではなく、必ず共有の時間をつくる。

共有の時間には、代表の子の読み方をまず聞き、その後、その読み方の工夫や動きの工夫を学級全体でまねをしてみる。まねをすることで、詩の新たな魅力に気付くことができるだろう。

言葉を体全体で恥ずかしがらずに楽しめるのは、1年生の特権である。言葉に親しむ＝楽しいことという感覚をつかませる機会を多くつくる。

ことばの　たいそう

# くわしく　きこう　（2時間扱い）

## 単元の目標

| | |
|---|---|
| 知識及び技能 | ・身近なことを表す語句の量を増し、話の中で使い、語彙を豊かにすることができる。((1)オ) |
| 思考力、判断力、表現力等 | ・話し手が知らせたいことや自分が聞きたいことを落とさないように集中して聞き、話の内容を捉えて感想をもつことができる。(A(1)エ)<br>・身近なことや経験したことなどから話題を決め、伝え合うために必要な事柄を選ぶことができる。(A(1)ア) |
| 学びに向かう力、人間性等 | ・言葉がもつよさを感じるとともに、楽しんで読書をし、国語を大切にして、思いや考えを伝え合おうとする。 |

## 評価規準

| | |
|---|---|
| 知識・技能 | ❶身近なことを表す語句の量を増し、話の中で使い、語彙を豊かにしている。(〔知識及び技能〕(1)オ) |
| 思考・判断・表現 | ❷「話すこと・聞くこと」において、話し手が知らせたいことや自分が聞きたいことを落とさないように集中して聞き、話の内容を捉えて感想をもっている。(〔思考力、判断力、表現力等〕Aエ)<br>❸「話すこと・聞くこと」において、身近なことや経験したことなどから話題を決め、伝え合うために必要な事柄を選んでいる。(〔思考力、判断力、表現力等〕Aア) |
| 主体的に学習に取り組む態度 | ❹積極的に友達の話を聞き、学習の見通しをもって、質問や感想を述べようとしている。 |

## 単元の流れ

| 時 | 主な学習活動 | 評価 |
|---|---|---|
| 1 | 学習の見通しをもつ<br>教師の本の紹介を聞き、これからの学習に見通しをもつ。<br>どの本を友達に紹介するか決める。<br>知りたいことを考えながら聞き、質問や感想を伝える。 | ❶❷ |
| 2 | 本を紹介し合った活動を振り返る。<br>振り返ったことを生かして、好きな場所や生き物などについて紹介し、質問や感想を伝え合う。<br>学習を振り返る<br>これからも友達と好きなことなどを紹介し合って、友達のことをもっとよく知っていけるように学習を振り返る。 | ❸❹ |

## 授業づくりのポイント

**〈単元で育てたい資質・能力〉**

本単元のねらいは、話し手が知らせたいことや自分が聞きたいことを落とさないように集中して聞き、話の内容を捉えて感想をもつ力を育むことである。話し手だけでなく、他の友達も交えて質問や感想を述べ合うことから、話し手以外の質問や感想も注意深く聞くことが必要である。同じグループで椅子や体を向かい合わせにし、話を集中して聞く環境を整えたい。

この時期の子供たちは、段々と友達同士のやりとりが増え、4月当初よりも、複数人での会話が生活場面で増えていることであろう。本単元の学びが、日常生活の会話でも生かされるようにしたい。

[具体例]
〇話し手…1人ではなく、グループ全体を意識して話す。(声の大きさ、目線、体の向きなど)
〇聞き手…話し手も聞き手も気持ちよく活動できるようにする。
　△同じ質問をする。
　△1人だけが質問や感想を話す。

**〈教材・題材の特徴〉**

これまで、「よく　きいて、はなそう」では1対1のペアで、「みんなに　しらせよう」では1対全体という形態で、友達の話に対して質問や感想を述べる活動を繰り返し行ってきた。それらの学びを想起させながら、本単元では、1対2～3人という少人数グループで活動する。話し手1人の紹介だけでなく、同じグループの聞き手側の質問や感想も聞きながら、相手の発言を受けて自分の質問や感想を述べる大切さに気付かせたい。

話題は、お気に入りの本の紹介である。今回の活動を通して、さらに読書を楽しめるように工夫する。

[具体例]
〇4月から書きためている「読書の記録」等があれば、ぜひとも活用したい。冬休みや朝の時間等を活用して、自分のお気に入りの本を改めて読み返す時間を確保するとなおよい。
〇紹介し合った本を学級に置き、自由に読み合える環境をつくることで、友達の紹介を通して読書をするおもしろさや、紹介したことが他者の役に立つ喜びを経験させたい。

**〈言語活動の工夫〉**

どの子供も自信をもって、本の紹介ができるようにする。紹介することをみんなである程度決めたり(例：本の題名、出てくる人物、お気に入りの場面)、話したいところに付箋を貼っておいたりする方法が考えられる。紹介する練習時間を確保するのもよいだろう。

どの子供たちも学びが保障されるよう、学級の実態に応じてはグループ編成を意図的に行うことが望ましい。また、質問や感想を自由に述べ合うことが難しいと予想されるときには、順番を指定したり一度挙手してからというルールを設けたりする方法もある。

**〈ICT の効果的な活用〉**

**記録**：本を紹介する練習を動画で教師が撮影し、見返す。声の大きさや目線など、自分が話しているときには客観視しにくいポイントにも着目できるであろう。

本時案

# くわしく きこう

## 本時の目標

・活動の内容を知り、友達とグループになって、お気に入りの本を紹介し合うことができる。

## 本時の主な評価

❶感想について表す語句の量を増やし、発表や感想を話す際に用いている。【知・技】
❷自分の好きな本について、伝える感想や内容を選び紹介している。【思・判・表】

## 資料等の準備

・挿絵のコピー
（カラーコピーで拡大したもの）

3
ほかに、だれが出てきますか。
□□が出てきます。
○○は、どうして〜〜ですか。

教科書p.77の挿絵

しつもんのヒント
いつ
どこで
だれが
どうなった
どうして
どうおもった

## 授業の流れ ▷▷▷

### 1 学習への見通しをもつ 〈15分〉

T　先生の好きなお話は、「どろんこハリー」です。ハリーという犬が出てきます…。
○実物を見せながら、教師の好きな本を紹介し、感想や質問はないかと問いかける。
・他に、誰が出てきますか。
・一番好きなところはどこですか。
T　入学してからたくさんのお話を読みましたね。お気に入りの本を教えてください。
○何人かに発表させ、感想を表す言葉を板書する。
○読書の記録等を見返し、お気に入りの１冊を決め、理由を考える。
・冒険を始めるところが、わくわくするよ。
○お気に入りのページに付箋を貼らせ、話す内容を考えさせる。

### 2 紹介や質問の仕方を確かめる 〈10分〉

T　友達の好きな本について聞きましょう。どんなことに気を付けて聞くといいでしょうか。
・話している人の方を見て聞く。
・何を紹介しているかしっかり聞く。
・知りたいことを考えながら聞く。
○知りたいことを考えるときの手掛かりとして、いつ・どこで・だれが・どうなった・どうして・どう思ったなどのキーワードを併せて示す。
○話すときの声の大きさや目線等についても確認する。これまでの学習を想起させ、相手の人数や距離に合わせて変化させるとよいことに気付かせたい。

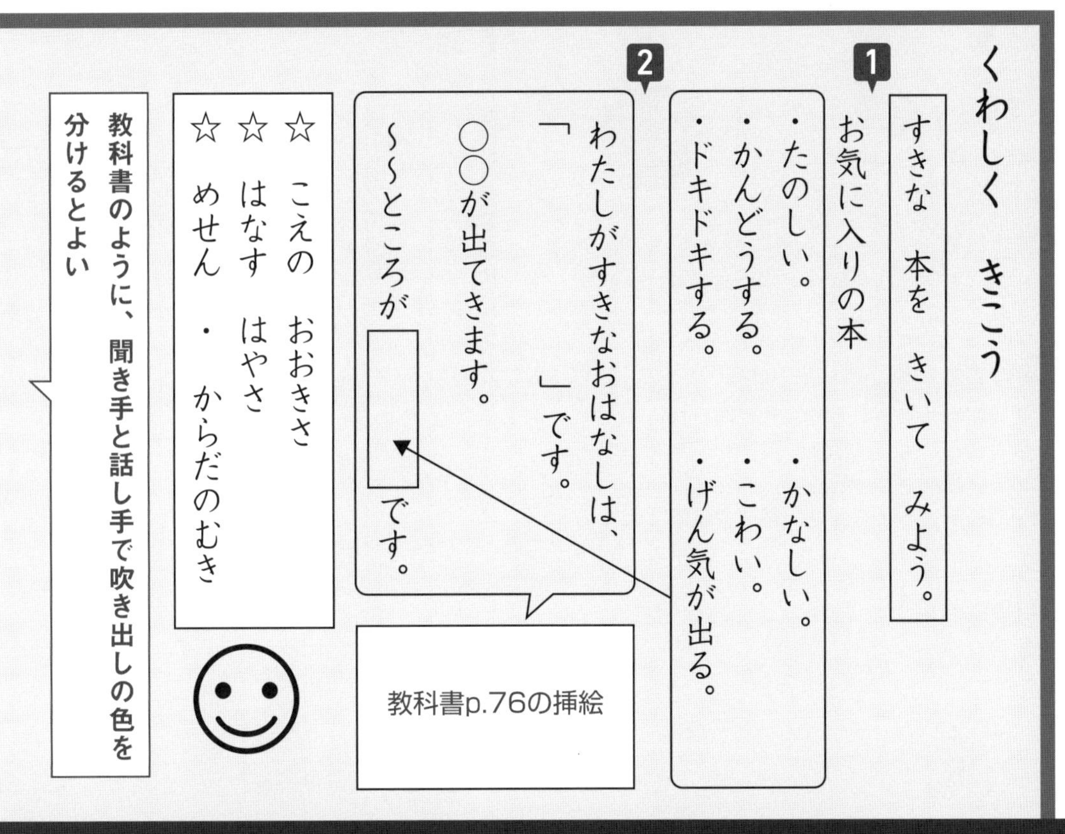


## 3 グループで好きな本を聞き合う〈15分〉

T　グループで向かい合わせになって、好きな本について紹介し合いましょう。

・「どろんこハリー」です。ハリーという犬が出てきます…。
・他に、誰が出てきますか。
・どうして、どろんこになったのですか。

○発表の後「質問や感想はありますか」と自分から尋ねたり、挙手をして質問や感想があることを意思表示したり、子供たちはこれまでの経験を生かして行動するであろう。実態に応じて、あらかじめ確認するとよい。

**ICT 端末の活用ポイント**

子供たちの、よいやりとりを撮影し、次時で紹介する。評価の材料として活用することもできる。

## 4 学習活動を振り返る〈5分〉

T　紹介してみてどうでしたか。

・いっぱい質問してくれてうれしかったです。
・紹介した本がもっと好きになりました。
・○○さんの紹介した本を読んでみたくなりました。

○うなずきながら聞く、発表に対して拍手するなど温かい姿勢には、称賛の言葉を送る。

○「楽しかった」「もっと知りたい」という子供たちの思いから、次時の活動につなげる。

○紹介し合った本を学級に置き、自由に読み合える環境をつくる。紹介者が分かるようにすることで会話が生まれるであろう。「楽しかった」「感動した」「こわくなった」などの感想ごとにコーナーを作ることも、本選びの視点を増やすことにつながる。

本時案

# くわしく きこう

## 本時の目標

・積極的に友達の話を聞き質問や感想を述べたりすることができる。

## 本時の主な評価

❸友達が知らせたいことや自分が聞きたいことを落とさないように聞き、質問や感想を伝えている。【思・判・表】
❹積極的に友達の話を聞き、質問や感想を伝えている。【態度】

## 資料等の準備

・挿絵のコピー
（カラーコピーで拡大したもの）

手がみはだれが出したのですか。

3 ふりかえろう

| すきな○○を　はなせた。 | ◎ ○ △ |
|---|---|
| ともだちの　すきな○○が　くわしく　わかった。 | ◎ ○ △ |
| たのしく　おはなしできた。 | ◎ ○ △ |

## 授業の流れ ▷▷▷

### 1 前時の学習を振り返る 〈10分〉

T　前の時間では、どんな学習をしましたか。
・友達の好きな本を聞きました。
・感想や質問をたくさん言いました。
・他にもいろいろ聞きたいです。
○本以外に聞きたい内容を挙げさせて板書する。
T　友達の好きな場所や好きな生き物についても聞いてみましょう。話すときや聞くときのコツをおさらいしましょう。
○他の友達の質問を受けてさらに聞く、複数の友達が進んで質問するなど前時には押さえなかった点も教師から取り上げるとよい。

**ICT 端末の活用ポイント**

前時に撮影した動画を見て、子供たちによい点を発表させる。発表を基にもう一度見返すと理解が深まる。

### 2 グループになり、好きなものを聞き合う 〈25分〉

T　友達の好きなものを、聞いてみましょう。
○何について話すか、考える時間を設ける。
○グループ編成は、まずは前時と同じにする。好きな場所や生き物が、好きな本の内容に結び付いていることもあり、友達の好きなことの理解を深められることもある。
○前時と違うグループ編成にする場合は、関わりを広げたり発表や質問、感想の述べ方をより多く学んだりすることができる。

**ICT 端末の活用ポイント**

可能であれば、グループごとに様子を自分たちで撮影させ、評価や振り返りに生かす。

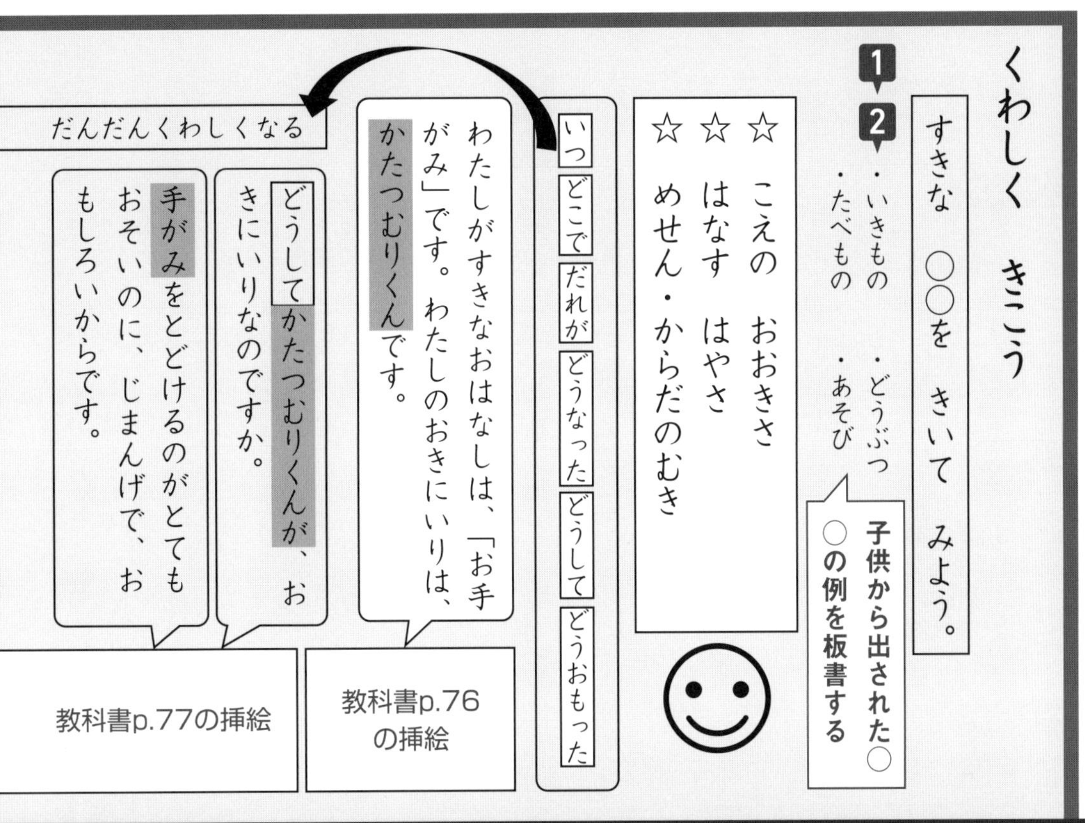


## 3 学習活動を振り返る　〈10分〉

T　友達と好きなものを聞き合う活動はどうでしたか。学習を振り返りましょう。
・友達の話を聞くのが楽しかったです。
・質問をすると、友達の好きなことがもっと詳しく分かりました。
・先生や家族の話にも、いっぱい質問したり感想を言ったりしたいです。
〇振り返りシート等を使う場合は、ノートに貼るサイズで用意し、項目ごとに学級全体で内容を確認しながら記入をさせる。

**ICT 等活用アイデア**

**動画を活用した振り返り**

特に、話すこと聞くことの学習では、形に残らない活動がメインとなり、子供たちが自分自身の姿を振り返ることや、教師が一人一人の状態を把握したり評価したりすることが難しい場合が多い。

動画を用いて自己や友達の姿について客観的に見返すことで、子供も教師もよい点や改善点を把握することができる。

ことばの　たいそう

# ことばで　あそぼう　（2時間扱い）

## 単元の目標

| | |
|---|---|
| 知識及び技能 | ・身近なことを表す語句の量を増し、語彙を豊かにすることができる。((1)オ) |
| 学びに向かう力、人間性等 | ・言葉がもつよさを感じるとともに、楽しんで読書をし、国語を大切にして、思いや考えを伝え合おうとする。 |

## 評価規準

| | |
|---|---|
| 知識・技能 | ❶身近なことを表す語句の量を増し、語彙を豊かにしている。(〔知識及び技能〕(1)オ) |
| 主体的に学習に取り組む態度 | ❷積極的に言葉遊びを楽しみ、これまでの学習を生かして自分でも言葉遊びを作ろうとしている。 |

## 単元の流れ

| 時 | 主な学習活動 | 評価 |
|---|---|---|
| 1 | 学習の見通しをもつ<br>教師が示す問題を基に、言葉遊びのやり方を知る。<br>１字増やして言葉遊びをする。<br>見付けた言葉を出し合い、どのような言葉があったのか確かめる。 | ❶ |
| 2 | 言葉遊びを自分で作り、友達と問題を出し合って言葉遊びを楽しむ。<br><br>学習を振り返る<br>学習の感想を共有する。 | ❷ |

## 授業づくりのポイント

**〈単元で育てたい資質・能力〉**

本単元のねらいは、身近なことを表す語句の量を増し、語彙を豊かにすることである。これまで出合った身近なものの名前が、どんな言葉のつくりになっているか捉え直すことができる。既知の言葉に1字や2字を増やしたり濁点「゛」を付けたりしながら、新しい言葉にも出合うであろう。言葉遊びを通して、楽しみながら語彙を豊かにしていきたい。

**〈教材・題材の特徴〉**

本単元の言葉遊びは、「言葉の変身」である。身近な言葉が、1字増やすだけで違う意味の言葉に変わるおもしろさを味わう。また、上に、間に、下に、と1字を増やす方法が様々あり、同じ1字でも増やす場所によっても、違う言葉になる不思議さもある。子供たちが興味をもって活動に取り組むと予想され、日常生活においても、身近なものの名前に着目するようになると考えられる。

[具体例]

○1字増やす

さら…間に「く」を増やして「さくら」

たい…下に「や」を増やして「たいや」

　　　上に「や」を増やして「やたい」

○2字増やす

たい…下に「いく」を増やして「たいいく」

　　…上に「こう」を増やして「こうたい」

○濁点「゛」を付ける

たい…「だい」

**〈言語活動の工夫〉**

教師が示す問題を基に、言葉遊びの問題を作る。まずは、作り方の例示をすると、取り組みやすくなる。その後は、一から作ったり、問題づくりの手掛かりを基に問題を作成したり、子供が自分の状況に応じて、問題づくりの方法を選択できるようにすることが望ましい。

[具体例]

○問題づくりの手掛かり

2～4文字の身近なものの名前の一覧表を用意する。「違う言葉が隠れているものはあるかな」「「゛」を付けると変身する言葉はあるかな」といった声掛けをして、発見を促す。

○半濁音「゜」を付けるといった新しいルールを提案する子供もいると考えられる。学級全体で共有し、言葉遊びの幅を子供たちと広げていくとよい。

○作った問題はカードに書き、いくつでも作ってよいとすると、「もっと問題を作ろう」と意欲喚起につながる。作成したカードを集めて学級の財産としたり、休み時間等も遊べるようにしたりすると、単元後も言葉を探したり親しんだりする意欲の継続につながる。

本時案

# ことばで あそぼう

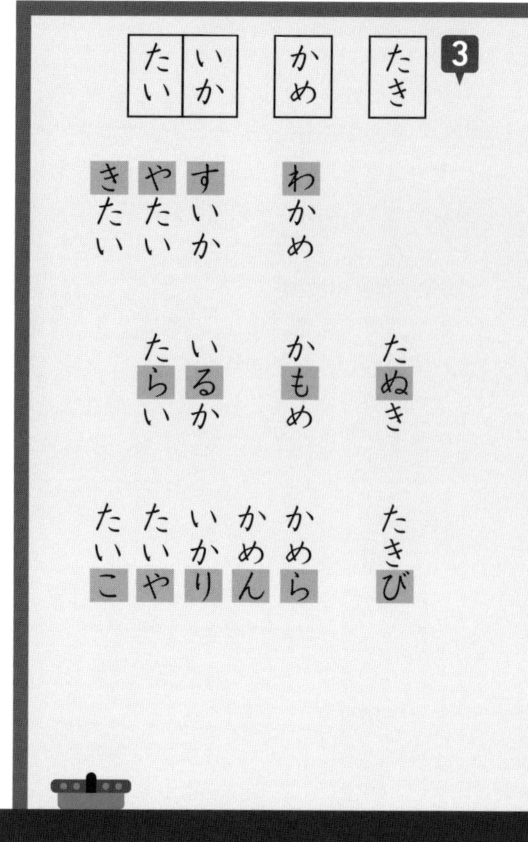


### 本時の目標

・1字増やし違う言葉にする言葉遊びをして、見付けた言葉を出し合うことができる。

### 本時の主な評価

❶自分や友達が見付けた言葉を出し合っている。【知・技】

### 資料等の準備

・挿絵のコピー
（カラーコピーで拡大したもの）

### 授業の流れ ▷▷▷

## 1 言葉遊びのやり方を知る〈10分〉

T 「くし」の上に「つ」を増やすと、ある言葉に変身します。どんな言葉になるでしょうか。

○教科書にある例を参考に、上に・間に・下に1字増やし、違う言葉にする遊びのやり方を確認する。

○始めの言葉と、後の言葉をイラストで示すことで、違う言葉になったということを視覚的に分かりやすく示す。

○変身から連想される忍者や魔法使い、カメレオンなどをモチーフに学習を進める工夫もよい。この時期の子供たちは、なりきることで楽しみながら活動できるであろう。

## 2 1字増やして、言葉遊びをする〈15分〉

T みんなも、知っている言葉に1字増やして言葉を変身させましょう。

・「さい」の下に「ふ」を増やして、「さいふ」。上に「や」を増やすと、「やさい」。

・「とり」の上は「こ」でも「ゆ」でも違う言葉に変身するよ。他にもないかな。

・上にも、間にも、下にも1字増やして変身できる言葉はないかな。

○板書と同じ文で、言葉と1字の部分だけ穴埋めにしたワークシートを用意する。

○途中で友達同士交流させることで、新たな気付きを促すことができる。自然と紹介し合い出す関係性を築いているとなおよい。難しい子供のために既に見付けた子からヒントを出させたりするのもよい。

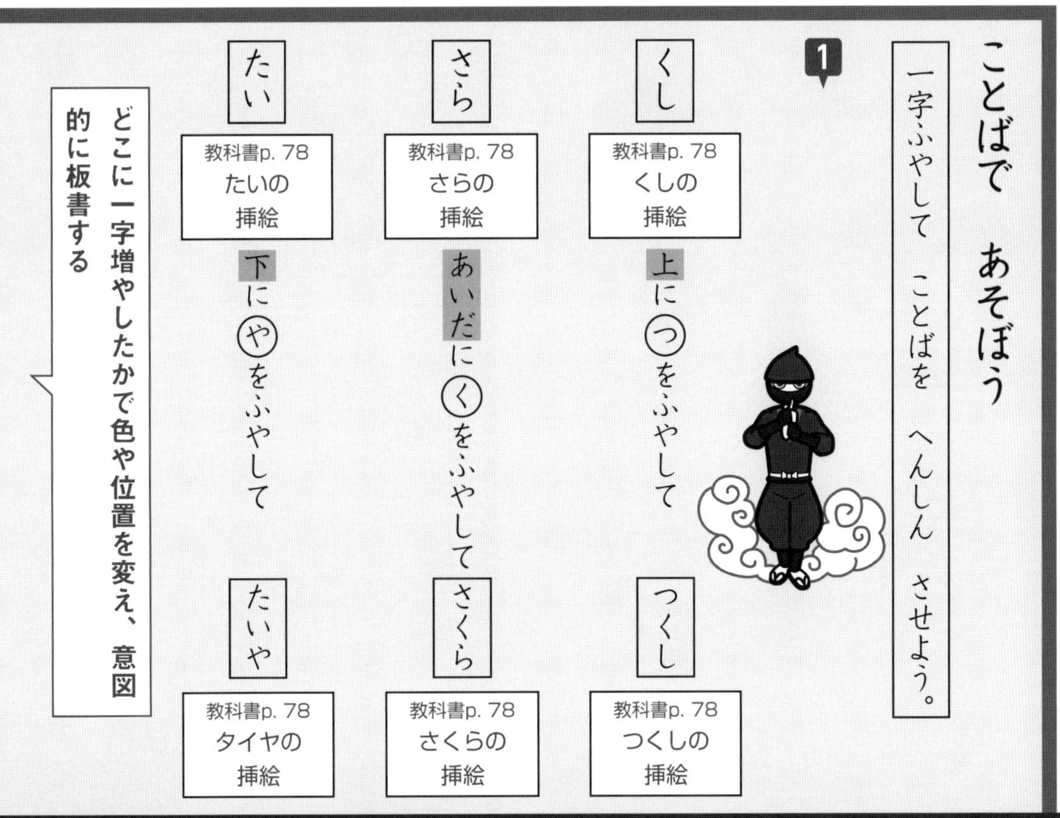


## 3 見付けた言葉を出し合う〈15分〉

T　どんな言葉を見付けましたか。

・「たき」の下に「び」を増やして、「たきび」。水が火になっちゃった。

・「かめ」の上に「わ」で「わかめ」、間に「も」で「かもめ」、下に「ら」で「かめら」。

・他にもあるよ。下に「ん」で「かめん」。

○発表を基に板書し、学級みんなでたくさんの言葉を集めたことを称賛するとよい。

## 4 学習活動を振り返る〈5分〉

T　言葉遊びはどうでしたか。

・楽しかった。まだまだ見付けたいな。

・１字ではなくて、２字増やしてもできるかな。

・「゛」や「゜」を足しても、違う言葉になっておもしろそう。

○子供たちの発見やアイデアを基に、次時の活動を予告する。

**ICT 端末の活用ポイント**

子供たちにとって身近でない言葉については、画像や映像で共有する。

本時案

# ことばで あそぼう

## 本時の目標

・言葉遊びを自分で作り、友達と問題を出し合って言葉遊びを楽しむことができる。

## 本時の主な評価

❷自分で言葉遊びを作り、積極的に言葉遊びを楽しもうとしている。【態度】

## 資料等の準備

・イラスト ⤓ 16-01～02
（カラーコピーで拡大したもの）
・（使用する場合は）ワークシートの拡大コピー

3

子供が作成した問題

子供が作成した問題

子供が作成した問題

子供が作成した問題

子供が作成した問題

子供が作成した問題

子供が作成した問題

子供が作成した問題

子供が作成した問題

## 授業の流れ ▷▷▷

### 1 問題づくりの見通しをもつ 〈5分〉

T　前回どんな言葉遊びをしましたか。
・言葉に、1字増やして違う言葉にしました。
T　今日は自分で言葉遊びを作りましょう。どんな言葉遊びが作れるでしょうか。
・「もん」の上に1字増やすと、すっぱくなるよ。これ、なあに。――レモン
○教師または子供から一例を示すとよい。
○前時で出たアイデアを基に、1字増やす以外の方法も採用する。前時でアイデアが出なくても、問題づくりをする中で新たに意見が出ることもある。

### 2 問題づくりをする 〈20分〉

T　それでは言葉遊びの問題を作りましょう。
○問題づくりの型が書かれたワークシートや子供たちが自分で考えて自由に書ける白紙のカードなど、学級の実態に応じて用意する。子供たちに選択させるのもよい。
○身近なものの名前の一覧表を用意する。難しい子供には、教師から声掛けをし、問題づくりのヒントを示す。
・たくさん問題ができたよ。友達に解いてほしいな。
・みんなはどんな問題を作ったのかな。

**ICT 端末の活用ポイント**

前時の板書を写真に撮り、子供たちが自由に見られるようにすることで、問題づくりの手掛かりにできる。

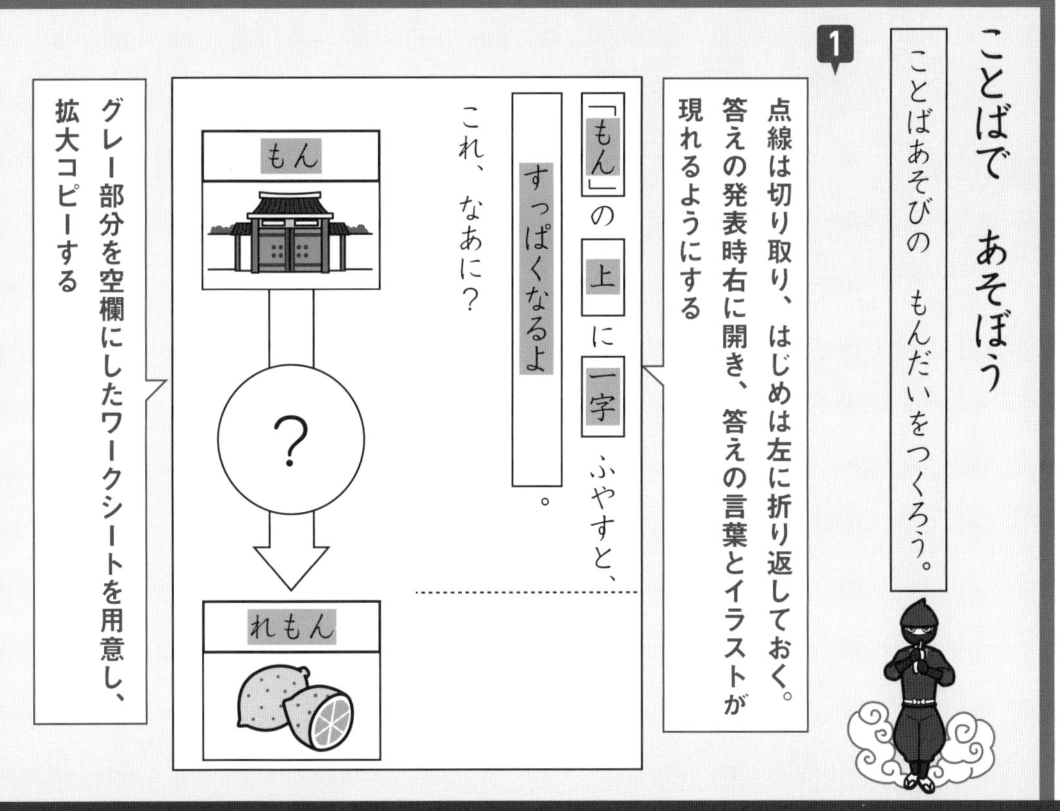


## 3 作った問題を出し合って遊ぶ 〈15分〉

T　作った問題を友達と出し合って遊びましょう。
・「たい」の下に２文字増やすと、みんなが大好きな勉強の言葉に変身するよ。何でしょうか。――体育
・「はん」に「゜」を付けたら、おいしくなったよ。これ、なあに。――パン
○全体の前で１人が問題を出す、ペアを順次組ませる、自由に歩き回って出し合うなど、学級の実態に応じて形態を決めるとよい。
○問題によっては答えが複数存在するものもあり、友達と解き合う中で気付くこともあるであろう。問題の精巧さではなく、新しい発見や言葉のおもしろさを共有するようにしたい。

## 4 学習活動を振り返る 〈５分〉

T　言葉遊びはどうでしたか。
・たくさん解けたよ。自分では気付かなかった答えも教えてもらったよ。
・１字や２字増やすだけで、全く違う言葉になるのがおもしろかった。
・家でも、問題づくりをしてみたいな。
○問題づくりに使用したワークシートやカードを教室に置いておくことで、授業後も言葉に意識を向けられるであろう。

**ICT 端末の活用ポイント**

作成した問題を撮影し、学習支援ソフトを活用して共有しておくことで、子供たちが授業後も自由に楽しむことができる。

くらべて　よもう

# どうぶつの　赤ちゃん　（10時間扱い）

## 単元の目標

| | |
|---|---|
| **知識及び技能** | ・共通、相違、事柄の順序など情報と情報との関係について理解することができる。((2)ア)<br>・読書に親しみ、いろいろな本があることを知ることができる。((3)エ) |
| **思考力、判断力、表現力等** | ・文章の内容と自分の体験とを結び付けて、感想をもつことができる。(C(1)オ)<br>・文章を読んで感じたことや分かったことを共有することができる。(C(1)カ) |
| **学びに向かう力、人間性等** | ・言葉がもつよさを感じるとともに、楽しんで読書をし、国語を大切にして、思いや考えを伝え合おうとする。 |

## 評価規準

| | |
|---|---|
| **知識・技能** | ❶共通、相違、事柄の順序など、情報と情報との関係について理解している。(〔知識及び技能〕(2)ア)<br>❷読書に親しみ、いろいろな本があることを知っている。(〔知識及び技能〕(3)エ) |
| **思考・判断・表現** | ❸「読むこと」において、文章の内容と自分の体験とを結び付けて、感想をもっている。(〔思考力、判断力、表現力等〕C オ)<br>❹「読むこと」において、文章を読んで感じたことや分かったことを共有している。(〔思考力、判断力、表現力等〕C カ) |
| **主体的に学習に取り組む態度** | ❺文章の内容を比べながら粘り強く読み、学習の見通しをもって、本から得たことを友達に知らせようとしている。 |

## 単元の流れ

| 次 | 時 | 主な学習活動 | 評価 |
|---|---|---|---|
| 一 | 1<br>2 | 学習の見通しをもつ<br>いろいろな動物の赤ちゃんの写真や動画、映像などを見て、動物の赤ちゃんへの興味・関心をもつ。<br>教師の範読を聞き、初めて知ったこと、なるほどと思ったこと、不思議だと思ったことを紹介し合う。<br>「どうぶつの赤ちゃんについて書かれていることを比べながら読もう」という学習課題を確認し、学習の計画を立てる。 | |
| 二 | 3<br>4<br>5<br>6 | 比べながら読む<br>ライオンとしまうまの赤ちゃんの様子や成長を比べながら読む。<br>「生まれたばかりのようす」と「大きくなっていくようす」の2観点でまとめる。比べて気付いたことを発表する。 | ❶<br>❸❹ |

| | | | |
|---|---|---|---|
| 三 | 7<br>8<br>9<br>10 | 「もっと　よもう」(p.88〜89) をきっかけとし、他の動物の赤ちゃんについても違いを調べる。<br>他の動物の赤ちゃんについて書かれた本を読み、生まれたばかりの様子や大きくなっていく様子で気付いたことをクイズ形式で発表し合う。<br>**学習を振り返る**<br>比べながら読んで伝え合うことで違いがよく分かったことを確かめる。 | ❷❺ |

## 授業づくりのポイント

**〈単元で育てたい資質・能力〉**

本単元のねらいは、「どうぶつの　赤ちゃん」の内容の大体を捉えた上で、感じたことや分かったことを自分の体験と結び付けて、友達と共有することである。そのためには、共通、相違、事柄の順序などを捉え、情報と情報の関係を捉える力が必要である。

教科書では、ライオンとしまうまの赤ちゃんが「いつ」「どのような様子なのか」を時間的な順序と事柄の順序を意識させながら丁寧に読み進めたい。

**〈教材・題材の特徴〉**

「どうぶつの　赤ちゃん」は、ライオンとしまうまという、肉食動物と草食動物の赤ちゃんの様子を同じ順序で説明している教材である。子供たちの中で、大人になったライオンは百獣の王、つまり、しまうまを狩る「強い動物」である。しかし、「生まれたばかりの様子」として書かれる「体の大きさ」「目や耳の様子」「親との比較」と、「大きくなっていく様子」として書かれる「移動の仕方」「お乳を飲む期間」「自分で餌を取り始める時期」に関して読み進めていく中で、赤ちゃんのときの様子は真逆であるという事実が子供たちの興味・関心を高めていくであろう。「もっと　よもう」で紹介されているカンガルーの赤ちゃんでは、自分で読み取ることができるようにし、他のいろいろな動物の赤ちゃんについて書かれた本からは、「生まれたばかりの様子」や「大きくなっていく様子」が書かれている箇所を自分で探すことができるようにしていきたい。

**〈言語活動の工夫〉**

単元の学習に入る前に、遠足や生活科見学などで、動物園に出かけてみる、いろいろな動物の赤ちゃんの絵本や図鑑を紹介する、写真や動画、映像を見せるなどすると、動物への興味・関心が高まり、「もっと詳しく知りたい」という思いをもって、楽しく学ぶことができる。

導入に示されている「生まれたばかりの様子」と「大きくなっていく様子」についての 2 つの問いに気付かせることで、読みの視点を明確にする。小見出しを付けたり、色を変えてサイドラインを引いたりすることで、大事な語や文に気付き、情報を整理したり、内容の順序を捉えたりすることができるようになっていく。

「表」を用いてライオンとしまうまの赤ちゃんの様子を整理し、まとめていくことでそれぞれの赤ちゃんを比較して読むことにつなげていく。

今回は、クイズ形式で発表することにしたが、プレゼンテーションソフトを活用して写真を使ってまとめる、動物の赤ちゃん図鑑を作るなどの活動も考えられる。実態に合わせて工夫したい。

本時案

# どうぶつの赤ちゃん

## 本時の目標

・いろいろな動物の赤ちゃんの写真や動画、映像などを見て、動物の赤ちゃんへの興味・関心をもつことができる。

## 本時の主な評価

・動物の赤ちゃんや成長の様子への興味・関心を高め、感想を伝え合おうとしている。

## 資料等の準備

・いろいろな動物の赤ちゃんの写真、動画、映像
・いろいろな動物の赤ちゃんの絵本や図鑑
・教科書の挿絵（ライオンの赤ちゃんとしまうまの赤ちゃん）

教科書 p.83
しまうまの挿絵

・生まれてすぐに　立てるのがすごい。
・ライオンとちがって　すぐに立てるのはなぜだろう。

3 ふりかえり

・おともだちとかんそうを　しょうかいしあって、はじめてしったことが　たくさんあった。

## 授業の流れ ▷▷▷

### 1 動物の赤ちゃんへの興味・関心をもつ 〈15分〉

○動物の赤ちゃんを見た経験について確かめる。

T　みなさんは、動物の赤ちゃんを見たことはありますか。

・動物園に行って見たことがある。
・動物のテレビ番組で見たことがある。
・図鑑で見たことがある。

○動物の赤ちゃんについて知っていることを発表し合う。

・赤ちゃんはお母さんと比べて小さい。
・動物によって赤ちゃんの大きさが違う。

T　いろいろな動物の赤ちゃんの写真や動画を一緒に見てみましょう。

### 2 教師の「どうぶつの赤ちゃん」の範読を聞き、感想をもつ 〈20分〉

T　これから読むお話にはこの２種類の動物が出てきます。どんなことが書いてあるか読んでみましょう。

○教科書のライオンとしまうまの赤ちゃんの挿絵を見せ、興味を引く。

T　お話を聞いて、初めて知ったこと、なるほどと思ったこと、不思議だと思ったことは何ですか。

○まずは、感じたことをノートに書き、書いたことを基に友達と発表し合う。

・ライオンは生まれたときは弱くて何もできないんだ。
・しまうまの赤ちゃんは生まれてすぐに立つことができてすごいけれど、どうして立てるのだろう。

# どうぶつの　赤ちゃん

1
「どうぶつの赤ちゃん」を　よんで、かんそうを　もとう。

いろいろな　動物の写真
・いぬ　・ネコ　・モルモット
・うさぎ　・ハムスター　など

どうぶつの　赤ちゃんについて　しっていること
・おかあさんと　くらべて　とても小さい
・どうぶつによって　大きさがちがう
・いぬは　たくさん　子どもを　うむ
・おかあさんと　ぜんぜん　にていないこともある
↓
パンダ

2
かんそうを　かいてみよう。

はじめて　しった　なるほど　ふしぎ

・おかあさんとは　ちがって、よわよわしいことにびっくりした。
・目も見えないし、あるくこともできないことを　はじめてしった。
・どうやって　つよくなるんだろう。
・生まれたときから　おかあさんと　そっくりなことを　しった。

教科書p.81
ライオンの挿絵

## 3 学習を振り返る 〈10分〉

**T**　ライオンとしまうまの赤ちゃんは、同じ赤ちゃんなのに違うところがたくさんありましたね。

○子供たちの感想を基に、ライオンとしまうまの赤ちゃんについて書かれたことを比べながら読むと知らなかったことを詳しく知ることができることを確認する。

・初めて知ったことがたくさんあってすごいと思った。
・他の動物の赤ちゃんのことももっと知りたいな。

**ICT 端末の活用ポイント**

本時で高まった興味・関心を生かして、絵本や図鑑の写真や映像などを見付けたら、ICT 端末で撮りためていくよう声をかける。

**よりよい授業へのステップアップ**

**学習意欲を高める工夫**

学習の終末に、自分が詳しく知りたい動物について調べ、まとめていくこともできる。「表にまとめる」「紹介文を書く」「動物の赤ちゃんクイズを作る」などが予想される。

このため、単元の学習に入る前に、絵本や図鑑、写真や映像を紹介したり、学校図書館支援員さんを通して並行読書用に事前に多数の本を用意したりしておくことも大事である。遠足や生活科見学などとのカリキュラム・マネジメントを意識した年間の学習計画を見通しておくことも大切である。

本時案

# どうぶつの赤ちゃん

2/10

## 本時の目標

・ライオンとしまうまの赤ちゃんについてどんなことが書かれているのか、興味・関心をもち、学習計画を考えることができる。

## 本時の主な評価

・ライオンとしまうまの赤ちゃんに興味・関心をもち、積極的に学習計画を考える話し合いに参加している。

## 資料等の準備

・教科書の挿絵（ライオンの赤ちゃんとしまうまの赤ちゃん）
・教科書本文の拡大版または、問いの文を書く用の短冊

3
ほかに　しりたい　どうぶつ
けいかく
1ライオンとシマウマの赤ちゃんのちがい
①生まれたばかりのときのようす
②大きくなっていくようす
2ほかのどうぶつの赤ちゃん
①カンガルー
②じぶんでえらんだどうぶつ
3どうぶつクイズをつくる

## 授業の流れ ▷▷▷

### 1 学習したいことを考える 〈10分〉

T　前回はライオンとしまうまの赤ちゃんについていろいろと知ることができましたね。
○前時の板書を ICT 端末で写真に撮る、または模造紙などに書いてまとめておくなどしておくと、導入部分で活用できる。
T　「どうぶつの　赤ちゃん」から、どんなことをみんなで学びたいですか。
・書いてあることを詳しく読みたい。
・ライオンとしまうまの赤ちゃんの違いを知りたい。
・「問いの文」と「答えの文」を探しながら読みたい。
・他の動物の赤ちゃんのことも知りたい。

### 2 既習学習を基に「問いの文」を見付ける 〈15分〉

T　まずは、ライオンとしまうまの赤ちゃんのことを詳しく知るために、どんなことが書いてあるか探してみましょう。
○既習事項を基に、説明文には「問いの文」と「答えの文」があることを確認する。
・最初に「問いの文」がある。
・「そして」ってつないでいるから、「問いの文」が 2 つあるね。
T　なるほど。1 つ目は「生まれたばかりのときのようす」、2 つ目は「どのようにして、大きくなっていくか」ですね。
T　この 2 つの「問い」の答えを探せば、ライオンとしまうまの赤ちゃんのことを詳しく知ることができますね。

どうぶつの　赤ちゃん

「といのぶん」を みつけよう。

1

まなびたいこと

○くわしくよむ

○ライオンとしまうまのちがい

○といの文とこたえの文

○ほかのどうぶつの赤ちゃん

2

教科書本文の拡大版

子供の気付きに印を付けたり、サイドラインを引いたりする

といのぶん

①生まれたばかりのときは、どんなようすを　しているのでしょう。

そして

②どのようにして、大きくなっていくのでしょう。

## 3 学習計画を立て、他の動物の赤ちゃんにも興味を広げる 〈20分〉

T　教科書に書いてあった２つの「問いの文」をヒントにすると、みんなが言っていた他の動物の赤ちゃんのことももっと知ることができそうですね。

○1で出された学習したいことを整理し、学習の計画を立てる。

○並行読書用に準備してある図書から、自分がもっと知りたいと思っている動物の赤ちゃんの本を選ぶ。

T　本を選んだら ICT 端末に本の表紙の写真を撮っておきましょう。

○興味のある動物の赤ちゃんは、この時点では１つに決めなくてよい。

### ICT 等活用アイデア

**終末のクイズづくりや図鑑づくりなどでの活用**

本時の「問いの文」を見付ける学習で読みの視点が明確になる。教科書の読み取りと並行させながら、課外活動の中で絵本や図鑑の写真や家で見た映像などを撮りためてくるようにする。

興味のある赤ちゃんについては何種類でも調べてよいことにしておくと学習を進めていく中で終末の学習活動に向けても意欲が高まり、楽しく学習を進めていくことができる。また、絵本や図鑑によっては教科書と似た書きぶりになっていないものもあるため、写真に撮らせておくと教師も指導しやすい。

本時案

# どうぶつの赤ちゃん

3・4/10

## 本時の目標

・文章を読みライオンとしまうまの赤ちゃんの生まれたばかりの様子を比較し、共通、相違、事柄の順序など情報と情報との関係について理解することができる。

## 本時の主な評価

❶ライオンとしまうまの赤ちゃんの生まれたばかりの様子の共通、相違、事柄の順序など、情報と情報との関係について理解している。【知・技】

## 資料等の準備

・教科書の挿絵
・デジタル教科書または本文の拡大版
・読み取ったことをまとめる表（子供用ワークシートとその拡大版）

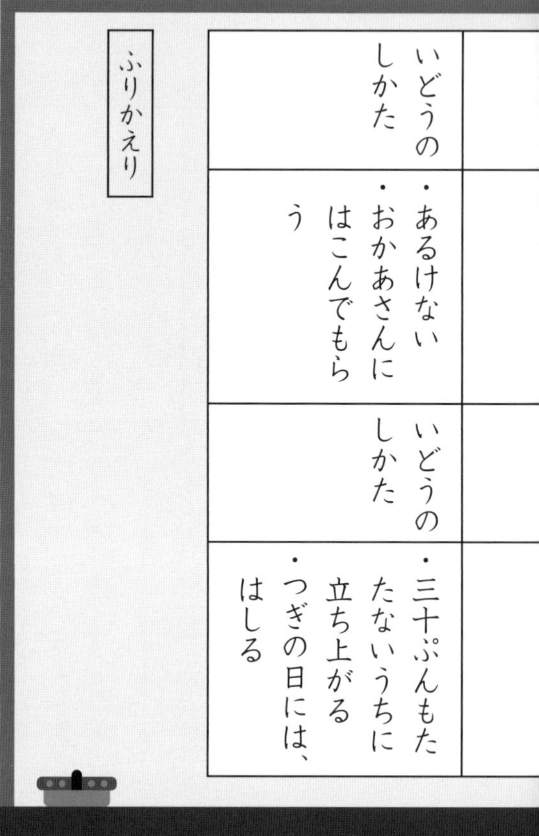


## 授業の流れ ▷▷▷

### 1 ライオンの赤ちゃんが生まれたときの様子を読み取る〈第３時・20分〉

**T** このお話には問いの文が２つありました。
○前時の学習を振り返る。
・生まれたばかりのときは、どんな様子をしているか。
・どのようにして、大きくなっていくか。
○ライオンの赤ちゃんが生まれたばかりのときの様子について書いてあるところを探す。
**T** ライオンの赤ちゃんが生まれたときの様子が分かる言葉に赤で線を引いてみましょう。
・子ねこぐらいの大きさ
・目や耳は、とじたまま　・よわよわしい
・おかあさんに　あまりにていない
・じぶんでは　あるくことができない
○教科書の挿絵以外にも写真や絵など具体物を用意しておくとイメージがもちやすい。

### 2 ライオンの赤ちゃんが生まれたときの様子を表にまとめる〈第３時・25分〉

**T** ライオンの赤ちゃんが生まれたばかりのときの様子が見付けられましたね。分かりやすくなるように表にまとめて整理してみましょう。
○小見出しに合わせて表に言葉を書き込むことで、文章を短い言葉で整理すると分かりやすいことを実感させたい。
・表にすると一目で分かる。
・見出しがあるので、何についてなんて書いてあるかがよく分かる。
○表に書き込む言葉は、教科書の言葉どおりでなくてもよいことを一緒に書き込みながら確認する。しまうまの赤ちゃんについて自分の力で探せるように練習する。

# どうぶつの　赤ちゃん

ライオンとしまうまの赤ちゃんの　生まれたばかりの　ようすを　よもう。

教科書p.81　ライオンの赤ちゃんの挿絵

教科書p.83　しまうまの赤ちゃんの挿絵

生まれたばかりのようす

| | ライオンの赤ちゃん | しまうまの赤ちゃん |
|---|---|---|
| からだの大きさ | ・子ねこぐらい | ・やぎぐらい |
| 目や耳のようす | ・とじたまま | ・目はあいている<br>・耳もぴんと立っている |
| おやとのちがい | ・よわよわしい<br>・おかあさんとにていない | ・しまのもようもついている<br>・おかあさんにそっくり |

## 3　しまうまの赤ちゃんが生まれたときの様子を読み取る　〈第4時・20分〉

T　ライオンの赤ちゃんはお母さんにあまり似ていないことが分かったけれど、しまうまの赤ちゃんはどうなのでしょう。

○個人で赤線を引き、その後ペアの友達と一緒に確認する。

○線を引いたところを全体で確認する。

T　しまうまの赤ちゃんが生まれたときの様子が分かる言葉や文はどこですか。

・生まれたときに、もうやぎぐらいの大きさ

・目はあいている　・耳もぴんと立っている

・しまのもようもついている

・おかあさんに　そっくり

・三十ぷんも　たたないうちに、じぶんで立ち上がる

・つぎの日には、はしる

## 4　ライオンの赤ちゃんとしまうまの赤ちゃんを比較する〈第4時・25分〉

T　しまうまの赤ちゃんのことも分かりやすくなるように表にまとめましょう。

○ライオンとしまうまの赤ちゃんは、どんなところが違うか、表を見比べて考えさせる。

○ICT端末を活用し、それぞれの写真を左右で比較しながら見せたり、動画を見せたりして、しまうまが生まれてすぐに立ち上がり、次の日には走るようになる理由に着目させながら、ライオンの赤ちゃんとの比較を行う。

・しまうまは、強い動物に襲われてもすぐに逃げられるように生まれてくるんだ。だから生まれたときに「もう」やぎぐらいの大きさなんだ。

・ライオンは逃げる必要がないからはじめは弱々しいのかな。

○学習の振り返りを行い、次時につなげる。

本時案

# どうぶつの赤ちゃん

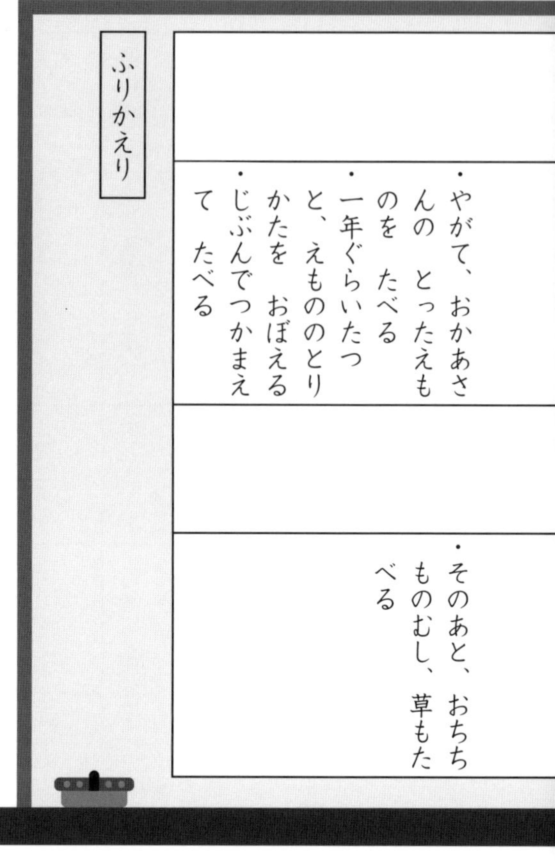


## 本時の目標

・文章の内容と自分の体験とを結び付けて、感想をもつことができる。
・文章を読んで感じたことや分かったことを共有することができる。

## 本時の主な評価

❸「読むこと」において、文章の内容と自分の体験とを結び付けて、感想をもっている。
【思・判・表】

❹「読むこと」において、文章を読んで感じたことや分かったことを共有している。
【思・判・表】

## 資料等の準備

・教科書の挿絵
・デジタル教科書または本文の拡大版
・読み取ったことをまとめる表（子供用ワークシートとその拡大版）

## 授業の流れ ▷▷▷

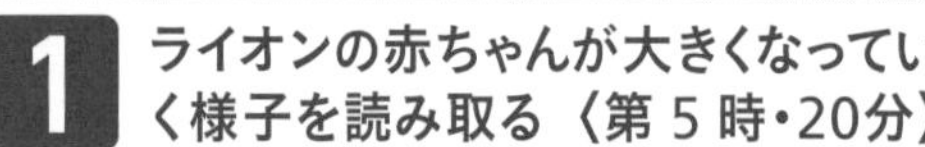

### 1 ライオンの赤ちゃんが大きくなっていく様子を読み取る〈第５時・20分〉

○ライオンの赤ちゃんが大きくなっていく様子について書いてあるところを自分で探す。

T　ライオンの赤ちゃんが大きくなっていく様子が分かる言葉に青で線を引いてみましょう。

・２カ月ぐらいは、お乳だけを飲んでいる。
・やがて、お母さんの取った獲物を食べ始める。
・１年ぐらいたつと、獲物の取り方を覚えて、自分で捕まえて食べるようになる。

○時を表す言葉に着目しながら、大きくなっていく様子を捉えさせる。

### 2 ライオンの赤ちゃんが大きくなっていく様子を表にまとめる〈第５時・25分〉

T　ライオンの赤ちゃんが大きくなっていく様子が見付けられましたね。分かりやすくなるように表にまとめて整理してみましょう。

○小見出しに合わせて表に言葉を書き込む。学級の実態によっては、小見出しを子供たちに考えさせてもよい。

○表に書き込む際に、時を意識してまとめ、しまうまの赤ちゃんと比較できるようにする。自分たち人間と比較してもよい。

・私たちも生まれてすぐは歩けない。
・１年くらいで歩き始めるね。
・ご飯は、今でもお母さんに作ってもらっているね。

# どうぶつの　赤ちゃん

ライオンとしまうまの赤ちゃんの　大きく
なっていく　ようすを　よもう。

教科書p.81
ライオンの赤ちゃんの挿絵

教科書p.83
しまうまの赤ちゃんの挿絵

| 大きくなっていくようす | いどうのしかた | えさのたべかた |
|---|---|---|
| ライオンの赤ちゃん | ・あるけない<br>・おかあさんにはこんでもらう<br>（いつあるけるようになるの？）<br>・一年ごは、はしることができる | ・二カ月ぐらいおちちだけを　のんでいる |
| しまうまの赤ちゃん | ・三十ぷんもたたないうちに立ち上がる<br>・つぎの日、はしるようになる<br>・なかまといっしょに　にげることができる | ・七日ぐらい、おかあさんのおちちだけのんでいる |

## 3 しまうまの赤ちゃんが大きくなっていく様子を読み取る〈第６時・20分〉

T　ライオンの赤ちゃんがどうやって大きくなっていくのか分かったけれど、しまうまの赤ちゃんはどうなのでしょう。

○個人で青線を引き、その後ペアの友達と一緒に確認する。

○線を引いたところを全体で確認する。

T　しまうまの赤ちゃんが大きくなっていく様子が分かる言葉や文はどこですか。

・三十ぷんも　たたないうちに、じぶんで立ち上がる　・つぎの日には、はしる

・七日ぐらいの間はお母さんのお乳だけ飲んでいる

・その後は、お乳も飲むが草も食べる

○時を表す言葉がライオンのときと違うことに気付かせる。

## 4 ライオンとしまうまの赤ちゃんが大きくなっていく様子を比較する〈第６時・25分〉

○しまうまの赤ちゃんのことも表にまとめ、ライオンとしまうまの赤ちゃんの大きくなっていく様子の違いを、表を見比べて考えさせる。項目を１つずつ確認したり、写真や動画で確認したりしながら進めていく。

T　同じ赤ちゃんなのに、どうして違うのでしょう。

・ライオンは１年かけて自分たちで獲物を捕まえて食べるけれど、しまうまは、１週間くらいでお乳だけでなく、草も食べるようになるんだね。

・しまうまの方が大きくなるのが早いね。

・やっぱり、強い動物に襲われたら逃げないといけないから早く走れるようになるのかな。

○学習の振り返りを行い、次時につなげる。

本時案

# どうぶつの赤ちゃん

## 本時の目標

・カンガルーの赤ちゃんとライオン、しまうまの赤ちゃんの様子を比較し、共通、相違、事柄の順序など、情報と情報との関係について理解することができる。

## 本時の主な評価

・カンガルーの赤ちゃんとライオン、しまうまの赤ちゃんの様子の共通、相違、事柄の順序など、情報と情報との関係について理解しようとしている。

## 資料等の準備

・教科書の挿絵
・デジタル教科書または本文の拡大版
・読み取ったことをまとめる表（児童用ワークシートとその拡大版）

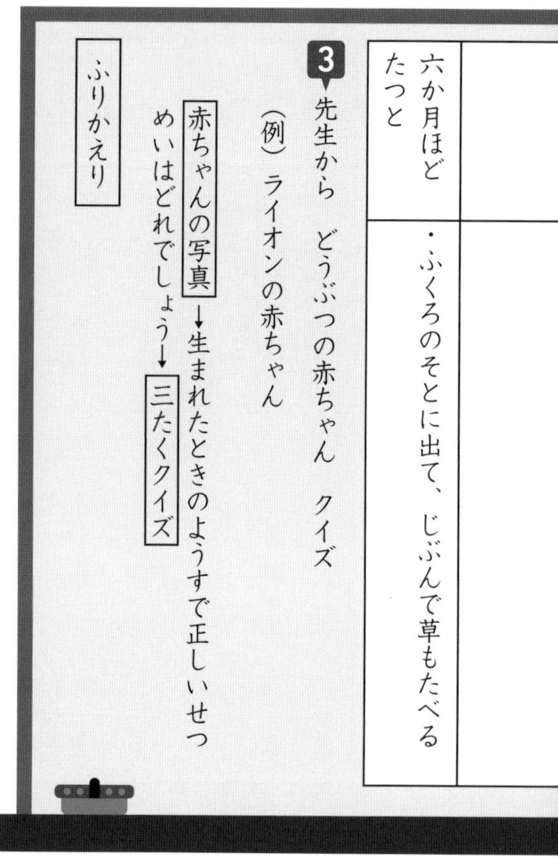


## 授業の流れ ▷▷▷

### 1 カンガルーの赤ちゃんについての文章を読み、様子を読み取る〈第７時・20分〉

T　カンガルーの赤ちゃんは、ライオンやしまうまの赤ちゃんとどこが似ていて、どこが違うのか、比べながら読んでみましょう。
○カンガルーの赤ちゃんについての感想を伝え合う。
・カンガルーの赤ちゃんって、そんなに小さいんだ。
○カンガルーの赤ちゃんが大きくなっていく様子について書いてあるところを個人で探す（生まれたときの様子は赤線、大きくなっていく様子は青線）。
○大きくなっていく様子は、時を表す言葉に着目しながら捉えさせる。
○ペアの友達と一緒に読み合った後、全体で確認する。

### 2 カンガルーの赤ちゃんについて表にまとめる〈第７時・25分〉

T　カンガルーの赤ちゃんの様子が分かりやすくなるように表にまとめて整理したいのですが、小見出しをどのように付ければよいでしょう。まずは、自分で考えて表に書いてみましょう。
・ライオンの赤ちゃんやしまうまの赤ちゃんと同じ小見出しでも書けるよ。
・でも、口や前足は出てこなかった。
・何か違う言葉にできるかな。
○小見出しは、実態に合わせて子供たちと一緒に考えてもよい。線を引いたところを基に、表に書き込んでいく。
○個人で考えた後は、ペアまたはグループの友達と相談しながら小見出しを考えることもできる。

## どうぶつの　赤ちゃん

カンガルーの赤ちゃんの　生まれたときのようすと　大きくなっていくようすを　よもう。

教科書p.88 カンガルーの赤ちゃんの生まれたときの挿絵

教科書p.89 カンガルーの親子の挿絵

カンガルーの赤ちゃん

生まれたときのようす

| | |
|---|---|
| からだの大きさ | ・たいへん小さい<br>・一円玉ぐらいのおもさ |
| からだのようす | ・目と耳は　どこにあるのか、よくわからない<br>・口と　まえあしだけは　わかる |
| いどうのしかた | ・小さなまえあしで、おかあさんのおなかにはい上がる<br>・じぶんの　ちからで、おなかのふくろに　入る<br>・おなかのふくろに　まもられている |

大きくなっていくようす

| | |
|---|---|
| 生まれてすぐ | ・ふくろの中で、おちちをのんでいる |

### 3　カンガルーの赤ちゃんとライオン、しまうまの赤ちゃんの様子を比較する〈第８時・20分〉

○書き込んだ内容を全体で確認する。

○ライオン、しまうま、カンガルーの赤ちゃんのそれぞれの生まれたばかりの様子や大きくなっていく様子の違いを、表を見比べて項目ごとに比較させる。

○教科書で学んだことを ICT 端末を活用したクイズ形式にして教師が出題し、終末への意欲につなげる。

○学習の振り返りを行う。

・動物によって生まれたときの形や大きさが、全然違うことが分かった。

・大きくなっていく時間が、動物によって全然違うことが分かった。

### 4　自分が調べたい他の動物の赤ちゃんについての本を読む〈第８時・25分〉

○決めている本や ICT 端末に撮った文章を読み、教科書と同じように生まれたときの様子と大きくなっていく様子について書かれている箇所を読み取る。

○タブレットの画面が苦手で本や紙の方が理解しやすい子供には本のコピーや直接本に付けることができる付箋などを用意し、個別最適な指導を図る。

**ICT 端末の活用ポイント**

撮りためた絵本や図鑑の写真や文章を活用して、赤線・青線を引いたり、気付いたことや本から読み取ったことのメモを直接書き込んだりすることができる。

本時案

# どうぶつの赤ちゃん

## 本時の目標

・読書に親しみ、いろいろな本があることを知ることができる。
・言葉がもつよさを感じるとともに、楽しんで読書をし、国語を大切にして、思いや考えを伝え合おうとする。

## 本時の主な評価

❷読書に親しみ、いろいろな本があることを知っている。【知・技】
❺文章の内容を比べながら粘り強く読み、学習の見通しをもって、本から得たことを友達に知らせようとしている。【態度】

## 資料等の準備

・動物の赤ちゃんの図書資料
・読み取ったことをまとめる表（児童用ワークシート）
・教師自作のクイズを印刷したもの

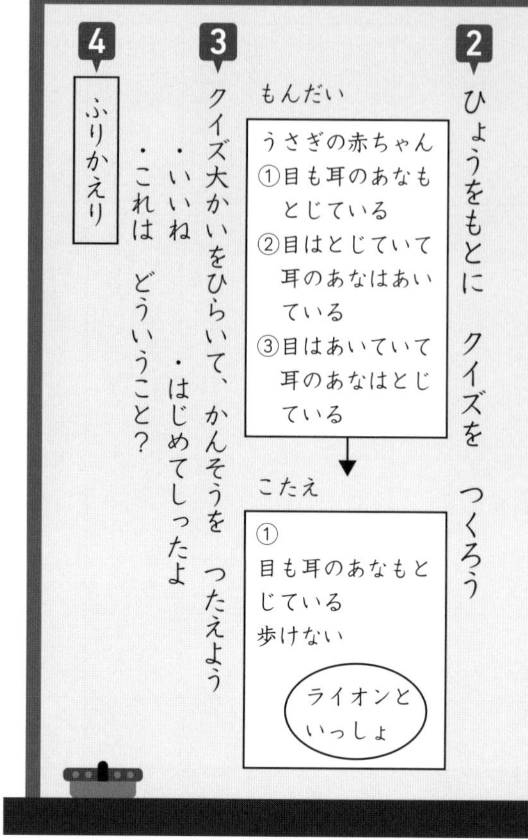


## 授業の流れ ▷▷▷

### 1 本を読んで分かったことを表にまとめる 〈第 9 時・20分〉

○前時までにサイドラインなどを引いたことを基にして、分かったことを表にまとめる。
○今回は、表が全部埋まらなくてもよいこととする。
○同じ動物の赤ちゃんを選んだ子供は、ペアやグループで一緒に確認してもよい。

### 2 どうぶつの赤ちゃんクイズを作る 〈第 9 時・25分〉

○表を基に ICT 端末を活用して、自分が調べた動物の赤ちゃんのクイズを作る。
○「生まれたときの様子」と「大きくなっていく様子」の問題・答えを作成する。読み取りが得意な子には、出題数を増やすよう助言する。
・うさぎの赤ちゃん（例）
生まれたばかりのうさぎの赤ちゃんの目と耳は、どうなっているでしょう。
①目も耳の穴もとじている
②目はとじていて、耳の穴はあいている
③目はあいていて、耳の穴はとじている
　正解は①です。生まれたばかりの赤ちゃんは目も耳の穴も閉じていて、歩くこともできないそうです。ライオンの赤ちゃんと似ていますね。

# どうぶつの　赤ちゃん

じぶんがえらんだ　どうぶつの赤ちゃんのようすをまとめて、クイズを出しあおう。

これまでに活用してきた動物の赤ちゃんの挿絵

**1** わかったことを　ひょうに　まとめよう

| ○○○○の赤ちゃん | |
|---|---|
| 生まれたときのようす | |
| からだの大きさ | |
| からだのようす | |
| いどうのしかた | |
| 大きくなっていくようす | |
| 生まれてすぐ | |
| ○○ほどたつと | |

## 3 どうぶつの赤ちゃんクイズ大会を開く　〈第10時・35分〉

T　調べて分かったことを基にクイズ大会を開きましょう。クイズ紹介が終わったら、感想を伝えたり、「もっとここが知りたい」を伝えたりしましょう。

○感想を伝え合う際のポイントも明示する。

○学級全体だけでなく、ペアやグループなど、多くの友達との交流できるよう工夫する。同じ種類や違う種類の動物同士で紹介し合って、新たな気付きを生み出したい。

**ICT 端末の活用ポイント**

タブレットで作成すると、投映してみんなで楽しみながらクイズ大会ができる。また、紹介した後は紙を印刷して掲示することもできる。タブレットでの作成が難しい子も、写真を活用することができる。

## 4 これまでに学習したことを振り返る　〈第10時・10分〉

T　これまで、いろいろな動物の赤ちゃんのことを学んできました。比べながら読んできて、どんなことに気付きましたか。また、どんなことができるようになりましたか。

○これまでにまとめた表を見比べる。

・自分が思っていたよりも、動物は生きる工夫をしていると思った。

・動物の赤ちゃんについて詳しくなった。自分と比べて読めてよかった。

・友達の発表を聞いて、いろいろな動物の赤ちゃんがいると思った。表にまとめたので、分かりやすかった。

・大事なことはどれかなと探せるようになった。

・友達と交流してもっと調べようと思えた。

ことばって、おもしろいな

# ものの　名まえ　（6時間扱い）

## 単元の目標

| | |
|---|---|
| 知識及び技能 | ・言葉には、事物の内容を表す働きがあることに気付くことができる。((1)ア)<br>・身近なことを表す語句の量を増し、話の中で使うとともに、言葉には意味による語句のまとまりがあることに気付き、語彙を豊かにすることができる。((1)オ) |
| 思考力、判断力、表現力等 | ・互いの話に関心をもち、相手の発言を受けて話をつなぐことができる。(A(1)オ) |
| 学びに向かう力、人間性等 | ・言葉がもつよさを感じるとともに、楽しんで読書をし、国語を大切にして、思いや考えを伝え合おうとする。 |

## 評価規準

| | |
|---|---|
| 知識・技能 | ❶言葉には、事物の内容を表す働きがあることに気付いている。(〔知識及び技能〕(1)ア)<br>❷身近なことを表す語句の量を増し、話の中で使うとともに、言葉には意味による語句のまとまりがあることに気付き、語彙を豊かにしている。(〔知識及び技能〕(1)オ) |
| 思考・判断・表現 | ❸「話すこと・聞くこと」において、互いの話に関心をもち、相手の発言を受けて話をつないでいる。(〔思考力、判断力、表現力〕A オ) |
| 主体的に学習に取り組む態度 | ❹積極的に言葉の上位語と下位語に関心をもち、学習の見通しをもって、言葉を集めて「おみせやさんごっこ」をしようとしている。 |

## 単元の流れ

| 次 | 時 | 主な学習活動 | 評価 |
|---|---|---|---|
| 一 | 1 | 学習の見通しをもつ<br>ことばカードゲーム（神経衰弱）をした後、教材文を読む。 | |
| | 2 | 学習課題を設定し、「ことばのおみせやさん」をするための学習計画を立てる。 | |
| 二 | 3 | 自分のお店（上位語）に合った言葉（下位語）を集める。 | ❹ |
| | 4 | 「ことばのおみせやさん」（おみせやさんごっこ）をして、様々な種類の「ことばカード」を集める。 | ❶❸ |
| | 5 | 集めた「ことばカード」を仲間分けし、言葉と言葉の関係を考える。 | ❷ |
| 三 | 6 | 学習を振り返る<br>教材文を読み、学習したことを振り返る。 | ❷ |

## 授業づくりのポイント

〈単元で育てたい資質・能力〉

本単元のねらいは、「言葉には、意味による語句のまとまりがあることや、上位語と下位語の関係になっていること」を理解することである。これらを理解することで、身の回りにある様々な語句を関係付けて捉え、語彙を形成したり拡充したりすることができるようになる。

実際に語句を集めたり分類したりする活動を通して、これまで生活経験の中で感覚的に捉えていた語句のまとまりや上位語・下位語の概念を整理し、明確に理解することが大切である。

[具体例]

○いちご・りんご・みかん（下位語）は、果物（上位語）、クッキー、チョコレート、飴（下位語）は、お菓子（上位語）、果物とお菓子は、さらに上位の食べ物の仲間というように語句にはまとまりやつながりがある。ピアノ、鍵盤ハーモニカ（下位語）は、楽器（上位語）だから、食べ物とは違う仲間になる等、子供にとって身近なものの名前を表す語句を集めたり、仲間分けしたりすることで、語句と語句の関係を整理し、体系化して捉えることができるようにしていく。

**〈教材・題材の特徴〉**

教材文「ものの　名まえ」は、買い物をするという場面設定を生かして、語句のまとまりや、上位語と下位語の概念を意識することができるようになっている。名詞は、同じ仲間、違う仲間の判別がしやすいため、１年生にも上位語と下位語の関係が分かりやすい。文中の読者に問いかける一文が効果的に子供の思考を促している。手引きのページには、お店屋さんごっこの活動が例示されており、子供と共にどのような学習をしたいかが考えやすい構成になっている。

**〈言語活動の工夫〉**

「ことばカードゲーム」や「ことばのおみせやさん」を通して、楽しみながら意味による語句のまとまりや上位語と下位語の概念の理解を確かにしていく。遊びを通してこれまで感覚的に捉えていた語句のまとまりを意識したり、上位語に当てはまる下位語を探したりすることができるようにしたい。

自身の経験を想起したり友達と話したりしながら言葉を集めることを大切にし、集めた言葉を使ったり分類したりする機会を設けていく。１年生は、経験を重ねることで理解が深まっていくため、全員が言葉を集めたり集めた言葉を使ったり分類したりする経験をすることを第一に考えたい。

[具体例]

○「ことばのおみせやさん」で開くお店を子供と話し合いながら決める。自分のお店にふさわしい商品づくりをするために、同じグループの友達と確かめ合いながら「ことばカード」づくりを進めていく。「ことばのおみせやさん」が終了した後で、買い物報告会や買い物日記等、集めた言葉を使う機会を設ける。言葉を分類する経験は、今回が初めてである。全体で行うのではなく、一人一人が分類をすることを大切にする。分類したカードを見ることで、語句と語句の関係を改めて確認することもできる。

**〈ICT の効果的な活用〉**

**整理**：「ことばカード」を写真に撮り、オクリンクやロイロノートなどの学習支援ソフトを活用してカード化する。作成したカードを使って分類し、言葉の上位下位の関係を整理する。

**記録**：分類したものを見返すことで子供が自分の学習を振り返ったり、提出させたものを評価や指導に活用したりする。

本時案

# ものの　名まえ

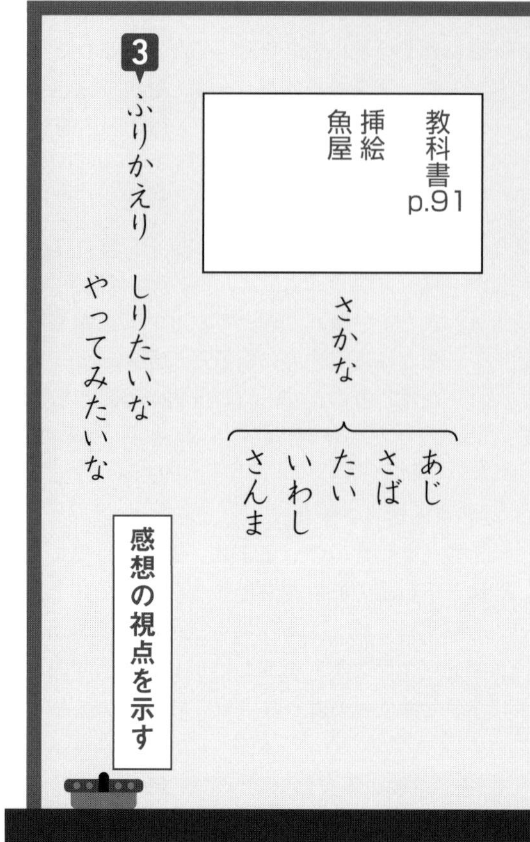


### 本時の目標

・言葉には意味による語句のまとまりがあることを意識することができる。

### 本時の主な評価

・言葉には意味による語句のまとまりがあることに気付いている。

### 資料等の準備

・ことばカード（グループ分）
・教科書の挿絵（果物屋・魚屋）

### 授業の流れ ▷▷▷

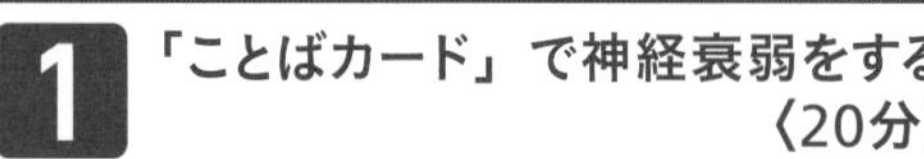

## 1 「ことばカード」で神経衰弱をする〈20分〉

○「ことばカード」は、遊び、果物、お菓子等、子供に身近な言葉を選び、あらかじめ作成しておくとよい。

○どんな言葉が書いてあるカードがあるか、はじめに確認してから遊びを始めるとよい。

T　「ことばカード」を使って、神経衰弱をしてみましょう。

○同じ仲間の言葉だったら札がもらえるということを具体例を出しながら確認する。

○この時期の子供は、生活経験から言葉の仲間について知っていることが多い。ここでは、遊びながら、言葉に仲間があることを意識させることが目的である。

## 2 「ものの　名まえ」を読む〈15分〉

○「ものの　名まえ」を範読する。読み手に問いかけているところで範読を止め、子供に問いかける。

T　どうして果物屋さんだと分かるのですか。

・りんごやみかんやバナナは、果物だからです。

T　他にはどんなものを売っていると思いますか。

・ももです。

・ぶどうです。

○他にも果物の下位語があることを意識させる。

T　どうして「さかなじゃわからないよ。」と言ったのですか。

・魚は、全部のまとめた名前で、それぞれの名前があるから魚だけだと、どの魚か分からないからです。

ものの　名まえ

1 ことばカードであそぼう。

ことばしんけいすいじゃく

やりかた

①じゅんばんをきめる

②二まい　めくる

③おなじなかまの　ことば
だったらもらえる

④もっているカードがおおい
人がかち

2 ものの　名まえ

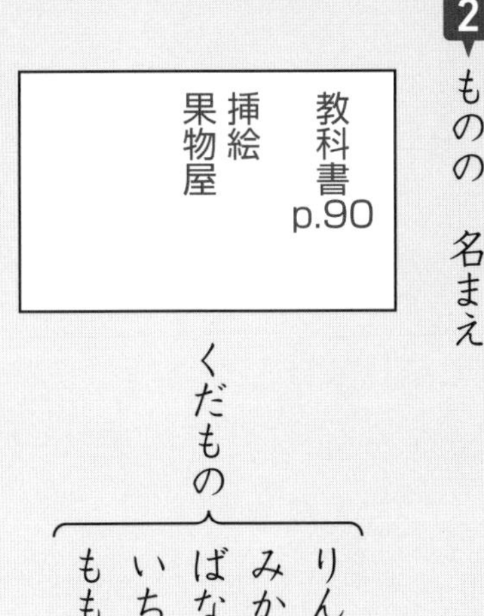


くだもの
- りんご
- みかん
- ばなな
- いちご
- もも

子供とやりとりしながら書く。上位下位の関係が視覚的にも分かるように板書するとよい。先に下位語を出し合った後、上位語を板書する

## 3 本時の学習を振り返り、学習感想を書く 〈10分〉

○第２時に学習計画を立てる際にここで書かせた感想を活用するとよい。

**T**　今日は、「ことばしんけいすいじゃく」をして、「ものの　名まえ」を読みました。今日を振り返って、感想を書きましょう。

○言葉について、やってみたいこと、知りたいこと等視点を示すとよい。

・言葉神経衰弱が楽しかったです。

・言葉のお店屋さんをやってみたいです。

・果物屋さんには、ぶどうも入ると思います。

・カードを増やして言葉神経衰弱をやってみたいです。

### よりよい授業へのステップアップ

**「ことばカード」の作成・活用**

遊び、果物、お菓子、花等の仲間からそれぞれ４つずつ言葉を選びカード化する。言葉には仲間があることに目を向けさせるための工夫であるので、枚数は少なくてよい。名刺サイズの用紙に印刷すれば、手軽に製作できる。

もっとやりたい、もっと増やしたいという意欲を喚起できれば、言葉を集める必要も出てくる。１種類だけカードを３枚にしたり、白紙のカードを入れたりしておくことで、集めた言葉を書き足したり、新たなゲームに展開したりすることもできる。

本時案

# ものの　名まえ

## 本時の目標

・学習の計画を立て、今後の学習の見通しをもつことができる。

## 本時の主な評価

・進んで学習計画を立てる話し合いに参加し、今後の学習の見通しをもっている。

## 資料等の準備

・前時の学習感想一覧（教師が把握しておく）

ことばの本を見る
人にきく

③ことばのおみせやさん
④おかいものほうこくかい
⑤ふりかえり

3
おみせ

・さかなや　・おかしや　・とりや
・どうぶつや　・やおや　・がっきや
・車や　・文ぼうぐや　・くだものや

## 授業の流れ ▷▷▷

### 1 前時の感想を出し合い学習課題を設定する 〈15分〉

T　前の時間の感想を出し合いましょう。
○内容ごとに分類しながら板書する。
・果物屋さんには、ぶどうも入ると思います。
・他にはどんな果物があるのか知りたいです。
・お菓子屋さんや、スポーツ屋さんもできると思いました。
→他にも言葉や種類がありそう
・ぼくもお店屋さんごっこをしたいです。
・「ことばカード」でまた遊んでみたいです。
→学習活動
○やりとりをしながら学習課題「名前の言葉を集めて言葉のお店屋さんをしよう」（例）を作る。

### 2 学習計画を立てる 〈15分〉

T　言葉のお店屋さんを開くために、どんなことをすればよいと思いますか。
・お店を決める。
・誰がどのお店になるかを決める。
・売るもの（商品）を作る。
○発言を整理しながら板書し、学習計画を作る。
○この話し合いの中で、商品は「ことばカード」であることや、商品を作るとは言葉を集めてカードに書くことだと確認しておく。
T　言葉は、どうやって集めますか。
・まわりを見たり思い出したりして集めます。
・友達に聞いたらいいと思います。
・言葉の本を見て探してみます。

## ものの　名まえ

1 学しゅうのけいかくをたてよう。

まえのかんそう

・くだものやには、ぶどうも入る。
・ほかに、どんなくだものがあるのか。
・おかしや、スポーツやもできる。

ほかにもある？
ことば・なかま

・おみせやさん
・ことばカード　しんけいすいじゃく
ほかのあそび

やってみたいな

がくしゅうかだい

なまえのことばをあつめて、ことばのおみせやさんをしよう。

2 けいかく

①おみせをきめる
②しょうひん（うるもの）をつくる
＝
なかまのことばをあつめる
どうやって？　さがす（見る・おもい出す）

順番を整理しながら板書する

## 3 開くお店を決める　〈15分〉

T　どんなお店を開きたいですか。

・魚屋、動物屋、鳥屋（上位語：生き物）
・お菓子屋、果物屋、八百屋（上位語：食べ物）
・楽器屋、車屋、文房具屋（上位語：もの）

○第５時にさらに上位のまとまりがあることに気付かせたいため、そこで分類することができるようなものを店にするとよい。

○希望を聞いて１つのお店が４人程度の人数になるように調整する。

T　今日の学習を振り返り、感想を書きましょう。

・動物屋さんに決まったので、動物カードをたくさん集めます。
・言葉カードを作ってお店屋さんをするのが楽しみです。本を見て集めようと思います。

### よりよい授業へのステップアップ

**図書資料の活用**

教室に言葉の絵本や簡単な辞書を置いておくとよい。日頃から自由に手に取ることができるようにしておく。

言葉集めのために活用した経験があると、学習計画を立てる際に「本で調べたらいい」という声が上がる。「うたに　あわせて　あいうえお」や「あいうえおで　あそぼう」でオリジナルのあいうえおのうたを作るときや、言葉遊びでオリジナル作品を作るときにぜひ活用させておきたい。

子供たちの語彙を広げることにも大いに役立つ。

本時案

# ものの　名まえ

## 本時の目標

・「ことばカード」づくりを通して、言葉の上位語と下位語の関係を理解することができる。

## 本時の主な評価

❹進んで意味による語句のまとまりを見付けたりまとまりを意識して語句を集めたりしようとしている。【態度】

## 資料等の準備

・例示する「ことばカード」
・子供が作成する際に使用する白紙の「ことばカード」
・お店のメンバー表

お店のメンバー表　お店のメンバー表　お店のメンバー表
お店のメンバー表　お店のメンバー表　お店のメンバー表
お店のメンバー表　お店のメンバー表　お店のメンバー表

②カードにかく　ことば
え
③たしかめる

## 授業の流れ▷▷▷

### 1 言葉の集め方を確認し、本時の学習の見通しをもつ〈10分〉

○果物屋で上位語と下位語の関係を確かめる。子供とやりとりしながら、店の名前が「まとめたなまえ（上位語）」、「ことばカード」が「１つ１つのなまえ（下位語）」だと確認する。
○魚屋を例に、上位語と下位語の関係ではない言葉は、集められないことを確かめる。魚の中に太鼓のカードを混ぜて提示し、気付きを引き出す。
・あれ、太鼓は魚屋ではありません。
T　どうしてですか。
・太鼓は、魚ではなく楽器の仲間だからです。
・同じ仲間じゃないとお店（上位語）とずれてしまいます。
○言葉の集め方や学習の進め方も確認する。

### 2 言葉を集め「ことばカード」を作成する〈25分〉

T　自分のお店に合った商品を作ることができるように、協力して頑張りましょう。
○迷ったり困ったりしたら、まずグループの友達に相談するよう声をかける。本時では、子供同士をつないだりエピソードを引き出したり、適切な図書資料を紹介したりすることを意識するとよい。
○集めている様子を見て、場合によって一度止めて、全体で集め方を確認したり友達同士で集めた言葉を確認したりする時間を設ける。

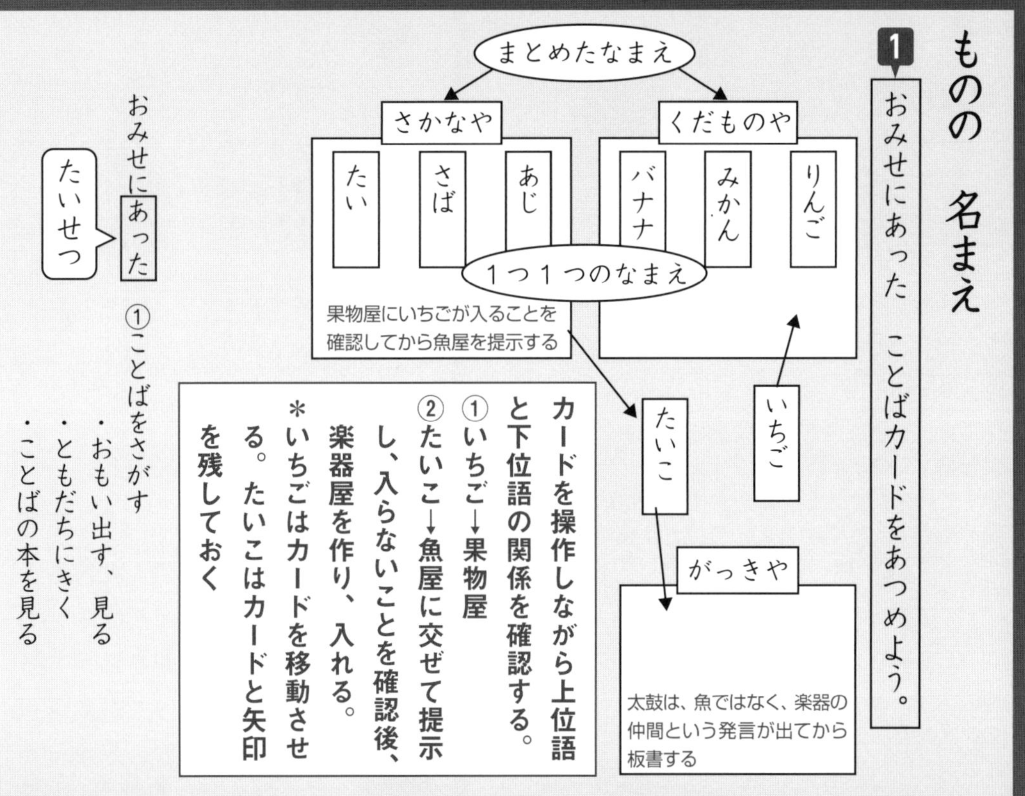


## 3 グループの友達と一緒に同じ仲間の言葉かどうか確かめる〈10分〉

T　作った「ことばカード」が、お店に合っているか確かめましょう。

○カードの枚数を増やすことに意識が向き、上位語に合っていない言葉を集めてしまうこともあるため、必ず見直すようにする。

○グループ全員で確認することで、上位語と下位語の関係の理解を確かにするとともに、自分では集めなかった新たな言葉と出合うこともできる。

T　今日の学習を振り返り、感想を書きましょう。

・きんかんという果物を知ったので、今度食べてみたいと思いました。

・楽器の仲間は、思っていたよりたくさんありました。

### よりよい授業へのステップアップ

**言葉を覚える**

言葉は、体験やエピソードとともに記憶されます。子供が新たな言葉と出合う場面では、教師も感心しながら話を聞き、「どんなもの」「いつ食べた」等と尋ね、エピソードを引き出すようにします。

A：きんかんも果物だよ。

B：きんかんってなあに。

A：丸くて、小さくてオレンジのみかんみたいなもの。

T：どんな味がするのかな。

A：すっぱいよ。でも、喉にいいんだって。

本時案

# ものの　名まえ

## 本時の目標

・「ことばのおみせやさんごっこ」の中で、互いの話に関心をもち、相手の言葉を受けてつないで話すことができる。

## 本時の主な評価

❶言葉には、事物の内容を表す働きがあることに気付いている。【知・技】

❸「話すこと・聞くこと」において、互いの話に関心をもち、相手の言葉を受けて話をつないでいる。【思・判・表】

## 資料等の準備

・やりとりの言葉を書く短冊（お店の人用とお客用の２色があるとよい）
・お店のメンバー表
・タイムスケジュール

1

よてい
○:○　じゅんび
○:○　はじめのかい
○:○　１かい目
○:○　２かい目
○:○　ふりかえり

お店のメンバー表

お店のメンバー表

お店のメンバー表

見通しをもたせるために、大まかなタイムスケジュールを示しておく

店の人と客が、
とが視覚的にも
短冊を活用する
受けて言葉を返
進むことが分か

## 授業の流れ ▷▷▷

### 1 店員と客のよいやりとりの仕方を考える 〈10分〉

T　お店の人は、どんなことを言いますか。
・いらっしゃいませ。ありがとうございました。
・何にしますか。いくつ欲しいですか。
T　お客さんは、どんなことを言いますか。
・○○をください。○○は、ありますか。
・１つください。
○店員と客に分けて、板書する。
T　なるほど。では、やってみましょう。
○２名の代表児童にやりとりをさせ、話した言葉を短冊に書いて黒板に貼り、矢印でつなぐ。
T　黒板を見て気が付いたことはありますか。
・お店の人とお客さんが順番に話しています。
・質問に答えたり、挨拶を言われたら挨拶を言ったりして、つながっています。

### 2 「ことばのおみせやさんごっこ」をする 〈25分〉

○子供たちがどのようなやりとりをしているかに注目する。ICT 端末で記録するとよい。「お薦めは何ですか」「どんな音が鳴りますか」等質問をし、それに答えているペアを見付けたい。
T　こんなふうに話したら上手にお買い物ができたとか、よく分かったということはありましたか。
○途中、一度止めて、よいやりとりを確認する。子供の発言に出なければ、教師が発見したことを紹介するとよい。その際、記録した動画を視聴すると効果的である。教師が撮影したものでもよい。
○返事をしたり質問をしたりするとよいことを確認してから、続きを行うようにする。

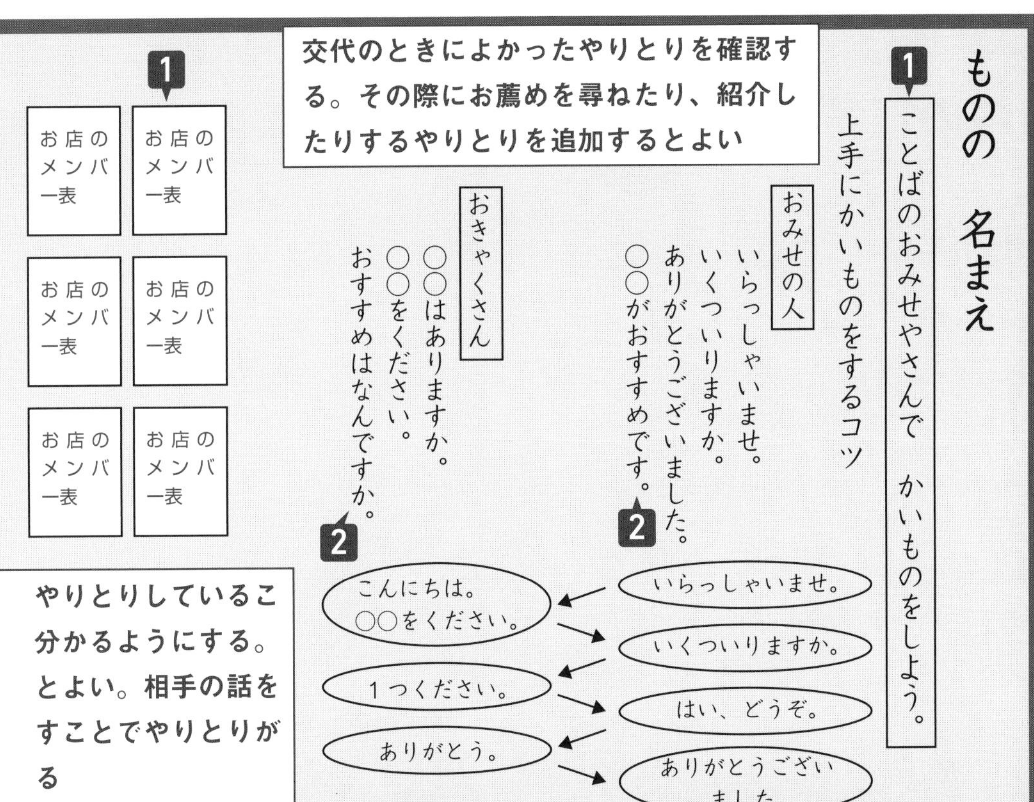


## 3 本時の学習を振り返る　〈10分〉

T　どんな「ことばカード」が集まったか整理してみましょう。

○本時は、個人で「ことばカード」を並べて確認するようにさせる。上位語が同じ言葉を集めたり並べたりしている子供がいたら、写真に記録しておくと次時に活用できる。

T　今日の学習を振り返って、感想を書きましょう。

・お店の人に聞くのが楽しかったです。「ことばカード」が、たくさん集まりました。

・「いくついりますか」と聞いたら「２つください」と言ってくれてうれしかったです。

・お薦めを聞いたら、消防車だと教えてくれたので、それを買いました。

### ICT 等活用アイデア

**自身を振り返るための記録**

話すこと・聞くことの学習では、ICT 端末を活用して、やりとりを記録するようにしたい。

音声言語はすぐに消えてしまい、振り返るのが困難である。ICT 端末に記録したものを見直すことで、自分の話し方を振り返ったり、よいやりとりの仕方を学んだりすることができる。

学習支援ソフトを活用して動画を提出させることで、評価に活用することもできる。

本時案

# ものの　名まえ

## 本時の目標

・「ことばカード」を分類し、言葉の上位、下位の関係を理解することができる。

## 本時の主な評価

❷身近なことを表す語句の量を増し、話の中で使うとともに、言葉には意味による語句のまとまりがあることに気付き、語彙を豊かにしている。【知・技】

## 資料等の準備

・学習支援ソフト上のお買い物バッグ

子供が分類した「お買い物バッグ」の画像。
　子供の画像を見ながら、分類の仕方を確認する

たべもの
くだもの
おかし

いきもの
さかな
どうぶつ

虫も、このなかま。

**子供の発言を板書、さらに上位語があるということが分かるようにする**

## 授業の流れ ▷▷▷

### 1 「ことばカード」を分類する 〈25分〉

**T**　「ことばのおみせやさん」で買った「ことばカード」を、「お買い物バッグ」の中で整理しましょう。どうしたらよいと思いますか。

・同じお店のものをまとめます。
・果物の仲間みたいに、名前を付けます。

○ICT 端末を用いて言葉カードを写真に撮り、学習支援ソフトを活用してカードを操作し、言葉の仲間で分類すること、分類した仲間に名前を付けることを確認する。

○言葉を分類・整理するのは初めての経験である。同じものは隣に置く、違うものは分ける、似ているものは近くに置く等、やり方を確認してから作業を始めるとよい。

### 2 報告し合い、どのような仲間に分けたか考える 〈10分〉

**T**　どんな「ことばカード」を買ったのか報告し合いましょう。

○「果物のりんごとぶどう」のように、分類名とカードに書かれた言葉を言って報告するようにさせ、上位語と下位語を意識できるようにする。

○完成した「お買い物バッグ」を共有する。上位語同士をまとめ、さらに大きな仲間をつくっているものがあれば、仲間の名前を隠して提示する。ない場合は教師の「お買い物バッグ」を配信する。

**T**　どんな分け方をしていますか。

・果物とお菓子が同じ仲間になっています。
・食べ物の仲間だと思います。
・まとめて付けた名前がもっとまとめられました。

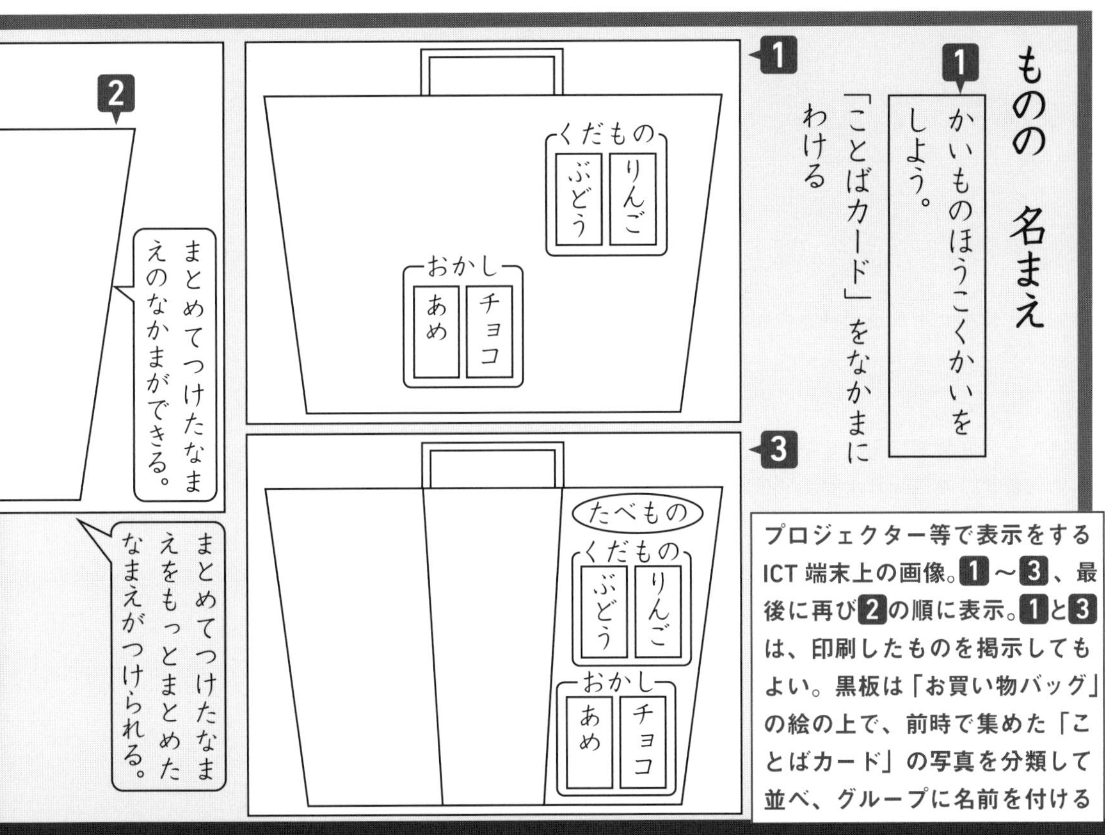


プロジェクター等で表示をするICT 端末上の画像。1～3、最後に再び2の順に表示。1と3は、印刷したものを掲示してもよい。黒板は「お買い物バッグ」の絵の上で、前時で集めた「ことばカード」の写真を分類して並べ、グループに名前を付ける

## 3 「ことばカード」をさらに分類・整理する　〈10分〉

T　もっと大きな仲間にできることが分かりました。自分の「お買い物バッグ」の中をもっと整理してみましょう。

○自分の「お買い物バッグ」をコピーし、より大きな仲間を意識して分類するようにさせる。名前も付け、上位語と下位語、さらに上位語との関係を理解できるようにする。

T　今日の学習を振り返りましょう。

・「ことばカード」を仲間に分けるのが楽しかったです。
・まとめて付けた名前を、もっとまとめる名前があることが分かりました。
・食べ物の仲間は、野菜もあると思います。

### ICT 等活用アイデア

#### 語句の分類・整理

学習支援ソフトを活用して、「ことばカード」を分類する。ICT 端末上で行い、共有機能を活用することで、友達がどのように分けているのかを短時間で確認することができる。

コピーやカードの送受信が手軽にできるため、複数のパターンの分類を試すことや記録することもできる。

自分で分類をすることで、語句のまとまりをより意識することにつながる。一人一人の作業を大切にしたい。

本時案

# ものの　名まえ

### 本時の目標

・「おかいものにっき」を書くことを通して、言葉の上位語と下位語の関係の理解を確かにし、語彙を豊かにすることができる。

### 本時の主な評価

❷身近なことを表す語句の量を増し、使うとともに、言葉には意味による語句のまとまりがあることに気付き、語彙を豊かにしている。
【知・技】

### 資料等の準備

・前時のワークシート写真（掲示用・子供用）
・「おかいものにっき」用紙（掲示用・子供用）

みかんといちごをかいました。
つぎに、おかしやさんであめとチョコレートをかいました。
くだものとおかしをあわせて、四このたべものがかえました。

3
がくしゅうのふりかえり
・わかったこと
・もっとしりたいこと

### 授業の流れ ▷▷▷

## 1 前時の学習を振り返り、言葉について分かったことを出し合う 〈5分〉

T　買い物報告会をして、分かったことは何ですか。
○教室掲示や前時の振り返りを基に、言葉についての気付きを発表させる。
・一つ一つの名前がありました。
・まとめた名前もありました。
・りんごとぶどうは、果物の仲間です。
・まとめた名前をもっとまとめた名前もありました。
・食べ物の仲間には、野菜やパンも入りそうだと思いました。

## 2 集めた「ことばカード」を使って「おかいものにっき」を書く〈25分〉

T　集めた「ことばカード」を使って、「おかいものにっき」を書きましょう。
○黒板に掲示したお買い物バッグの写真を基に、子供とやりとりしながらモデル文を作る。その際、上位語と下位語を必ず使うようにする。
○言葉を使ってみることで、語句のまとまりや語句と語句の関係の理解を確かなものにすることを意図している。
T　書き終わったら、友達と交換して読み合いましょう。
○書く活動は時間差が生まれることが考えられるので、書き終わった子供から交流できるようにしておくとよい。

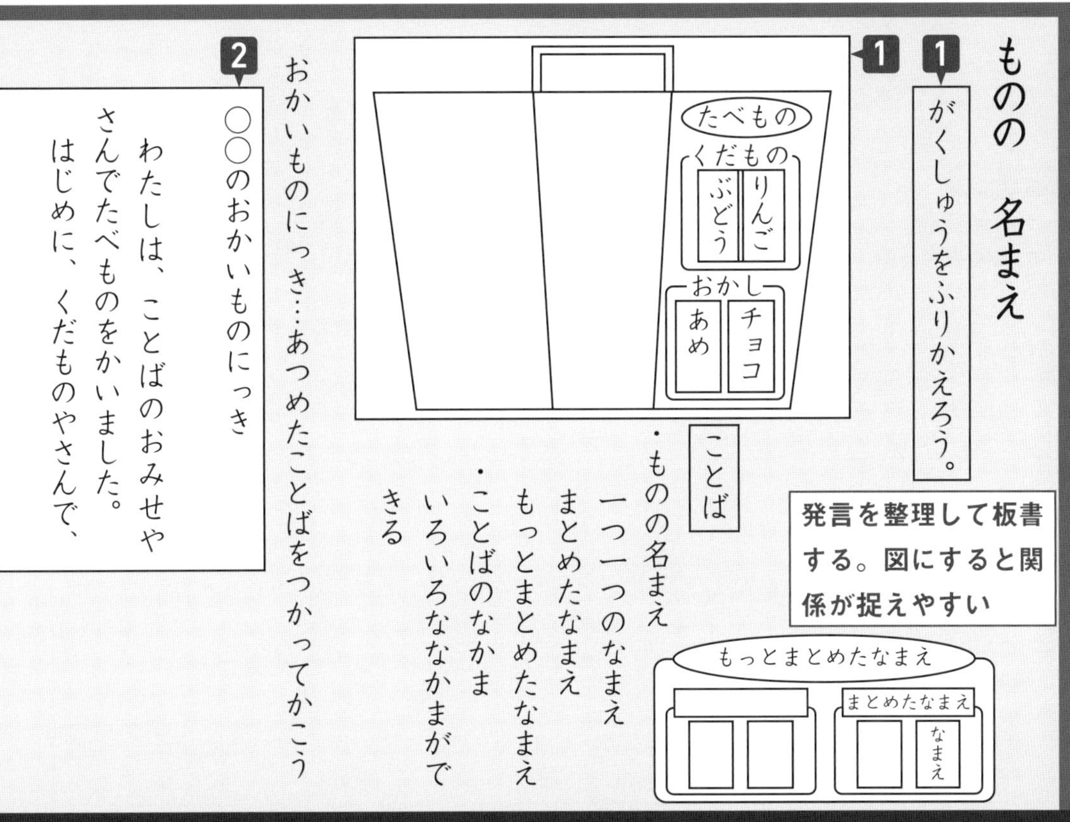


## 3 「ものの　名まえ」を読み、単元の学習を振り返る　〈15分〉

○教科書教材「ものの　名まえ」を読み、これまでの学習を引き合いに出しながら言葉にはまとまりがあることや、上位語と下位語の関係になっていることを確かめる。

**T**　学習を振り返りましょう。

・言葉には、グループがあることが分かりました。

・グループとグループがもっと大きなグループになるのがおもしろかったです。

・一つの言葉でもいろいろなグループに入るんだと思いました。

・他にもグループがあるか知りたいです。

### よりよい授業へのステップアップ

**グループに名前を付ける**

名前を付けることで、上位語と下位語の関係も意識できる。さらに大きなまとまりが、何のまとまりかを考えることで、言葉のしくみへの理解を深めることができる。語句と語句を関係付け、意味付けて体系化していくことが、語彙を広げるということである。

言葉カードを活用し新たな言葉遊びにつなげることもできる。「言葉っておもしろい」と感じさせることが、子供たちの語彙を豊かにするための第一歩である。

きいて　たのしもう

# わらしべちょうじゃ　（1時間扱い）

## 単元の目標

| | |
|---|---|
| 知識及び技能 | ・昔話の読み聞かせを聞くなどして、我が国の伝統的な言語文化に親しむことができる。((3)ア) |
| 思考力、判断力、表現力等 | ・読み聞かせを聞いて感じたことや分かったことを共有することができる。(C(1)カ) |
| 学びに向かう力、人間性等 | ・昔話の読み聞かせを楽しみ、これまでの学習を生かして内容や感想を共有しようとしている。 |

## 評価規準

| | |
|---|---|
| 知識・技能 | ❶昔話の読み聞かせを聞くなどして、我が国の伝統的な言語文化に親しんでいる。(〔知識及び技能〕(3)ア) |
| 思考・判断・表現 | ❷「読むこと」において、読み聞かせを聞いて感じたことや分かったことを共有している。(〔思考力、判断力、表現力〕C カ) |
| 主体的に学習に取り組む態度 | ❸積極的に昔話の読み聞かせを楽しみ、これまでの学習を生かして内容や感想を共有しようとしている。 |

## 単元の流れ

| 時 | 主な学習活動 | 評価 |
|---|---|---|
| 1 | 学習の見通しをもつ<br>「わらしべちょうじゃ」の読み聞かせを聞く。<br>読み聞かせを聞いた感想を出し合い、話の大まかな展開を確かめる。<br>再度「わらしべちょうじゃ」の読み聞かせを聞く。<br>学習を振り返る<br>気に入った場面をカードに書き、読み合う。 | <br><br><br>❶<br><br>❷❸ |

## 授業づくりのポイント

**〈単元で育てたい資質・能力〉**

本学習のねらいは、我が国の伝統的な言語文化に親しむことである。低学年では、日本に古くから伝わる昔話や神話、伝承と出合い、楽しむことで、伝統的な言語文化に親しむ素地を養う。

そのためには、読み聞かせや語り聞かせを聞きながら、昔話の世界をたっぷりと楽しむことが大切である。話の展開や登場人物の言動に驚いたり感心したりすることや、使われている独特の言い回しを味わったりリズムを楽しんだりすることなど、幅広く楽しさが味わえるようにする。

[具体例]

○子供が伝統的な言語文化に親しんでいる姿は、多様である。「話の展開がおもしろくて笑う」「繰り返しを楽しむ」「何度も出てくる言葉を声に出して言う」「気に入った言葉を声に出す」「登場人物の言動に驚く」「もう一度聞きたいと願う」「自分でも読んでみたいと本を手に取る」「自分も誰かに読み聞かせたいという思いをもつ」等は、親しんでいる姿の一例である。

**〈教材・題材の特徴〉**

「わらしべ長者」は、『今昔物語集』『宇治拾遺物語』に原話があり、日本に伝わるおとぎ話の一つである。夢でのお告げに従って出会う人と次々に物々交換をしていき、1本のわらしべしか持っていなかった男が大きな屋敷の主人になるという内容である。

繰り返しや予想を上回る話の展開など、聞いていて驚いたり思わず声を出したりしてしまうところが多く、1年生にとって親しみやすい昔話である。教科書教材は、昔話独特の言葉や言い回しが少なく、一度聞いただけで内容が分かるようになっている。様々な絵本やアニメも製作されているため、昔話独特の語り口調に親しませるために、教科書教材以外の絵本も読み聞かせる等の工夫もできる。

[具体例]

○道で出会った相手が困っており、男の持っているものをあげると、それよりよいものをくれるということの繰り返しで話が進んでいく。男がもらうものが、「みかん３個」「きれいな布」そして「馬」と次々によいものになっていき、最後には「大きな屋敷」をもらってしまうところに話の展開のおもしろさがある。「むかしむかし、あるところに…」は、昔話独特の言い回しである。

**〈言語活動の工夫〉**

「昔話っておもしろいな」「もっと聞きたいな・知りたいな」という思いが生まれるよう、工夫したい。昔話は、各家庭で語り継がれてきた伝統的な言語文化であるため、まずは教師の声で出合わせる。読み聞かせを聞いた後は「どうだった」と問いかけ、感想を自由に出し合うようにする。友達の発表に共感したり納得したりする中で「もう一度聞きたい」という思いが高まってきたら、再度読み聞かせを行う。もう一度聞くことで、話のおもしろさや語り口調や言い回しのおもしろさをじっくりと味わうことができる。

巻末に文章が載っていることや他の昔話の絵本を紹介することで、昔話への興味や関心が高まり、自分から手に取ったり声に出して読み始めたりする子供の姿が見られるだろう。

気に入った場面を書く際も分量は問わない。場面絵にシールを貼り、理由を友達と交流する方法もある。「昔話って楽しい」と感じることができるようにするのが第一である。

本時案

# わらしべちょうじゃ

## 本時の目標

・「わらしべちょうじゃ」の読み聞かせを聞き、表現や話の展開を楽しんだり感じたことを表現したりしながら、伝統的な言語文化に親しむことができる。

## 本時の主な評価

❶昔話の読み聞かせを聞くなどして、我が国の伝統的な言語文化に親しんでいる。【知・技】
❷「読むこと」において、読み聞かせを聞いて感じたことや分かったことを共有している。【思・判・表】
❸進んで話の展開や使われている表現のおもしろさを探し、学習課題に沿って感じたことを友達に伝えようとしている。【態度】

## 資料等の準備

・教科書 p.62〜63の場面絵６枚
・紹介ミニカード

教科書p.97 真ん中の絵

うまと、やしきを　こうかん。
・いえと、うまを　かえるなんて、じぶんだったら　しないなぁ。

教科書p.97 上の絵

どんどん　こうかんして、わらしべちょうじゃに　なった。
・さいしょの　わらしべが、大きな　やしきに　なるなんて、びっくり。
・いい　ことを　したから、いい　ことが　かえって　きたのかな。

## 授業の流れ ▷▷▷

### 1 「わらしべちょうじゃ」の読み聞かせを聞く 〈10分〉

○読み聞かせる際は、物語の展開や、大切な言葉が聞き取りやすいように、声の速さや間を意識し、大きく抑揚を付けて読むとよい。
T　これから、昔話を読みます。
○教師の近くに集める等、場を設定することで、読み聞かせを聞くことに集中できる。
○物語の展開に驚く反応や笑い声、つぶやきは許容するが、「知ってる……」と先を話す等、友達が聞いて楽しむのを邪魔してしまう場合は、声をかけ黙って聞くように促す。

### 2 感想を出し合い、話の大まかな展開を確かめる 〈10分〉

T　お話を聞いて、どうでしたか。
○視点を示さず、自由に感想を言わせるようにするとよい。
・おもしろかったです。
・どんどん交換していくのがびっくりしました。
・長者になるとは思いませんでした。
・屋敷をくれたところに驚きました。ぼくだったら、多分あげません。
○出てきた感想を整理しながら板書する。その際、場面絵を貼ることで、話の大まかな展開が視覚的にも理解できるようにする。
○「同じ」「似てる」等の声が上がってきたら、名前マグネットを貼るように声をかける。

きいて　たのしもう
わらしべちょうじゃ

3

おはなしの　おもしろい　ところを
しょうかいしよう。

2

教科書p.96
上の絵

ころんだら、わらしべが　あった。
・ゆめで　こえを　きいたのが
おもしろい。

教科書p.96
真ん中の絵

あぶと、みかんを　こうかん。
・一ぴきが　三こに　なって、
すごい。
・みかんの　ほうが、いいのに。

教科書p.96
下の絵

みかんと、ぬのを　こうかん。
・たすけて　あげて、やさしい。

教科書p.97
下の絵

ぬのと、うまを　こうかん。
・わらしべが　うまに　なった。
・やっぱり、やさしい。

2 子供の感想を聞きながら、話の展開が分かるよう、整理して板書する

## 3 再度聞き、気に入ったところをカードに書いて読み合う〈25分〉

T　もう一度読みます。おもしろいと思ったところが確かめられるといいですね。

○教科書の文章を繰り返し読んでもよいし、同じ話で昔話特有の語り口調のあるものを読み聞かせてもよい。

T　このお話の中で、気に入ったところを、紹介カードに書きましょう。

○実態に応じて「おもしろいな」「すごいな」「不思議」「びっくり」等の視点を示す。

○書き終わった子供から、読み合うとよい。

○本時の学習を振り返る。

・自分で、もう一度読んでみたいです。
・他の昔話も読んでほしいです。
・他の昔話も読みたいです。

### よりよい授業へのステップアップ

**昔話の語り口調に親しむ**

教科書教材は、聞いて話の内容が理解できるよう、子供に分かりやすい言葉で書かれている。そのため、昔話独特の語り口調が少なくなっている。

2度目に読み聞かせる際は、ぜひ違う絵本や紙芝居を読み聞かせ、使われている言葉や語り口調のおもしろさにも出合わせたい。子供が語り口調をまねしたり、つぶやいたりする姿が現れる。

事前に図書館司書と相談し、本を集めておくとよい。

# かたかなの　かたち （3時間扱い）

## 単元の目標

| | |
|---|---|
| 知識及び技能 | ・片仮名を読み、書くとともに、文や文章の中で使うことができる。((1)ウ) |
| 思考力、判断力、表現力等 | ・語と語の続き方に注意しながら、内容のまとまりが分かるように書き表し方を工夫することができる。(B(1)ウ) |
| 学びに向かう力、人間性等 | ・言葉がもつよさを感じるとともに、楽しんで読書をし、国語を大切にして、思いや考えを伝え合おうとする。 |

## 評価規準

| | |
|---|---|
| 知識・技能 | ❶片仮名を読み、書くとともに、文や文章の中で使っている。(〔知識及び技能〕(1)ウ) |
| 思考・判断・表現 | ❷語と語の続き方に注意しながら、内容のまとまりが分かるように書き表し方を工夫している。(〔思考力、判断力、表現力等〕B ウ) |
| 主体的に学習に取り組む態度 | ❸進んで形の似ている字を探し、これまでの学習を生かして片仮名の言葉を使った文を書こうとしている。 |

## 単元の流れ

| 次 | 時 | 主な学習活動 | 評価 |
|---|---|---|---|
| 一 | 1 | 学習の見通しをもつ<br>片仮名と形の似ている平仮名や、似た形の片仮名を見付ける。 | ❶ |
| 二 | 2 | 形が似ていることを意識して、形に気を付けながら文字を書く。<br>間違えやすい片仮名を練習する。 | ❸ |
| | 3 | 片仮名で書く言葉を集める。<br>学習を振り返る<br>形に気を付けながら、片仮名を使った言葉や文を書き、発表し合う。 | ❷ |

## 授業づくりのポイント

### 〈単元で育てたい資質・能力〉

本単元では形の似ている文字を見付けたり、書くときに気を付けるポイントを考えたりする活動を通して、片仮名の形への関心を高め、正しく書く力を養う。片仮名については、既に学習が済んでいるが、今回は片仮名の形に意識を向けて指導を行う。教科書にもあるように、形の似ている片仮名を書き誤ったり、間違った筆順で書いていたりする子供が見られる。書き誤ってしまう原因として、始筆の場所や、画の傾き加減の理解が十分でないことが考えられる。本単元では、確実に書くことができるよう指導をする。また指導時間の確保において、書写の時間も活用していくとよい。

[具体例]

○「シ」と「ツ」は、始筆の方向を確かめる。正しい字を書くことを通して、「シ」であるなら、文字の左側がそろうこと、「ツ」の場合は文字の上側がそろうことなどを確かめる。教科書にもあるように、平仮名と片仮名のイメージを合致させることで、理解を確実にしたい。

### 〈教材・題材の特徴〉

片仮名の指導は、平仮名の指導と同じように時間を確保して行うことが難しい。子供たちの日常生活の中にはたくさんの片仮名があるものの、定着に至っている子供は、クラスの一部に限られてしまうのが現状である。また、漢字の学習とも同時に行っているところもあるだろう。指導時間の確保として、書写の時間と合わせて指導したい。始筆の場所を改めて確認することや、画の傾き、「とめ」「はね」「はらい」などの指導を通して、片仮名の特徴をつかみ、定着につなげていく。また、常時活動として、カードやノートに片仮名の言葉を書きためていくこと、かるた取りや片仮名の言葉だけのしりとりゲームなど、楽しく取り組んでいくことも必要である。

[具体例]

○教科書に載っている言葉だけでなく、書写の教材も活用しながら、片仮名の特徴が分かるように指導していく。書き取りの練習は単調になりやすく、集中が続かない子供もいることが予想される。字の特徴を取り上げるときには、大きく空書きをさせたり、隣や班の子供同士で見せ合ったりして、字の特徴が捉えられるようにしていく。

### 〈言語活動の工夫〉

子供の気付きを取り上げながら学習を進めていく。形の似ている片仮名を見付けるときには、子供の「あった！」という発言が出てくるように、教師から言葉を提示してしまうことがないように注意する。その一方で、意欲が高すぎて「こじつけ」的な発言が見られる場合も考えられる。そのときには、どんなところが似ているのか、自分の言葉で説明させることで、より形を意識できるようになる。

間違えやすい文字の練習をするときには、子供に間違えやすいポイントを考えさせ、適切な指摘であることを確認した上で、クラスオリジナルのオノマトペを使った筆順の練習方法を考え出すことも有効である。

[具体例]

○「シ」を書くときは、「左左下から上にシュッ！」「ツ」は「上上上から滑り台」など、片仮名の特徴を捉えた筆順の唱え方を見付け、クラス全体で共有できるようにしたい。

本時案

# かたかなの かたち

## 本時の目標

・平仮名と形の似ている片仮名や、似た形の片仮名を見付けることができる。

## 本時の主な評価

❶形の似ている字があることに気付き、片仮名と平仮名の表から見付けようとしている。【知・技】

## 資料等の準備

・平仮名・片仮名五十音表
・マス目黒板

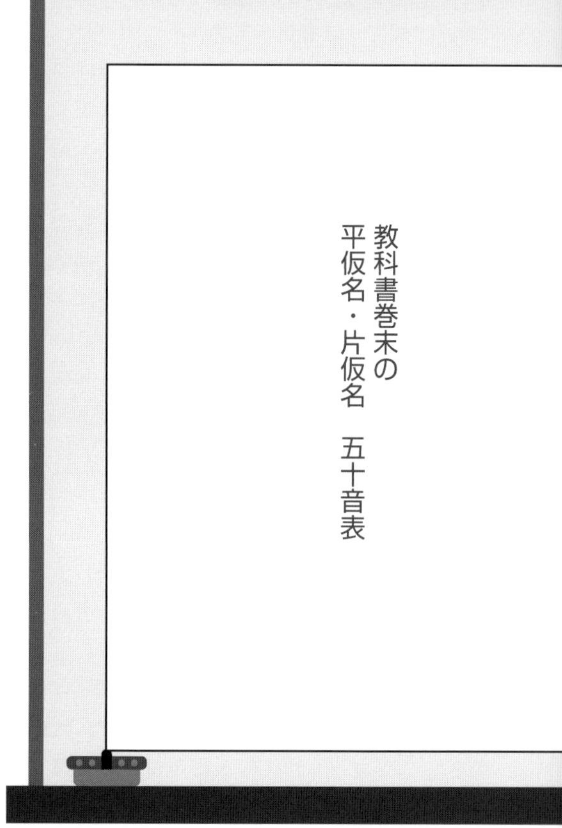


## 授業の流れ ▷▷▷

### 1 片仮名の学習を振り返り、単元のめあてを捉える 〈10分〉

T　平仮名と片仮名で間違えることはありませんか。
・「か」と「カ」を間違えたことがあります。
・「せ」と「セ」もある。
・「シ」と「ツ」をよく直される。
・「ソ」や「ン」もだね。
T　どうして間違えてしまったのでしょうか。
・形が似ているからじゃないかな。
〇子供たちは、平仮名・片仮名が書けるようになり、自信をつけてきている。間違った経験を想起してめあてを考えることで、子供たちから学習の必要性を引き出すことができる。
T　正しく書けるように、形の似ている字を見付けていきましょう。

### 2 片仮名と形の似ている平仮名を想起する 〈15分〉

T　「か」と「カ」は形が似ていますね。どんなところが似ていますか。
・平仮名は３画目がある。
・片仮名は１画目がカクカクしている。
T　先生は平仮名であれば、３画目があるかや、柔らかく曲がっているかを見ていますよ。
・形は似ているけれど、片仮名は、カクカクしてるんだね。
T　他にも形が似ている平仮名と片仮名はあるでしょうか。探していきましょう。
〇明らかに似ていない字も板書し、その理由を発言させる。その子供なりの字の捉え方や考え方を受け止める。その後、妥当かどうかクラス全体で考えることを通して、めあてに対しての考え方を育てることができる。

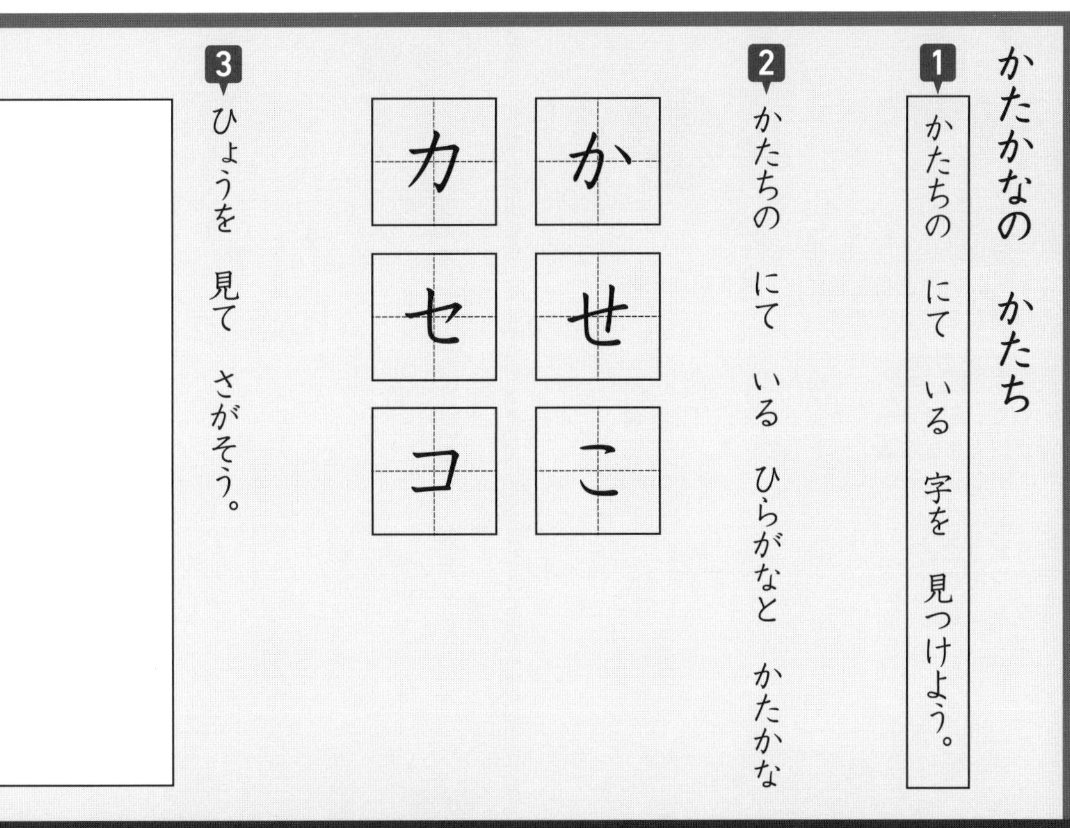


## 3 五十音表を見て、似ている文字を見付ける〈20分〉

**T**　たくさん出てきました。黒板に書いてある字も確認しながら、他にもないか探しましょう。

○探して見付けようとする意欲を認め、「○個見付けているね」や「確かに、点が付いてるか、いないかだね」など具体的に褒めることで、さらに意欲的に取り組む。その発言を聞いて、まわりの子供も触発され相乗効果が見られる。

**T**　見付けた字をノートに書き、写真に撮って先生に送りましょう。

○ノートを学習用情報端末の写真機能で撮り、教師に提出、共有することで、一人一人の見取りができる。また、次時で活用する。

### よりよい授業へのステップアップ

**子供とともにつくる学習のめあて**

子供たちにとって、身近なエピソードを提示することは、興味・関心を高めたり共感したりしやすい。誰もが一度は経験したことがあるエピソードを提示することで、課題を自分ごととして捉え、学習に対して主体的に取り組もうとする。

本単元では、「間違えたことがある」という経験を出し合い、その原因などを考えていく。

子供の言葉をつなぎ合わせていくことで、単元のめあてをつくることができる。

本時案

# かたかなの かたち

## 本時の目標

・形が似ている片仮名を見付け、書き順に気を付けて書くことができる。

## 本時の主な評価

❸形の似ている片仮名があることに気付き、書き順に気を付けて書こうとしている。

【態度】

## 資料等の準備

・マス目黒板
・片仮名五十音表

3

ツ ① ② ③

①、②はよこにかく

①上からとめ
②上からとめ
③上からシュッ

スクリーンやテレビ画面に、子供たちが手書きしたものを映して、共有する

## 授業の流れ ▷▷▷

### 1 前時を振り返り、形の似ている片仮名を見付ける 〈15分〉

T　前の時間は、平仮名と片仮名が似ている字を探しました。どんな字が出てきましたか。
・「か」と「カ」です。
・「こ」と「コ」です。
T　たくさん見付けましたよね。片仮名と片仮名でも、似ている形はありませんか。
・「シ」と「ツ」が似ていて、よく直されます。
・「ソ」と「ン」もだね。
〇五十音表を見て、形の似ている片仮名を探させる。
・片仮名も形が似ているから間違えるんじゃない。
〇前時と同様に、子供たちの発言を生かしながら、本時のめあてを一緒に考える。
T　正しく書けるようになるために、学習をしていきましょう。

### 2 正しい書き方を考える 〈15分〉

T　「シ」と「ツ」の間違いが多いです。どうしてでしょう。
〇間違えた字を提示して、どこに気を付けて書けばいいか、見付けられるようにする。
〇書き順を確認することや、始筆の場所や「とめ」「はらい」などマス目黒板で見せることで、正しい書き方に気付けるようにする。
〇「上からシュッ」や「下からはらう」など、字の書き方を言語化することで、字のポイントを印象付けることができる。
T　「ン」と「ソ」の違いはどんなところでしょう。ペアで話し合いましょう。
〇一度、教師と一緒に取り組むことで、自分たちでも考えることができる。
〇その他の字も同様に考える。

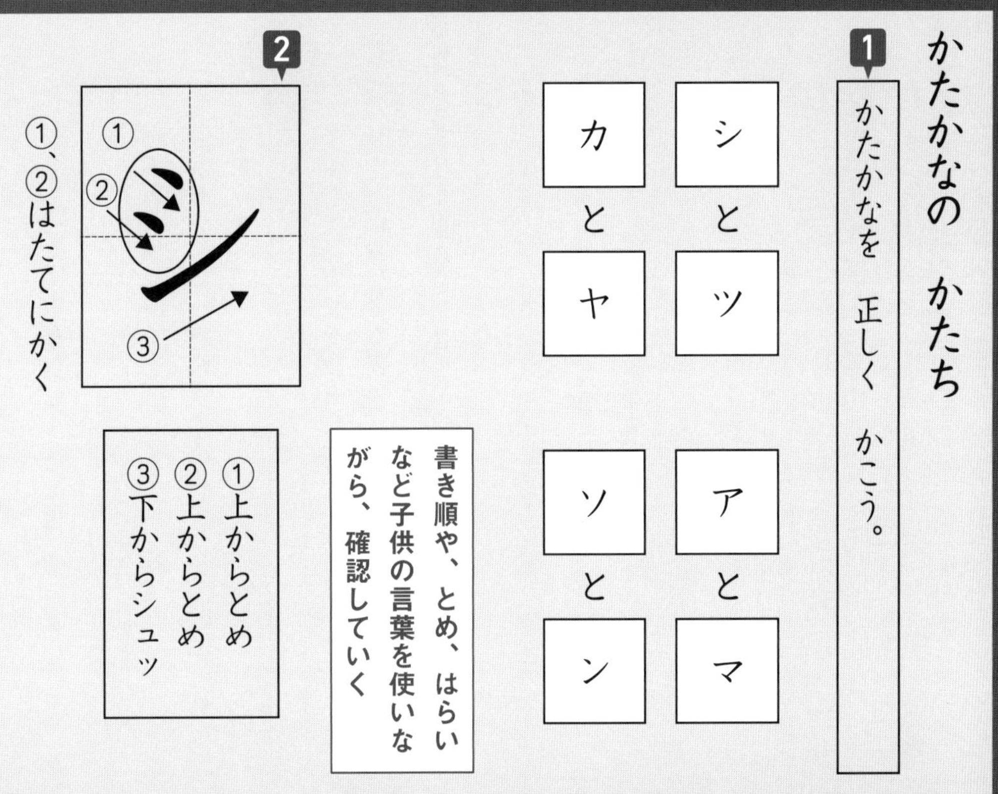


## 3 学習を生かして、片仮名を書く〈15分〉

T　形が似ている片仮名を、正しく書く方法を勉強しました。書いてみましょう。

○学習用情報端末の手書きアプリに、学習した「シ」「ツ」を書かせ、提出させる。画面上に共有することで、子供たち同士で教え合うこともできる。

○確認が終わった子供には、練習したい片仮名を書かせて提出させる。

T　どんなところに気を付けると、正しい片仮名が書けますか。

・書き順を守って書くことです。
・始まりの場所を守ることです。
・画の傾きに気を付けます。

### ICT 等活用アイデア

#### 子供の感覚の言葉を生かす

本時は、書き順を確認するだけでは間違って書いてしまう子供たちに対して、視点を変えた指導を試みて、定着を図っていく。書写の教科書を活用して、「とめ」「はね」「はらい」や始筆の場所など字のポイントを確認したり、子供たちがもっている感覚を言語化したりすることである。「上からシュッ」や「下から上にはらう」など、子供の言葉を引き出しながら、書き取りの練習をすることで、一人一人の子供にとって印象に残る学習にすることができる。

本時案

# かたかなの かたち

## 本時の目標

・形に気を付けて、片仮名を使った言葉や文を書くことができる。

## 本時の主な評価

❷片仮名を使った言葉を書いたり、言葉と言葉の続き方に気を付けたりして、文を書こうとしている。【思・判・表】

## 資料等の準備

・絵カード ⤓ 20-01〜02

3

○オルガンを　ひく。

○先生が、オルガンを　ひく。

＊例示を示した後、子供に考えさせる。
＊例示も子供と一緒に考えることで、活動に入りやすくなる。

＊子供が作った文を板書したり、電子黒板やスクリーンに映してもよい。

## 授業の流れ ▷▷▷

### 1 めあてを知り、片仮名の言葉を集める 〈15分〉

T　形の似ている片仮名を学習してきました。今日は、自分たちが知っている片仮名の言葉を集め、短い文も考えていきましょう。

・「ネクタイ」です。

・「シャツ」かな。

○絵カードを提示する。発言させた後に、書かせるようにする。

○片仮名をノートや学習情報端末に手書きで書かせる。

○ノートに書かせた場合、机間巡視をしながら、教師用のタブレット端末で写真を撮り、提示すると確認ができる。学習用情報端末に手書きをさせた場合は、提出機能や投映機能を活用すると共有ができる。

### 2 片仮名の言葉を集める 〈15分〉

T　自分が知っている片仮名の言葉を集めましょう。

○１年生の段階で、平仮名表記の言葉も片仮名表記で書いてしまうことが考えられる。書いたことを認めつつ、平仮名で書く言葉であることを、随時指導していく。

○好きなキャラクターの名前を書こうとする子供もいる。平仮名で書く言葉と片仮名で書く言葉の違いや、身近なものの語彙を増やすことも大切であると考える。授業で取り上げるよりも、宿題など別課題で取り組ませる方が意欲的に取り組めると考える。

かたかなの　かたち

1

かたかなの　ことばをあつめ　文を　かこう。

ネクタイ

カッターシャツ

教科書に載っている絵を、電子黒板やスクリーンで映し、書き方を確認してもよい

2

子供の発言を板書していく

## 3 集めた言葉を使って、短い文を考える 〈15分〉

**T**　集めた言葉を使って短い文を作ってみましょう。

○作り方の例を示す。「オルガンを　ひく。」「先生が、オルガンを　ひく。」など２語、３語の文を示す。

○子供が考えた文を、発表させ、板書すると、次々と考え出す。

○想起が難しい子供には、黒板の片仮名を選ばせたり、自分自身を主語としたりする支援を行う。

**T**　たくさん片仮名の学習をしてきました。文も考えることができました。これからたくさん使っていきましょう。

### ICT 等活用アイデア

**学習用情報端末の活用**

手書き機能を活用することで、タイピングが難しい低学年でも、授業で活用することができる。

短文づくりでは、「誰が（何が）」にあたる主語を書くスライドと、「どうする」にあたる述語を書くスライドを配布することで、文の区切りを意識させる指導も可能である。

また、絵を配布して、それに当てはまるような短文を考えさせることで、クイズのように楽しく学習に取り組むことができる。

# ことばあそびを　つくろう　（6時間扱い）

## 単元の目標

| | |
|---|---|
| 知識及び技能 | ・身近なことを表す語句の量を増し、文章の中で使い、語彙を豊かにすることができる。((1)オ)<br>・長く親しまれている言葉遊びを通して、言葉の豊かさに気付くことができる。((3)イ) |
| 思考力、判断力、表現力等 | ・語と語の続き方に注意しながら、内容のまとまりが分かるように書き表し方を工夫することができる。(B(1)ウ) |
| 学びに向かう力、人間性等 | ・言葉がもつよさを感じるとともに、楽しんで読書をし、国語を大切にして、思いや考えを伝え合おうとする。 |

## 評価規準

| | |
|---|---|
| 知識・技能 | ❶身近なことを表す語句の量を増し、文章の中で使い、語彙を豊かにしている。(〔知識及び技能〕(1)オ)<br>❷長く親しまれている言葉遊びを通して、言葉の豊かさに気付いている。(〔知識及び技能〕(3)イ) |
| 思考・判断・表現 | ❸「書くこと」において、語と語の続き方に注意しながら、内容のまとまりが分かるように書き表し方を工夫している。(〔思考力、判断力、表現力等〕ウ) |
| 主体的に学習に取り組む態度 | ❹身近なことを表す語句に積極的に関心をもち、これまでの学習を生かして言葉遊びを楽しもうとしている。 |

## 単元の流れ

| 次 | 時 | 主な学習活動 | 評価 |
|---|---|---|---|
| 一 | 1 | 学習の見通しをもつ<br>教科書の文を読み、空欄に当てはまる言葉を考える。<br>言葉の中に他の言葉が含まれているものを探す。 | |
| | 2 | ことばクイズを作ってお店屋さんごっこをしようという学習計画を立てる。 | |
| 二 | 3 | グループで言葉クイズを作る。<br>・「いる」「ある」の使い分けの仕方を考える。 | ❶❷❸ |
| | 4 | ・言葉の中に他の言葉が隠れている言葉を使ってクイズを作る。 | |
| | 5 | ・作ったクイズを見直し、修正や追加をする。 | |
| 三 | 6 | 学習を振り返る<br>ことばクイズのお店屋さんごっこをする。<br>単元の学習を振り返る。 | ❹ |

## 授業づくりのポイント

### 〈単元で育てたい資質・能力〉

本単元のねらいは、楽しみながら言葉の意味を考えクイズを作ったり答えを考えたりすることを通して、子供の語彙を豊かにすることである。

子供たちはこれまでの生活経験や学習の中で、多くの言葉に出合っている。言葉遊びの文を読んだり自分たちで問題を作ったりすることを通して、中に言葉が隠れている言葉を探していく。「音が同じ部分がある」「生き物か物か」などの視点で身の回りにある語句を見直したり友達とやりとりして新たな語句と出合ったりすることで、言葉の見方を広げたり語句の量を増したりする。このことが、子供の語彙を豊かにすることにつながっていく。

[具体例]

○「かばんの中には、 かば がいる。」など、1つの言葉の中に、音が同じ部分があるが元の言葉とは結び付きにくい意外な言葉が隠れているおもしろさがある。例文を繰り返し音読することを通して、文字の組み合わせにより別の言葉になることのおもしろさや、言葉は事物を表すのであるということなどに気付かせていく。

### 〈教材・題材の特徴〉

教科書で紹介されている言葉遊びの文「(　　　) の中には、…がいる。／ある。」は、言葉(　　　) の中に隠れた言葉を見付けながら、調子よく声に出して読み、意欲的に楽しんで取り組むことができる。「いる」が使われた例文と「ある」が使われた例文を比べることで、生き物の言葉には「いる」、生き物ではないものには「ある」が使われることを確認することができる。楽しみながら繰り返し読むうちに、自分でも作ってみたいという意欲も湧いてくるだろう。言葉遊びの文を楽しみながら、それぞれの言葉の意味や、文字や言葉の役割について考えさせたい。

### 〈言語活動の工夫〉

お店屋さんごっこは「ものの　名まえ」の学習で経験している。今回は、グループで言葉クイズを作り、言葉クイズ（言葉遊び）のお店を開く。学習計画を立てる際、どんな活動をしたいか子供に問いかけてみるとよい。やりとりをしながら学習計画を立てることで、見通しをもたせることができる。

１年生は、まだまだ知っている語句の量が少なく、言葉クイズの問題を作ることに難しさを感じる子供がいることも予想される。そこで、グループでお店を出すこととし、友達同士で言葉を出し合い、相談しながら問題づくりを行うことができるようにする。これまでの学習の中で集めた言葉を提示したり、言葉絵本などを用意して調べることができるようにしたりするなど、環境整備を行い、無理なく活動に取り組むことができるようにする。

### 〈ICT の効果的な活用〉

**共有**：学習支援ソフトを活用して言葉クイズづくりを行う。問題カードと答えカードを作り、お店屋さんごっこをする際に、それを見せながらやりとりできるようにする。実態に応じて、画用紙やノートに書いたものを写真で撮影し、それを見せるようにしてもよい。お店屋さんごっこの終了後、提出・共有機能を用いて互いに見合うことができるようにすると、その後も見返して、クイズを楽しむこともできる。単元終了後も言葉に触れることを楽しむことで言葉への関心を高めたり言語感覚を豊かにしたりすることにつながっていくだろう。

本時案

# ことばあそびを つくろう

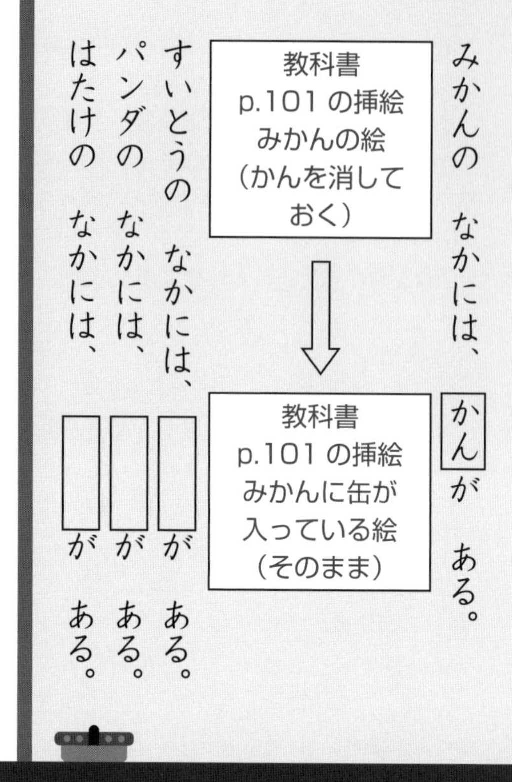


**本時の目標**

・「ことばクイズ」を解き、文字の組み合わせによって様々な言葉ができることに気付くことができる。

**本時の主な評価**

・「ことばクイズ」を解くことを通して、文字の組み合わせによって様々な言葉ができることを理解している。

**資料等の準備**

・教師が作成した「ことばクイズ」を印刷したもの（黒板掲示用）

**授業の流れ**▷▷▷

## 1 「ことばクイズ」を解き、本時のめあてを意識する 〈10分〉

○教科書の挿絵を活用し、プレゼンテーションソフト等で作成したクイズを見せる。

T （かばんの絵を見せて）何でしょう。

・かばんです。

T 実は、このかばんの中に何かが入っています。何でしょう。

○やりとりをする中で、「かばん」の３文字の中に入っている言葉だと気付かせていく。

・かばです。

T おお。そのとおり。

・かんも入りそうです。

T なるほど。どこにいるのですか。

・もっとやりたいです。／次の問題は…。

T じゃあ、今日は、「ことばクイズ」にチャレンジしてみましょうか。

## 2 教科書の文を読み、空欄に当てはまる言葉を考える 〈25分〉

T では、「ことばクイズ」にチャレンジしてみましょう。「かば」と「かん」のように、答えは１つじゃないかもしれないのですね。

○ここでは、言葉に使われている文字に着目し、新たな言葉を見付ける楽しさを味わわせたい。

T 何が入っていましたか。隣の人と一緒に確かめてみましょう。

○子供の実態に応じペアで相談しながら「ことばクイズ」の答えを考えさせてもよい。

T みんなで確かめてみましょう。

○自分や友達の名前を見付けたり逆さまに組み合わせたりする子供が現れた場合、大いに感心するとよい。

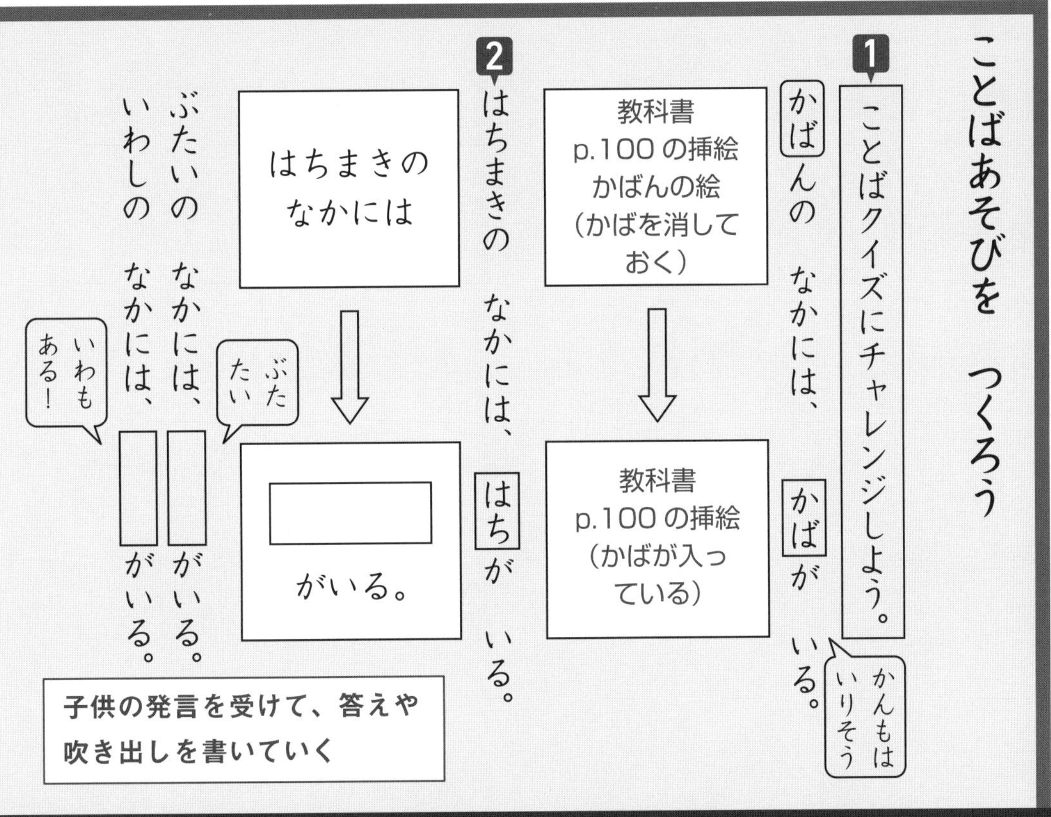


## 3 学習を振り返り、感想を発表し合う 〈10分〉

T 「ことばクイズ」にチャレンジしてみてどうでしたか。

・たくさん言葉が見付かって楽しかったです。

・○○さんは「たい」で、私は「ぶた」で違うのを発見できてびっくりしました。

・上から読むだけじゃなくて、下から読んだり間を空けて読んだりすると言葉が出てくるのがすごいと思いました。

・他の言葉でもクイズができそうです。

○感想をたくさん出し合い、もっとやりたいという思いを高めることができるようにする。子供の発言を受けて返すときには、言葉の見方が広がりそうなものに大いに感心したり発見や驚きに共感したりするとよい。

### よりよい授業へのステップアップ

**言葉への興味を高め、主となる言語活動につながる導入**

第1時の導入では、教科書の挿絵や例文を活用して作成したクイズを提示する。クイズは、学習支援ソフトを使い、問題「〜のなかに」と答え「…がいる」を2枚のカードに書き分ける。

最初にクイズの形式を体験しておくと、第2時に学習計画を立てる際に子供たちから意見が出やすくなったり、第3時以降にクイズを作る際に活動のイメージをもちやすくなったりする。

主となる言語活動を想定し、それにつながるような第1時を計画したい。

本時案

# ことばあそびを つくろう

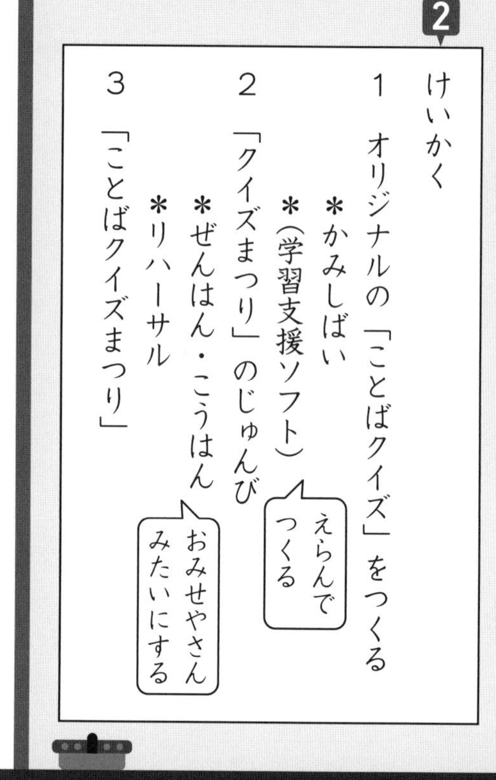


## 本時の目標

・単元の学習計画を立て、今後の学習の見通しをもつことができる。

## 本時の主な評価

・単元の学習計画を立てる話し合いに積極的に参加し、「ことばクイズ」を作ってお店屋さんごっこをするという学習の見通しをもっている。

## 資料等の準備

・教師が作成した「ことばクイズ」を印刷したもの（黒板掲示用）
・学習計画を書く模造紙

## 授業の流れ ▷▷▷

### 1　前時を振り返り、本時のめあてを意識する　〈10分〉

T　この前は、こんな「ことばクイズ」をやりました。（問題を黒板に掲示して）「かばんの中には…」
・かばがいる。
T　そうでした。言葉の中に他の言葉が隠れていたんでした。この他にもクイズがいくつかありましたね。
○教科書の文を音読したり、前時の感想を想起したりする。
T　この前、他の言葉でもクイズができそうだという人がいましたね。どうでしょう。
・できます。／　こたつにいるよ。
T　おお、すごい。オリジナルで「ことばクイズ」が作れそうですね。今日はこれからの学習の計画を考えていきましょう。

### 2　学習の計画を考える　〈20分〉

T　オリジナルの「ことばクイズ」は、どんなふうに作りますか。
・問題と答えにします。
・紙芝居みたいに書いたらいいと思います。
・先生みたいにICT端末で作りたいな。
T　なるほど。問題と答えに分けてくんだね。クイズができたら、どうしましょうか。
・隣の人と出し合いっこをします。
・グループでやったり、ぐるぐる相手を変えたりするのもいいと思います。
T　できるだけたくさんの人と「ことばクイズ」を出し合いたいっていうことかな。
○学習支援ソフトでクイズを作りお店屋さん形式で交流する「クイズまつり」をすることを確認し、計画を立てる。

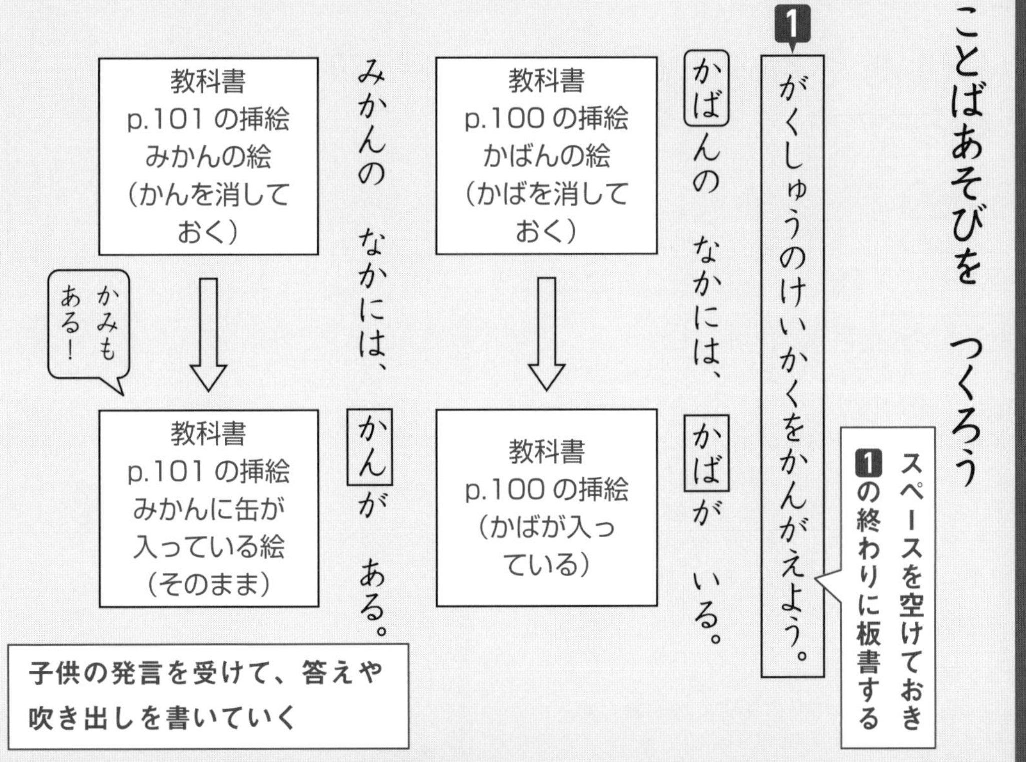


## 3 教科書の文を使ってクイズを作り、本時の学習を振り返る　〈15分〉

**T**　とてもよい学習計画ができました。早速、「ことばクイズ」を１つ作ってみましょう。

○教科書の文を使って「ことばクイズ」を１問作ってみる。

○クイズづくりへの意欲が高まっているので、まず作らせてみるとよい。現段階で子供がどの程度作り方を理解しているのかを把握し、次の時間の指導に生かすことができる。

### よりよい授業へのステップアップ

**学習経験を積み重ねる**

１年生の２月、やりとりをしながら子供たちの意見を引き出し、学習の計画を立てることができるようになる頃である。学習計画を考える際には、これまでの学習経験が生かされる。

クイズを出し合う活動一つをとっても、お店屋さん形式や全体の前で、ペアの相手を変えながらなど、複数の形態が考えられる。

計画を立てる話し合いの中で、「こんなふうにしたい」という子供の意見を引き出すために、それまでの単元で幅広く経験を積んでおくことが大切である。

本時案

# ことばあそびを つくろう

## 本時の目標

・語と語の続き方を意識して、「ことばクイズ」を作ることができる。

## 本時の主な評価

❶身近なことを表す語句の量を増し、文章の中で使い、語彙を豊かにしている。【知・技】
❷長く親しまれている言葉遊びを通して、言葉の豊かさに気付いている。【知・技】
❸「書くこと」において、語と語の続き方に注意しながら、内容のまとまりが分かるように書き表し方を工夫している。【思・判・表】

## 資料等の準備

・タコと凧の絵 ⤓ 21-01～02
・「ことばクイズ」の作り方を書く模造紙（第3時で手順を整理し、第3～5時で掲示）

2

「ことばクイズ」のつくりかた
①もんだいに したい ことばを きめる。
②こたえを かんがえる。
＊①と②は、ぎゃくでも○
③「ある」か「いる」の どちらに
つなげるとよいか たしかめる。
＊もの →「ある」
いきもの→「いる」
④こたえのカードに えを かく

授業の流れ ▷▷▷

## 1 文末の「いる」と「ある」の違いを考える 〈第3時・15分〉

○前時に考えた学習計画を振り返り、「ことばクイズ」を作り始めることを確かめる。
T かばんの中には、かばが ・いる
T みかんの中には、かんが ・ある。
T あれ、「いる」じゃないの。かばのときは「いる」をつけていましたよ。
・「ある」です。生き物じゃないから。
T 生き物と生き物じゃないの違いがあるのね。
○生き物と物で文末が異なることを確認。
T たいこの中には、たこが…これはどちら。
・「いる」です。タコは海の生き物だから。
・凧あげの凧なら「ある」じゃない。
T 両方っていうこともあるのですね。
○絵を描くとどちらかはっきりすると確認。

## 2 「ことばクイズ」の作り方を整理する 〈第3時・10分〉

T 「いる」か「ある」か、どちらにつなげたらよいかに気を付けて作るとよさそうですね。
T さて、「ことばクイズ」はどうやって作るといいでしょうか。
・問題にする言葉を決めて、その中の字を組み合わせて何ができるかなって考えます。
T なるほど「ふでばこ」だったら？
・「ふで」があります。
T 「ふでばこの中にはふでが」 ・「ある」。
・反対でもできると思います。
T 答えを「いか」にしたいと思ったら、それが入る言葉を探すということですね。
・「すいか」だ。
○やりとりをしながら手順を整理し、模造紙に書き、黒板に掲示する。

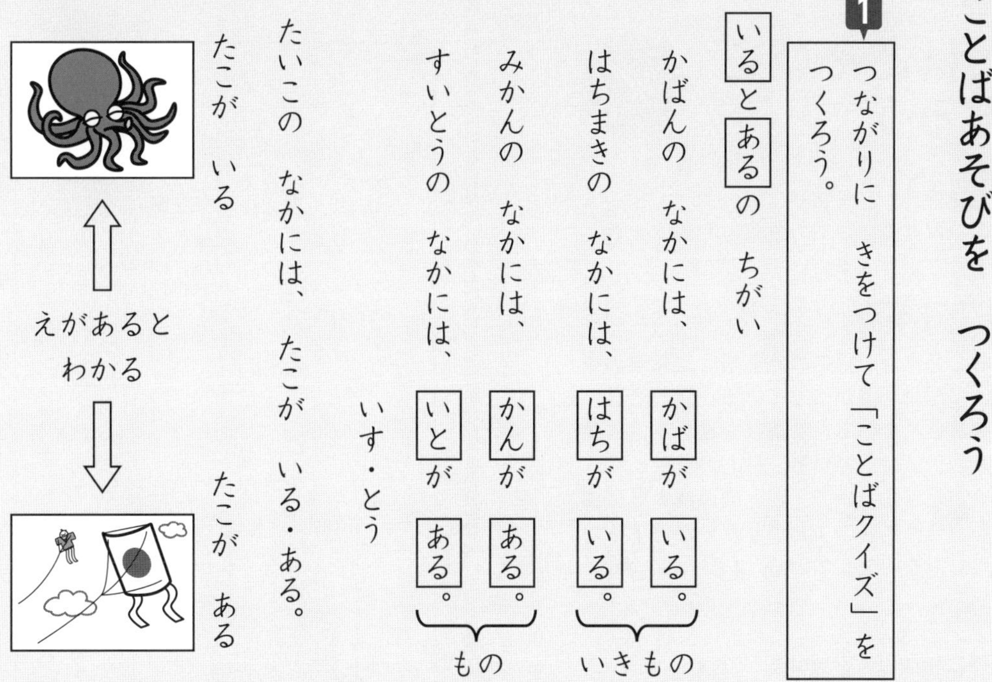


## 3 「ことばクイズ」を作る〈第３・４時・65分〉

Ｔ　「ことばクイズ」を作っていきましょう。クイズのお店屋さんに来たお客さんが楽しんでくれるよう、たくさん「ことばクイズ」ができるとよいですね。お店のグループで相談しながら作るのもよいですよ。

○各校で導入されている学習支援ソフトを活用しても紙に書いてもよい。実態に応じて選択したい。子供に選ばせるのもよい。

○困ったときに友達に相談したり言葉の本を見たりできるよう環境を整えておく。

**ICT 端末の活用ポイント**

ICT 端末を活用し、２枚のカードに問題と答えを書き分けてクイズを作成させる。各時間の終わりには、学習支援ソフトの提出機能を活用し、作成したカードを提出させるようにする。

**ICT 等活用アイデア**

### 個別最適な学習支援

学習支援ソフトを活用することで、個別最適な学習支援がしやすくなる。また、カードを増やしたり書いた内容を修正したりする作業も容易にできる。

すぐにクイズが作成できる子供には、答えが複数あるものを考えさせる（答えカードの枚数を増やす）。

語と語のつながりが間違っている子供には、コメントを付けたカードを返却し、文末を修正させる。

活動が進まない子供には、問題の言葉を書き込んだカードを個別に送信し、答えを考えさせる。

本時案

# ことばあそびを つくろう

## 本時の目標

・単元の学習計画を立て、今後の学習の見通しをもつことができる。

## 本時の主な評価

❶身近なことを表す語句の量を増し、文章の中で使い、語彙を豊かにしている。【知・技】
❷長く親しまれている言葉遊びを通して、言葉の豊かさに気付いている。【知・技】
❸「書くこと」において、語と語の続き方に注意しながら、内容のまとまりが分かるように書き表し方を工夫している。【思・判・表】

## 資料等の準備

・第2時に作成した学習計画
・第3時に作成した「ことばクイズ」の作り方
・教師自作の間違いがある「ことばクイズ」

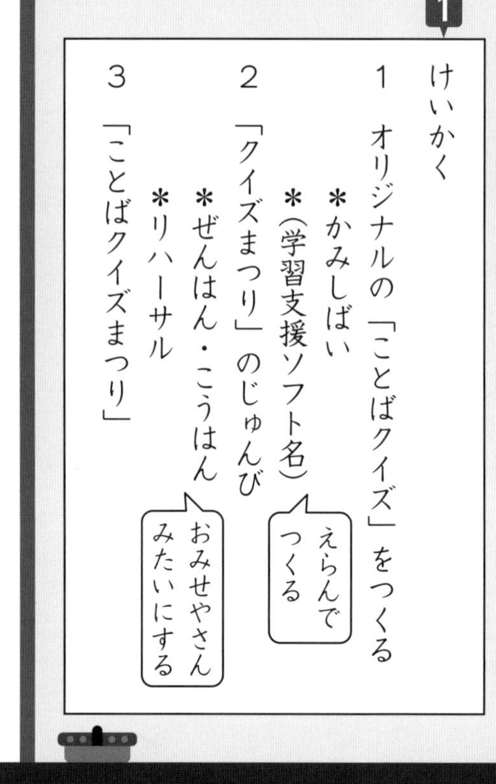


## 授業の流れ ▷▷▷

### 1 前時までを振り返り、本時のめあてを意識する 〈5分〉

○学習計画を見ながら前時までの学習を振り返る。

T　オリジナルの「ことばクイズ」が、たくさんになってきたようです。そろそろ「クイズまつり」ができそうでしょうか。全部でいくつくらいできたのでしょうか。
・けっこうできました。／順調です。
・見てみないと全部の数は、分かりません。
T　順調、それは素晴らしい。「いる」や「ある」は、正しくできていますか。
・はい。／自分ではいいと思うけど…。
・結構いっぱいあるから、どんなのを作ったか忘れちゃったのもあります。
T　では、今日は、今まで作った「ことばクイズ」を見直して、確かめてみましょう。

### 2 「ことばクイズ」を見直し、必要なら修正をする 〈25分〉

T　こんなのを作ってみました。「カメラの中には、めらがいる。」どうでしょう。
・「めら」が、だめです。
・物や生き物の名前じゃないから、だめ。
T　いいと思ったんだけどなぁ、確かに名前じゃない。では、どう変えたらいいですか。
・「かめ」がいる。／「から」がある。
・「ラメ」もあります。
T　じゃあ「ラメがいる」にしてみます。
・「ラメ」は、生き物じゃないから「ある」。
・折り紙とかで、きらきらしているのです。
○全体でやり方を確かめた後、ペアやグループで形式、答えが実在するか、答えの言葉とその後の表現（ある・いる）とのつながりが正しいかを確かめるようにする。

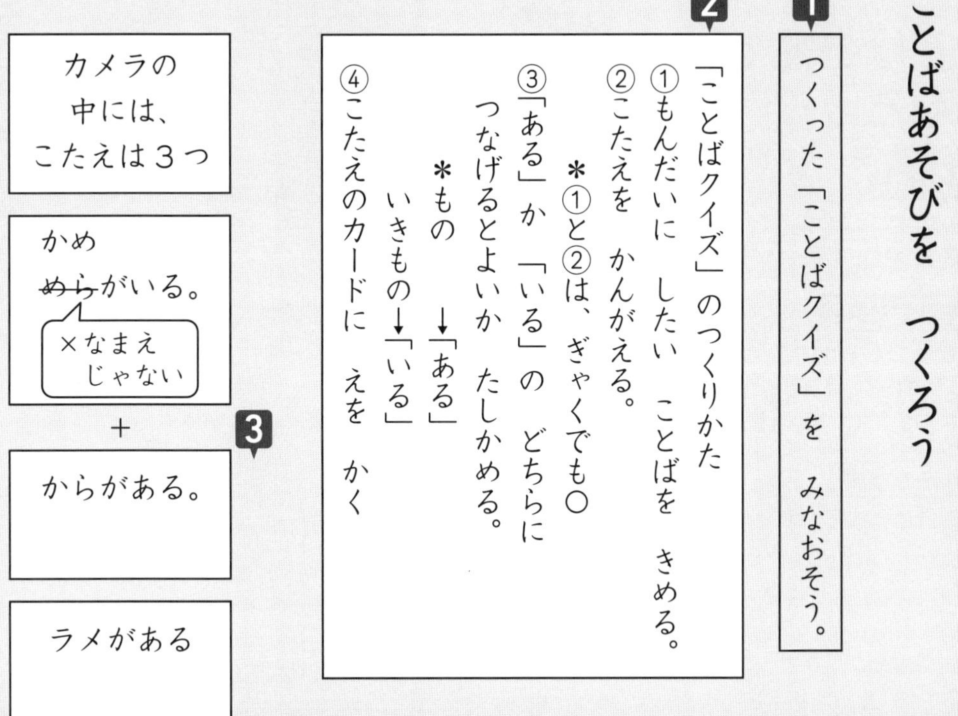


## 3 「ことばクイズ」づくりの、仕上げをする 〈15分〉

T　お店グループで見合ったときに、「これも答えになりそうだよ」とアドバイスをもらった人はいますか。先生は、「から」や「ラメ」というアイデアをもらったので、答えにそのカードも増やそうと思います。

○友達のアドバイスを受けて、追加できるものがあった場合は、カードを増やすようにする。

○時間に余裕があれば、難易度や答えの数でポイントを決めるなどの工夫をするのもおもしろい。

### よりよい授業へのステップアップ

**言葉の豊かさに気付く**

今回は、１つの言葉に使われている文字を組み替えることで、別の言葉になることをクイズ形式で楽しむ言葉遊びである。クイズづくりや交流を通して、言葉を見付け出すことの楽しさや、文字が組み合わさると意味が生まれるおもしろさに気付かせていく。

「言葉ってすごいな」「組み合わせで意味が変わるんだ」などと驚いたりおもしろがったりしていることが、言葉の豊かさに気付いているという姿である。活動中のつぶやきや、振り返りの言葉を大事に見取り評価したい。

本時案

# ことばあそびを つくろう

6/6

## 本時の目標

・使われている語句に関心をもって「ことばクイズまつり」を楽しんでいる。

## 本時の主な評価

❹身近なことを表す語句に積極的に関心をもち、これまでの学習を生かして言葉遊びを楽しもうとしている。【態度】

## 資料等の準備

・第2時に作成した学習計画（掲示用）

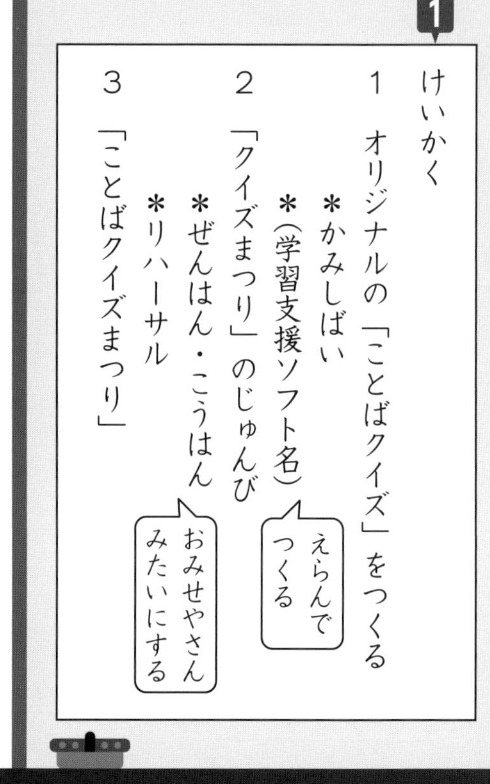


## 授業の流れ ▷▷▷

### 1 前時までの学習を振り返り、本時のめあてを意識する 〈5分〉

○学習計画を見て、これまでを振り返る。

T いよいよ今日は「ことばクイズまつり」です。どんなクイズまつりにしたいですか。

・楽しいクイズまつりがいいです。

・たくさん「ことばクイズ」ができるといいと思います。

T なるほど、たくさん「ことばクイズ」ができると、どんないいことがあるのでしょう。

・みんなと仲良くなれると思います。

・言葉をたくさん知ることができます。

・この言葉の中に、こんな言葉もあるんだと発見できそうです。

T いいことがたくさんありそうですね。いろいろな言葉を見付ける「クイズまつり」になるといいですね。

### 2 「ことばクイズまつり」の準備をする 〈10分〉

○教室内の机配置や、前半後半の店番などを決める。板書しておくと、忘れたときに確認しやすい。実態に応じて他の時間に決めさせておく方法もある。

○ ICT 端末を活用してクイズを出題させる。「ものの　名まえ」でお店屋さんごっこの経験はあるが、どんな言い方でやりとりをするつもりなのか確認し、リハーサルをさせておくとよい。（以下、例）

店：いらっしゃいませ。 客：こんにちは。

店：問題です。～の中には？（問題を見せる）

客：○○がいる／ある。

店：正解です。（拍手）／正解は、～の中には○○がいる。でした。（答えを見せる）

客：ありがとうございました。

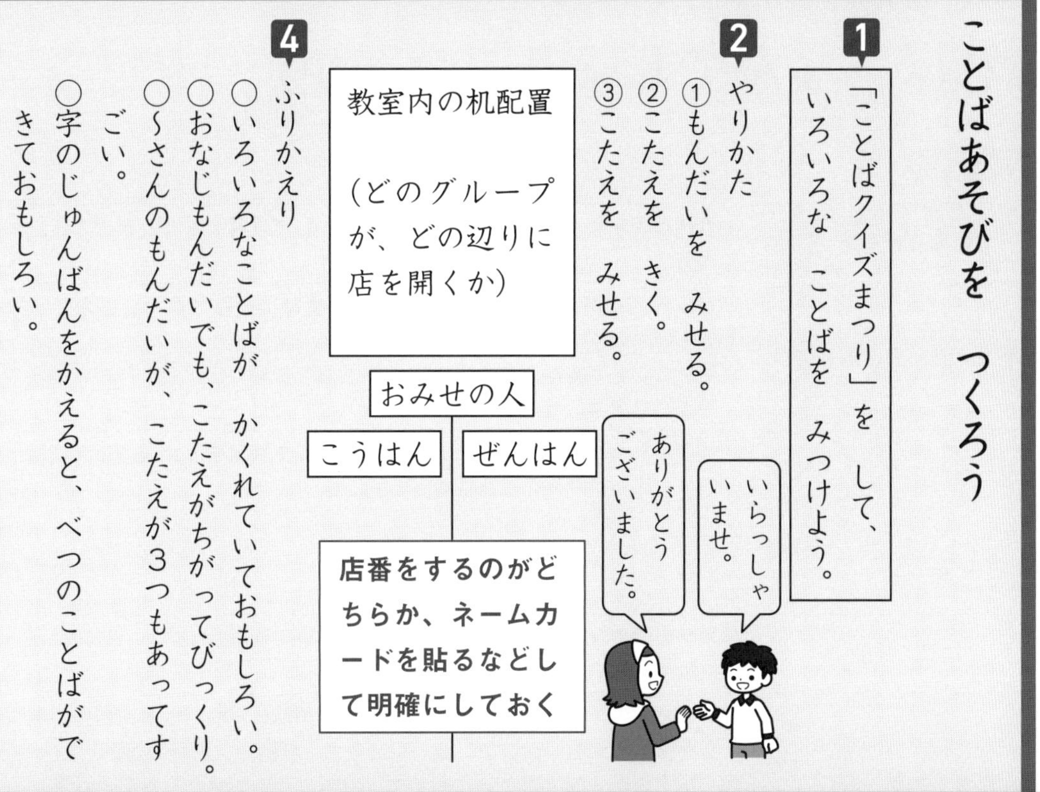


## 3 「ことばクイズまつり」を行う〈20分〉

○お客さんが来ない店を減らし、できるだけ多くの店を回ることができるよう、チェックカードを使用したりお店のサインを集めたりするなど工夫したい。

○前半後半の入れ替わりのタイミングで、感想を尋ねたりクイズのおもしろかったお店を紹介させたりするのもよい。

**ICT 端末の活用ポイント**

学習支援ソフトを活用し、作成したカードを見せながらクイズを出題する。問題を複数作成した子は、お客さんに問題の番号を選んでもらうなどするとよい。

## 4 単元の学習を振り返る〈10分〉

○何人かに感想を発表させてから、振り返りを書かせ、発表させる。

**T**　この学習をやってみてどうでしたか。振り返りを発表しましょう。

・たくさん言葉が隠れていておもしろかったです。
・私は、○○さんと同じ問題だったけど、答えが違ってびっくりしました。
・～さんの問題が、答えが3つもあってすごかったです。
・字の順番を変えると、別の言葉ができるのがおもしろかったです。
・途中で、新しい「ことばクイズ」を思い付きました。

**T**　いろいろな言葉を見付けたり言葉の発見をたくさんしたりできましたね。

ふたりで　かんがえよう

# これは、なんでしょう　（4時間扱い）

## 単元の目標

| | |
|---|---|
| 知識及び技能 | ・事柄の順序など情報と情報との関係について理解することができる。((2)ア) |
| 思考力、判断力、表現力等 | ・互いの話に関心をもち、相手の発言を受けて話をつなぐことができる。(A(1)オ)<br>・身近なことや経験したことなどから話題を決め、伝え合うために必要な事柄を選ぶことができる。(A(1)ア) |
| 学びに向かう力、人間性等 | ・言葉がもつよさを感じるとともに、楽しんで読書をし、国語を大切にして、思いや考えを伝え合おうとする。 |

## 評価規準

| | |
|---|---|
| 知識・技能 | ❶事柄の順序など情報と情報との関係について理解している。(〔知識及び技能〕(2)ア) |
| 思考・判断・表現 | ❷「話すこと・聞くこと」において、互いの話に関心をもち、相手の発言を受けて話をつないでいる。(〔思考力、判断力、表現力等〕A オ)<br>❸「話すこと・聞くこと」において、身近なことや経験したことなどから話題を決め、伝え合うために必要な事柄を選んでいる。(〔思考力、判断力、表現力等〕A ア) |
| 主体的に学習に取り組む態度 | ❹今までの学習を生かして、進んでヒントを考えたりクイズを作ったりしようとしている。 |

## 単元の流れ

| 次 | 時 | 主な学習活動 | 評価 |
|---|---|---|---|
| 一 | 1 | 学習の見通しをもつ<br>教師が出題する3ヒントクイズを行い、クイズの仕組みを知る。<br>クイズを作ってクイズ大会を行うという学習の計画を立てる。 | ❶ |
| 二 | 2<br>3 | 話し合ってクイズに出題したいものとそのヒントを考える。<br>話し合ってヒントを3つに絞り、順番を決める。<br>クイズを出す練習をする。 | ❸❹<br>❶❷ |
| 三 | 4 | 学習を振り返る<br>クイズ大会をする。<br>学習を振り返り、話し合いのコツを整理する。 | |

## 授業づくりのポイント

**〈単元で育てたい資質・能力〉**

本単元のねらいは、互いの話に関心をもち、相手の発言を受けて話をつなぐことができる力を育むことである。クイズづくりを通して自分の考えを話したり友達の考えを聞いたりしながら合意形成をしていく力を養う。そのためには、相手の発言を受けて意見を返す力や、自分の考えと相手の考えの共通点や相違点を捉える力、譲り合ったり相手の意見を受け入れたりする力が必要になる。

１年生で最後の話し合いの学習であるクイズづくりという子供たちが興味をもてる題材を通して、「話し合ってよかった」「話し合いは楽しい」という気持ちを育てたい。

[具体例]

○学習の振り返りを、「今日の話し合いでよかったこと、うれしかったこと」とする。「○○というのは、どう」と聞かれて自分の思いを大切にされていると感じた気持ちや、「いいね」と認められてうれしかった気持ちなども積極的に見付けさせる。「どうして〜なの」「そうだね」といった互いの話に関心をもつことを大切にし、２人で一緒に作ったことで心が満たされ、互いに納得するヒントを作ることができたという達成感を味わわせることを大事にして話し合うことのよさに気付かせていく。

**〈教材・題材の特徴〉**

互いの話に関心をもち、相手の発言を受けて話をつなぐことを学ぶ教材である。１年生の発達段階に合わせて１対１での話し合いの場を設定している。教科書にはペアで３ヒントクイズを作り、出題する活動が示されている。身近な物を題材にクイズを作らせることで、子供が物についてイメージしやすくなる。また、実物を見て考えられるので、詳しいヒントが出せるようになる。

**〈言語活動の工夫〉**

クイズのヒントを決めるためにペアで話し合う。話し合いの中で賛成反対を伝えたり相手の思いを尋ねたりする言葉を増やし、意見をまとめる方法を学ぶ。全員で話し合いを振り返ることで、話し合いを円滑に進める姿勢や言い方への気付きを重ねていく。気付いたことは「１ねん○くみはなしあいのコツ」などとネーミングして教室に掲示し、今後の学習で見付けたこともその都度書き加えるとよい。

[具体例]

話し合いの活動では、「○○というのは、どう」「○○さんの考えを聞かせて」といった問いかけ場面や、賛成反対を伝える言葉では、「いいね」「こうしたら、どうかな」「付け足して…にしたら、いいと思う」などが考えられる。子供たちの話し合いの中で出てきた「話し合いがうまくいく言葉」「言われてうれしかった言葉」を板書したり、提示したりして全体に共有していく。

**〈ICT の効果的な活用〉**

**調査**：クイズにする物が移動可能でない場合は、端末のカメラ機能や録画機能を用いて撮影し、席で観察しながら特徴をクイズにできるようにする。写真は答えを言う際にも使用すると、伝わりやすくなる。

**練習**：出題練習の際、端末の録画機能を用いて撮影し、見返してよりよくなるように練習をする。

本時案

# これは、なんでしょう

## 本時の目標

・クイズづくりに興味をもち、学習計画を考えることができる。

## 本時の主な評価

❶クイズづくりに興味をもち、作り方について考えたり、クイズにしたいものを話し合ったりしている。【知・技】

## 資料等の準備

・黒板消しの写真
・ヒントの短冊

ゴール　学校にあるもの　クイズたいかいを　する。

3

クイズの　きまり
① ふたりで　はなしあって　つくる。
② ヒントは　３つまで。
③ ３つ目の　ヒントで、こたえが　わかる　ようにする。

出なかったものは、教師が「そのためには、これもいるね」と提示していく

## 授業の流れ ▷▷▷

### 1 教師が出題するクイズを楽しみ、興味をもつ 〈10分〉

○教師が３ヒントクイズを３問出題する。
T　学校にある物３ヒントクイズを考えました。何か分かるかな。

| ① 四角い形をしています。<br>② 字を消します。<br>③ チョークと仲良しです。 |
|---|

・黒板消し！　字を消すから、絶対そう。
・おもしろい。
T　どうやってクイズを作ったと思いますか。
・よく見て黒板消しの形や、特別なところを考えました。
・作れそう。
・作ってみたい。
T　みんなも作ってみましょうか。

### 2 学習計画を立てる 〈20分〉

○ゴール設定後、子供と学習計画を立てたい。
T　学習計画を立てます。クイズを作って、最後は何をしたいですか。
・クイズ大会がしたい。
・クイズブックを作るのが楽しそう。
T　では、まずはクイズ大会を目指してクイズを作りましょう。みんな知ってる物や、よく見てクイズにできる物がいいね。
・教室にある物にしよう。
・校庭にある物もいいなぁ。
T　では、学校にある物クイズにしましょうか。
T　どうやって作りますか。
・クイズにする物を決めてヒントを考える。
T　相談したいですか。
・したい人もいるから、ペアでやろう。

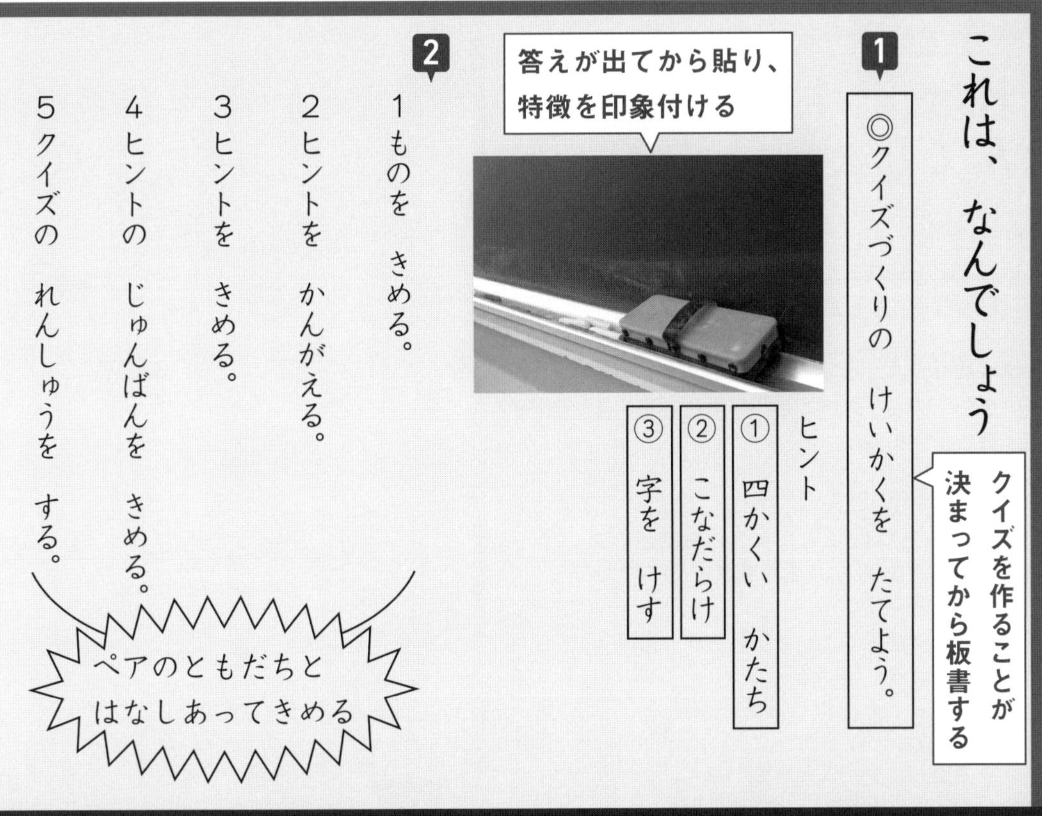


## 3 クイズのきまりを知り、クイズにする物を決める　〈15分〉

T　きまりは、この3つです。2人で作るので、よく話し合ってすてきなクイズを作りましょう。

T　では、クイズを作るために、物を決めましょう。学校にある物3ヒントクイズなので、学校にある物から考えましょう。

・磁石なんか、いいんじゃないかな。
・のりでも、作れそうだよ。

T　今日の学習を振り返りましょう。

・クイズを作るのが楽しみです。
・物が決まって、ワクワクしています。

**ICT 端末の活用ポイント**

クイズにする物が決まったら、タブレットでその物をいろいろな角度から撮影させるとよい。席で写真を観察しながらクイズが作れる。

**よりよい授業へのステップアップ**

**主体的に活動するための工夫**

主体的に学習に取り組むためには、子供が「できそう」「やりたい」という気持ちをもつことが一番である。やりたいことのために自分たちの考えた計画で学習を進めることができるとき、主体性が発揮される。自分たちで「どんな順番で作っているか」「どうしたらできるか」と考えて、学習の計画を立てる。教師は、順番を整理したり不足していることに目を向けさせたりすることを意識するとよい。学習のゴールもクイズブックづくりやクイズ屋など、子供の提案を大切にしたい。

本時案

# これは、なんでしょう

## 本時の目標

・身近なことや経験したことなどから話題を決め、伝え合うために必要な事柄を選ぶことができる。
・言葉がもつよさを感じるとともに、楽しんで読書をし、国語を大切にして、思いや考えを伝え合おうとする。

## 本時の主な評価

❸身近なことや経験したことなどから話題を決め、伝え合うために必要な事柄を選んでいる。【思・判・表】
❹進んでヒントを考えたりクイズを作ったりしようとしている。【態度】

## 資料等の準備

・第１時で出したクイズと新しいクイズ
・ヒントを書くワークシート（子供用）

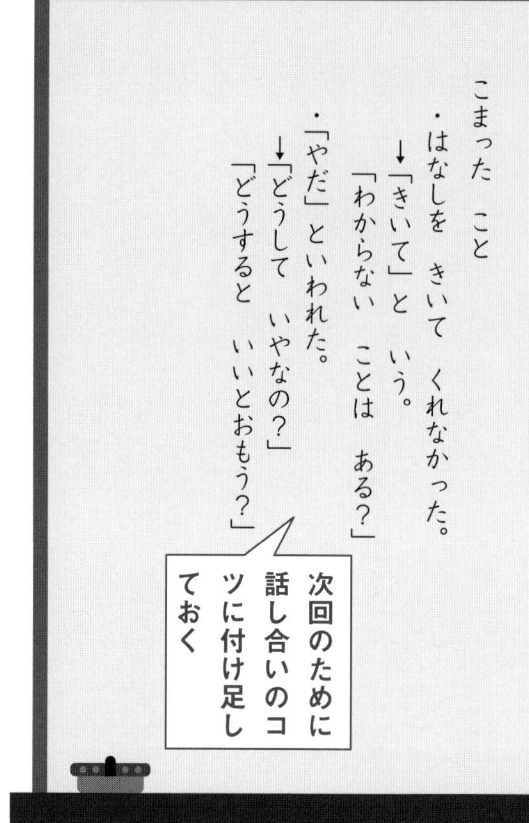


## 授業の流れ ▷▷▷

### 1 ペアで相談しながらクイズのヒントを考える 〈20分〉

T　何をヒントにしたらいいか、考えましょう。
・両方、形や付いている物を言っていた。
T　形や見た目をヒントにしたらいいですね。どのヒントでこれだ！と思いましたか。
・「時間を知らせます」で、時計だと分かった。
・「字を消します」です。
T　仕事や働きがヒントにあると、答えが分かりますね。では、物をよく見て見付けましょう。ペアの友達の考えもよく聞いて、物の特徴や仕事をたくさん紙に書き出しましょう。
・消しゴムは、四角いよ。
・間違った字を消す仕事だね。

**ICT 端末の活用ポイント**

前回撮った写真を見ながら、形のヒントを考えたり、仕事を思い出したりするとよい。

### 2 話し合って、クイズのヒントを３つ選ぶ 〈15分〉

T　特徴や仕事が見付かりましたか。その中から、３つヒントにするものを選びます。話し合って決めましょう。
○「いいね」と賛成したり、「それなら」と話を続けたりしているペアの話し合いは、途中でも取り上げて紹介する。
T　○○さんたちの話し合いのよかったところは何ですか。
・「いいね」と言っていた。
○出た意見を話し合いのコツとして板書する。

**ICT 端末の活用ポイント**

机間指導で相手の意見を認めたり提案したりするやりとりをしているペアを見付け動画を撮る。

# これは、なんでしょう

**1** はなしあって、ヒントを　きめよう。

ヒントの　つくりかた

ヒント
① 四かくい　かたち
② こなだらけ
③ 字を　けす

ヒント
○かたち
○いろ
○しごと

ヒント
① まるい　かたち
② はりが　ついて　いる
③ じかんを　しらせる

ヒントを三つえらぶ

◎三つきくと、こたえが　かならず　わかる

×いろだけ　かたちだけ

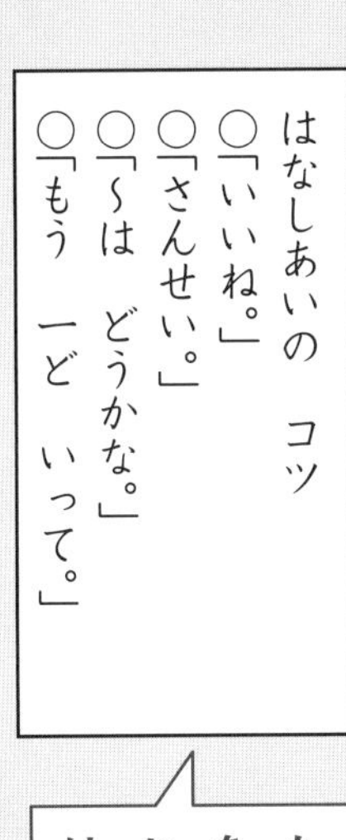


「うまくいった」という意見が出たら、どのコツを使ったのか分かるよう印を付ける

## 3 話し合いを振り返る 〈10分〉

T　では、話し合いがうまくいったところは、よかったことを教えてください。困ったことがあった人は教えてください。
・「いいね」と言ってくれて、話し合いがうまくいきました。
・話を聞いてくれなくて困りました。
・「やだ」と言われました。
T　そういうとき、みんなはどうしますか。
○話し合いのコツをみんなで集めていく。困ったものも子供たちのアイデアで解決したい。
・「聞いて」と言ってみたら、どうかな。
・何が嫌か聞いたらいい。
T　相手に、困っていることを伝えたり、理由を聞いたりするといいのですね。次の話し合いのときにやってみましょう。

## ICT 等活用アイデア

**よりよい話し合いを意識させる工夫**

**2**の話し合いで、該当のペアを見付けた場合は、その動画を流してよさを見付けたり、価値を付けたりできるとよい。

QR コードから話し合いモデルを見せて、学ばせてもよいが、できるだけ、子供たちの話し合いの中から例を拾っていけると、自分たちのやり方に自信をもつことができ、意欲につながりやすい。

本時案

# これは、なんでしょう

## 本時の目標

・事柄の順序など情報と情報との関係について理解できる。
・互いの話に関心をもち、相手の発言を受けて話をつなぐことができる。

## 本時の主な評価

❶事柄の順序など情報と情報との関係について理解している。【知・技】
❷「話すこと・聞くこと」において、互いの話に関心をもち、相手の発言を受けて話をつないでいる【思・判・表】

## 資料等の準備

・ヒント候補の例示の拡大
・短冊（子供用）
・第２時の「話し合いのコツ」

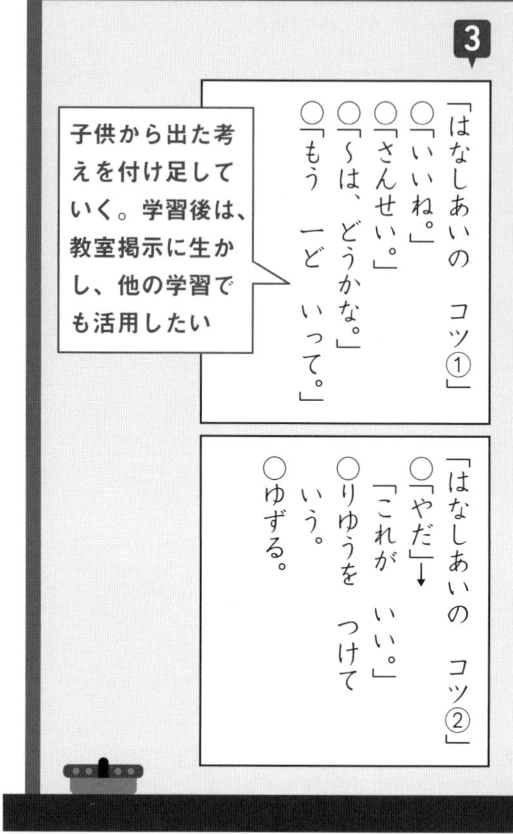


## 授業の流れ ▷▷▷

### 1　学習課題を知り、３つのヒントの選び方や順番を考える　〈20分〉

T　ヒントの順番を話し合いましょう。確か、こんな順番でしたね。
○わざと、答えが分かりやすいものから並べて、段々答えに近づくよさを確認する。
・１つ目で分かったらおもしろくないよ！
・それ、３つ目でしょう！
T　段々答えに近づくようにするとおもしろいですね。どんな順番にするか話し合いましょう。
T　前回、みんなが見付けた話し合いのコツを使って話し合ってみましょう。
○コツを読み上げ、意識させてから話し合いを始めるようにする。

### 2　クイズを出す練習をする　〈15分〉

T　クイズ大会に向けて練習をしましょう。クイズを出す人と答える人になって、段々答えに近づくようになっているか、確かめましょう。３つ目のヒントで答えが分かるかも、よく聞きましょう。
○２人で練習ができたら、隣のペアとクイズを出し合い、アドバイスをし合う。
・３つ目を聞いても、分からないよ。もっと、仕事を付け足した方がいいよ。
・１つ目で分かっちゃったから、１つ目は、色や形にしたらどうかな。
○時間があれば、完成後、一度録画して自分たちのクイズを聞いてみるとよい。
T　話し合って、３つ目のヒントで答えが分かる、おもしろいクイズができましたか。

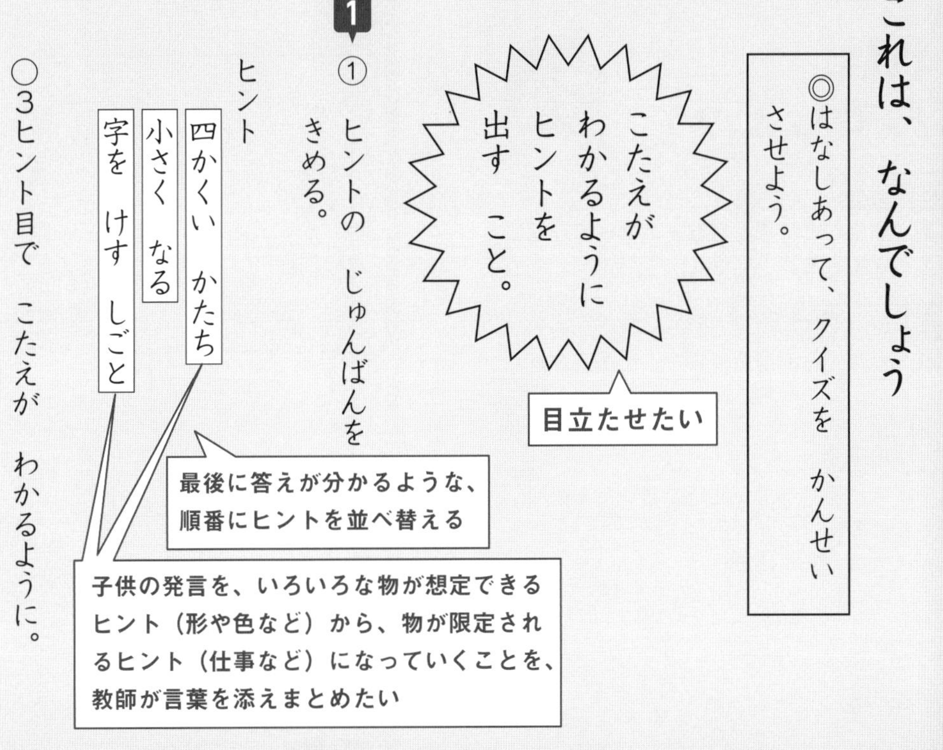


## 3 クイズづくりを振り返る　〈10分〉

**T**　クイズの完成です。おもしろいクイズができましたか。どんな話し合いをしたら、クイズができたのですか？

〇短くよかったことを板書し、話し合いのコツをためていく。

・「おもしろい」と言ってくれたから、よかった。

・ヒントの③と①を入れ替えるといいと言ってもらった。

**T**　みんなが見付けた話し合いのコツは、いつでも使えるように、掲示しておきますね。話し合って、よいクイズができてよかったですね。次回は、クイズ大会をします。お楽しみに。

### よりよい授業へのステップアップ

**客観的に振り返る工夫**

クイズを出す練習が一通りできたら、時間があるペアは、自分たちの発表を端末の録画機能を使って撮影するようにする。その様子を再生して見ながら、自分たちのクイズの出し方を客観的に振り返ることができる。

そのとき、声の大きさやクイズの出し方だけでなく、3つのヒントで答えが分かるかにも着目して見返せるようにするとよい。

本時案

# これは、なんでしょう

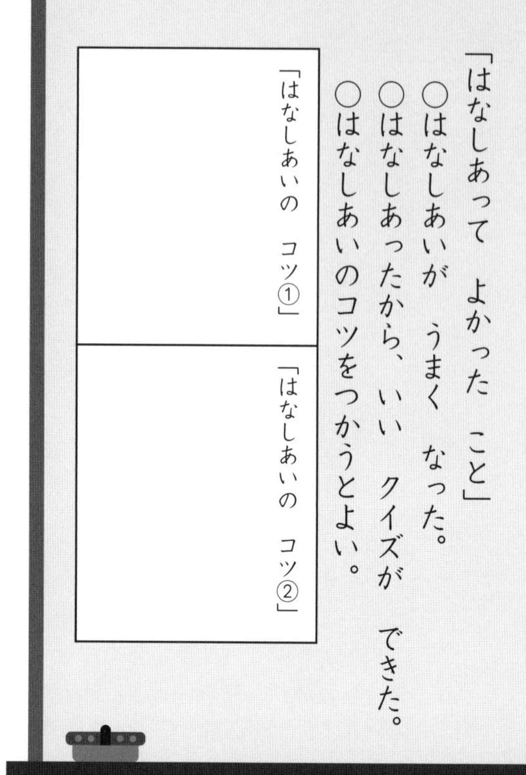


## 本時の目標

・事柄、順序など情報と情報との関係を理解することができる。

## 本時の主な評価

・事柄の順序など情報と情報との関係を理解している。

## 資料等の準備

・ヒントの短冊（子供が前時に書いたもの）
・話し合いのコツ
・クイズ大会ルールの紙

## 授業の流れ ▷▷▷

### 1 クイズ大会のルールを知る 〈5分〉

T　今日はいよいよクイズ大会です。みんなが一生懸命考えたヒントをよく聞いて、全問正解するように、頑張りましょう。ヒントは3つ出します。質問のある人はその後に聞きましょう。答えが分かっても、3つヒントを言い終わってから手を挙げます。

○3つのヒントを全部一度に聞かせることで、自分たちの考えたヒントを全て言うことができ、途中で答えられてしまうことがないのでクイズの出題者も満足できる。回答者も、ヒント①から、答えが限定されていく様子を楽しむことができる。

○クイズを出題するために練習時間が必要な場合は、練習時間を取ってもよい。

### 2 クイズ大会をする 〈25分〉

T　3つのヒントでみんなが分かるのが、よいクイズです。大きくはっきりと、ヒントを出しましょう。

○手提げなどに、答えの物を入れて、正解を紹介する際に見せられるようにすると、ヒントの確認ができて盛り上がる。

○クラスの人数に応じて、グループに分けて行ってもよい。

**ICT 端末の活用ポイント**

クイズの答えの物が、持ってこられない場合は、端末で写真撮影をして、見せられるようにしておくとよい。

これは、なんでしょう

◎クイズたいかいを　しよう。

〈出す　人〉
①　３つの　ヒントを　出す。
②「これは、なんでしょう。」
③「しつもんは　ありますか。」
④「こたえを　おしえてください。」
⑤「正かいは…」

〈ポイント〉
・大きな　こえで
・はっきり
・ゆっくり

〈こたえる　人〉
①　ヒントを　ぜんぶ　きく。
②　しつもんが　あれば　きく。
③　みんなで、こたえを　いう。

かんそう
○クイズが　たのしかった。
○また　やりたい。

## 3 学習を振り返る 〈15分〉

T　クイズを作って、クイズ大会をしました。感想を教えてください。
・クイズがたくさんできて楽しかったです。
・２人で話し合っていいクイズができました。
T　友達と一緒に話し合って、クイズを作りました。話し合いで大切なことは何でしたか。
・話し合うと、いいものが考えられました。
・「いいね」と言われてうれしかったです。
・友達が言った後に「いいね」や「〜はどうかな」を使うと、話し合いが上手にできます。
T　話し合いのコツも発見し、上手になりました。これからも使っていきましょう。

**よりよい授業へのステップアップ**

**学習感想の工夫**

ただ感想を聞くと、子供はクイズ大会の楽しかったことばかりになることが多い。先にクイズ大会をした感想を聞き、その後話し合うときに大切なことや勉強になったこと等を聞くと、話し合いの仕方について振り返ることができる。

できるようになったことをしっかり価値付けたい。話し合いのコツは、教室に掲示して日々活用していきたい。新しくコツを見付けたら書き加えていくとよい。

よんで　かんじた　ことを　はなそう

# ずうっと、ずっと、大すきだよ　（8時間扱い）

## 単元の目標

| | |
|---|---|
| **知識及び技能** | ・事柄の順序など情報と情報との関係について理解することができる。((2)ア) |
| **思考力、判断力、表現力等** | ・文章を読んで感じたことや分かったことを共有することができる。(C(1)カ)<br>・文章の内容と自分の体験とを結び付けて、感想をもつことができる。(C(1)オ) |
| **学びに向かう力、人間性等** | ・言葉がもつよさを感じるとともに、楽しんで読書をし、国語を大切にして、思いや考えを伝え合おうとする。 |

## 評価規準

| | |
|---|---|
| **知識・技能** | ❶事柄の順序など情報と情報との関係について理解している。(〔知識及び技能〕(2)ア) |
| **思考・判断・表現** | ❷「読むこと」において、文章を読んで感じたことや分かったことを共有している。(〔思考力、判断力、表現力等〕C カ)<br>❸「読むこと」において、文章の内容と自分の体験とを結び付けて、感想をもっている。(〔思考力、判断力、表現力等〕C オ) |
| **主体的に学習に取り組む態度** | ❹友達の考えや感想を積極的に知ろうとし、学習の見通しをもって、読んで感じたことを伝え合おうとしている。 |

## 単元の流れ

| 次 | 時 | 主な学習活動 | 評価 |
|---|---|---|---|
| 一 | 1 | 「ずうっと、ずっと、大すきだよ」の範読を聞き、感想を書く。 | |
| | 2 | **学習の見通しをもつ**<br>感想を全体で交流し、感想を基に読みの課題と学習計画について話し合う。<br>**おはなしをよんでかんじたことをしおりにしよう** | ❹ |
| 二 | 3 | 登場人物を確認したり、挿絵を並べ替えたりし、内容の大体を捉える。 | ❶ |
| | 4<br>5<br>6 | 一番悲しいと感じた叙述とそのわけについて話し合う。<br><br>心に残った叙述とその気持ちについて書く。 | ❸ |
| 三 | 7 | 話し合ったことを基に、物語を読んで感じたことを紹介する文章をしおりに書く。 | ❸ |
| | 8 | **学習を振り返る**<br>友達のしおりの文章を読んで、思ったことや感じたことを伝え、学習を振り返る。 | ❷ |

## 授業づくりのポイント

**〈単元で育てたい資質・能力〉**

本単元のねらいは、友達と話し合い、読んで感じたことを共有する力を育むことである。そのために、登場人物の行動に着目して読んだり、行動の理由を考えたりすることが必要である。物語を読んで友達と話し合うことで、自分の考えが広がったり深まったりすることに気付かせていきたい。また、友達の思いに共感したり、感じ方や考え方を知ったりすることで、友達と感じたことや分かったことを話し合いながら読む楽しさを味わわせていく。感じ方や考え方を認め合うことが、主体的・対話的に学ぶ姿勢につながる。

[具体例]

○自分の感じたことや考えたことを話し合うことを通して、それぞれの感じ方や見方に違いがあること、自分とは異なる考えの人がいること、今まで気付かなかった叙述のおもしろさに気付くことができる。ぼくがエルフのことを大好きであることについて、自分の経験と比べて話し合うことで、深い学びになることを期待する。自分の経験と比べてどうか、なぜ友達はそのように考えたのかという友達の考えの背景にある経験についても話し合うことができるとさらによい。

**〈教材・題材の特徴〉**

ぼくが愛犬エルフをいかに大切にしていたかが、回想の形で展開されている。物語は、起承転結で構成されている。起ではエルフの紹介、承ではぼくとエルフの心の交流、転ではエルフの老いと死、結では後日談となっている。このうち、エルフが年を取っていき、やがて死んでしまうという転がこの物語のクライマックスである。題名にもある「大すき」という言葉を核にして、ぼくとエルフの関係や思いを具体的に想像することができる。

[具体例]

○題名にもある「大すき」という言葉をキーワードにして「ぼく」とエルフの関係を読んでいく。初発の感想ではエルフが死んでしまったことに対する悲しさや、ぼくのエルフへの愛情に対する優しさなど「悲しい」「優しい」といった感じ方が予想される。その感じ方の違いから読みの課題を子供とともに作っていけるとよい。ぼくがエルフのことを大好きであることについて、自分の生き物との関わりとの経験と比べて話し合うことで、対話的で深い学習へとつながる。

**〈ICT の効果的な活用〉**

**共有**：話し合ったことを基に、物語を読んで感じたことを紹介する文章をしおりに書かせる活動後、教師がそのしおりをデータ化し、学習支援ソフトから子供に配信し、共有できるとよい。物語を読んで、友達の考えや感じたことを聞くことを楽しみにする姿を育てたい。

本時案

# ずうっと、ずっと、大すきだよ　1/8

**本時の目標**

・「ずうっと、ずっと、大すきだよ」の範読を聞き、感想を書くことができる。

**本時の主な評価**

・気持ちの語彙表を参考にして、「ずうっと、ずっと、大すきだよ」の感想を書いている。

**資料等の準備**

・教師作成の「おはなしのしおり」の見本 23-01
・気持ちの語彙表 23-02

「お話の

○こころにのこった文のりゆう
エルフがしんでしまっても、ずっとエルフのことを大せつにしているやさしい気もちがつたわってきます。わたしもかっている犬に「ずうっと、ずっと、大すきだよ。」っていってあげたいとおもいます。
（名まえ　）

**授業の流れ**▷▷▷

## 1 題名からどんな内容の話か想像し、教師の範読を聞く〈5分〉

T　「ずうっと、ずっと、大すきだよ」の題名からどんなことを考えましたか。
・誰のことが大好きなのかな。
・好きと大好きは違うと思います。もっと好きだということだと思います。
・ずっとではなく、ずうっとだから気持ちが強いと思います。
・「ずっと」という言葉が繰り返されています。
○題名から想像できることを自由に発表させ、物語の興味・関心を高めるようにする。
T　お話を先生が読みます。その後、みんなで音読しましょう。みんなが心に残ったこととどんな気持ちになったかを後で書きます。考えながら聞きましょう。

## 2 教師の範読を聞いて、感想を書く〈20分〉

T　「ずうっと、ずっと、大すきだよ」のお話を聞いて、どんな気持ちになりましたか。心に残ったこととどんな気持ちになったかを書きましょう。
・エルフが死んでしまって、悲しい気持ちになりました。
・エルフは死んでしまったけれど、ぼくはいつまでもエルフのことを大切に思っていて優しい気持ちになりました。
○気持ちの語彙表を掲示する。また、教師の範読や音読の後、語彙表の中のどの気持ちなのかを結び付け、物語を読み返せる時間、感想を書く時間をなるべく多く取っておくとよい。

ずうっと、ずっと、大すきだよ

1 「ずうっと、ずっと、大すきだよ」をきいて、かんそうをかこう。

1 「ずうっと、ずっと、大すきだよ」
・すきと大すきはちがう。もっとすきだということ。
・「ずっと」ではなく、「ずうっと」だから気もちがつよい。
・「ずっと」ということばがくりかえされている。
・やさしい気もちがつたわる。

2 かんそう
・エルフがしんでしまって、かなしい気もち。
・いつまでもエルフのことを大せつにおもっていて、やさしい。

3 おはなしのしおり

「おはなしのしおり」を提示する

教科書p.117の絵

○本のだい名
「ずうっと、ずっと、大すきだよ」
○こころにのこった文
なにをかっても、まいばん、きっといってやるんだ。「ずうっと、ずっと、大すきだよ。」って。

## 3 「おはなしのしおり」を紹介する〈20分〉

T　先生は、「ずうっと、ずっと、大すきだよ」のお話を読んでしおりを作ってきました。
・先生が心に残った文が書いてあるんだね。
・どうして、好きなのか理由も書いてあるよ。
・私もしおりを作りたい。
○しおりを見た感想を自由に発表させ、第三次でしおりを作りたいという意欲を高めるとともに、これから学習する「ずうっと、ずっと、大すきだよ」の物語の学習への期待を高める。
T　次回は、書いた感想をクラスで交流しましょう。

### よりよい授業へのステップアップ

**活動のゴールの提示**

学習で作成する「おはなしのしおり」を子供に提示すると、イメージをもちやすく、学習への意欲が高まる。また、その物語への興味・関心も高めることができる。

**初発の感想**

初発の感想を書かせる際には、ただ書かせるのではなく、学習のねらいに沿って視点を示すとよい。また、範読の前に視点を示すことで、考えながら物語を聞くことができ、書くことの活動もスムーズになる。

本時案

# ずうっと、ずっと、大すきだよ 2/8

## 本時の目標

・感想を全体で交流し、感想を基に読みの課題と学習計画について話し合うことができる。

## 本時の主な評価

❹友達の考えや感想を積極的に知ろうとし、学習の見通しをもって、読んで感じたことを伝え合おうとしている。【態度】

## 資料等の準備

・気持ちカード
・学習計画用の模造紙

①おはなしをよんで、かんそうをかこう。
②よんだかんそうをこうりゅうしよう。
③とうじょう人ぶつとおはなしのながれをたしかめよう。
④一ばんかなしいとかんじた文とそのわけをつたえよう。
⑤一ばんやさしいとかんじた文とそのわけをつたえよう。
⑥こころにのこった文とその気もちをかこう。
⑦おはなしのしおりをつくろう。
⑧おはなしのしおりをよみあおう。

3 子供たちと一緒に話し合って、単元名を付ける

学しゅうの名まえ
しおりで気もちをつたえよう

## 授業の流れ ▷▷▷

### 1 初発の感想の交流をする〈20分〉

T　前回の授業で書いた感想をみんなで交流しましょう。
・エルフが死んでしまって、悲しい気持ちになりました。
・エルフは死んでしまったけれど、ぼくはいつまでもエルフのことを大好きに思っていて優しい気持ちになりました。
・私もお家で犬を飼っていてとてもかわいがっています。エルフが死んで、とても悲しかったです。
・ぼくは、エルフに優しくできていて、いいなと思いました。
〇前時に書いた物語を読んだ気持ちとその理由を発表させ、整理して板書する。

### 2 初発の感想から読みの課題をつくる〈15分〉

T　友達と交流をして、どんなことに気付きましたか。
・人によって、気持ちが違うね。
・ぼくが悲しいと思ったところは、他の人も同じかな。
・私は優しい気持ちになったけど、〇〇さんは、私と違って悲しい気持ちになったんだね。
・みんなの気持ちが少しずつ違うって知ったよ。
・しおりを作ると、いろいろなしおりができそうだね。
〇物語を読んで、人によって読んだときの気持ちが違うことに気付かせる。これからお話を読んでいく意味をもたせる。

ずうっと、ずっと、大すきだよ

1 「ずうっと、ずっと、大すきだよ」のかんそうをこうりゅうして、学しゅうけいかくを立てよう。

2 かなしい

1 ・エルフがしんでしまって、かなしい気もちになった。

・エルフがしんで、とてもかなしかった。

かわいそう

・エルフがしんでしまって、ぼくがかわいそうだった。

やさしい

・エルフはしんでしまったけれど、ぼくはいつまでもエルフのことを大すきにおもっていてやさしい気もちになった。

・ぼくは、エルフにやさしくできていて、いいなとおもった。

かわいい

・エルフがいろいろないたずらをして、かわいかった。

3 学しゅうけいかく

次時以降も使うことができるように模造紙に書くとよい

子供たちの気持ちを大まかに分け、「気持ちカード」を掲示する

## 3 学習計画を立てる 〈10分〉

T 「ずうっと、ずっと、大すきだよ」のお話を読んで、どのような学習にしますか。

・みんなの気持ちが違ったから、そこを話し合いたい。

・同じ気持ちでも、理由が違ったから、そこを知りたいな。

・お話のしおりを作りたい。いろいろなしおりができそう。

○しおりを作るために必要な学習を話し合い、子供と一緒に学習計画を立て、単元名を付ける。

T お話のしおりを作って、お話を読んだ気持ちを伝える学習にしていきましょう。振り返りを書きましょう。

### よりよい授業へのステップアップ

**初発の感想を生かす**

子供の初発の感想から読みの課題をつくっていくときには、整理して板書することが大切である。キーワードを出していくと読みの課題をつくりやすい。

**学習計画を立てる**

子供たちと一緒に学習計画を立てたり、単元名を付けたりすることで、主体的な学習になる。第1時に学習のゴールを提示しているので、そこに向かうためにどんな学習をしていきたいかを話し合うとよい。

本時案

# ずうっと、ずっと、大すきだよ　3/8

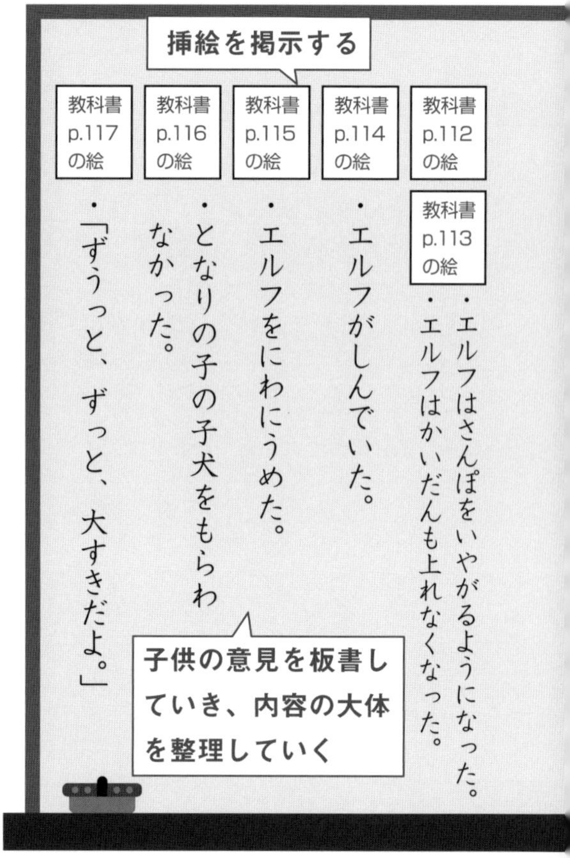

## 本時の目標

・登場人物を確認したり、挿絵を並べ替えたりし、内容の大体を捉えることができる。

## 本時の主な評価

❶事柄の順序など情報と情報との関係について理解している。【知・技】

## 資料等の準備

・学習計画用の模造紙
・教科書 p.108～117の挿絵の拡大カラーコピー（10枚）

挿絵を掲示する

教科書p.112の絵
教科書p.113の絵
教科書p.114の絵
教科書p.115の絵
教科書p.116の絵
教科書p.117の絵

・エルフはさんぽをいやがるようになった。
・エルフはかいだんも上れなくなった。
・エルフがしんでいた。
・エルフをにわにうめた。
・となりの子の子犬をもらわなかった。
・「ずうっと、ずっと、大すきだよ。」

子供の意見を板書していき、内容の大体を整理していく

## 授業の流れ ▷▷▷

### 1　登場人物を確認する　〈15分〉

T　今日からの学習では、みんなの感想を生かしてお話を読むために、お話の全体を読んでいきましょう。「ずうっと、ずっと、大すきだよ」には、誰が出てきましたか。
・ぼくです。
・エルフです。
・兄さんや妹です。
・ぼくの家族です。
・ママです。
・獣医さんです。
・隣の子です。
○物語を音読し、全体で登場人物について出させ、確認する。このときに、中心人物についても確認するとよい。

### 2　挿絵を並べ替えて、物語の内容の大体を捉える　〈20分〉

T　「ずうっと、ずっと、大すきだよ」は、ぼくとエルフのお話ですね。これは、教科書の挿絵です。どのような順番だったか並べ替えてみましょう。
・最初は、小さなぼくとエルフが遊んでいる絵です。ぼくとエルフは一緒に大きくなっていったんだよ。
・段々エルフが年を取っていったんだね。エルフを抱っこしてあげているよ。
・エルフが死んでしまった。
・隣の子から子犬をもらわなかったよ。
○ぼくとエルフの成長を軸にして、挿絵を並び替えていく。物語の順序を確認することで、内容の大体を確かめる。

しおりで気もちをつたえよう

# ずうっと、ずっと、大すきだよ

1 とうじょう人ぶつとおはなしのながれをたしかめよう。

とうじょう人ぶつ
・ぼく
・エルフ
・にいさんやいもうと
・ぼくのかぞく
・ママ
・じゅういさん
・となりの子

1 学しゅうけいかく
①おはなしをよんで、かんそうをかこう。
②よんだかんそうをこうりゅうしよう。
★③とうじょう人ぶつとおはなしのながれをたしかめよう。
④一ばんかなしいとかんじた文とそのわけをつたえよう。
⑤一ばんやさしいとかんじた文とそのわけをつたえよう。
⑥こころにのこった文とその気もちをかこう。
⑦おはなしのしおりをつくろう。
⑧おはなしのしおりをよみあおう。

2
教科書p.108の絵
・小さいときからいっしょ。

教科書p.109の絵
・あったかいおなかをまくらにしている。

教科書p.110の絵
・花だんをほりかえす。

教科書p.111の絵
・エルフが年をとった。

## 3 音読し、物語の全体を確かめる〈10分〉

T　挿絵を並べ替えることができましたね。「ずうっと、ずっと、大すきだよ」を音読して、お話を確認しましょう。
・エルフがどういうふうに変わっていくかが分かったよ。
・ぼくがどんなにエルフのことが大好きなのかがよく分かった。
・音読をして、挿絵のとおりだったよ。
・お話の全体が分かりました。
○再度、音読をすることで、物語全体を確認させる。
T　お話の全体が分かりましたね。次回は、みんなの感想に出てきた気持ちについて読んでいきましょう。振り返りを書きましょう。

**よりよい授業へのステップアップ**

**登場人物**

子供たちは、登場人物を挙げるときに、物語の中に出てくる人や動物を全て挙げる可能性があるので、登場人物は、中心人物を助けたり支えたりする人物であるという定義をする。

**挿絵の活用**

挿絵を並べ替えることで、場面の様子をつかんだり、内容の大体を捉えたりすることができる。挿絵から登場人物の行動や表情も読み取ることができ、読みの手助けとなる。大いに活用していきたい。

本時案

# ずうっと、ずっと、大すきだよ 4/8

## 本時の目標

・自分が一番悲しいと感じた叙述とそのわけについて話し合うことができる。

## 本時の主な評価

❸「読むこと」において、文章の内容と自分の体験とを結び付けて、感想をもっている。【思・判・表】

## 資料等の準備

・学習計画用の模造紙
・全文の模造紙
・教科書の挿絵（子供の意見に合わせて必要であれば掲示する）

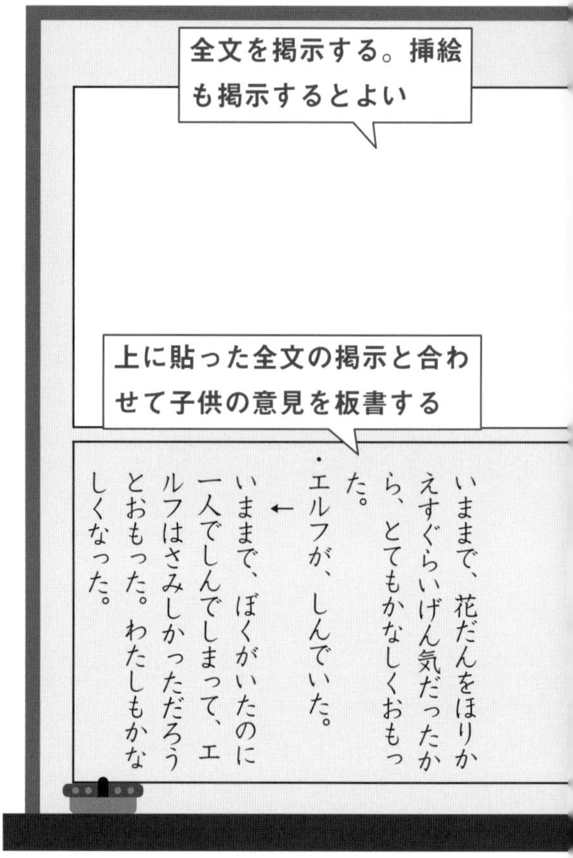

全文を掲示する。挿絵も掲示するとよい

上に貼った全文の掲示と合わせて子供の意見を板書する

いままで、花だんをほりかえすぐらいげん気だったから、とてもかなしくおもった。

・エルフが、しんでいた。

←いままで、ぼくがいたのに一人でしんでしまって、エルフはさみしかっただろうとおもった。わたしもかなしくなった。

## 授業の流れ ▷▷▷

### 1 子供の初発の感想を振り返る 〈5分〉

T 「ずうっと、ずっと、大すきだよ」を読んで、最初の感想に悲しい気持ちになったと書いた子がいましたね。
・エルフが死んでしまって、悲しい気持ちになりました。
・私もお家で犬を飼っていてとてもかわいがっています。エルフが死んで、とても悲しかったです。
T なぜ、悲しいと感じたのか、そのわけについて話し合っていきましょう。
○初発の感想で、悲しい気持ちを感じた子供の感想をいくつか取り上げ、全体の課題として共有する。「悲しい」に似たような気持ちも取り上げるとよい。

### 2 一番悲しいと感じた叙述を見付ける 〈15分〉

T 一番悲しいと感じたところに、青色の線を引きましょう。
・「あるあさ、目をさますと、エルフが、しんでいた。」のところです。
・「よるのあいだにしんだんだ。」のところです。
・「エルフは、年をとって、ねていることがおおくなり、さんぽをいやがるようになった。」のところです。
・「まもなく、エルフは、かいだんも上れなくなった。」のところです。
○物語の全文を1枚で見ることができる掲示物を作成し、物語のどの叙述で多くの人が悲しいと感じたのかが一目で分かるようにする。挿絵も活用するとよい。

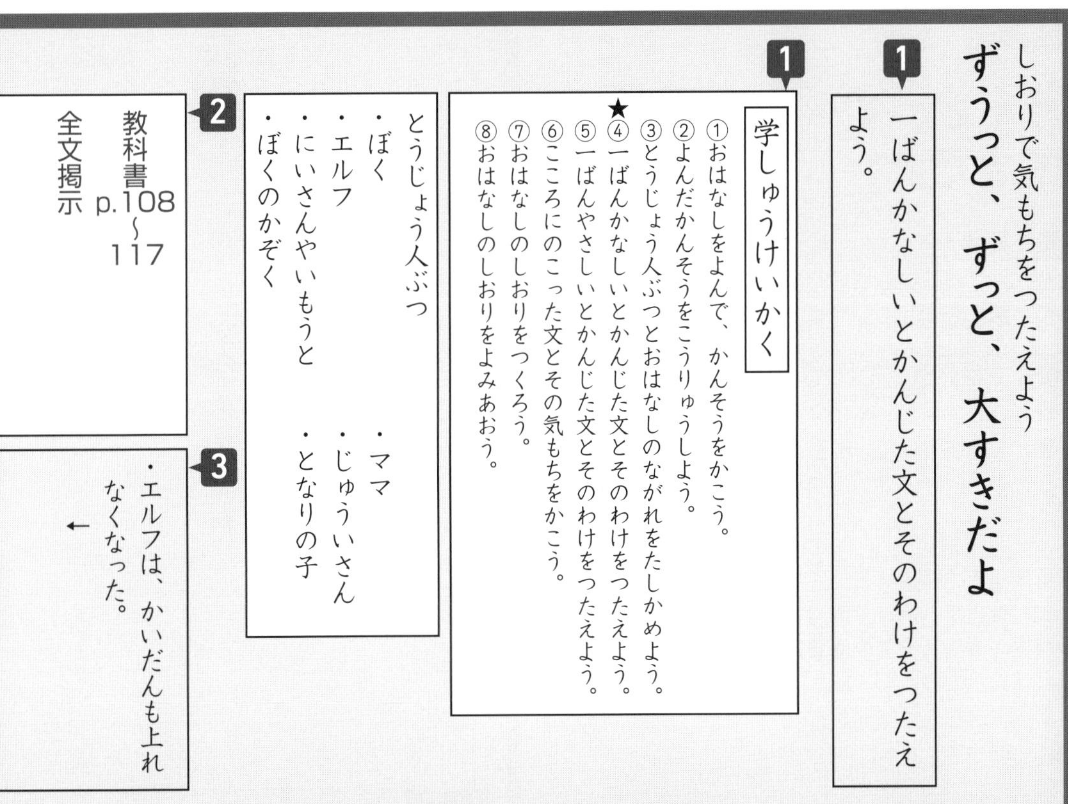


## 3 一番悲しいと感じた叙述のわけを話し合う 〈25分〉

T　なぜ一番悲しいと感じたのか、そのわけを話し合いましょう。

・やっぱりエルフが死んでしまったことはとても悲しいです。

・夜の間に死んだということは、一人で死んでしまったということで、エルフは寂しかっただろうなと思います。それを考えると、私も悲しいです。

・あんなに追いかけるのが好きだったエルフが階段も上れなくなって、ぼくはとても悲しい気持ちになりました。

○ぼくとエルフの行動から想像したことを発表させ、その叙述の付近に板書する。

### よりよい授業へのステップアップ

**初発の感想から課題をつくる**

「ずうっと、ずっと、大すきだよ」の初発の感想では、エルフの死に対する悲しさを感じた感想と、ぼくのエルフに対する愛情や優しさを感じた感想に大きく絞られる。同じ物語を読んでいても、心に残る部分が違うということに気付かせていく。

**全文の掲示**

物語全体を把握するために、全文を1枚にまとめるとよい。共有もしやすい。黒板1枚に掲示することが難しいので、ホワイトボードや教室側面などを活用するとよい。

本時案

# ずうっと、ずっと、大すきだよ 5/8

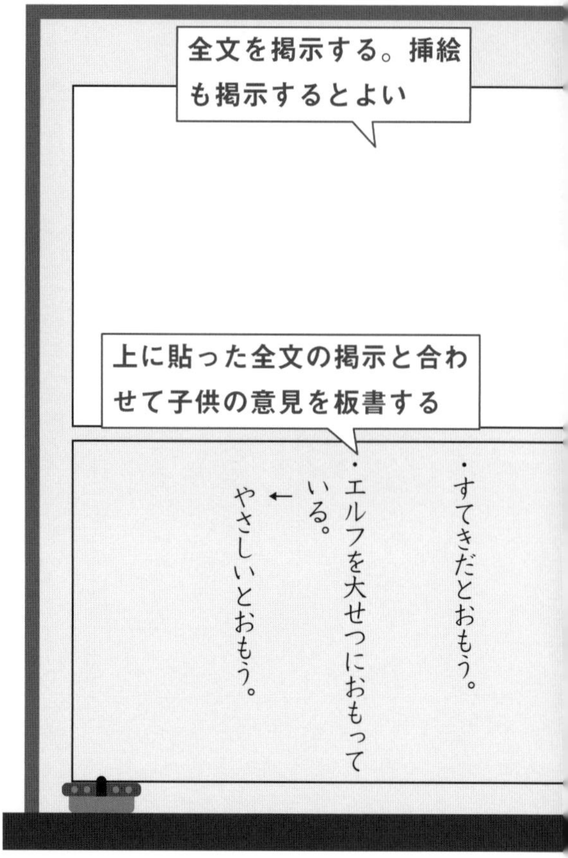

## 本時の目標

・自分が一番優しいと感じた叙述とそのわけについて話し合うことができる。

## 本時の主な評価

❸「読むこと」において、文章の内容と自分の体験とを結び付けて、感想をもっている。【思・判・表】

## 資料等の準備

・学習計画用の模造紙
・全文の模造紙（前時で使用したもの）
・教科書の挿絵（子供の意見に合わせて必要であれば掲示する）

全文を掲示する。挿絵も掲示するとよい

上に貼った全文の掲示と合わせて子供の意見を板書する

・すてきだとおもう。
・エルフを大せつにおもっている。
←やさしいとおもう。

## 授業の流れ ▷▷▷

### 1 子供の初発の感想を振り返る 〈5分〉

T 「ずうっと、ずっと、大すきだよ」を読んで、最初の感想に優しい気持ちになったと書いた子がいましたね。
T なぜ、優しいと感じたのか、そのわけについて話し合っていきましょう。
・エルフは死んでしまったけれど、ぼくはいつまでもエルフのことを大好きに思っていて優しい気持ちになりました。
・ぼくは、エルフに優しくできていて、いいなと思いました。
○初発の感想で、優しい気持ちを感じた子供の感想をいくつか取り上げ、全体の課題として共有する。「優しい」に似たような気持ちも取り上げるとよい。

### 2 一番優しいと感じた叙述を見付ける 〈15分〉

T 一番優しいと感じたところに、赤色の線を引きましょう。
・「ぼくは、エルフのあったかいおなかを、いつもまくらにするのがすきだった。」のところです。
・「ぼくは、エルフにやわらかいまくらをやって、ねるまえには、かならず、『エルフ、ずうっと、大すきだよ。』って、いってやった。」のところです。
○前時で使った物語の全文を1枚で見ることができる掲示物に書き加えていく。物語のどの叙述で多くの人が優しいと感じたのかが一目で分かるようにする。挿絵も活用するとよい。

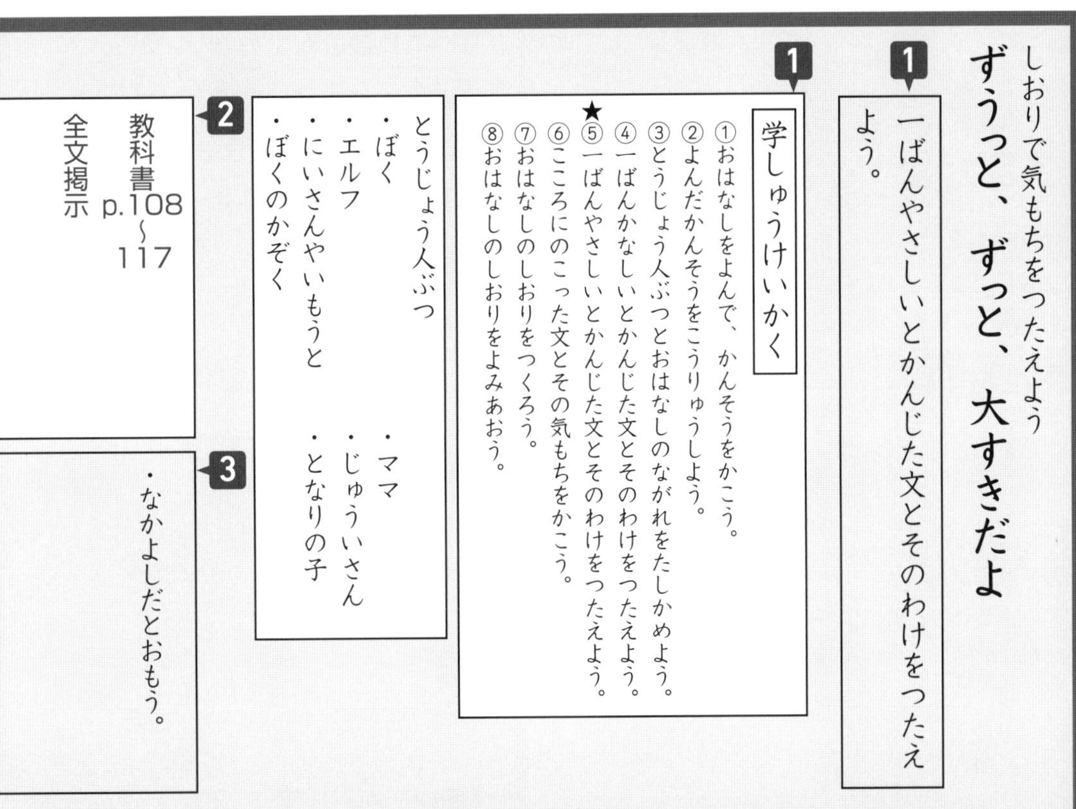


## 3 一番優しいと感じた叙述のわけを話し合う 〈25分〉

T なぜ一番優しいと感じたのかそのわけを話し合いましょう。

・「いっしょに大きくなった。」というところから、ずっと一緒にいて優しいと思います。
・「いっしょにゆめを見た。」っていうところがすてきだなと感じました。
・エルフが死んでしまったことは悲しいことだけれど、ぼくがエルフを大切に思っている気持ちがよく伝わってきます。ぼくは優しいなと思います。

○ぼくとエルフの行動から想像したことを発表させ、その叙述の付近に板書する。

### よりよい授業へのステップアップ

**初発の感想から課題をつくる**

前時と同様に「ずうっと、ずっと、大すきだよ」の初発の感想を生かす。ぼくのエルフに対する愛情や優しさを扱うことにより、互いに比べて読むことができる。同じ物語を読んでいても、心に残る部分が違うということに気付かせていく。

**全文の掲示**

前時で使用した模造紙に色を変えて書き加えていく。悲しさと優しさについて比較でき、全体が分かりやすくなり、共有もしやすくなる。

本時案

# ずうっと、ずっと、大すきだよ 6/8

## 本時の目標

・心に残った叙述とその気持ちについて書くことができる。

## 本時の主な評価

❸「読むこと」において、文章の内容と自分の体験とを結び付けて、感想をもっている。【思・判・表】

## 資料等の準備

・学習計画用の模造紙
・全文の模造紙（前時で使用したもの）
・教科書の挿絵（子供の意見に合わせて必要であれば掲示する）

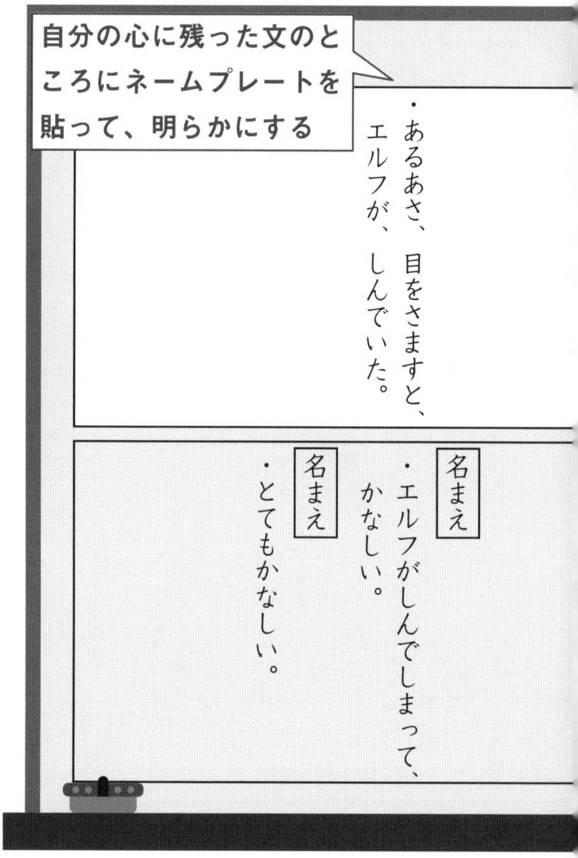

自分の心に残った文のところにネームプレートを貼って、明らかにする

・あるあさ、目をさますと、エルフが、しんでいた。

名まえ
・エルフがしんでしまって、かなしい。

名まえ
・とてもかなしい。

## 授業の流れ ▷▷▷

### 1 前時の学習を振り返り、心に残った叙述が違うことを確認する 〈5分〉

T 「ずうっと、ずっと、大すきだよ」を読んで、悲しいや優しいといった気持ちを感じる部分が、同じ物語を読んでいても違いましたね。
・「ぼくは、エルフのあったかいおなかを、いつもまくらにするのがすきだった。」のところが優しいと思いました。
・「ぼくは、エルフにやわらかいまくらをやって、ねるまえには、かならず、『エルフ、ずうっと、大すきだよ。』って、いってやった。」のところが優しいと思いました。
○第4・5時で使った模造紙を生かして、学習を振り返り、同じ物語を読んでいても、心に残る部分が違うことに気付かせる。

### 2 心に残った叙述を選び、そのときの自分の気持ちを書く 〈10分〉

T お話を読んで、自分が心に残ったところを選び、ネームプレートを貼りましょう。また、その文から感じた自分の気持ちをノートに書きましょう。
・「ぼくは、エルフにやわらかいまくらをやって、ねるまえには、かならず、『エルフ、ずうっと、大すきだよ。』って、いってやった。」のところが優しいと思いました。
・「あるあさ、目をさますと、エルフが、しんでいた。」のところが悲しいと感じました。
○前時で使った物語の全文を1枚で見ることができる掲示物を生かし、自分の心に残った文とそこから感じた気持ちを書いていく。

しおりで気もちをつたえよう

ずうっと、ずっと、大すきだよ

1 こころにのこった文とその気もちをかこう。

1 学しゅうけいかく

①おはなしをよんで、かんそうをかこう。
②よんだかんそうをこうりゅうしよう。
③とうじょう人ぶつとおはなしのながれをたしかめよう。
④一ばんかなしいとかんじた文とそのわけをつたえよう。
⑤一ばんやさしいとかんじた文とそのわけをつたえよう。
★⑥こころにのこった文とその気もちをかこう。
⑦おはなしのしおりをつくろう。
⑧おはなしのしおりをよみあおう。

3 教科書 p.108～117
全文掲示

・ぼくは、エルフにやわらかいまくらをやって、ねるまえには、かならず、「エルフ、ずうっと、大すきだよ。」って、いってやった。

名まえ

・かならずいっていたところが、やさしいとおもう。

子供の意見を板書して整理していく

## 3 心に残った叙述とそのときの自分の気持ちを発表する 〈30分〉

T　心に残った文とそのときの自分の気持ちを発表しましょう。

・「あるあさ、目をさますと、エルフが、しんでいた。」のところで、とても悲しくなりました。
・ぼくは、「よるのあいだにしんだんだ。」のところで、とても悲しくなりました。同じ悲しい気持ちだけど違うね。
・「まもなく、エルフは、かいだんも上れなくなった。」のところがとても悲しくなったよ。これから死んでしまうなんて悲しい。

〇ぼくとエルフの行動から想像したことを、同じ気持ちごとに整理していくとよい。

### よりよい授業へのステップアップ

**読むことを学習することの意味**

全体で課題を共有し、交流することで、同じ物語を読んでいても、心に残る部分が違うことに気付かせる。みんなで物語を学習することの楽しさも味わえる。

**自分の経験や体験**

なぜその文が心に残ったのかを交流するときに、ただ自分の気持ちや考えを述べるのではなく、自分の経験や体験を交えて話すことができると深い学びへとつながる。

本時案

# ずうっと、ずっと、大すきだよ 7/8

## 本時の目標

・話し合ったことを基に、心に残ったところを紹介する文章をしおりに書くことができる。

## 本時の主な評価

❸「読むこと」において、文章の内容と自分の体験とを結び付けて、感想をもっている。【思・判・表】

## 資料等の準備

・学習計画用の模造紙
・教科書の挿絵（子供の意見に合わせて必要であれば掲示する）
・教師作成の「おはなしのしおり」の見本 23-01

「おはなしの

にしている気もちがつたわってきます。わたしもかっている犬に「ずうっと、ずっと、大すきだよ。」っていってあげたいとおもいます。

（名まえ　　　）

・本のだい名…「ずうっと、ずっと、大すきだよ」
・こころにのこった文…きょうかしょから
・こころにのこった文のりゆう…じぶんの気もち
・え

3 ふりかえり

・おはなしのしおりをかくことができました。ともだちとよみあうのがたのしみです。

## 授業の流れ ▷▷▷

### 1 「おはなしのしおり」を作ることを確認する 〈5分〉

T　みなさんは、「ずうっと、ずっと、大すきだよ」のお話を読んできましたね。
・私もお家で犬を飼っていてとてもかわいがっています。エルフが死んで、とても悲しかったです。
・エルフは死んでしまったけれど、ぼくはいつまでもエルフのことを大好きに思っていて優しい気持ちになりました。
・優しい気持ちと悲しい気持ちがありました。
○前時までの学習を振り返り、同じ物語を読んでも人によって、いろいろな読み方、感じ方をしていることを確認する。
T　みんなで読んで話し合ったことを生かし、「おはなしのしおり」を作りましょう。

### 2 「おはなしのしおり」の書き方を知る 〈10分〉

T　先生の「おはなしのしおり」を見て、どんなことが書いてありますか。
・本の題名です。
・心に残った文です。
・心に残った文の理由です。
・絵も描いてあります。
T　みなさんは、一番悲しい文や一番優しい文とそのわけを考えてきましたね。それを心に残った文として書けるといいですね。
・「あるあさ、目をさますと、エルフが、しんでいた。」のところです。
・「ぼくは、エルフのあったかいおなかを、いつもまくらにするのがすきだった。」のところです。

しおりで気もちをつたえよう
# ずうっと、ずっと、大すきだよ

1 「ずうっと、ずっと、大すきだよ」のおはなしのしおりをつくろう。

1 学しゅうけいかく

①おはなしをよんで、かんそうをかこう。
②よんだかんそうをこうりゅうしよう。
③とうじょう人ぶつとおはなしのながれをたしかめよう。
④一ばんかなしいとかんじた文とそのわけをつたえよう。
⑤一ばんやさしいとかんじた文とそのわけをつたえよう。
⑥こころにのこった文とその気もちをかこう。
★⑦おはなしのしおりをつくろう。
⑧おはなしのしおりをよみあおう。

2 おはなしのしおり

教科書p.117の絵

○本のだい名
「ずうっと、ずっと、大すきだよ」
○こころにのこった文
なにをかっても、まいばん、きっといってやるんだ。「ずうっと、ずっと、大すきだよ。」って。

「しおり」を提示する

○こころにのこった文のりゆう
エルフがしんでしまっても、ずっとエルフのことを大せつ

## 3 「おはなしのしおり」を書く 〈30分〉

T 「おはなしのしおり」を書きましょう。
・エルフが死んでしまって悲しい気持ちになったところを、心に残ったところとしてぼくは書こう。
・私は、エルフは死んでしまったけれど、ぼくはいつまでもエルフのことを大切に思っていて優しい気持ちになったことを書くよ。自分が大切に飼っている金魚のことも書こう。
○まずは、文章を書く時間を十分に取るとよい。文章を書き終わってから、絵を描かせるとよい。
T 次回は、書いたしおりをクラスで読み合いましょう。振り返りを書きましょう。

### よりよい授業へのステップアップ

**ゴールの活動へつなぐ**

第二次では、ぼくやエルフの行動から想像し対話的に読んできた。作成する「おはなしのしおり」の心に残った文やそのわけにも生かすことができるように学習を振り返ることができるとよい。

**自分の読みを書くことへ**

しおりを書く際、第6時に書いたことを生かす。自分の感じた気持ちとそのわけを詳しく書けるとよい。自分の読みを書くことへとつなげ、友達の考えや感じたことを聞くことを楽しみにする姿も育てたい。

本時案

# ずうっと、ずっと、大すきだよ 8/8

## 本時の目標

・友達のしおりの文章を読んで、思ったことや感じたことを伝え、学習を振り返ることができる。

## 本時の主な評価

❷「読むこと」において、文章を読んで感じたことや分かったことを共有している。【思・判・表】

## 資料等の準備

・学習計画用の模造紙
・教科書の挿絵（子供の意見に合わせて必要であれば掲示する）
・教師作成の「おはなしのしおり」の見本 23-01

「おは

2 犬に「ずうっと、ずっと、大すきだよ。」っていってあげたいとおもいます。（名まえ　）

付箋紙の書き方を提示する

・おなじ文をえらんでいたけど、わけがちがったのがおもしろかったです。（名まえ　）

・ぼくも○○くんとおなじ気もちだけど、ちがう文だったから、もっときいてみたい。（名まえ　）

3 ふりかえり

・ほかのおはなしでも、「おはなしのしおり」をつくってみたいです。
・これからよむおはなしでも、こころにのこった文を見つけていきたいです。

## 授業の流れ ▷▷▷

### 1 書いた「おはなしのしおり」から書く観点を思い出す 〈5分〉

T　いよいよ書いた「おはなしのしおり」を読み合います。どんなことを書きましたか。
・本の題名です。
・心に残った文です。
・心に残った文の理由です。
・絵も描きました。
○教師のモデルの「おはなしのしおり」を掲示し、書いた観点を確認する。
T　このようなことを書きましたね。「ずうっと、ずっと、大すきだよ」を読んで書いた「おはなしのしおり」を読み合いましょう。心に残った文とそのわけについて、友達とどんなところが違うか比べながら読み合いましょう。

### 2 書いた「おはなしのしおり」を読み合う 〈35分〉

T　「おはなしのしおり」を班で回して読み合いましょう。読み終わったら心に残った文とそのわけについて、付箋紙に感想を書いて伝えましょう。内容についてよかったところを伝えましょう。では、友達と読み合いましょう。
・飼っている犬のことについて書いてあったので、大切にしている優しい気持ちを読んだことがよく分かったよ。
・ぼくも、この文が心に残ったよ。優しい気持ちが伝わってくるよね。
○「おはなしのしおり」の内容でよかったところを付箋紙に書くことを確認する。

しおりで気もちをつたえよう
ずうっと、ずっと、大すきだよ

1
「ずうっと、ずっと、大すきだよ」のおはなしのしおりをよみあおう。

1
学しゅうけいかく
①おはなしをよんで、かんそうをかこう。
②よんだかんそうをこうりゅうしよう。
③とうじょう人ぶつとおはなしのながれをたしかめよう。
④一ばんかなしいとかんじた文とそのわけをつたえよう。
⑤一ばんやさしいとかんじた文とそのわけをつたえよう。
⑥こころにのこった文とその気もちをかこう。
⑦おはなしのしおりをつくろう。
★⑧おはなしのしおりをよみあおう。

1
おはなしのしおり

○本のだい名
「ずうっと、ずっと、大すきだよ」
○こころにのこった文
なにをかっても、まいばん、きっといってやるんだ。「ずうっと、ずっと、大すきだよ。」って。

教科書p.117の絵

○こころにのこった文のりゆう
エルフがしんでしまっても、ずっとエルフのことを大せつにしている気もちがつたわってきます。わたしもかっている

なしのしおり」を提示する

## 3 交流したことを振り返って、単元の振り返りをする〈5分〉

**T**　この学習では「おはなしのしおり」を作ってきました。学習全体を振り返りましょう。
・他のお話でも、「おはなしのしおり」を作ってみたいです。
・ぼくは友達と同じ文を選んでいたんですけど、わけが違ったのがおもしろかったです。
・〇〇さんは、「ずうっと、ずっと、大すきだよ」を読んで、悲しい気持ちになったと書いてあったけど、私は優しい気持ちになって違いました。でも、しおりを読んだら〇〇さんの考えもよく分かりました。
○単元全体の振り返りをする。
**T**　これから読むお話でも、心に残った文やそのわけを見付けていきましょう。

**よりよい授業へのステップアップ**

**付箋紙の活用**

感想をただ伝え合うのではなく、カードや付箋紙に感想を書かせ、その場で交流するとよい。交流の様子も残るので、評価に生かすことができる。

**ICT端末の活用ポイント**

教師が「おはなしのしおり」をデータ化し、学習支援ソフトから子供たちに配信し、共有できるとよい。他の子供のしおりを読むことができる。物語を読んで、友達の考えや感じたことについて、聞くことを楽しみにする姿を育てたい。

資料

## 1 第1時資料 「おはなしの しおり」の見本 23-01

おもて

教科書 p.117 の挿絵

○本の だい名
「ずうっと、ずっと、大すきだよ」
○こころに のこった 文
なにを かっても、まいばん、きっと いって
やるんだ。「ずうっと、ずっと、大すきだよ。」
って。

うら

○こころに のこった 文の りゆう
エルフがしんでしまっても、ずっとエルフのことを 大せつに
している気もちが つたわってきます。わたしも かっている犬
に 「ずうっと、ずっと、大すきだよ。」って いってあげたい
とおもいます。

名まえ（ ）

## 2 第1時資料　気持ちの語彙表 23-02

いろいろな　気もち

年　くみ　名まえ（　　　　）

□ うれしい
□ おもしろい
□ よろこぶ
□ わくわくする
□ ほっとする
□ 気もちが　いい
□ よかったな
□ おどろく
□ どきどきする
□ 気もちが　わるい
□ しんぱいする
□ こわい
□ さびしい
□ かなしい
□ くるしい
□ わるかったな
□ つまらない
□ ざんねん
□ あんしん
□ すき
□ しあわせ
□ うきうきする
□ こまる
□ くやしい
□ おそろしい
□ あわてる
□ いやだな

# にて　いる　かん字　（3時間扱い）

## 単元の目標

| | |
|---|---|
| **知識及び技能** | ・第1学年に配当されている漢字を読んで書き、文や文章の中で使うことができる。((1)エ)<br>・文字の形に注意しながら、筆順に従って丁寧に書くことができる。((3)ウ（イ）) |
| **思考力、判断力、表現力等** | ・語と語との続き方に注意しながら、内容のまとまりが分かるように書き表し方を工夫することができる。(B(1)ウ) |
| **学びに向かう力、人間性等** | ・言葉がもつよさを感じるとともに、楽しんで読書をし、国語を大切にして、思いや考えを伝え合おうとする。 |

## 評価規準

| | |
|---|---|
| **知識・技能** | ❶第1学年に配当されている漢字を読んで書き、文や文章の中で使っている。(〔知識及び技能〕(1)エ)<br>❷文字の形に注意しながら、筆順に従って丁寧に書いている。(〔知識及び技能〕(3)ウ（イ）) |
| **思考・判断・表現** | ❸「書くこと」において、語と語との続き方に注意しながら、内容のまとまりが分かるように書き表し方を工夫している。(〔思考力、判断力、表現力等〕B ウ) |
| **主体的に学習に取り組む態度** | ❹これまでの学習を生かし、形に気を付けて漢字を書いたり、楽しみながら漢字を使った文を書いたり読んだりしている。 |

## 単元の流れ

| 時 | 主な学習活動 | 評価 |
|---|---|---|
| 1 | 学習の見通しをもつ<br>どの漢字とどの漢字が似ているか考える。<br>かるたを作るために、似ている漢字を集めることを知る。<br>漢字の一覧表から似ている漢字を探し、細かい部分の違いに気を付けながら書く。 | ❶❷ |
| 2 | 教科書の、似ている漢字を使って書いた文を音読する。<br>似ている漢字2文字を選び、書き順を確認してかるたの取り札を作る。<br>選んだ2つの漢字を使って文を考え、読み札用のカードに書く。 | ❸ |
| 3 | 学習を振り返る<br>完成した「漢字かるた」を使って、かるた取りをする。 | ❹ |

## 授業づくりのポイント

〈単元で育てたい資質・能力〉

本単元では、１年生で学習した漢字を読んで書き、文の中で使う力を育む。漢字の形に着目し、似ているものを見付けたり、文の中で使ったりすることで、漢字と漢字を関連付けて理解することを目指す。

漢字を楽しんで使う態度を育てることも大切にしたい。これまでに学習した漢字を読んだり書いたり集めたり並べたりしながら楽しく復習することで、楽しんで漢字を使おうとする態度を養っていく。

〈教材・題材の特徴〉

形の似ている字に注目させた、１年生の漢字学習のまとめとなる単元である。漢字の似ている部分に注目させることで、細かい違いにも気を付けて書き分ける必要があることに気付かせることができる。形は似ているが、書き順の異なる漢字も取り上げられている。違いを確認し正しく書くことができるようにしていく。

〈言語活動の工夫〉

本単元では、グループで漢字かるたづくりを行う。漢字かるたづくりは、かるたの読み札を作る、取り札を作る、友達にかるた取りをしてもらう前に読み返す、読み札を読む、漢字の読み方や意味を考えながら取り札を探す等、複数の要素のある活動である。漢字かるたづくりを通して、何度も漢字に触れる中で理解を深めたい。

[具体例]

○似ている２つの漢字を使った言葉や文を考える活動を「漢字かるた」の読み札づくりとする。読み札づくりを通して同じ１つの漢字を使ったいろいろな言葉があることや、言葉にして知っておくと文章にしやすいことに気付かせる。言葉を集めることは楽しい活動であるが、読み札づくりとすることで、より目的意識が強くなる。グループで作るので、自然とアドバイスをし合う姿も現れる。

○形をよく見たり筆順を確認したりして丁寧に漢字を書く活動を「漢字かるた」の取り札づくりとする。筆順や文字の丁寧さは後回しにしてしまう子供も中にはいるが、「みんなが文字を見て取る取り札だから、丁寧に書くと読みやすいね」と意識付けたい。筆順の確認や字形の確認には、書写の教科書も活用する。文字の形や筆順をより意識できるよう、ペンを使って慎重に書かせる。丁寧に書いた文字のよさに気付くこともできる。

〈ICT の効果的な活用〉

**確認**：漢字の筆順を確認できるサイトのリンクを ICT 端末に送信し、分からなくなったときに子供がその文字の筆順をいつでも確かめられるようにする。漢字ドリルの付録としてついてくるデジタルコンテンツも活用できる。アニメーションで筆順を示してくれるのでとても分かりやすい。

**考えを表す**：習った漢字をそれぞれの端末に送り、並べ替えて似ている字を集める活動は、書くことの難しい子にも取り組みやすく、どの子も考えを表現することができる。

本時案

# にて　いる かん字

## 本時の目標

・第１学年に配当されている漢字から似ている漢字を見付け、細かい部分の違いに気を付けながら書くことができる。

## 本時の主な評価

❶第１学年に配当されている漢字から似ている漢字を見付けている。【知・技】
❷文字の形に注意しながら、筆順に従って丁寧に書いている。【知・技】

## 資料等の準備

・「漢字かるた」の見本（黒板用）
・漢字を大きく書く用紙

## 授業の流れ ▷▷▷

### 1 習った漢字を振り返り、似ている漢字を見付ける 〈15分〉

T　１年生で、たくさんの漢字を習ってきましたね。どんな漢字がありましたか。

○１年生で習った漢字をいくつか出して、既習漢字を思い出させる。

T　この漢字は覚えていますか。この漢字はどうですか。２つを比べてみて、どう思いますか。

○似ている漢字のカードを出し、形が似ているということや同じ部分があって似ているということを出させる。

T　確かに似ていますね。今日は、今までに習った１年生の漢字80字の中から、似ている漢字を見付けてみましょう。

○教科書の巻末等、漢字の載っている場所を見ると見付けやすいことをアドバイスする。

### 2 似ている漢字の細かい部分に気を付けてノートに書く 〈20分〉

T　似ている漢字、たくさんあるのですね。いくつかみんなで確認してみましょう。

○見付けた漢字をいくつか発表させる。黒板用のカードに書き、似ているものを縦に並べて貼る。２つの場合もあるし、３つ以上似ている字があってもよいことにする。

T　たくさん見付けられそうですね。ノートに似ている漢字を書いていきましょう。似ているので、同じところと違うところに気を付けて、よく見て書けるといいですね。

○似ている漢字を縦に並べて書かせることで、３つ以上似ている漢字を見付けたときにも書き加えることができる。どんなふうに書くとよいのか、実際にノートに書いて見せるとどの子にも伝わりやすい。

にているかん字

1 にているかん字を　見つけてかこう。

2

| 大 | 目 | 上 | 木 |
|---|---|---|---|
| 犬 | 見 | 下 | 本 |
| 太 | 貝 | | 林 |

ICT 等活用アイデア

## 3 似ている漢字を伝え合い、かるたづくりについて知る〈10分〉

○見付けた似ている漢字を出させ、黒板に漢字のカードを並べていく。カードは発表前に子供たちに書かせておく。ペンで大きく書かせると、より漢字の形等に気を付けて書こうと意識させることができる。

**T**　似ている漢字をたくさん見付けることができましたね。次回は似ている漢字を２つ使って漢字かるたづくりをしましょう。

○漢字について思ったことを振り返りとしてノートに書かせる。

**ICT 端末の活用ポイント**

習った漢字の書かれたカードを用意しておき、それぞれの端末に送り、似ている漢字を選び出して並べる活動をそれぞれにさせてもよい。

### 似ている漢字を集める活動に使う

なるべく多くの漢字を振り返って似ている漢字を見付けさせたい場合、端末を活用する方法がある。１つずつの漢字を書くことは大変で途中で諦めてしまうような子も、送られてきた漢字を並べ替えたり集めたりする活動は楽しく行うことができる。自分で漢字を動かして集めるためには、細かいところまで漢字をよく見なくてはならない。また、並べ替えによってその子の考えが目に見えるようになるので、自分の考えを伝えるきっかけとすることもできる。

本時案

# にて　いる かん字

## 本時の目標

・似ている漢字２字を文の中で使い、「漢字かるた」の読み札を作ることができる。

## 本時の主な評価

❸語と語との続き方に注意しながら、内容のまとまりが分かるように書き表し方を工夫している。【思・判・表】

## 資料等の準備

・「漢字かるた」の見本（黒板用）
・「漢字かるた」のカード（黒板用）
・「漢字かるた」読み札カード（薄い色の画用紙）
・「漢字かるた」の作り方 24-01
・「漢字かるた」取り札カード（白画用紙） 24-02

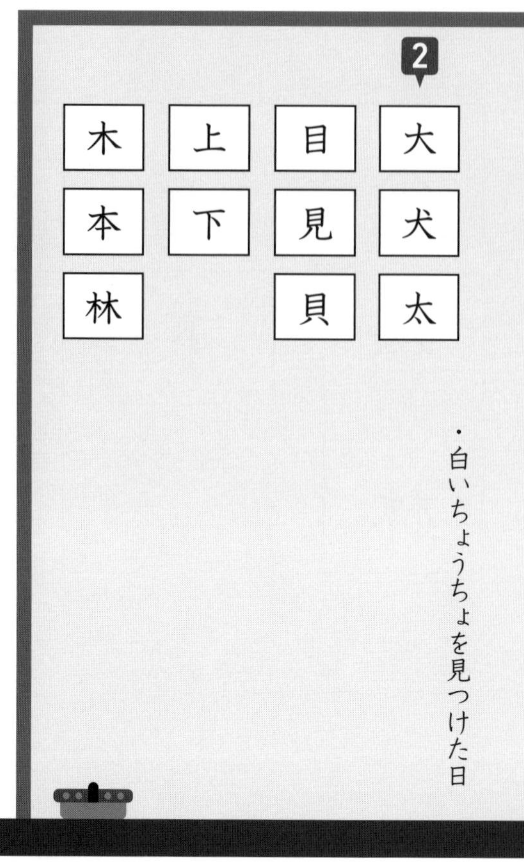


## 授業の流れ ▷▷▷

### 1 クラスで作り、読み札の作り方を知る 〈10分〉

T　今日は漢字かるたを作ります。かるたには「読み札」と「取り札」があります。２つの違いは分かりますか。

○読み札、取り札について確認する。

読み札　かるたのときに読む文が載っている。リズムがよくて短いと読みやすい。

取り札　かるたのときに見付けた人が取る札。文字と絵がかいてある。

T　「白」と「日」で作ってみましょう。何か言葉はありますか。

○例を挙げて実際に作ると、イメージがつかめる。ある程度言葉を出してから、文を考えさせる。文の候補もいくつか出させ、そこから選ぶようにする。

### 2 漢字を選び、ノートに文の候補を書く 〈10分〉

T　グループごとに漢字かるたを作ります。それぞれが作るカードで困ったことがあったら、グループの人に相談してみましょう。

○漢字を２文字選び、言葉を出させる。

T　前回見付けた似ている漢字から、まず似ているものを２つ選びましょう。なるべくいろいろな漢字をグループで分担して使いましょう。選んだら、選んだ漢字を使った言葉をいくつか考えましょう。

○うまく言葉が見付からない場合、言葉の見付けやすい別の漢字を勧めてもよい。

○考えた言葉を使い、読み札の文を考えて書かせる。

# にているかん字

**1** にているかん字をつかって　かるたをつくろう。

よみふだ

(大)(犬)　大きい犬が　あるいてる

とりふだ

(大)(犬)

(白)(日)　白いゆきで　一日あそぶ

(白)(日)

かるたのつくりかた
1 にているかん字を二つえらぶ
2 ふだの○の中に、えらんだかん字をかく
3 よみふだにことばをかく（リズムのよいもの）
4 とりふだにえをかく

白

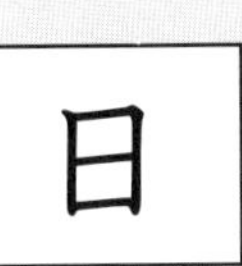

白い　白くなる
お日さま　日よう日　日にち
一日　日　日ちょく

・白いふくをきた　日よう日
・白いゆきで　一日あそぶ

## 3 読み札や取り札を作る　〈25分〉

T　考えた文を読み札カードに書きましょう。色の付いたカードです。まず、選んだ２文字を○の中に丁寧に書きましょう。

○読み札カードに考えた文を書かせる。

T　取り札カードを書きましょう。取り札カードは、白いカードです。○の中は、読み札カードと同じ漢字を書きます。この○の字を見て、みんながかるたを取ります。読みやすい丁寧な字で書きましょう。

○文字を書いてから、読み札の文に関係のある絵を描かせる。文字を書くときに書き順を確認し、意識して書くようにさせる。

○読み札が完成したら、取り札も作る。一組作り終えたら、また別の漢字を選んで札を作るようにする。

## ICT 等活用アイデア

### 書き順の確認をする

みんなに読んでもらうからこそ、丁寧に書いて読みやすくしよう、と意識付けしたい。丁寧に書くことはもちろん、あまり普段気にしない書き順にも注目させたい。

書き順がアニメーションで出てくるサイトやアプリが多くある。また、漢字ドリルに付属のもの等も書き順が確認できる。ICT 端末を使って確かめさせるとよい。一覧で確認させたい場合は書写の教科書が便利である。

本時案

# にて　いる かん字

## 本時の目標

・完成した「漢字かるた」を使って、かるた取りを楽しむ中で、似ている漢字を見付けたり読んだりすることができる。

## 本時の主な評価

❹これまでの学習を生かし、楽しみながら漢字を使った文を書いたり読んだりしている。【態度】

## 資料等の準備

・「漢字かるた」の見本（黒板用）
・子供の作った「漢字かるた」
・第１時に漢字を書いた用紙

とりふだ

大　犬

3

ふ

・にているかん字について
・かるたをつくって、〜
・かるたとりをして、〜

## 授業の流れ ▷▷▷

### 1 「漢字かるた」の取り方を確認する〈５分〉

T　今日は、前回作った「漢字かるた」をします。

○かるたの取り方、ルールを確認する。

T　まずはグループで１人読む人を決めます。やりたい人がたくさんいる場合は、２回目のときに交代しましょう。

○子供たちの実態によって、ルールや説明の仕方は変えてもよい。喧嘩になってしまうことが多い場合は、じゃんけんで決める、いつ交代する等を細かく決めて提示する。仲良く進められる場合は、板書にあるとおりのことを説明すればよい。

### 2 グループで「漢字かるた」を取って遊ぶ〈25分〉

○グループでかるた取りをして遊ぶ。

○うまく進んでいないグループがないか全体の様子を観察し、気になるグループを回って、うまく進めるためにはどうしたらよいのかアドバイスをする。

○どのグループもうまく進んでいるようであれば、順にグループを回って様子を観察したり、上手にできている読み札と取り札を写真に撮っておくと、振り返りのときに紹介することができる。

○１回目のかるた取りが終わっているグループが複数あれば、カードを交換して取らせてもよい。

にているかん字

1 かん字かるたを　たのしもう。

・よむ人をきめる

・とりふだをならべる

・とれたふだは、早くとった人がもっておく

（手が下にある、ほとんどその人がおさえている）

・一まいのカードで二かいお手つきをしたらつぎは休み

㊅㊇ 大きい犬があるいてる

よみふだ

## 3 学習を振り返る 〈15分〉

〇作品を紹介する。

〇紹介を聞いたり、読み札の文をみんなで読んだりすることで、似ている漢字を確認するとともに、１年生で習った漢字を復習することができる。

〇振り返りを書かせる。

**T** 振り返りを書きましょう。似ている漢字を見付けて思ったことや漢字かるたを作って思ったこと、かるた取りをして思ったことが書けるといいですね。

**ICT 端末の活用ポイント**

**作品を紹介して復習する**

子供たちの書いた中からよくできているものを撮影しておき、映して紹介しながらみんなで読ませると漢字の読み方の復習になる。

**よりよい授業へのステップアップ**

**かるた取りを楽しむ**

かるたを作ったので、この時間でたっぷり遊べるようにしたい。下に手が入っている人の方が早く取れている、札の大部分を押さえた人がかるたを取れている等のかるた取りの基本的なルールを知らない子もいるので、どの子もかるた取りの方法が分かるように確かめる。様々な場面で行う活動なので、自分たちで楽しめるようにしておきたい。

楽しく読みの復習ができるので、時間のあるときにまた使用するのもよい。

資料

## 1 資料 「漢字かるた」の作り方 24-01

かるたのつくりかた

1 にているかん字を
二つえらぶ

2 ふだの○の中に
えらんだかん字をかく

3 よみふだにことばをかく（リズム
のよいもの）

4 とりふだにえをかく

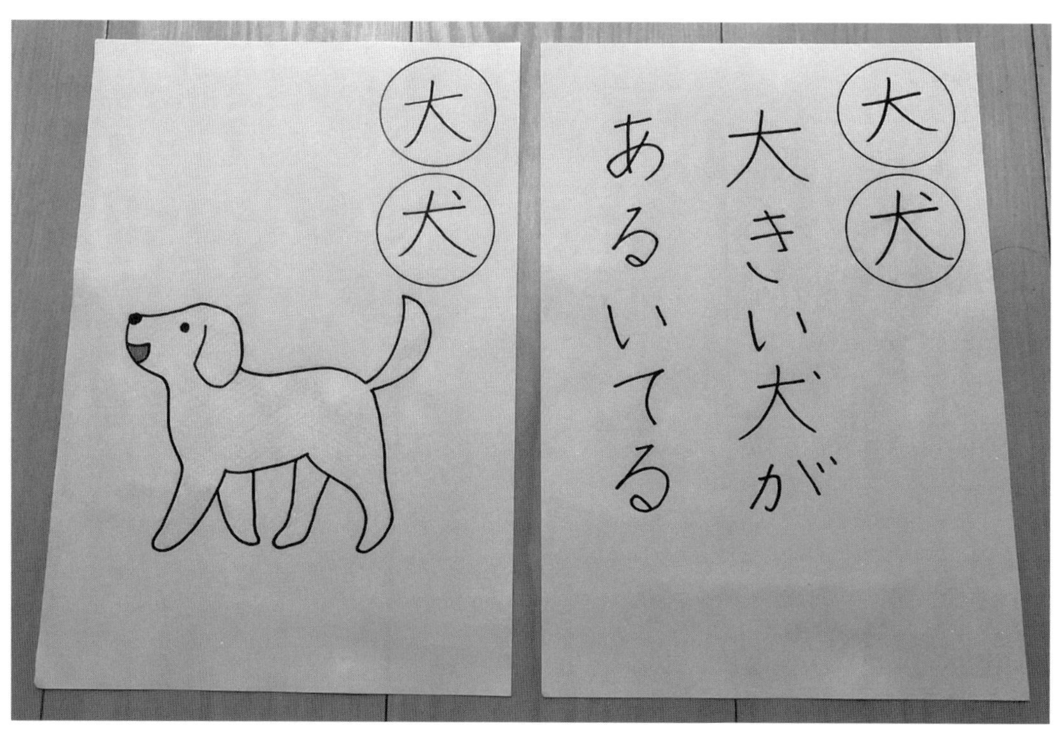

## 2 資料 「漢字かるた」取り札カード 24-02

おもい出して　かこう

# いい　こと　いっぱい、一年生　（10時間扱い）

## 単元の目標

| | |
|---|---|
| 知識及び技能 | ・敬体で書かれた文章に慣れることができる。((1)キ) |
| 思考力、判断力、表現力等 | ・自分の思いや考えが明確になるように、事柄の順序に沿って簡単な構成を考えることができる。(B(1)イ)<br>・経験したことや想像したことなどから書くことを見付け、必要な事柄を集めたり確かめたりして、伝えたいことを明確にすることができる。(B(1)ア) |
| 学びに向かう力、人間性等 | ・言葉がもつよさを感じるとともに、楽しんで読書をし、国語を大切にして、思いや考えを伝え合おうとする。 |

## 評価規準

| | |
|---|---|
| 知識・技能 | ❶敬体で書かれた文章に慣れている。(〔知識及び技能〕(1)キ) |
| 思考・判断・表現 | ❷「書くこと」において、自分の思いや考えが明確になるように、事柄の順序に沿って簡単な構成を考えている。(〔思考力、判断力、表現力等〕Bイ)<br>❸「書くこと」において、経験したことや想像したことなどから書くことを見付け、必要な事柄を集めたり確かめたりして、伝えたいことを明確にしている。(〔思考力、判断力、表現力等〕Bア) |
| 主体的に学習に取り組む態度 | ❹進んで1年間を思い出して自分の伝えたいことを見付け、学習の見通しをもって文章に書いて伝えようとしている。 |

## 単元の流れ

| 次 | 時 | 主な学習活動 | 評価 |
|---|---|---|---|
| 一 | 1 | 学習の見通しをもつ<br>1年生の1年間を振り返り、どんないいことがあったかを思い出す。<br>新1年生のために「一年生おもい出ブック」を作ることを知り、学習計画を立てる。 | |
| 二 | 2 | 「一年生おもい出ブック」の文章イメージを共有し、書きたい出来事を決める。 | ❹ |
| | 3 | 選んだテーマについての出来事を思い出す。 | ❸ |
| | 4 | 選んだテーマについて、メモに書き起こす。 | ❸ |
| | 5 | 書き方や構成を考えて、下書きする。 | ❷❹ |
| | 6 | 下書きを読み直し、清書する。 | ❶ |
| | 7 | 文章に合う、題名と絵をかき、仕上げる。 | |
| | 8 | 完成したページを読み合う。 | |
| | 9 | ページの順序を考え、あとがきを書く。 | |
| 三 | 10 | 学習を振り返る<br>「一年生おもい出ブック」を仕上げる。<br>完成した本を読み、学習を振り返る。 | |

## 授業づくりのポイント

〈単元で育てたい資質・能力〉

本単元のねらいは、自分の思いや考えが明確になるように、事柄の順序に沿って簡単な構成を考える力を育てることである。そのためには、１年間の成長や出来事を振り返り、よかったことやできるようになったことなど、経験したことから書くことを見付け、必要な事柄を集めたり確かめたりして、伝えたいことを明確にする力が必要となる。また、自分の１年を振り返ることで、いろいろなことができるようになったことに気付き、成長を喜ぶ気持ちを感じさせたい。

〈教材・題材の特徴〉

この教材は、１年生の国語の学習の総まとめである。１年間を思い出し、楽しかったことやうれしかったこと、１年生に伝えたいことを、思いをもって書けるようにしたい。長音、拗音、促音、撥音などの表記、助詞の「は」「へ」及び「を」の使い方、句読点の打ち方、かぎの使い方などを振り返ったり使ったりすることができるようにする。

〈言語活動の工夫〉

書きたい事柄を決めて書き、読み直してページを完成させる。全員のページを集めて「一年生おもい出ブック」としてまとめる。新１年生に読んでもらいたいという思いを原動力に、主体的に学習に取り組めるようにする。

[具体例]

○書いた文章を冊子本にして「新１年生が楽しく学校に通えるようにプレゼントする」という目的を設定することで相手意識を明確にして、意欲をもって書くことに取り組むことができる。

○１年生の子供は書いたことで満足してしまい、気持ちが推敲に向かないことが多い。読んでもらう人がいることで、書いた文章を読み返し間違いがないか確かめようという思いを引き出すことができる。

〈ICT の効果的な活用〉

**調査**：１年間の学習や生活場面の写真を、共有フォルダに入れておき、テーマ決定やメモに書き起こすときに出来事を想起する材料として活用できるようにする。

**共有**：書き上がった作品から、写真を撮って学習支援ソフトで共有していき、完成作品を参考にできるようにする。

本時案

# いい　こと　いっぱい、一年生

## 本時の目標

・1年生でどんないいことがあったか思い出し、新1年生のために1年生の生活の分かる「一年生おもい出ブック」を作る意欲をもつことができる。

## 本時の主な評価

・1年間を振り返って、楽しかったことやできるようになったこと、新1年生に知ってほしいことを思い出し、みんなに伝えようとしている。

## 資料等の準備

・思い出の短冊 25-01
・1年間の写真など

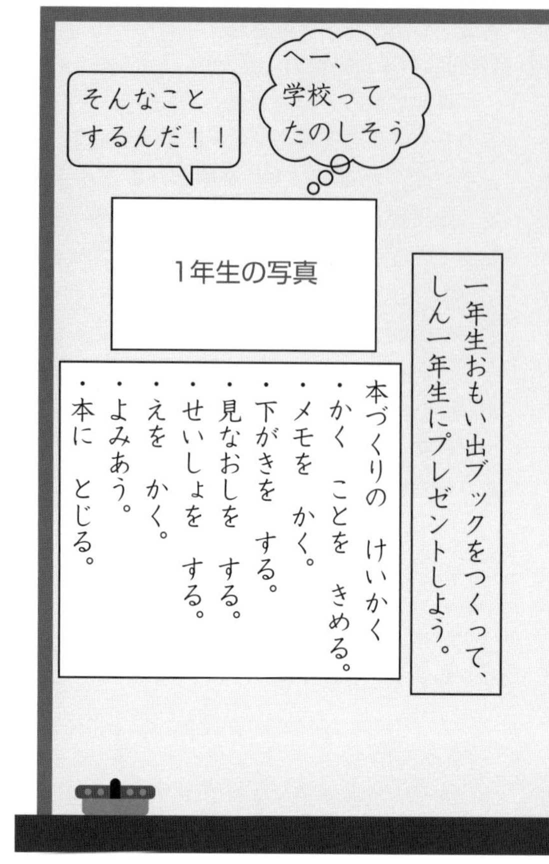


## 授業の流れ ▷▷▷

### 1 1年生の1年間を振り返る 〈15分〉

T　小学校に入学して、もうすぐ1年になります。初めてやったことや、楽しかったこと、できるようになったことがたくさんありましたね。どんなものがありましたか。
・運動会が楽しかった。
・給食をみんなで食べて楽しかった。
・平仮名が書けるようになってうれしかった。
T　1年生で楽しかったこと、できるようになったことを、思い出して書きましょう。
○心に残っているものを表出させるため、書かせる。思い出せない子供には、写真を参考にするよう声をかける。

**ICT 端末の活用ポイント**

1年間の様子の写真を共有フォルダに入れておき、思い出すときに使えるようにしておく。

### 2 自分の1年間のよかった思い出を発表する 〈20分〉

T　1年生で楽しかったこと、できるようになったことには何がありますか。
・プールで、顔を水につけられるようになった。
・そら豆の皮むきが楽しかった。
・みんなで考えた花丸パーティーが楽しかった。
・6年生に遊んでもらったのも、楽しかった。
○子供の発言を、次回も使えるように短冊に書いていき、教員は1年間の流れで分類をしながら貼っていく。
○子供から出てこなくても、思い出してほしいものについては、教員から、「こんなこともあったね」と、声をかけるようにする。

いい　こと　いっぱい、一年生

一年生の　一年を、ふりかえろう。

たのしかったこと・できるようになったこと

一学き
1 ・にゅう学しき
2 ・せきがえ
・六年生と　あそぶ
・えんそく
・よみきかせ
・かかり
・きゅうしょく
・学校たんけん
・そらまめかわむき

二学き
・うんどう会
・プール
・図こう
・音がく
・音がくかい
・あきあそび

三学き
・もちつき
・かきぞめ
・けいさん
・かん字
・ようちえんさんがくる
・六年生をおくるかい
・マラソン大かい
・なわとび

1年の撮りためてきた写真を教室に貼っておくと、思い出す手助けになる

学期ごとにあったことを並べて板書することで、本にする際の並べ方の手助けになる。また、短冊にすることで間に増やしたり、第2時で分担する際に短冊を渡して割り振ることができる

## 3 来年の1年生のためにできることを考え、学習計画を立てる 〈10分〉

T　入学した頃の自分は、小学校に来ることをどんなふうに思っていましたか。

・楽しみ。早く勉強したい。

・できるかな…初めてで怖くてドキドキする。

T　1年生の楽しいこと、できるようになったことがこんなにありました。もうすぐ、次の1年生が入学します。ワクワクしてたり、不安だったりします。できることはありますか。

・楽しいことを知らせたい。

・できるようになって楽しいと知らせたい。

T　では、「一年生おもい出ブック」を作って、プレゼントしましょう。「1年生は楽しい」ということを、伝えましょう。

○子供とやりとりしながら学習計画を立てる。

### よりよい授業へのステップアップ

**1年間を思い出しやすくする工夫**

教室に1年間を振り返る写真コーナーを作り思い出すきっかけにしたい。教師は1年間でやったことの下調べをしておき、子供から出たものを短冊にし順番に並べられるようにしておく。また、出なかったもので思い出させたいものについては声をかけていく。

**主体的な活動に導く工夫**

「新1年生の役に立ちたい」という気持ちが主体的な学習の機動力になる。自分たちの思いで学習が始まったと思えるように、教師の言葉掛けを工夫したい。

本時案

# いい　こと　いっぱい、一年生

## 本時の目標

・自分の１年を、友達と話しながら振り返り、新１年生に伝える話題を選ぶことができる。

## 本時の主な評価

❹進んで１年間を思い出して、書く話題を選んでいる。【態度】

## 資料等の準備

・思い出の短冊 ⤓ 25-01
・短冊を一覧にしたワークシート（拡大、子供用）
・１年間の写真など

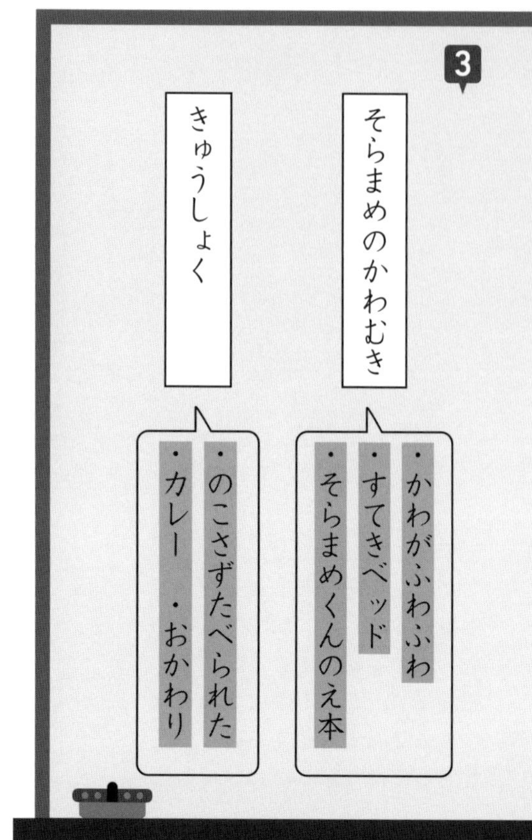


## 授業の流れ ▷▷▷

### 1　１年生の１年間の出来事について、詳しく思い出す　〈15分〉

T　前回は、みんなで思い出して、１年生でたくさんのことがあったと分かりました。
○前回の一覧表を貼って、思い出させる。
T　この中で、よい思い出やよく覚えているのはどれでしょう。
・給食はよく覚えているよ。最初は残したけど、今は全部食べられるようになったもん。
・運動会は、毎日ダンスを家でも踊って、お母さんに褒めてもらったよ。今も踊れるよ。
T　友達の話を聞いて、もっとそれについて思い出した人いますか。
・給食は、カレーが大好きで、お代わりしたよ。
T　どこが好きなの。もっと教えて。
○何人かに話してもらう。もっと詳しく思い出せるように教師が皆の前で質問をする。

### 2　ペアで話をしながら自分の１年生の思い出を詳しく思い出す〈20分〉

T　自分がよく覚えているのは、どれでしょう。２人で話しながら、思い出してみましょう。たくさん思い出して、よい思い出だと思ったものには、丸を付けましょう。
○拡大ワークシートに丸を付けて見せる。教師は机間指導しながら、もっと思い出せるように、「どうして？」「どこがよかったの？」「なぜできるようになったんだろう」と深まる質問をしていく。
○相槌を打ったり、うなずいたりしながら聞いていいるペア、相手に質問して深めているペアは取り上げて紹介する。
・プールが広くてびっくりしたな。
・そうだね。私は、○ちゃんが、手を持ってくれたから、水に顔をつけられたよ。

いい こと いっぱい、一年生

一年生のおもい出を、おもい出そう。

1

2

第1時で子供たちが出した思い出一覧の拡大

## 3 自分の1年生の思い出を全体で共有する 〈10分〉

T　思い出したことを教えてください。

・そら豆の皮むきで、フワフワの綿みたいなのに包まれていて、びっくりしたのを思い出しました。

・そら豆くんの絵本も読んでもらった。ベッドを自慢する気持ちが分かったよ。

○写真を使い、視覚的にもイメージさせたい。

T　そら豆の皮むきについて、思い出ブックの1ページを書けそうですか。他にもこれについて書けそうな人？

○皆の話を聞きながら、自分の思い出深いものに丸を付けて、明らかにさせたい。

T　あったことを思い出して、丸がいくつか付きましたか。次回は、書くものを1つ決めて、もっとよく思い出していきましょう。

### よりよい授業へのステップアップ

**書きたい思いを掘り起こす工夫**

「書きたい」と子供たちが思うためには、伝えたいことが頭の中にたくさんある状態になることが重要である。友達と話すことで、自分では思い出せなかったことも、「ぼくもそうだった」「私は、こうだった」と連鎖して思い出すことがある。また、質問してもらうと、より深く考えたり思い出したりできる。

1年生なので、うまく話がつながらないペアには教師が入り、一緒に掘り起こしたり、「どうしてできるようになったのか聞いてみるといいよ」など、促していくようにするとよい。

本時案

# いい　こと　いっぱい、一年生

**本時の目標**

・友達との対話を通して伝えたいことの様子を思い出すことができる。

**本時の主な評価**

❸自分の経験を思い出して書くことを見付け、伝えたいことを明確にしている。【思・判・表】

**資料等の準備**

・思い出の短冊 25-01
・第２時のワークシート（子供用）
・おもい出ブックメモ（拡大、子供用） 25-02
・１年間の写真
・名前マグネット
・下書き見本 25-03

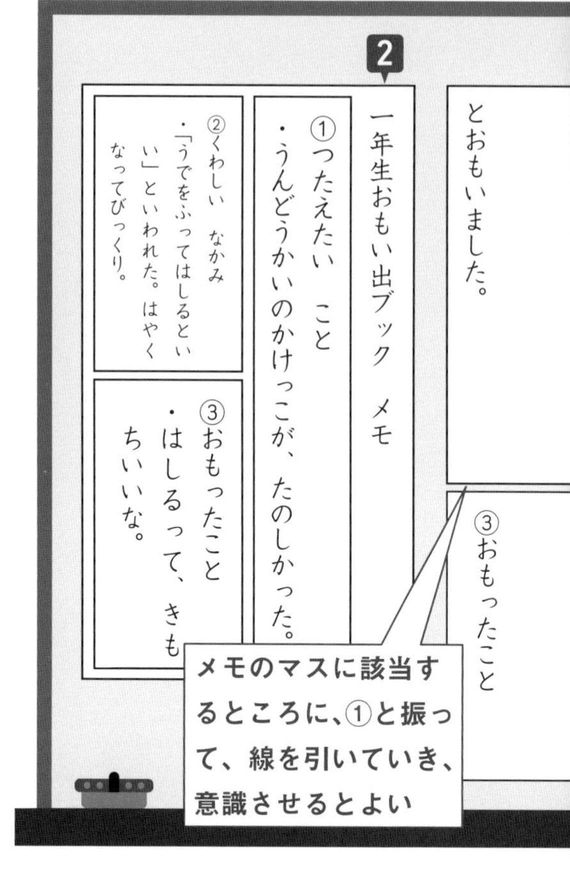


**授業の流れ** ▷▷▷

## 1 どのような文章を書くとよいか考える〈20分〉

T 「１年生おもい出ブック」に書くことを決めましょう。
○題材が散らばるように先に聞く。短冊の下に名前等を書く。本時の終わりに最終決定をする。
T では、書く中身を考えましょう。私は、運動会について書いてみました。どうですか。
○例文を出し、どのようなことを書いているのか確かめる。
①伝えたいこと
②詳しい中身
・言ったこと／言われたこと　・やったこと
③思ったこと
T 思い出すとき、こんなメモを書きました。
○メモと例文を対応させ、どんなことを思い出すとよいのか確かめる。

## 2 書く内容を意識して、自分の書きたい思い出について思い出す〈20分〉

T 今、書きたいなと思っていることについて、詳しく思い出してみましょう。
○教師が質問者になり、子供と対話のデモンストレーションをする。
○複数ある場合はできるだけ、書きたい子が少ないものを選ぶとよいことを伝え、１つできたらもう一つ試してみるよう声をかける。

**ICT 端末の活用ポイント**

状況を思い出しにくい子には、共有フォルダに入れてある写真を見せながら考えさせると、思い出しやすくなる。

いい　こと　いっぱい、一年生

書くことをきめて、くわしく　おもい出そう。

1

第1時で書いた短冊。
下に、子供の名前や番号を
書いていく。

かくこと
①つたえたい　こと
②くわしい　なかみ
・だれが・だれに
・いったこと
いわれたこと
・やったこと
・どうなった

①うんどうかいのかけっこが、
たのしかったです。
○○くんに、
「うでをふってはしるといい。」
と、おしえてもらいました。
やってみたら、はやくなって
びっくりしました。
はしるって、きもちいいな

## 3 学習を振り返る 〈5分〉

**T** 1年生おもい出ブックに書くことを決めましょう。できるだけ、いろいろなことを新しい1年生に伝えられるといいですね。

○黒板の短冊の名前に丸を付けていき、題材を確定する。次回メモを書く際、内容ができるだけばらけるようにしたい。

**T** 今日は書く内容が決まりましたが来年の1年生に伝えたいことは見付かりましたか。

・相談したら、①～③の全部を思い出せました。
・話しながら思い出すのが楽しかったです。
・プールで潜れるようになってうれしかったことを、伝えたいです。
・漢字をたくさん書けるようになったことを伝えたいです。

○①の伝えたいことをメモに記入させておく。

**よりよい授業へのステップアップ**

**困ったときの解決の工夫**

書きぶりが分からない、思い出せない、何を書いていいか分からない、書くことが見付からないなど、書くことの学習においては様々な悩みがある。できるだけ、子供同士のやりとりで解決できるよう導いていきたい。

今回は、グループでの対話を取り入れた。また、早く終わった子供が巡回をして、困っている子供を助けることも可能である。それでも解決しない場合には、教師の支援が必要である。

本時案

# いい　こと　いっぱい、一年生

## 本時の目標

・経験したことや想像したことなどから書くことを見付け、必要な事柄を集めたり確かめたりして、伝えたいことを明確にすることができる。

## 本時の主な評価

❸自分の経験を思い出して書くことを見付け、伝えたいことを明確にしている。

【思・判・表】

## 資料等の準備

・メモのワークシート（拡大、子供用）25-02
・例文の紙 25-03
・第１時の短冊
・名前マグネット
・絵の下描き用紙

書くこと
①つたえたいこと
②くわしいなかみ
・だれが・だれに
・言われたこと
・言ったこと
・やったこと
・どうなったか
③おもったこと

メモが　かけた人
・えの　下がき
・ともだち　おたすけマン
・二まい目の　メモを　かく。

## 授業の流れ ▷▷▷

### 1　メモの書き方を確かめる　〈10分〉

○前時で提示したメモを見返し、書く内容を確かめる。

T　伝えたいことは、この前書きました。今日は、②の詳しい中身と③の思ったことを書いていきましょう。

T　②の詳しい中身には、どんなことを書くとよいでしょう。

○②の詳しい中身に、どのようなことを書いたらよいか、例文と照らし合わせながら確認する。

・誰が／誰に
・言われたこと／言ったこと
・やったこと
・どうなったか

### 2　メモを書く　〈25分〉

T　「おもい出メモ」を書きましょう。前回友達と話したことを思い出して書きましょう。困ったら友達に相談してもよいですね。

・遠足で動物園に行ったことを書きたい。ゾウの鳴き声は大きくて笑っちゃったことを書こう。

・詳しい中身を忘れちゃったな。○○さんに聞いてみよう。

○時間が余った子は、絵の下描きか、友達のアドバイスか、２つ目の記事のメモを書くかを選ばせて活動させる。

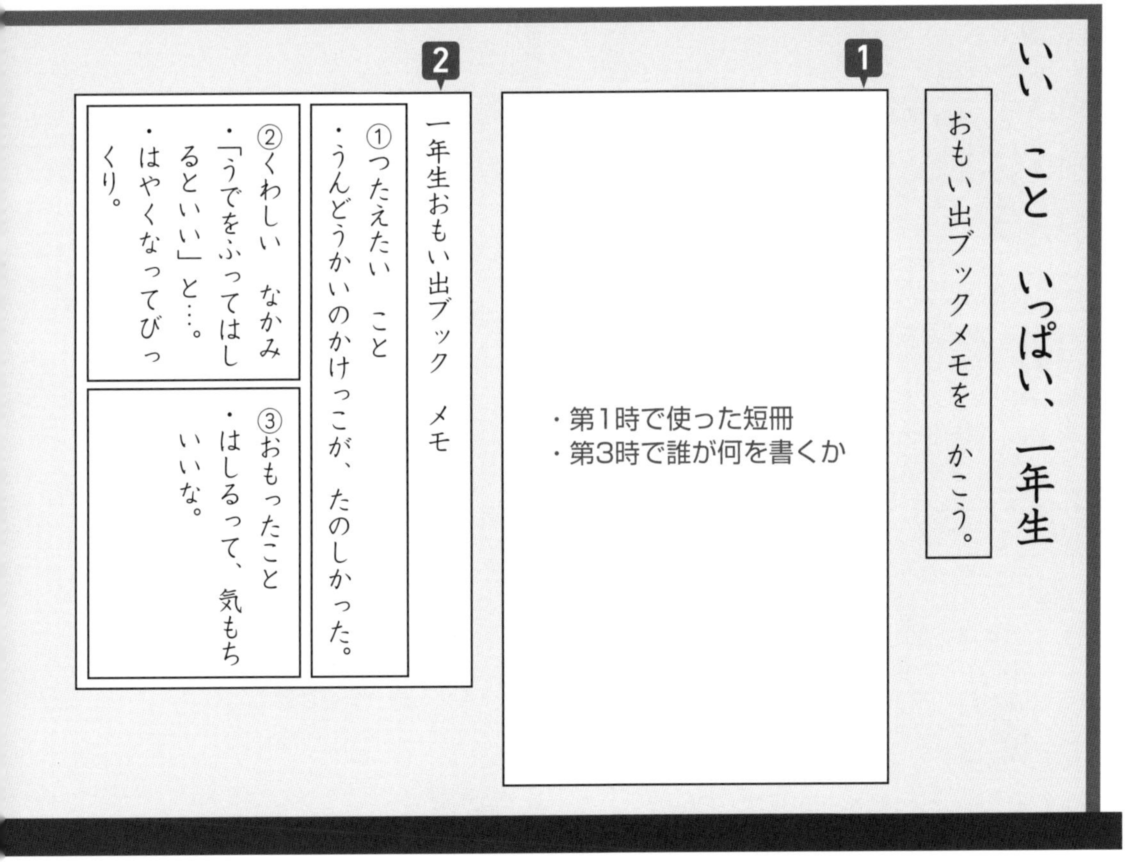

いい　こと　いっぱい、一年生

おもい出ブックメモを　かこう。

1

・第1時で使った短冊
・第3時で誰が何を書くか

2

一年生おもい出ブック　メモ

①つたえたい　こと
・うんどうかいのかけっこが、たのしかった。

②くわしい　なかみ
・「うでをふってはしるといい」と…。
・はやくなってびっくり。

③おもったこと
・はしるって、気もちいいな。

## 3 学習を振り返り、次回の見通しをもつ〈10分〉

T　自分の書いたメモを読み返しましょう。次に、お隣さんにメモを読んで、伝えたいことを伝えましょう。番号順に読むといいですね。

T　今日のメモづくりの感想を発表しましょう。

・詳しい中身を書くのが難しかったけど、○○さんに相談したらできました。

・伝えたいことが書けました。

・友達のも知ることができて楽しかったです。

T　次回は、メモを使って下書きをしましょう。どんな内容になるのか、楽しみですね。

○時間があったら、何人かのワークシートを電子黒板に映し、イメージを共有するとよい。

○黒板を見て、皆が最終的に選んだ内容を確認し、みんなで１つの思い出ブックを作っていることを感じながら進めさせたい。

### よりよい授業へのステップアップ

**文の構成を意識させる工夫**

書く活動は、個人差が出やすく子供によって書く時間が大きく異なってくる。そこで、長めに時間を保証して教師が机間指導をすることが大切になってくる。メモに書く内容が思い出せない子には、個別で聞き取り助言したい。

次時で文章が書けるかどうかは、本時のメモにかかっている。早い子はすぐに書き終わってしまうことも予想されるので次の活動も用意しておくことが重要である。いくつか用意しておくと、得意なものを選んでやれるため、教師は困っている子に時間をかけやすくなる。

本時案

# いい　こと　いっぱい、一年生

## 本時の目標

・自分の思いが伝わるように、構成を考え、文章を書くことができる。
・言葉がもつよさを感じるとともに、楽しんで読書をし、国語を大切にして、思いや考えを伝え合おうとする。

## 本時の主な評価

❷自分の思いが伝わるように、構成を考えて文章を書いている。【思・判・表】
❹進んで1年間を思い出して自分の伝えたいことを見付け、学習の見通しをもって文章に書いて伝えようとしている。【態度】

## 資料等の準備

・メモのワークシート（拡大、子供用）25-02
・下書き用紙　・シール（一人3枚）
・例文の紙 25-03

①シール3まい
②～です。～ます。
③文のおわりに「。」
④字の　まちがい　ゼロ

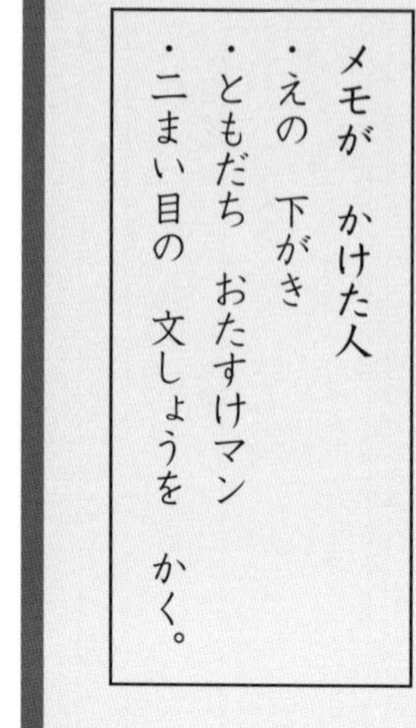


## 授業の流れ ▷▷▷

### 1 書くときに気を付けることを知る 〈10分〉

T　今日は、メモを使って下書きをします。新1年生に、伝えたいことが伝わるように、書きましょう。先生は、書いたメモを全部つなげて書いてみました。

○端末に入力しておき、黒板に投映する。目の前で始・中・終で段落分けして見せることができる。

・長くって読みづらい。分けた方がいいよ。
・「～です」「～ます」も使った方がいいと思う。

T　行を変えるんですね。どこで分けていますか。

・①②③で分けています。

### 2 下書きをする 〈25分〉

T　1マス目にシールを貼って、①を書きましょう。②を書くときも、新しい行の1マス目にシールを貼ってから。3枚シールがあったらOKです。

T　下書きができた人は、見直しをしましょう。ポイントは4つ。①シール3枚あるかな。②～です。～ます。の文になっているかな。③文の終わりに「。」付いてるかな。④字の間違いはないかな。見直し探偵になって、うっかりを探してください。

○下書きが書けた人に読んでもらうと、より間違いが少なくなる。

T　下書きの見直しOKの人は、絵の下描き、友達のアドバイスか、2つ目の記事を書く、の中から選んでやりましょう。

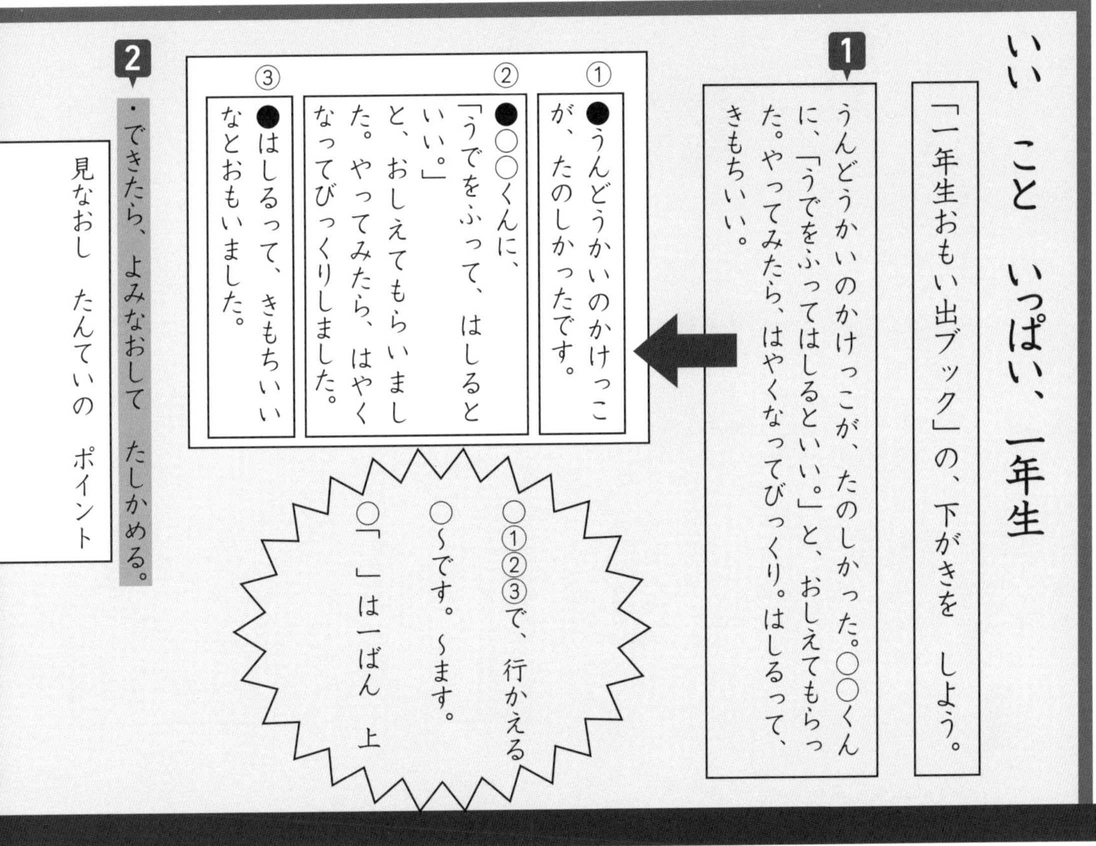


## 3 学習を振り返り、次回の見通しをもつ 〈10分〉

**T**　書けた文章を発表してください。

〇2、3人の書いた文章を聞くことで、参考にできるようにする。

**T**　今日の学習を振り返りましょう。

・玉入れのおもしろかったことが書けました。

・みんなが書いたものが楽しみです。

・1年生に早く読んでほしいです。

**T**　次回は、今日書いた下書きが、正しく書けているか確かめたり、新1年生に伝わるかなと考えたりします。清書もしたいですね。

**ICT 端末の活用ポイント**

書き上がった下書きを写真に撮り、学習支援ソフトで共有し、参考にできるようにする。

**よりよい授業へのステップアップ**

**文章の見直しを意識させる工夫**

子供たちは、書き終えると満足してしまい、なかなか見直しをすることが難しい。自分の間違いを恥ずかしいと捉えてしまう子供もいる。そこで、「見直し探偵」と名前を付けて、見直しのポイントを示し、探偵になったつもりで自分で自分の書いたものの間違いを探す。

間違いが見付かったことを、「よく見付けたね！　名探偵だね！」と認めることで、間違いを問題視せず、自分で見付ける力が高まっていく。

本時案

# いい　こと　いっぱい、一年生

6/10

## 本時の目標

・下書きを読み直し、清書することができる。

## 本時の主な評価

❶言葉には、経験したことを伝える働きがあることに気付いている。【知・技】

## 資料等の準備

・思い出の短冊 25-01
・下書き（教師のもの、子供のもの）
・清書用紙 25-04
・見直しポイントの紙

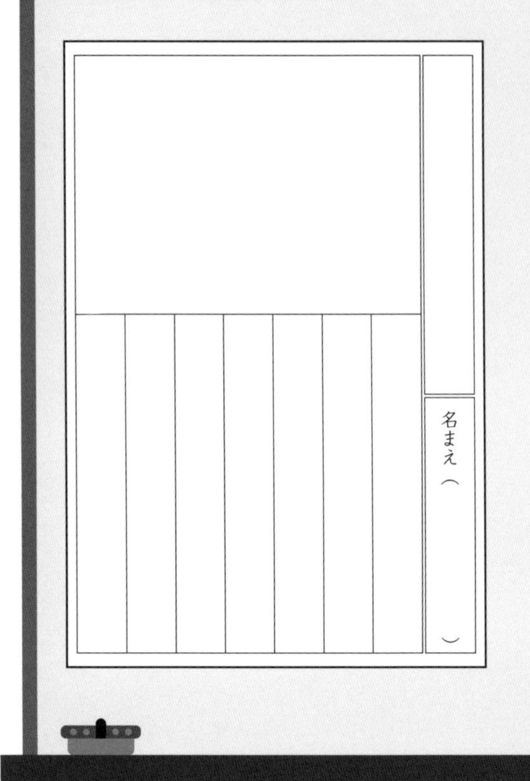


## 授業の流れ ▷▷▷

### 1 下書きを読み直す 〈20分〉

T　今日は、見直し探偵になって、間違いがないか探しましょう。お仕事は４つです。

○前回の見直しポイントを掲示し、振り返る。

T　まず、自分の文章から探しましょう。直すとよいところを見付けたら赤で直しましょう。

○赤直しをしている子を褒め、間違いを自分で直す姿をよい姿として全体に感じさせたい。

T　次は、友達の文章から探します。間違いがなかったらOK、うっかりを発見したら優しく教えましょう。最初はお隣さんとやります。３人に読んでもらったら座ります。どうぞ。

・シールが１枚ないよ。思ったことを新しい行にするのを忘れているよ。

・「。」を付け忘れているよ。

### 2 アドバイスを振り返り、清書をする 〈20分〉

T　アドバイスをもらって、直したいことがある人は、下書きの上から、赤で直しましょう。

○直せたことを認め、褒める。

T　見直したり、アドバイスをもらったりしてよかったことはありますか。

○アドバイスは、よりよくするために必要だという印象をもたせたい。

・「。」を忘れていたことに気付いて、直すことができました。

・間違いを教えてもらってよかったです。

T　では、清書をします。本になるので、きれいな字でゆっくり写しましょう。見直しもしましょう。

いい　こと　いっぱい、一年生

せいしょを　しよう。

1

見なおし　たんていの　ポイント

○シール３まい

①つたえたい　こと

②くわしいなかみ

・だれが・だれに

・いったこと・いわれたこと

・やったこと

・どうなった

③おもったこと

○～です。～ます。

○文のおわりに「。」

○字の　まちがい　ゼロ

2

## 3　学習を振り返る　〈５分〉

T　今日の学習を振り返りましょう。

・○さんに教えてもらったので、間違いを直すことができました。

・見直したので、よい文が書けました。

・１年生が読んでくれるといいと思います。

T　これで、文章ができたので、次はどうしましょうか。

・絵を描きます。

・題を付けたらよいと思います。

**ICT 等活用アイデア**

**作品のよさを共有する工夫**

書き上がった作品は、写真に撮って、学習支援ソフトで共有し黒板に映していくようにする。完成作品を他の子供たちが見られるようにすることで、自分が書くものの参考にできるようにしたい。

教員も、できた子供の書いたすてきな表現、詳しくなる言葉などを全体に聞こえるように褒め、「すてきだよ」と皆に紹介していく。まねをして工夫をしようとする子供を増やしたい。

本時案

# いい　こと　いっぱい、一年生

7/10

## 本時の目標

・文章の内容が伝わるように、題名を付けたり、絵を描いたりすることができる。

## 本時の主な評価

・文章を読み返し、文章の内容に合った題名を考えている。

## 資料等の準備

・清書の手本 25-04
・１年間の写真

出来上がった作品は黒板に貼っていく

## 授業の流れ ▷▷▷

### 1 前時の学習を振り返る 〈10分〉

T　前回、みんなの清書ができました。どんなことを書いたのか、発表してください。

〇数名分を聞き、感想を発表させる。

・できるようになって、うれしかったのが分かりました。

T　これで思い出ブックのページは完成ですね。

・いや、まだ題を書いていません。

・絵もまだです。

T　そうでした。どんな題や絵がよいでしょう。

・読みたくなるようにだと思います。

・文章にぴったりのがいいです。

T　今日は、内容にぴったりの題名を付けたり、絵を描いたりして、１年生に分かりやすい本になるようにしましょう。

### 2 題名を考える 〈15分〉

T　私は、「運動会」は入れようと思うけれど、題名だけで何がよいのか分かったらいいですね。

・楽しい運動会とか？ ワクワク運動会は？

T　一言付け足すのですね。ワクワクのことは、中身に書いていないから、文章とぴったりではないですね。

・楽しかったは、入っている。

・気持ちよいとも言っているよ。

T　走るって気持ちいいということが発見だったので、「走るって気持ちいい！ 運動会」にしようと思います。

・ぼくは、「カレー最高！　給食」がいいかな。

・「友達できるよ。おにごっこ」にしよう。

〇内容＋１言と中身のずれがなければよしとする。

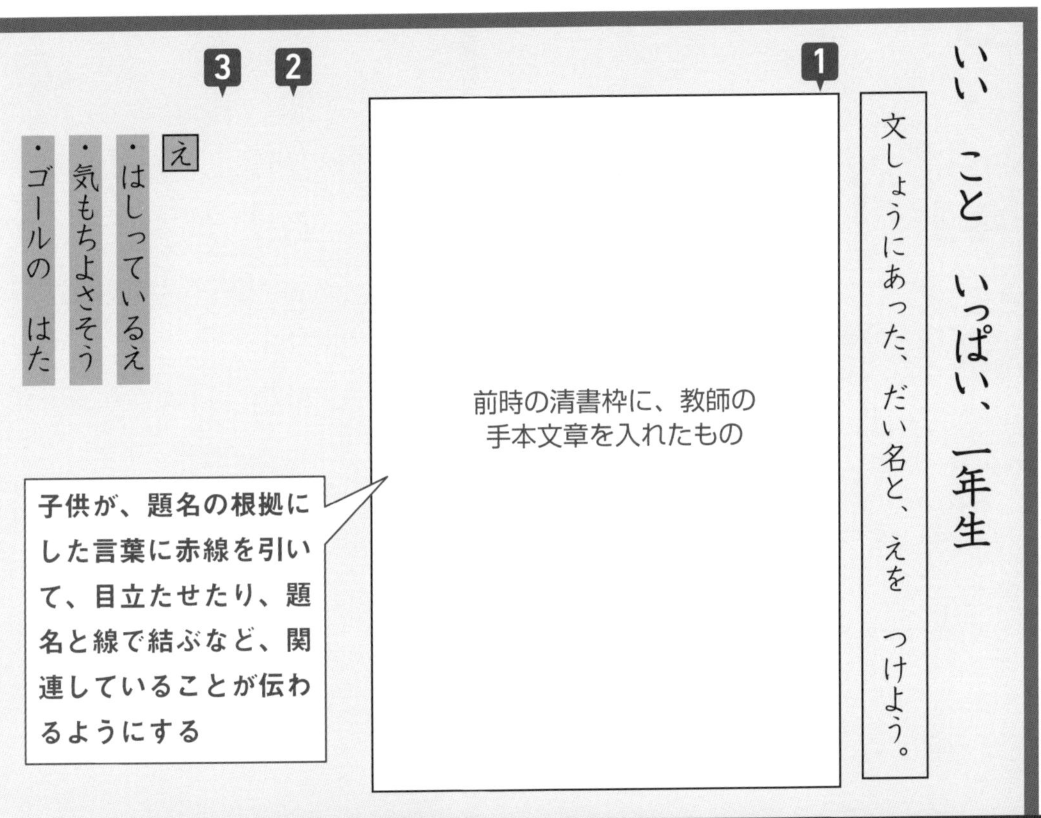


## 3 文章に合った絵を描く　〈15分〉

T　自分の書いた文章をよく読んで、ぴったりな絵を描きましょう。私の文章だったら、どんな絵がよさそうですか。

・気持ちよかったって書いてあるから、走っている絵だね。

・運動会だって分かるように、ゴールの旗を描くといいよ。

T　今みんなが言ってくれたように、できるだけ様子が伝わるように描きましょう。思い出せない人や描き方に困った人は、写真も参考にしましょう。

○早くできた人には、背景を描かせたり、困っている友達に、どんな絵を描くとよいかアドバイスをさせる。

## 4 学習の振り返りをする　〈5分〉

T　「一年生おもい出ブック」のページができました。
今日の学習を振り返りましょう。

・ページができたので、早く本にしたいです。

・1年生に見せるのが楽しみです。

・みんなのページがもっと読みたいです。

T　次回は、みんながどんなページを作ったのか、読み合いましょう。

本時案

# いい　こと　いっぱい、一年生

## 本時の目標

・作った本のページを進んで読み合うことで、友達の伝えたいことを知ることができる。

## 本時の主な評価

・友達の書いた作品を読むことを通して、言葉には経験したことを伝える力があることに気付いている。

## 資料等の準備

・絵と清書をつなぎ合わせた作品
・１年間の写真（教室に張り巡らしておく）

3
〈かんそう〉
・みんな　たのしそうで、つぎの　一年生も
よろこんで　くれると　おもいました。
・一年生が　たのしかったことを　おもい
だしました。
・わかるな　とおもいました。

## 授業の流れ ▷▷▷

### 1 交流の仕方を共通理解する〈５分〉

T　本のページが完成しました。今日は、書いた思い出を読み合って、みんなで１年間を振り返りましょう。
T　お店屋さん形式にします。読みに行く人（お客さん）は、立って読みに行きます。
　座っている人（お店屋さん）は、お客さんが来るので、一緒に読みましょう。読み終わったら、どうしたいですか。
・よかったことを伝えたいな。
・他も読みたいです。
T　では、読み終わったらよかったところを伝えましょう。合図があったら次の人のところに行きます。

### 2 友達の書いた作品を読む〈35分〉

T　新しい１年生にプレゼントする本の内容がよく分かるように、たくさん読みましょう。
・そのときのことをよく思い出しました。
・うれしかった気持ちが分かりました。
T　友達にもらった感想でうれしかったものはありましたか。
・気持ちが伝わったと言われてうれしかったです。
・楽しかったことを思い出したと言ってもらいました。
○前半後半をそれぞれ15分ずつ取り、５分ほどゆとりをもたせて、お客さんとお店屋さんを交代する。間の５分で、感想のやりとりを活発にしているペアを取り上げて紹介する。活発な交流を促したい。

# いい こと いっぱい、一年生

◎ともだちの さくひんを よもう。

1 2

〈ともだちの おもい出を よむ ときは……〉

① おとなりさんが くる。
② さくひんを 一まい えらぶ。
③ ふたりで いっしょに よむ。
④ よかった ところを つたえる。
⑤ あいずで、つぎの 人と かわる。

## 3 学習を振り返る 〈5分〉

T 友達の作品のおすすめを発表しましょう。

・○○さんの△の思い出は、ぼくと一緒だと思いました（○○さんに読んでもらう）。

・□□さんの文は、１年生が楽しみになると思いました。

T 友達の「一年生思い出ブック」のページを読んでみてどうでしたか。感想を教えてください。

・みんな楽しそうで、次の１年生も喜んでくれると思いました。

・１年生が楽しかったことを思い出しました。

・分かるなと思いました。

T 新１年生が喜んでくれるといいですね。次回は、順番を決めて表紙とあとがきを作りましょう。

### よりよい授業へのステップアップ

**作品を読み合うことの価値**

「一年生おもい出ブック」のそれぞれのページを読み合うことで、みんなで作っているというイメージが湧く。「書く」活動は読まれて内容が伝わった経験を積み重ねることが大切である。繰り返すことで、言葉は思いを伝えるための手段であることが体感され、書いたものを読まれ認められて書くことが楽しくなる。そのような機会を増やしたい。

第９時に校長先生や養護の先生に来てもらったり、本を読んでもらったりして評価をもらえるようにするとよい。

本時案

# いい　こと　いっぱい、一年生

本時の目標

・相手意識をもってページの順序を考えたり、あとがきを書いたりすることができる。

本時の主な評価

・新１年生に伝えたい思いを明確にしてあとがきの文章を書いている。

資料等の準備

・あとがき紹介用の絵本
・第１時で使った短冊
・あとがきを書く紙
・１年間の写真

第1時で使った短冊

授業の流れ ▷▷▷

## 1 本に載せる順番を話し合う 〈15分〉

T　今日は、本を作るために、みんなで考えたり作ったりする部分をやりましょう。はじめに、本に載せる順番ですが、どんな順番がよいでしょうか。
・番号順はどうかな。
・１学期からあった順がいいんじゃない。
・勉強とか休み時間とか、行事とかで分けたらいい。
T　みんなが、一番１年生に分かりやすいと思うのはどれでしょう。それに決めましょう。
○意見や理由を聞いて、多かった意見に決める。新１年生が見やすい、使いやすいという視点を大切にする。
T　では、その順番で目次を作っておきますね。

## 2 あとがきと表紙絵を描く 〈25分〉

T　あとがきは、知っていますか。どうして、その本を書こうと思ったのか、どんな思いを込めたのか、作者のメッセージを読む人に伝えるのがあとがきです。みんなの本を読む人は誰ですか。
・新しい１年生が読む。
・絵本を使ってあとがきを紹介する。
T　来年の１年生へのメッセージを一言と、表紙や裏表紙にする絵を描きましょう。絵は、この本と関係のある絵を描いてくださいね。
・本を読んでねということを書こうかな。
・困ったことがあったら聞きにおいでと書こう。一緒に遊ぼうねってことも伝えたいな。

いいこと いっぱい、一年生

「一年生おもい出ブック」を かんせいさせよう。

1

①のせる じゅんばん

・出せきばんごう
・一学きから あったじゅん
・月ごと
・じゅぎょう・休みじかん…と だい名ごと

2

②あとがきを かく。

・さくしゃからの メッセージ

⇐ 一年生にむけて 一こと

②ひょうしや うらびょうしの えを かく。

・本に かんけいのある え

## 3 学習を振り返る 〈5分〉

T ページの順番も決まって、あとがきも表紙もできて、いよいよ本に必要なものは、全てそろいました。今日の学習を振り返りましょう。

・あとがきを初めて知った。1年生が読んでくれるといいな。

・いよいよ本が仕上がる。楽しみ。みんなの書いた本だから、私も欲しいな。

T 次回は最後です。ページを印刷してくるので、本にとじましょう。1年生用と、自分用にも1冊ずつ作りましょう。

### よりよい授業へのステップアップ

**自分たちでやり遂げることの価値**

今回は、本に載せる順番についても皆で話し合った。教師が決めてもよいが、1年生で自分たちのものを自分たちでやりきった経験をもっていることは、今後の「自分たちでできること」の幅を広げるために価値がある。全員一致で決めることは難しいので、理由を共有することを大切にしたい。

本を作る際に、読み手を意識して全体の構成を考えることが必要だと知ることが大切である。

本時案

# いい　こと　いっぱい、一年生

## 本時の目標

・本を作り上げ、学習を振り返ることができる。

## 本時の主な評価

・学習を振り返り、自分の学びを価値付けている。

## 資料等の準備

・子供の書いたページのコピー（子供数＋新1年用3部）
・ホッチキス
・学習したことを書く短冊

3 学しゅうしたこと
・えらぶ。
・おもい出す。
・じゅんばんをかんがえて　かく。
・見なおしを　する。
・よいところをつたえる。
・だい名を　つける。
・えを　かく。
・一年生の　ことを　かんがえる。
・あとがきをかく。
・本を　よむ。

## 授業の流れ ▷▷▷

### 1 本にする 〈10分〉

T　みんなのページを準備してきました。みんなの決めた順番で、本にしましょう。
○教師が冊紙にしておき、表紙と裏表紙を付けるだけにしておくとスムーズである。
○時間に余裕がある場合は印刷したものを1枚ずつ配布し上に重ねていくようにするとよい。
○製本テープを貼ると立派な本に見え、達成感が増す。

**ICT端末の活用ポイント**

教師の手本を電子黒板に映して、見せるようにすると分かりやすい。

### 2 みんなの書いたページを読む 〈20分〉

T　本ができたので、みんなの書いたページを読んでみましょう。
・幼稚園さんが来たときの、ランドセルを貸してあげてお兄さんになった気持ち、分かるなあ。
・私も、嫌いなトマトを食べられたとき、拍手をもらってうれしかったなあ。
T　よく気持ちの伝わった人を紹介してください。
・〇〇くんのは、鬼ごっこでタッチできてすっきりした気持ちがよく分かります。
・〇〇さんの、漢字が書けるようになって大人になった気分っていうのが、私もそう思いました。
○発表された作品は電子黒板に映して共有する。

いい　こと　いっぱい、一年生

「一年生おもい出ブック」の学しゅうを
ふりかえろう。

1

本の　つくり方

①ページを　一まいずつ　とる。

②〇まい　あるか　かぞえる。

③ばんごうを　ならべる。

④ひょうしに　はさんむ。

⑤先生に　ホッチキス　してもらう。

一年生おもい出ブックを映す

## 3 学習を振り返り、ノートに書く〈15分〉

T　いいことといっぱい、１年生の学習では、１年生に向けて、「一年生おもい出ブック」を作ってきました。この学習で、あなたがよくできたな、勉強になったなと思うことを振り返りに書いてください。

〇本単元で学んだことを書いた短冊を掲示して、振り返らせる。

・ぼくは、見直しがよくできるようになった。友達の字の間違いも発見して、ありがとうと言われた。

・友達と話しながら、詳しく思い出すことができて、よかったです。

T　いろいろな力が付きましたね、２年生になっても、すてきな思い出をいっぱい集めていってくださいね。

### よりよい授業へのステップアップ

**単元を振り返り学びの価値に気付く**

子供たちは、学習の中でできるようになったことの価値に気付かないことがある。しっかりと単元を振り返って学びを価値付けられるようにしたい。

教師は、子供たちが自分の学びに気付くことができるように支援したい。１つの単元の中には、多様な学びが含まれる。短冊などで示しながら、挙手させるなどして、それぞれ一人一人の学びがあることや、１つだけではないことなどにも気付かせていきたい。

資料

## 1 第1時資料　思い出の短冊 25-01

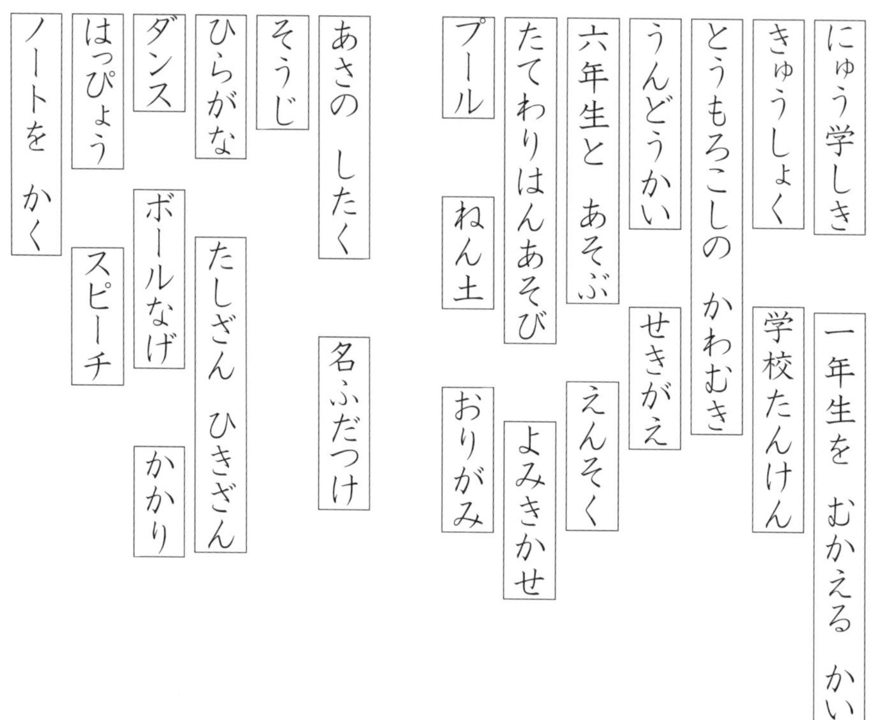


## 2 資料　おもい出ブック　メモ（掲示用）（子供用） 25-02

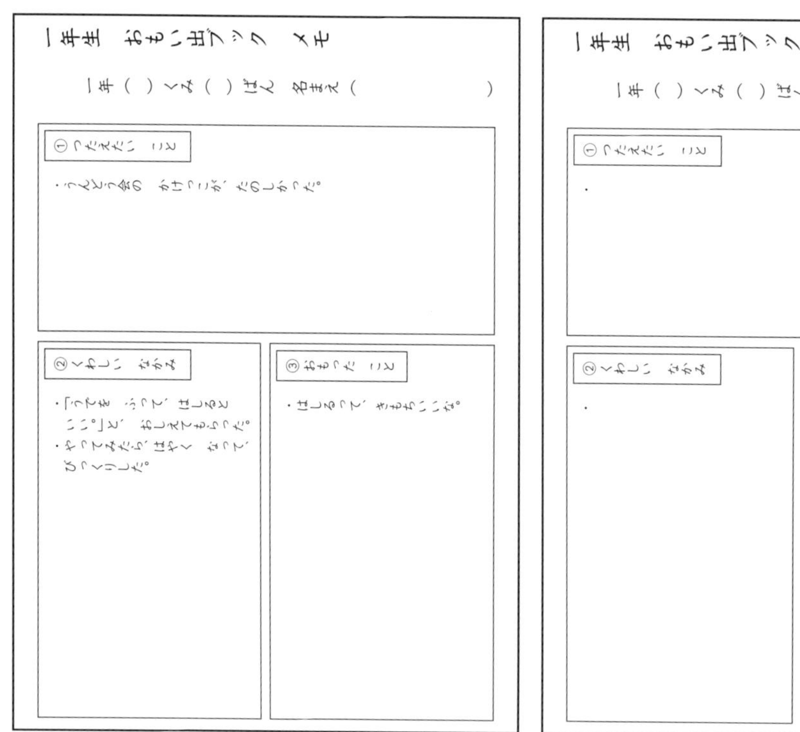


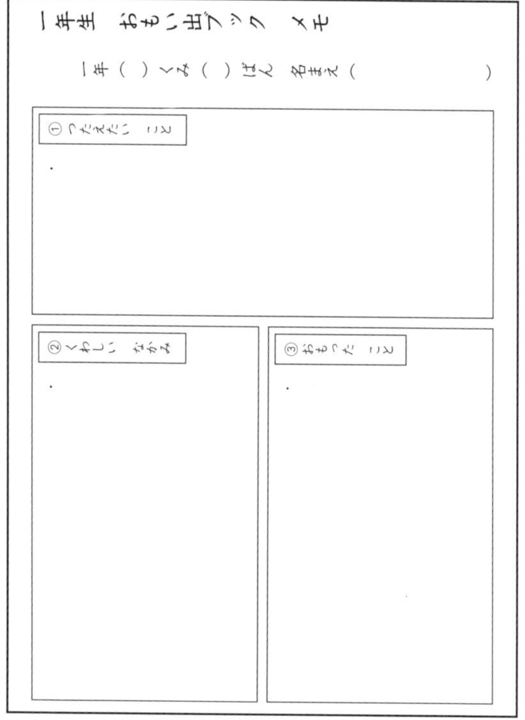

## 3 資料　下書き見本 25-03

うんどう会のかけっこが、たのし
かったです。
○くんに、
「うでをふって、はしるといい。」
と、おしえてもらいました。やって
みたら、はやくなってびっくりしま
した。
はしるって、きもちいいなとおも
いました。

うんどう会のかけっこが、たのし
かったです。○くんに、「うでをふっ
て、はしるといい。」と、おしえても
らいました。やってみたら、はやく
なってびっくりしました。はしるっ
て、きもちいいなとおもいました。

## 4 資料　清書用紙（掲示用）

名まえ

うんどう会の　かけっこが、たのしかったです。
○くんに、
「うでをふって、はしるといい。」
と、おしえてもらいました。やってみたら、はやくなって
びっくりしました。
はしるって、きもちいいなと　おもいました。

（子供用） 25-04

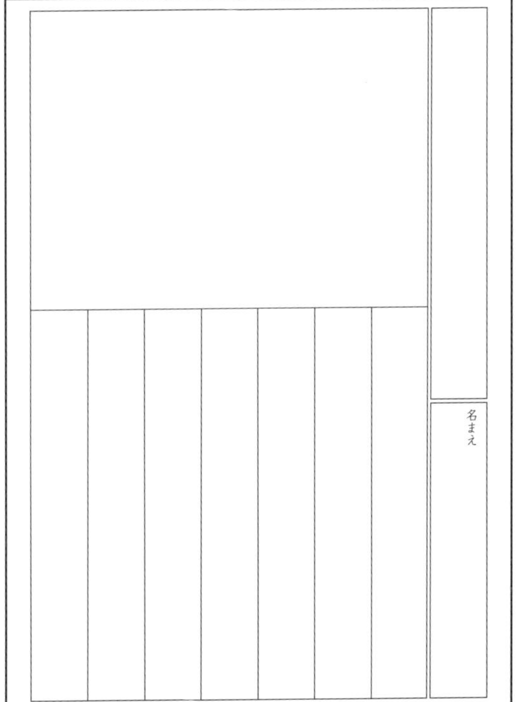

## 監修者・編著者・執筆者紹介

＊所属は令和６年７月現在。

**[監修者]**

中村　和弘（なかむら　かずひろ）　東京学芸大学 教授

**[編著者]**

岡﨑　智子（おかざき　ともこ）　東京都 練馬区立向山小学校主任教諭
山下　美香（やました　みか）　東京学芸大学附属大泉小学校教諭

**[執筆者]**　＊執筆順。

|  |  |  |
|---|---|---|
| 中村　和弘 | （前出） | ●まえがき　●「主体的・対話的で深い学び」を目指す授業づくりのポイント　●「言葉による見方・考え方」を働かせる授業づくりのポイント　●学習評価のポイント　●板書づくりのポイント　● ICT 端末等活用のポイント |
| 福田　淳佑 | （文教大学付属小学校教諭） | ●第１学年の指導内容と身に付けたい国語力　●くじらぐも |
| 小黒　靖子 | （東京都 新宿区立愛日小学校主任教諭） | ●まちがいを　なおそう　●しらせたいな、見せたいな |
| 岡﨑　智子 | （前出） | ●かん字の　はなし　●じどう車くらべ　●じどう車ずかんを　つくろう　●ものの　名まえ　●わらしべちょうじゃ　●ことばあそびを　つくろう |
| 迎　有果 | （筑波大学附属小学校教諭） | ●ことばを　たのしもう　●てがみで　しらせよう |
| 笠原慎太郎 | （東京都 目黒区立原町小学校主幹教諭） | ●かたかなを　かこう　●かたかなの　かたち |
| 山下　美香 | （前出） | ●どんな　おはなしが　できるかな　●日づけと　よう日　●ずうっと、ずっと、大すきだよ |
| 赤堀　貴彦 | （東京都 大田区立都南小学校主幹教諭） | ●たぬきの糸車　●なりきって　よもう |
| 浦田　佳奈 | （東京都 練馬区立光が丘夏の雲小学校教諭） | ●むかしばなしを　よもう　●にて　いる　かん字 |
| 伊藤あゆ美 | （東京都 板橋区立板橋第十小学校主任教諭） | ●くわしく　きこう　●ことばで　あそぼう |
| 菊池　桂子 | （東京都 新宿区立富久小学校主任教諭） | ●どうぶつの　赤ちゃん |
| 梅澤　梓 | （元東京都 中央区立日本橋小学校教諭） | ●これは、なんでしょう　●いい　こと　いっぱい、一年生 |

## 『板書で見る全単元の授業のすべて 国語 小学校1年下～令和6年版教科書対応～』付録資料について

本書の付録資料は、東洋館出版社オンラインショップ内にある「付録コンテンツページ」からダウンロードすることができます。

【付録コンテンツページ】

URL https://toyokan-publishing.jp/download/

**対象書籍の「付録コンテンツ」ボタンをクリック。表示される入力フォームに下記記載のユーザー名、パスワードを入力してください。**

板書で見る全単元の授業のすべて 国語 小学校1年下 ～令和6年版教科書対応～

付録コンテンツ

板書で見る全単元の授業のすべて 国語 小学校2年下 ～令和6年版教科書対応～

付録コンテンツ

＊クリック

ログイン

https://toyokan-publishing.jp

ユーザー名 shokoku_1g

パスワード NxWm8VCf

キャンセル　ログイン

**【使用上の注意点および著作権について】**

- リンク先にはパソコンからアクセスしてください。スマートフォンではファイルが開けないおそれがあります。
- PDFファイルを開くためには、Adobe Readerなどのビューアーがインストールされている必要があります。
- 収録されているファイルは、著作権法によって守られています。
- 著作権法での例外規定を除き、無断で複製することは法律で禁じられています。
- 収録されているファイルは、営利目的であるか否かにかかわらず、第三者への譲渡、貸与、販売、頒布、インターネット上での公開等を禁じます。
- ただし、購入者が学校での授業において、必要枚数を生徒に配付する場合は、この限りではありません。ご使用の際、クレジットの表示や個別の使用許諾申請、使用料のお支払い等の必要はありません。

**【免責事項・お問い合わせについて】**

- ファイル使用で生じた損害、障害、被害、その他いかなる事態についても弊社は一切の責任を負いかねます。
- お問い合わせは、次のメールアドレスでのみ受け付けます。tyk@toyokan.co.jp
- パソコンやアプリケーションソフトの操作方法については、各製造元にお問い合わせください。

**板書で見る全単元の授業のすべて**
**国語 小学校１年下**
**～令和６年版教科書対応～**

2024(令和６)年８月20日　初版第１刷発行

監 修 者：中村　和弘
編 著 者：岡﨑　智子・山下　美香
発 行 者：錦織　圭之介
発 行 所：株式会社東洋館出版社
〒101-0054　東京都千代田区神田錦町２丁目９番１号
コンフォール安田ビル２階
代　　表　電話 03-6778-4343　FAX 03-5281-8091
営 業 部　電話 03-6778-7278　FAX 03-5281-8092
振　　替　00180-7-96823
U　R　L　https://www.toyokan.co.jp

印刷・製本：藤原印刷株式会社

装丁デザイン：小口翔平＋村上佑佳（tobufune）
本文デザイン：藤原印刷株式会社
画像提供：PIXTA
イラスト：株式会社オセロ

ISBN978-4-491-05400-1　　Printed in Japan